Couvrir la fou

HISTOIRES

DISPVTES ET DISCOVRS

DES ILLVSIONS ET IMPOSTVRES
DES DIABLES, DES MAGICIENS INFAMES, SORCIERES.
ET EMPOISONNEVRS:
DES ENSORCELEZ ET DEMONIAQVES
ET DE LA GVERISON D'ICÈVX:
ITEM DE LA PVNITION QVE MERITENT LES MAGICIENS
LES EMPOISONNEVRS ET LES SORCIERES

Le tout compris en six liures.

Par IEAN WIER
Médecin du Duc de Cleues.

DEVX DIALOGVES

TOVCHANT LE POVVOIR DES SORCIERES ET DE LA PVNITION
QV'ELLES MERITENT

Par THOMAS ERASTVS
Profelleur en medecine à Heidelberg.

AVEC DEVX INDICES:
L'VN DES CHAPITRES DES SIX LIVRES DE IEAN WIER
L'AVTRE DES MATIERES NOTABLES CONTENVES EN CE VOLVME

VOLVME II

c Saval

PARIS

Aux bureaux du PROGRÈS A. Delahaye et Lecrosnier
MÉDICAL ÉDITEURS
14, rue des Carmes, 14 Place de l'Ecole de Médecine.

1885

HISTOIRES

DISPVTES ET DISCOVRS

ÉVREUX, IMPRIMERIE D CHARLES HÉRISSEY

BIBLIOTHÈQUE DIABOLIQUE

HISTOIRES
DISPVTES ET DISCOVRS

DES ILLVSIONS ET IMPOSTVRES
DES DIABLES, DES MAGICIENS INFAMES, SORCIERES
ET EMPOISONNEVRS :
DES ENSORCELEZ ET DEMONIAQVES
ET DE LA GVERISON D'ICEVX :
ITEM DE LA PVNITION QVE MERITENT LES MAGICIENS
LES EMPOISONNEVRS ET LES SORCIERES

Le tout compris en fix liures

Par IEAN WIER
Medecin du Duc de Cleues.

DEVX DIALOGVES
TOUCHANT LE POVVOIR DES SORCIERES ET DE LA PVNITION
QV'ELLES MERITENT

Par THOMAS ERASTVS
Profeffeur en medeciue à Heidelberg.

AVEC DEVX INDICES :
L'VN DES CHAPITRES DES SIX LIVRES DE IEAN WIER
L'AVTRE DES MATIERES NOTABLES CONTENVES EN CE VOLVME

Volume II

PARIS

Aux bureaux du PROGRÈS MÉDICAL
14, rue des Carmes, 14

A. Delahaye et Lecrosnier
ÉDITEURS
Place de l'Ecole de Médecine.

1885

INDICE DES CHAPITRES

Contenvs es six liures de l'imposture des diables, &c.

Le premier nombre signifie
le chapitre, le second monstre la page.

LIVRE V

LIVRE VI

ERRATA

Page 164, au lieu de CHAP. XXX, lire CHAP. XXXI.

Page 421, en marge, au lieu de contenance, lire *convenance*.

Page 459, en marge, au lieu de deux sorcières, lisez deux *sortes*.

LE CINQVIEME LIVRE

TRAITANT DE LA GVERISON DE CEVX
QVE LON PENSE ESTRE CHARMEZ
PAR LES SORCIERES OV POSSEDEZ DV DIABLE

En ce liure ont efté aiouftees plufieurs guerisons aprochantes
des charmes diaboliques, à raifon de la femblance qu'elles
ont auec les chofes traitees en ce liure : & auons monftré
que ce que lon dit des liaifons, characteres, anneaux,
colliers, effigies, que lon fait tant pour guerir que pour
bleffer & endommager : pour ouurir les portes fermees, &
cercher les larrons, & faire autres chofes femblables, n'eft
que vanité & menfonge.

CHAPITRE I

Du preferuatif contre la forcelerie & affaut du diable.

E moyen de la guerifon des maux fus
mentionnez fera en partie preferuatif,
qui eft vne maniere de medeciner fort
fouhaitee, par laquelle on peut eftre
preferué de tous charmes, & de tous enchantemens.

IEAN WIER, II.   ɪ

Guerison preseruatiue contre les efforts du diable.

L'autre partie de ce mesme discours sera methodique, & par ce moyen ceux que nous pensons estre ensorcelez, seront legitimement & comme il apartient remis en leur premiere santé. Ceste guerison sera aucunement commune, tiree des S. Escritures : non pas magique ni superstitieuse, telle que plusieurs la desirent & l'ont exercee. Et pour ce que toutes monstrueuses, que nous auons alleguees es liures precedens ne sont autres & ne procedent d'ailleurs que des finesses, pratiques, ouurages & illusions des diables, il est necessaire de nous fortifier & remparer de forts bastions & asseurees defenses, contre vn tel assaillant. Or puis que de sa nature il est esprit, il nous conuient armer d'vne armure spirituelle, laquelle il nous

Ephes. 6.

faut aprendre de la diuine exhortation de S. Paul, & l'embrasser de tout nostre pouuoir. Iceluy nous admoneste ainsi : Mes freres, fortifiez vous au Seigneur & en la puissance de sa force : soyez vestus de toutes les armes de Dieu, afin que puissiez resister aux embusches du diable. Car nous n'auons point la luiste contre le sang & la chair, mais contre les principautez, contre les puissances, contre les seigneurs du monde, gouuerneurs des tenebres de ce siecle, contre les malices spirituelles qui sont es lieux celestes. Parquoy prenez toutes les armes de Dieu, afin que puissiez resister au mauuais iour, & ayans tout surmonté, de-

Armure de Dieu.
1. Thess. 5.

mourer fermes. Soyez donques fermes ayans voz reins ceincts de verité & estans vestus du hallecret de Iustice : ayans les pieds chauffez de la preparation de l'Euangile de paix : prenans sur tout le bouclier de foy, par lequel vous puissiez esteindre tous les dards enflammez du malin. Prenez aussi le heaume de salut

Le glaive de l'esprit.

& le glaiue de l'esprit qui est la parole de Dieu, prians

en toute forte de prieres & requefte en tout temps, en
efprit, & veillans à cela auec toute perfeuerance &
requefte pour tous les fainéts. S. Pierre auffi nous
admonefte fidelement, difant : Soyez fobres & veillez,
dautant que voftre aduerfaire le diable chemine
comme vn lion bruyant à l'entour de vous, cerchant
qui il pourra engloutir : auquel il vous faut refifter
eftans fermes en la foy, fachans que les mefmes fou-
frances s'acompliffent en la compagnie de vos freres
qui eft au monde. Car auffi ce mefchant s'adreffe &
befongne es incredules. La falutaire exhortation de
Tertullian conuiendra bien en ceft endroit, lequel
veut que nous combations contre les affauts des tentations, ainfi que Iob le fort champion de Dieu : il veut
auffi que nous foyons veftus de la foye de probité, de
la pourpre de pudicité, & du manteau de patience. Il
nous confeille en outre de penfer & croire que tout ce
que le diable machine pour renuerfer noftre integrité,
tournera à la gloire de celuy qui demeurera conftant,
& que telles machinations luy font permifes de Dieu,
afin d'experimenter de quelle conftance nous voulons
fupporter les euenems contraires. Comme nous lifons
en Ieremie le Prophete, que le Dieu des armees eft
celuy qui efprouue.

S. Maxime nous commande, au liure de la charité,
de refifter & faire mourir les diables. Il dit la re-
fiftance eftre certainement executee de par nous, lors
qu'auec l'obferuation des commandemens de Dieu,
nous pouuons vaincre les afeétions bouillantes qui
font en nous. Mais nous les faifons mourir lors que
n'ayans aucune afeétion nous leur oftons toute occafion de calomnie, & difons auec le prophete : Va
homicide, le Seigneur, le fort guerrier eft auec moy,

1. Pier 5.

tu tomberas, & feras confondu dedans moy pour tout
iamais.

OLYMPIODORE en l'interpretation de l'Ecclef. chapitre
dixieme, eſt d'opinion qu'il faut fermer les paſſages
de tous nos fens : tellement que le diable ne puiſſe
entrer par les attraits des yeux, ni par le demange-
ment des oreilles, ni par la mauuaiſté de la langue
mal parlante : car ces choſes ſont tres exceſlentes contre les diables. Quelques vns admoneſtent qu'il faut
marcher en ceſte bataille auec deux armes, ſauoir eſt
la ſainĉte priere, qui eſſeue nos afeĉtions au ciel, & la
vraye ſcience, qui communique les ſalutaires penſees
à l'intelligence, & luy enſeigne ce qu'il faut prier,
afin que nous prions d'vne ardente afeĉtion ſans
douter. S. Antoine muniſſant ſes freres alencontre
des aſſauts que leur liuroyent les malins eſprits : La
vraye foy enuers Dieu, & la ſainĉte vie, ſont fortes
armes contre le diable. Treſchers freres, diſoit-il,
croyez moy qui en ay fait l'experience. Satan craint
les veilles, prieres, iuſnes, la debonaireté la volontaire pauureté, le meſpris de vaine gloire, l'humilité,
la charité, la patience des gens de bien, & principalement leur pure amour enuers Ieſus Chriſt. Ce treſ-
dangereux ſerpent ſait bien que ſuiuant la ſentence
du Seigneur il giſt briſé ſous les pieds des Iuſtes aufquels il eſt dit, Voici ie vous ay donné puiſſance de
ſouler aux pieds les ſerpens & ſcorpions & toute vertu
de l'ennemy. En ce qui eſt adiouſté puis apres, il
inſtruit amplement & doĉtement les ſiens contre toutes illuſions & tentations des diables. Hermes Triſ-
megiſte a fort bien dit, que la pieté eſt la ſeule & vnique
defenſe & ſauuegarde des hommes contre la cautelle
du diable. Car ni le malin eſprit ni la mort meſme

n'ont pouuoir fur celuy qui eft deuotieux & entier
enuers Dieu. Et comme la vraye foy fait es croyans
des chofes efmerueillables contre le diable & fa puiffance : auffi la fauffe croyance engendre, ou pluftoft
merite quelquesfois des chofes mal-encontreufes, depuis que la permiffion de Dieu, & la cooperation du
diable y interuiennent. Nous dirons doncques en
ferme affeurance auec Dauid : Le Seigneur eft celuy
qui m'aide, ie ne craindray point ce que l'homme me
voudra faire.

Il faut donc premierement & fur toute chofe qu'eftans endoctrinez en la vraye & fyncere doctrine de
Dieu nous nous fubmettions en tout & par tout à fa
volonté, que nous penfions par vne viue foy qu'il a
foin de nous, que nous fommes affeurez fous fa garde,
que nous auons efté nais premierement par fa grace,
& que nous fommes fauuez par fa finguliere mifericorde : car en cela gift le principal poinct. Item il
faut que nous croyons affeurément que Iefus Chrift
nous a efté enuoyé, & qu'il nous a efté donné fils de
Dieu, qu'il a porté nos pechez fur foy en la croix : que
par la puiffance du pere il eft reffufcité, il a vaincu
la mort, & a demoly l'empire de Satan : tellement
que toutes entreprifes eftans ainfi demolies, il machine
& dreffe en vain fes embufches contre nous, fi eftans
enfeuelis auec Iefus Chrift par le baptefme en fa
mort, & morts à pechez, nous cheminons en nou-
ueauté de vie & viuons à iuftice. Car fi eftans entez
en Iefus Chrift, nous croyons en luy & en fon Pere,
fi nous obferuons fes commandemens, fi nous le
fuyuons, fi nous renonçons au diable, à tous fes confeils, bref à toutes fes impietez : fi nous nous fuyuons
les œuures de l'efprit portans les fruicts de la foy en

Lactance
de
l'origine d'erreur
lin 2 chap. 16.

Pfal. 117.

charité non feincte enuers Dieu & noftre prochain, en
bonté, benignité, patience, attrempance, conftance,
chafteté, refrenement de nos fens, & en fupportant
conftamment toutes aduerfitez, pertes & iniures: en
innocence de vie, eftans affidus en oraifons & ayans
les mains pures, ioinctes & leuees en haut: bref, fi
nous nous deftournons de toute fouilleure de pechez,
comme des vapeurs d'vn malicieux & mortel venin,
lequel nous mettroit la mort au deuant des yeux:
il n'y a point de doute que nous euiterons & ne tiendrons conte, ou fuporterons facilement toutes les
menaces des forciers & forcieres. Mais fi quelqu'vn a

1. Iean 1.

peché, comme dit Sainct Iean, nous auons vn aduocat
enuers le Pere, fçauoir eft Iefus Chrift le iufte. Car
c'eft luy qui eft l'apoinctement pour nos pechez, &
non feulement pour les noftres, mais auffi pour ceux
de tout le monde. Et par cela nous fçauons que nous
l'auons connu, à fçauoir fi nous gardons fes commandemens. Qui dit, ie l'ay connu, & ne garde
point fes commandements, il eft menteur, & verité
n'eft point en luy : mais qui garde fa parole, l'amour
de Dieu eft vrayement acomplie en iceluy: nous
fçauons par cela que nous fommes en luy. Qui dit
qu'il demeure en luy, doit cheminer comme iceluy.
Celuy qui commet peché eft du diable : car le diable
a peché dès le commencement. En cela diferent les
enfans de Dieu, d'auec les enfans du diable. Tout
homme qui ne fait iuftice n'eft point de Dieu ni auffi
celui qui n'aime point fon frere. De là S. Paul dit

Galat. 5. 6.
1. Cor. 7.

que la circoncifion ne le prepuce ne feruent de rien en
Iefus Chrift : mais que c'eft la foy ouurante par charité, au lieu de laquelle foy il met la nouuelle creature,
au chapitre fuyuant aux Galates, & en l'Epiftre aux

Cor. il adioufte l'obferuation des commandemens de Dieu.

Il appert affez de quelle foy ie parle maintenant, laquelle il faut embraffer, & à quoy il fe faut arrefter fermement. Ie ne propose point vne fimple hiftoire de l'ordonnance prefcrite de la foy, laquelle le diable mefme prononceroit facilement : & moins parle-ie de celle que quelques vns & tant fouuent ont en leur bouche pendant que leur cœur eft loin de Chrift, laquelle demeure cachee, endormie, morte & fterile, *La vraye foy.* ne porte iamais fruits non plus qu'vn arbre mort qu'il faut couper & ietter au feu : mais ie parle de celle, qui renouuelle l'homme en tout & par tout, laquelle par viue vertu fe manifefte és membres de Chrift, & y fructifie : qui par la puiffance de Dieu eft de grande efficace en celuy qui l'a pour fon falut, qui eft l'anchre facree de noftre fauuement, qui eft la prouë & la pouppe, la pierre immobile contre toutes les tempeftes & les efforts de Satan, fur laquelle toute chofe qui eft baftie, dure fans eftre violee ou gaftee : & contre laquelle mefmes les portes d'enfer ne peuuent preualoir , & n'ont aucune puiffance.

Escovrons ici le confeil de fainct Auguftin ; Ceux *Lin. 18. c. 18. de la cité de Dieu.* qui liront cecy, dit-il, atendront parauanture ce que nous dirons de toute cefte tromperie des diables : & ce qu'il nous femble que les Chreftiens doyuent faire, lors qu'on leur raconte les miracles que lon dit eftre faits par les idoles des Gentils. Mais que dirons nous *Ierem. 51.* finon qu'il nous fautfuir du milieu de Babylone ? Car ce precepte prophetique s'entend fpirituellement & en la façon que nous fuyons de la cité de ce monde, qui eft certainement vne focieté des hommes & des anges malins ie dis que nous-nous enfuyons par le pas de la foy ouurant par charité, & qu'ainſi nous proufitions es choſes qui concernent le Dieu viuant. Car tant plus nous voyons la puiſſance des diables plus grande en ces choſes terreſtres, tant plus nous-nous deuons arreſter & ficher en contemplations, leſquelles nous facent laiſſer ces choſes contemptibles pour monter en haut aux celeſtes. Item au liure de l'vtilité de croire, chapitre vingt & deuxieme, Les ſeruiteurs de Dieu chaſſent l'ennemi qui a ſa puiſſance en l'air, & contraire à pieté, en l'exorciſant, & non en l'apaiſant : ils ſurmontent toutes ſes tentations & embuſches par prieres adreſſees, non pas à luy, mais à Dieu contre luy. Car il ne ſubiugue perſonne que par alliance de peché. Ainſi donc il eſt ſurmonté au nom de celuy qui s'eſt fait homme, qui a veſcu ſans peché, afin qu'en luy ſacrificateur & ſacrifice s'obtinſt remiſſion des pechez : iceluy eſt mediateur de Dieu & des hommes Ieſus Chriſt homme, lequel ayant fait la purgation de nos pechez nous reconcilie à Dieu. S. Cyprian dit eſcriuant à Fortunat, au liure de l'exhortation au martyre : Noſtre aduerſaire, eſt vieil, & l'ennemi à qui nous auons à faire la guerre, eſt ancien. Il y a preſque ſix mille ans que le diable a commencé à combatre l'homme. L'vſage & l'experience acquiſe par vne longueur de temps luy ont apris les cauillations & embuſches pour faire trebuſcher l'homme. S'il rencontre le gendarme de Chriſt à l'impourveu, s'il le rencontre encores aprenti & non ſoudain & vigilant de tout le cœur, il le ſurprendra, il le trompera lors qu'il n'y penſera pas & qu'il ne s'en donnera garde, & le deceura s'il le rencontre mal apris & mal exercé. Mais ſi quelqu'vn gardant les commandemens de Dieu, & s'aioignant fermement à

Iefus Chrift, luy fait tefte, il n'y a doute qu'il ne foit
vaincu : car Iefus Chrift qu'il confeffe eft inuincible.
Ansbert au cinquieme liure fur l'Apocalypfe chapitre
vnzieme, enfeigne chreftiennement comme il faut
refifter au diable, Si nous voulons, dit-il, fauoir
quelles armes a l'Eglife, & quelle guerre elle fait à la
befte : ce font foy & innocence. Car les agneaux guer-
royans contre les loups fe feruent d'vn glaiue à deux
trenchans, afauoir des deux teftamens, & des deux
preceptes de charité : & en oyant publier le menfonge
ils prefchent la verité : eftans tourmentez ils fe
monftrent fideles, qui fait que la victoire leur demeure en la mort mefme. S. Bernard dit auffi, au
fermon fur le Pfeaume quinzieme, & au fermon de
S. André : Veux-tu n'auoir point peur d'vn monftre
fi efpouuantable, veux-tu, eftant mort, marcher en
feureté fur ceft afpic? garde de cheminer maintenant
apres luy, & tu n'auras occafion de le craindre pour
l'auenir.

Tovs ceux qui d'vne affeurance ferme s'apuyeront
fur ce fondement, tant s'en faut qu'ils puiffent eftre
deftournez de la vraye fiance qu'ils ont au Dieu viuant,
par aucune cauillation & aftuce du diable, qu'au contraire de iour en iour eftans ainfi affaillis, exercitez &
efprouuez comme l'or en la fournaife, par fes efforts
& affauts ils deuiendront de iour en iour plus faints
& plus iuftes. Parquoy S. Antoine a acouftumé en
fes affiduels combats qu'il a contre le Diable, de luy
reprocher fon imbecillité, & peu de puiffance qu'il a
contre ceux que la grace de Dieu, n'a point aban-
donnez. S. Pierre auffi comme efcrit fainct Clement,
tefmoigne que les diables ont peur de ceux qui
croyent fermement en la foy Chreftienne. Item le

Liu. 4.
des reco.
Les
diables
craignent ceux
qui croyent
fermement.

mefme Clement efcrit, que à ceux qui languiffent en
la vaine folie de telles penfees, par le iugement de
Dieu, font afligez & trauaillez pour eftre gueris. Puis
il dit apres, que le diable n'a point de puiffance deffus
l'homme telle qu'il faut pour le vaincre, fi l'homme
ne fe fubmet de fa propre volonté à enfuyure fon
vouloir. Il faut donques par amendement de vie &

Matt. 15.   par affiduelle & ardente oraifon auoir recours vers
Iefus Chrift, à l'exemple de la Chananee, laquelle,
comme Chryfoftome dit, n'eut point recours aux deuins, elle ne cercha point les liaifons, ni les femmes
coulpables d'auoir laiffé la foy : mais delaiffant toutes telles diaboliques tentations, elle s'adreffa à Iefus.
Car fi nous voulons que Dieu change fa fentence, il
faut que nous changions noftre mauuaife vie en meilleure. Iefus Sirach dit fort bien fur ce propos, Con-

Chap. 17.   uerti-toy au Seigneur, dit-il, & laiffe tes pechez :
prie deuant la face du Seigneur & diminue tes fautes.
Retourne-toy vers le Seigneur, & t'efloigne de ton
iniuftice. Hais en tout & par tout l'execration, &
conois les iuftices & les iugemens de Dieu, & tien-
toy arrefté en l'oraifon de Dieu treshaut. Tu ne de-
meureras point en l'erreur des mefchans. Iofaphat
roy de Iuda confeille non moins fainctement que

1. Par. 20.   prudemment pour l'afliction receuë des ennemis, lors
que nous ne fauons ce que nous deuons faire : cecy,
dit-il, nous refte fans plus d'efleuer les yeux vers toy
Seigneur Dieu. Auffi le nonante & vnieme Pfeau. de
Dauid doit eftre pratiqué en tel afaire.

> Qui en la garde du haut Dieu
> Pour iamais fe retire
> En ombre bonne & en fort lieu
> Retiré fe peut dire.

Conclu donc en l'entendemen,
Dieu eſt ma garde ſeure,
Ma haute tour & fondement
Sur lequel ie m'aſſeure.
  Car du ſubtil laqs des chaſſeurs,
Et de toute l'outrance
Des peſtiferes oppreſſeurs
Te donra deliurance :
De ſes plumes te couurira,
Seur ſeras ſous ſon aiſlé :
Sa defenſe te ſeruira
De targe & de rondelle.
  Si que de nuiſt ne craindras point
Choſe qui eſpouuante,
Ni dard ni ſagette qui poinſt
De iour en l'air volante.
N'aucune peſte cheminant
Lors qu'en tenebres ſommes,
Ni mal ſoudain exterminant
En plein midy les hommes. &c.

I'ADIOVSTERAY encore à ceſte gueriſon preſeruatiue vn ſalutaire conſeil contre les machinations du diable, lequel ie tanſcriray des liures de S. Chryſoſtome. Noſtre ſalut, nos richeſſes ſpirituelles, noſtre aſſeurance conſiſtent en ce que nous ſoyons fortifiez tous les iours par ouye & lecture de la parole de Dieu. Car par ce moyen nous pourrons deuenir inuincibles, eſcorner toutes les fineſſes du malin, paruenir au royaume celeſte, & obtenir la grace & miſericorde de noſtre Seigneur Ieſus Chriſt. Item, tout ainſi que perſonne de vous ne voudroit aller au marché ſans chauſſures & veſtemens, auſſi gardez-vous d'y aller ſans parole de Dieu. Et alors que vous eſtes preſts de ſortir le ſueil de la porte, dites en vous meſmes, Ie te renonce, Satan, & ie me ioin auec toy, Ieſus Chriſt. Ne ſortez iamais ſans ceſte parole, car elle vous ſeruira de baſton pour vous ſouſtenir : elle vous ſeruira d'ar-

En
l'hom. 11.
ſur
le 2. de Gene,c.

Homil. 21.
de
l'ornement
des femmes.

mure & d'vne tour imprenable. En difant cela, faites
la croix en voftre front, & par ce moyen ni homme
ni diable ne vous pourra nuire en chemin vous aperceuant en chafque endroit armé de telles armes. Ap-
prenez auffi cecy à vous-mefmes que lors que vous
aurez pris ce figne, vous eftes vn gendarme preparé,
& en plantant le trophee contre le diable, prenez la
couronne de Iuftice, laquelle ie prie noftre Seigneur
Iefus Chrift, qu'il luy plaife par fa benignité & grace,
que nous la puiffions acquerir : auquel & par lequel foit
gloire au Pere puiffant, & honneur au fainct Efprit,
maintenant, à toufiours, & au fiecle des fiecles.

CHAPITRE II

*La maniere par laquelle le peuple eft quelques fois
feduit par les pafteurs en la guerifon de la forcellerie.*

*Quelques pafteurs
Eeclefiaftiques
magiciens.*

r les pafteurs des Églifes baftiffoyent de
droite ligne fur ce fondement, & s'ils
eftoupoyent toutes les feneftres des fauffes doctrines & impietez, certainement
ils auroyent vn falutaire preferuatif pour ceux dont
ils ont la charge, contre les pratiques, cautelles &
impoftures du diable : par lefquelles les moins auifez

ne feroyent fi fouuent enlaffez comme nous les
voyons ordinairement, à la grande perte & detriment
des ames. Ce qui auient non feulement par nonchalance des preftres aufquels l'afaire touche de pres, &
qui ont charge d'y prendre garde : mais auffi par
leur pourfuite, confeil, peruerfe doctrine, & trompeufe operation, par laquelle ils allechent & attirent
incontinent le fimple peuple à auoir recours aux
illicites remedes, toutefois et quantes qu'il eft afligé
par foudaines maladies, longues, conuës, & inconuës,
procedantes des caufes naturelles, ou de celles qui
font par deffus la nature. Mefmes ils n'ont point de
honte de fe vanter quelquesfois qu'ils peuuent les
guerir : voire de leur vendre telle guerifon, encores
qu'ils foyent gens ineptes, rudes & ignorans de la
fainte medecine, qu'ils ne fceurent iamais & neantmoins fe vantent de l'entendre : tellement que
mettans vn tel bouchon à la porte, ils couurent,
comme d'vn fort beau manteau, leurs actes frauduleux & trompeurs (ie parle feulement des mauuais,
non des gens de bien, de bonne vie & craignans
Dieu) ce qui tourne à grand fcandale, attendu qu'ils
font profeffion d'eftre gens d'eglife, & font ordinairement preftres ou moynes, defquels on penfe eftre vne
grande mefchanceté que d'en auoir feulement eu
vne mauuaife opinion : attendu qu'ils doiuent feruir
d'exemple à leur troupeau, & qu'ils font docteurs.

Mais parauenture que ces magiciens eftiment que
ceft art leur apartient comme per vne prerogatiue, &
comme y ayans droit par fucceffion hereditaire :
pour autant que les preftres d'Egypte, defquels
Pythagoras, Empedocle, Democrite, & Platon ont
apris la magie, efcriuoyent les moyens & remedes

par lefquels vn chacun auoit efté gueri, & les met-
toyent en referue dedans l'Hephefte de Menphis &
dans le fanctuaire de Vulcain & d'Ifis : comme les
preftres des Grecs, les premiers en la connoiffance de
la magie, gardoyent en Pergame leurs obferuations
au lieu plus fecret des temples d'Apollon & d'Aefculape, lefquelles comme eftans enfeignees par vn
oracle d'Aefculape, ils communiquoyent aux malades
qui auoyent acouftumé de les receuoir d'eux, auec
vne grande fiance. Nous auons le fainct auis d'Hippocrate fur l'impudence de telles gens : encores que
de religion il fuft Ethnique, par lequel il les reprend
& accufe d'impieté, non feulement par raifons fub-
tiles & fortes, mais auffi fainctes & accordantes à la
volonté de Dieu : Ceux qui fe vantent, dit-il, de
chaffer les maladies par diuines purgations & par
enchantemens magiques, font foufreteux, & raportent leurs paroles aux efprits, afin que le vulgaire
penfe qu'ils fçauent quelque chofe dauantage que les
autres, & que par ce moyen ils deçoiuent les hommes.
Ils exorcifent auffi les malades fouillez de fang & de
mesfaicts iniuftes & empoifonez, & cachent deffous
la terre aucuns de leurs charmes ils en iettent quelques vns en la mer, & portent les autres deffus les
montagnes, de peur que lon n'y touche. Mais Dieu,
dit-il, eft notre deliurance, & celuy qui purge les
grands & enormes pechez.

On ne penfe-ie pas que ceux qui voudroyent defendre ces preftres & l'vfage des enchantemens,
fuffent fi ofez que de m'obiecter plufieurs Papes de
Rome fçauans en la magie infame, difant qu'ils l'ont
exercee à leur grand proufit & foulagement : comme
Sylueftre fecond, lequel, ce difent Platine & Nau-

Gal. liu. 5.
de
la compofition
des medicamens
en general,
& fur
le liure 6.
des epidi.
Herodol. lib. 1.

Au
liure
du haut mal.

Plufieurs
Papes de Rome
magiciens
infames.

clere, occupa la Papauté par ce moyen : comme
aussi fit Benoist neufieme, l'an mil trente & deux,
lequel auparauant estoit nommé Theophylacte, &
depuis Maudit, à raison de ses messaits : tels aussi
que furent Iean xx & Iean xxi, comme escrit le
Cardinal Benno, lesquels s'aiderent familierement
des Cardinaux Laurent, Iean, Gratian & Hildebrand
tous coulpables de ces enchantemens. Car tous les
Papes qui furent depuis Syluestre second iusques à
Gregoire septieme, lequel fut grand & insigne magicien, & qui comme Benno escrit, toutes les fois que
bon luy sembloit, tellement remuuoit ses manches,
que d'icelles il en sortoit comme des estincelles de feu,
dont il trompoit les yeux des simples & moins rusez,
comme si ce fussent esté miracles & signes de sa
saincteté : tous ces Papes, di-ie, furent enchanteurs,
ainsi qu'il est escrit en leurs vies, où on lit plusieurs
exemples execrables, de ce qu'ils attiroyent les femmes
à leur amour, & s'estoyent adonnez à faire sacrifices
aux diables dedans les forests & montagnes, ce que
i'ay mieux aimé taire, de crainte que lon ne pensast
que par desir de reprendre i'eusse raconté les meschancetez & sorcelleries de ces hommes, assis en si
haut degré d'honneur. Car encore que quelques vns
ayent esté tels, comme aussi entre les Euesques Albert
de Breme, Guillaume de Roschild, & Velstaue de
Vigorne, il n'y a toutesfois point de doute que la
plus part n'ayant esté innocens de tels actes & arts
magiques. Il ne faut donc point que les magiciens
de nostre temps se pensent couurir de ce manteau, &
prendre ce pretexte.

Novs deuons toutesfois deplorer ce qu'à grand'peine
trouuerons-nous aucunes personnes plus meschantes

& moins punies que la plus part de ceux qui iamais
n'a moneſtent les ſimples (qui ſe conſeillent à eux en
leur calamité ou de corps ou d'eſprit, en pertes de
biens, ou en quelque autre aduerſité) que telles choſes
leur ſont enuoyees par la permiſſion de Dieu, afin
qu'ils ſoyent eſprouuez comme l'or par le feu. Et que
pour ceſte cauſe il faut qu'ils ayent recours à vn ſeul
& vnique defenſeur des afligez, qui eſt Dieu, & cercher deuëment les remedes diuins, inſtituez par vn
ordre iuſte, pour nous ſeruir en noſtre neceſſité. Mais
au contraire ils ouurent le chemin à l'impieté & incredulité, raportans tout ce qu'il y de mal, impudemment & malicieuſement, à la ſorcelerie, qu'ils diront
auoir eſté faite par quelque honneſte matrone voiſine.
Et ainſi ils enbailleront quelques marques, qu'eux
meſmes inuenteront, par leſquelles ils feront ſemblant
que lon pourra conoiſtre celle qui aura fait ce mal.
Ceſte ſemence d'extreme inimitié, eſt ſouuentesfois de
longue duree entre les prochains & alliez ſi que non
ſeulement tout vn voiſinage, qui parauant viuoit pai-
ſiblement, eſt troublé de grandes diſſenſions & de
meurtres par le moyen de ceſte damnable meſchanceté: mais auſſi les alliances faites en pluſieurs villes
& bourgades, & confermees par les communications
& ſocietez des anciens peres ſont rompues, & pluſieurs marques de calomnies demeurent en quelques
races pour vn long temps. I'ay conu vn preſtre de
ceſte ſecte, lequel ne fut point honteux d'afermer impudemment, comme il entroit en vne petite ville en
laquelle ie demeure, & qu'autrement il ne conoiſſoit, qu'en icelle il y auoit trois cens ſorcieres. I'ay
preſque honte de mettre en auant ce nombre certain.

Or comme par ce moyen le regne de Chriſt acroit

& est confermé, ainsi est fait grand outrage à Iesus
Christ, & son Eglise est cruellement blessee par ceux,
à la poursuite desquels, il seroit plus decent qu'elle
fust guerie, si d'auenture elle estoit blessee & offensee.

Sainct Paul prophetise manifestement en sa premiere epistre à Timothee, & monstre quasi au doigt
la menee de telles gens, quand il dit: Or l'esprit dit
notamment qu'es derniers temps aucuns se reuol-
teront de la foy, s'amusans aux esprits abuseurs & aux
doctrines des diables, enseignans mensonges en hypo-
crisie, estans cauterisez en leurs propres consciences,
defendans de se marier, commandans de s'abstenir des
viandes que Dieu a creees pour en vser auec action de
grace, aux fideles & à ceux qui ont conu la verité.
Sainct Basile doncques a fort bien escrit: Celuy qui
escoute vn enchanteur, dit-il, & qui luy obtempere,
quelque necessité qu'il en ait, encores que par parole
il die auoir fiance en Dieu : si est-ce qu'il prend conseil & cerche aide aux choses folles & vaines, dautant
que Dieu est le vray secours du iuste. Tels vilains
malheureux sont aussi flestris en vne epistre enuoyee
par Beelzebud aux prelats & gouuerneurs des Eglises,
contenue en vn ancien auteur qui a escrit des tribu-
lations & signes de la ruine de l'Eglise, où il a mis
pour preface deux traitez, en la seconde partie desquels, chapitre onzieme, sur la fin ceste epistre est
adioustee, comme s'ensuit. Beelzebub prince des diables, capitaine des tenebres, auec ses satellites, &
toutes les puissances d'enfer, aux Archeuesques, Euesques, Abbez, Preuosts, Prestres & autres gouuerneurs
des Eglises, nos treschers amis, salut infernal, maintenant & à iamais, alliance & societé inuiolable &
qui ne se puisse iamais dissoudre. Treschers amis,

Iean Wier, II.

nous auons grand'fiance en voftre amitié, & fommes
fort contens ne vous, car vous eftes de bon accord
auec nous, & auez grand foin de ce qui nous attouche,
entretenant & conferuant en tous lieux tout ce que
vous conoiffez eftre de noftre iurifdiction. Sachez donc
que toute noftre affemblee vous tient au rang de fes
plus intimes & feaux, & vous remercions grandement
de vos bons offices, pour ce que par voftre feruice,
par voftre vie, & par voftre nonchalance de faire
l'œuure de Dieu entre les peuples, infinies multitudes
d'ames deftournees du chemin de verité, & aban-
donnees en proye, font amenees iournellement en ces
prifons : au moyen de quoy la puiffance de noftre
royaume s'acroift merueilleufement. Perfeuerez donc,
comme feaux & intimes, en noftre amitié, felon
l'œuure que auez commencé & que pourfuyuez : &
fachez pour certain que nous-nous apreftons pour
vous retribuer à chacun de vous, pour tant de bons
feruices, condigne retribution & conuenable loyer au
fond d'enfer. Portez-vous bien, & l'heur dont nous
fommes participans demeure eternellement auec vous.

CHAPITRE III.

*Par quels moyens les magiciens Ecclefiaftiques ont
acouftumé de feduire en la guerifon des Demoniaques.*

 VTRE c'efte menfongere perfuafion, par
laquelle ces forciers trompent le vulgaire trop facile à croire : afin qu'eftans
afnes, ignorans & mefchans, ils facent
monftre en ce theatre d'ignorance, comme s'ils fca-
uoyent quelque chofe dauantage & outre la cognoif-
fance qu'ont les hommes doctes: ils font profeffion
que par leurs exorcifmes & blafphemes cueillis çà &
là ils contraignent l'vnique auteur de menfonge, & le
font comparoiftre en vn miroir, ou en vn vaiffeau
plein d'eau en la femblance de celuy qui eft cause de
la forcellerie, pour defcouurir la verité du fait, ne
plus ne moins que fi c'eftoit vn tefmoin non repro-
chable. Dauantage ces malheureux, reprouuez en
leur fens, qui feront quelquesfois punis comme Iannes
& Mambres, s'ils ne fe repentent de bonne heure,
ofent bien en la guerifon de ces hommes miferables,
vfer d'vne infinité de blafphemes enrichis de plufieurs
croix, lefquelles ils figurent de leur main malheureufe & facrilege.

L'EAV benite, outre la premiere beniffon que Dieu
luy donna, afpergee ou donnee à boire, à grande efficace en ceci : auffi a le fel exorcizé, vne partie du

cierge de Pafques, confacré par mefme moyen, ou bien l'encens d'iceluy. Les chandelles & cierges de la chandeleur, eftans allumez contre le diable qui les craint (penfezque voire.) Les fulmigations des rameaux benits au iour de Pafques fleuries. Item des herbes pendues deuant la porte au iour de S. Iean Baptifte ou afpergees d'eau benite au iour de la fefte de l'Affumption de la vierge Marie, par vne beniffon folennelle, felon l'ancienne couftume, & par vne vertu celefte beaucoup plus grande contre la puiffance du diable, qu'elle n'eftoit au premier iour de leur creation. Item par ie ne fay quels autres monftres de diuerfes religions, par lefquels ils penfent faire efmerueiller & eftonner les moins auifez.

Traitté de la fuperft nom. 8. 9. & 14. A ce propos Martin d'Arles profeffeur en theologie efcrit: Plufieurs, dit-il, font de cefte opinion que lors que lon fonne les cloches au iour de S. Iean, ou de la veille de fainéte Agathe, non feulement les efprits malins font chaffez, mais auffi les forcieres: fi bien que elles ne peuuent eftre portees ni ça ni là, ni mefmes nuire à aucun. Il efcrit encores au mefme traiété: Ceux-la font impofteurs, deuins & necromanciers, vers qui le peuple fot & ignorant court ordinairement pour fauoir les chofes futures, & pour recouurer ce qu'ils ont perdu. Par lefquelles, ainfi qu'on dit, il fe fait des aparitions de diables dedans des verres ou des anneaux, où il comparoiffent eftans iuoquez tant pour predire les chofes futures, que pour manifefter les chofes perdues. Mefmes, comme il dit, ces deuins tafchent toufiours de mefler les chofes facrees parmi les fuperftions, ainfi que teftifieront les fimples & idiots, qui ont recours à eux: car les malheureux ofent bien malencontreufement

celebrer le facrifice de l'euchariftie le mefme iour
qu'ils n'ont point de honte de commettre telles mefchancetez. Ce que maiftre Iean Nider monftre en fon
Preceptoire, difant : les forciers veulent que les inftrumens de leur malice foyent couuerts par les facremens de l'Eglise, ou par autres chofes diuines: comme
quand ils font paffer le fil par dedans le fainct chrefme,
quand ils mettent pour quelque temps vne image de
terre deffous l'enceinte de l'autel, & quand ils font telles
& femblables chofes. Car mefmes ils abufent, comme
on dit, en leurs forcelleries du facrement de l'euchariftie, & font plufieurs telles chofes, meflans toufiours
des chofes fainctes parmi leurs fuperftitions. Mais
tout cela fe fait par l'inftinct du diable & pour trois
raifons comme recite le mefme docteur. Premierement
à celle fin que non feulement les hommes par telles
occafions foyent faits pariures, mais auffi facrileges,
en contaminant entant qu'en eux eft les chofes diuines
pour toufiours offenfer leur createur, fouiller auffi
leurs propres ames, & en faire tomber en peché le
plus qu'ils peuuent. Secondement, afin que Dieu,
eftant offenfé, donne, felon la fentence de fainct Auguftin, plus grande puiffance au diable contre les hommes
mefchans, ce qu'il ne voudroit & luy refuferoit s'il
eftoit apaifé. Tiercement, afin qu'il deçoyue plus
facilement plufieurs fimples perfonnes allechez par
vne aparence de bien, lesquels touchez par ces chofes
fainctes & par oraifon ont opinion d'auoir obtenu de
Dieu quelque grand bien au lieu qu'ils l'ont grandement offenfé. Voila ce qu'il efcrit. Mais es autres fuperftitions commifes par ces ruftiques, encores que les
diables n'y foyent inuoquez expreffément, ils fe mettent toutesfois parmi les actes fuperftitieux, à celle fin

2. queſt. 8.

qu'ils deçoyuent l'eſprit des hommes. Ce theologien
a eſcrit ce que deſſus. Les Eueſques ſont priſonniers
du Diable, leſquels delaiſſans le Createur, ont recours
au diable. Eſcoutez : toutesfois & quantes que la ſorcelerie eſt permiſe par l'occulte iugement de Dieu, il
ne faut point pour en eſtre deliuré & pour cercher
remede, auoir recours aux Magiciens, Necromanciens
& ſorciers, comme nous voyons de noſtre temps en
pluſieurs lieux que le menu peuple ne craint point de
courir à quelques meſchans preſtres : mais il ſe faut
adreſſer à Dieu, tant par confeſſion des pechez que
par deuotes oraiſons comme il eſt eſcrit 33. q. 1.
chapitre dernier. Auſſi ne faut-il faire mal à celle fin
qu'il en auienne bien. Il y a pluſieurs choſes ſemblables en ce paſſage : meſme il eſcrit apres : Parquoy
nul ne doit auoir recours aux Necromanciens, ſacrileges & deuins : car outre ce qu'ils pechent mortel-
lement, ils ſont faits participans de la coulpe &
damnation d'iceux : pourautant qu'encores que par
la permiſſion de Dieu il leur auienne de dire quelques fois la verité, ſi ne faut-il vſer de leur teſmoi-
gnagne : car ils trompent & mentent le plus ſouuent.
Ce qui apert de ce qu'en l'eſprit de verité il n'y a point
de fauſſeté : mais en l'eſprit de menſonge il y a quelques veritez, à celle fin qu'il trompe par vne fauſſeté
cachee deſſous, comme dit Gerſon, au liure de la pro-
bation des eſprits. Pour ceſte raiſon, dit-il, Ieſus
Chriſt empeſcha les demoniaques de porter teſmoignage de verité, laquelle ils confeſſoyent : & S. Paul
empeſcha la Pithoniſſe.

Act. 16.

*Au
ſermon
des Augures.*

Saint Auguſtin eſcrit à ce propos : Freres, vous
ſauez que ie vous ay ſuplié ſouuentesfois de ne garder
les couſtumes des payens & ſorciers. Parquoy ie me

defcharge enuers Dieu, ores que derechef ie vous en
admonefte & defens que nul de vous ne fe retire aux
deuins & forcieres, & que perfonne ne leur demande
confeil d'aucune chofe, ou d'aucune raifon, ou d'aucune maladie. Auffi ceux qui vont par deuers eux ont
renoncé à la foy comme les theologiens le prouuent
par le tefmoignage de S. Auguftin 27. q. 7. là où
apres auoir nombré plufieurs fuperftitions, il conclud
en cefte façon : Celuy qui obferue & qui s'aplique à
toutes telles obferuations, faits, & augures, & qui
confent à ceux qui les obferuent, ou qui croit à telles
chofes, qui hante en leurs maifons qui les retire en
la fienne & qui les interrogue : celuy la fçache qu'il
a renoncé la foy Chreftienne & fon baptefme, & qu'il
a encouru griefuement & pour iamais l'ire de Dieu,
comme vn payen, apoftat & ennemi de Dieu : s'il
n'eft reconcilié à Dieu, en confeffant fa faute deuant
toute l'Eglife.

CHAPITRE IV

De l'execrable abus de la fainéte Efcriture, & des
noms de Dieu en la magique guerifon des malades
& en autres aétes.

ᴇs pures & fainétes paroles de l'Efcriture
fainéte, & les noms de Dieu, font icy
expreffément meflez & bon-gré malgré deprauez, afin que cefte belle
aparence fardee & bien couloree foit fuyvie de plu-

fieurs : & qu'elle attire cauteleufement les autres en fon amour, par vn tel maquerellage emprunté. Mais ceux qui entendent bien la parole de Dieu, fon eſſence, ſa nature & ſa viue puiſſance, iugent aiſément comme on s'en aide, & ſi c'eſt à bonne raiſon. Auſſi nous faut-il confeſſer que tel abus de la parole de Dieu eſt du tout deteſtable, & que ceſte prophanation du ſacré nom de Dieu doit eſtre à bon droit eſtimee eſtre vne meſchanceté horrible. Et certainement nous ne pourrions entendre vn plus impudent menſonge, ni plus contumelieux contre Dieu, que quand on s'aide d'vne ſentence de l'Eſcriture, ou que lon prononce le nom de Dieu, contre l'ordre que Dieu a eſtabli en l'Eſcriture ſainćte, & contre l'vſage de ſon ſacré Nom, en quelques choſes que ce ſoyent ou ioyeuſes ou ſerieuſes : ſoit auſſi en penſant obtenir quelque nouuelle vertu & aćtion contre les maladies, pour obtenir ce que nous deſirons. Ainſi abuſe-on de ceſte ſainćte & ſacree prophetie touchant

Exode 12.
Iean 19.

les os de Chriſt qui ne deuoyent eſtre rompus par les Iuifs : vous ne briſerez aucun de ſes os. Car ils diſent que ſi quelcun profere ces paroles en touchant à ſes dents, pendant qu'on dit la Meſſe, il perdra la dou

Contre
le
mal de dents.
Contre
la fieure.
Pfeau. 144.

leur d'icelles. Vn autre laue ſes mains auec le malade deuant l'accez de la ſieure, & au commencement de l'accez il dit tout bas le Pſeaume qui commence, *Exaltabo te Deus meus Rex.* Vn autre dit en prenant la main du malade, *Aeque facilis tibi febris hæc fit, atque Mariæ virgini Chriſti partus :* c'eſt à dire, Ceſte ſieure te ſoit auſſi facile à porter, comme l'enfantement de Chriſt a eſté à la vierge Marie. Ils pratiquent vne autre recepte contre la ſieure, en ceſte maniere, Prenez trois hoſties : eſcriuez

en l'vne, tel qu'eſt le Pere, telle eſt la vie : en la
ſeconde, tel qu'eſt le fils, tel eſt le ſainct : en la troiſieme, tel qu'eſt le ſainct Eſprit, tel eſt le remede. Il
faut bailler au febricitant ces trois hoſties ainſi
eſcrites, pour les manger en trois iours conſecutifs
ſur le ſoir : à condition toutesfois de ne boire ni
manger le iour qu'il les aura ainſi aualees. Il faut
auſſi que tous les iours au ſoir il diſe quinze fois le
Pater & l'Aue Maria en l'honneur de la ſainte &
indiuiſible Trinité. Derechef contre la fieure ils
ſe ſeruent du charme ſuyuant. Ils meinent le malade
vn iour de vendredy à l'aube du iour vers le leuant,
& luy font leuer les mains contre le ſoleil, puis ils
diſent, Auiourd'huy eſt le iour auquel le Seigneur
vint à la croix : mais tout ainſi que la croix ne
viendra plus à luy : ainſi le chaud ni le froid ne
viennent plus à toy. Au nom du Pe†re, & du Fi†ls,
& du ſainct † Eſprit. Cela fait il faut dire neuf fois
trois Pater & trois Aue Maria. Pour donner efficace
à ce charme, les malheureux qui s'en ſeruent diſent
qu'il le faut continuer par trois diuers iours. Il y en
a quelques vns, qui pour eſtancher le ſang, prennent
vne taſſe pleine d'eau froide, dedans laquelle ils
laiſſent degoutter trois goꝰttes de ſang, & diſent à
chaſque goutte l'oraiſon dominicale, auec la ſalutation angelique. Puis ils la baillent au patient & luy
demandent : qui ſera-ce qui t'aidera? le patient
reſpond ce ſera ſaincte Marie. Lors ils diſent :
Sancta Maria hunc ſanguinem firma : c'eſt à dire,
S. Maria arreſtez ce ſang qui coule.

Les autres eſcriuent contre le front du malade
auec du ſang qui ſort, *Conummatum eſt*, c'eſt à dire :
tout eſt accompli : Les autres pour arreſter le ſang

*Pour
eſtancher
le ſang,
Cardan
de la ſubtil.
liure 18.*

difent ces paroles : *Sanguis mane fixus in tua vena*
ficut Chriſtus in fua pœna. Sanguis mane fixus
ficut Chriſtus quando fuit crucifixus. C'eſt à dire
Sang demeure en ta veine comme Chriſt en fa peine :
fang demeure figé comme Chriſt lors qu'il fut crucifié.
Ils difent qu'il le faut prononcer par trois fois. Item.
Au fang d'Adam, la mort eſt fortie † au fang de
Chriſt la mort eſt amortie † ie te commande o fang
† en vertu de ceſte mort que tu arreſtes ton cours. Vn

Iean 13

autre. *De latere eius exiuit fanguis & aqua,* c'eſt à
dire : de fon coſté il fortit fang & eau. Les autres
encores penfent arreſter le fang coulant de quelques
parties du corps par ces mots : Chriſt eſt nay en
Bethlehem, & a fouffert en Ierufalem : fon fang s'eſt
troublé : Ie te dis que tu t'arreſtes par la puiſſance
de Dieu, & par l'aide de tous les fainſts : ainſi que
le Iourdain dedans lequel S. Iean baptiza noſtre
Seigneur Iefus Chriſt, au nom du Pere & du Fils &
du fainſt Efprit. Tenez le doigt fans nom dedans la
playe & faites trois croix fur icelle : dites cinq fois
Pater noſter & Aue Maria, & une fois le *Credo,* en
l'honneur des cinq playes. Ce grand philofophe Iule
de Lafcale efcrit ainſi à Cardan, touchant ce poinſt :

De la fubtil.
exerc. 112.

Vous auez declaré, dit-il, en vos contredits que la
foy de l'enchanteur fait beaucoup à rendre l'enchantement d'eficace : mefme qu'il fort de l'efprit du
forcier vne vertu laquelle change l'air, par la corrup-
tion duquel les forcieres obtiennent ce qu'elles pretendent. Mais s'il eſt ainſi que vos paroles arreſtent
le fang qui fort par la veine ouuerte, certes il n'y a
vertu de pierre d'aimant, laquelle foit digne d'eſtre
comparee auec la force d'icelle. Et certainement il n'y
a point moins d'impieté en l'autre raifon.

CHRYSOSTOME parle ainſi à ceux qui ſont ſeduits par
liaiſons, & enchantemens ſous ombre que le nom de
Dieu eſt meſlé : Non ſeulement, dit-il, tu prens des
liaiſons, mais auſſi des enchantemens, lors que tu
meines des vieilles yurongnes chancellantes en ta
maiſon. N'es-tu point confondu & ne rougis-tu point
.tremblant apres vne telle diſcipline ? Mais encores, qui
eſt moins ſuportable que l'erreur, lors que nous ad-
moneſtons & diſſüadons ces choſes à telles perſonnes,
ils diſent pour excuſe que ceſte femme qui enchante
eſt chreſtienne, & qu'elle n'a parlé d'autre choſe que
du nom de Dieu. Mais moy pour ceſte ſeule raiſon ie
la hays & me retire d'elle : car elle abuſe contume-
lieuſement du nom de Dieu, lors que ſe diſant
chreſtienne elle fait les œuures de Gentils. Les diables
confeſſoyent bien le nom de Dieu, & toutesfois ils
eſtoyent diables, & parloyent ainſi à Ieſus Chriſt :
Nous te conoiſſons, dautant que tu es le ſainct de
Dieu : toutes-fois ils les reprint & les ietta. Parquoy
ie vous prie, autant qu'il m'eſt poſſible, que vous
vous conſeruiez nets & entiers de telle falace, & que
vous ayez la parole de Dieu comme vn baſton pour
vous apuyer.

Lnc 4

QVELQVES vns d'entre les Eſpagnols & Italiens qui
faiſoyent guerre en Flandres, l'an mil cinq cens
ſoixante huit : pour eſtre garantis de la peſte & de
tous maux, ſe vantoyent d'auoir vn remede ſouuerain,
authorizé par le Pape, & qui contenoit ces mots &
characteres.

† *Crucem pro nobis ſubit :* † *& ſtans in illa ſitit*
IESVS, *ſacratis manibus, clauis ferreis & pedibus
perſoſſis,* IESVS IESVS IESVS : *Domine libera nos ab
hoc malo & ab hac peſte.* C'eſt à dire, Ieſus a eſté

crucifié pour nous, & a eu foif pendant en la croix † :
fes facrees mains & fes pieds ont efté percez de cloux,
de fer, IESVS IESVS IESVS. Seigneur deliure nous de ce
mal & de cefte pefte. Au bout de ce charme il faloit
dire trois fois Pater & trois fois Aue Maria. En la
mefme annee ces bons gensdarmes faifoyent confacrer
auec ie ne fay quelles ceremonies & coniurations leurs
armes & eftendarts contre leurs ennemis : mais
i'eftime que la verité des hiftoires de cefte guerre
monftrera fi tels remedes leur ont feruy ou non. Leur
principal eftendart auoit (comme i'enten) l'image
de faincte Marguerite, laquelle on dit auoir vaincu le
diable : & auffi le cheual du lieutenant pour le Roy
d'Efpagne en ces pais bas auoit fa place en vne
chappelle ou lon chantoit Meffe. Le chef de l'armee
tenoit en fa main l'eftendart, tandis qu'on le baptifoit
auec les mefmes ceremonies dont on vfe au baptefme
des cloches. Pour donner plus de luftre a la fefte, on
faifoit voler vne image de la vierge Marie tenant fon
petit enfant entre les bras, & deux mains ioinctes &
fe touchans, comme on fait en promeffes & alliances.

I'AY veu depuis peu de temps au logis d'vn homme
noble & d'autorité, vn liure efcrit à la main, lequel
eft execrable, digne du feu, plein d'exorcifmes & de
plufieurs characteres de croix, auec quelques receptes
prifes de la faincte Efcriture, au Nom du Pere, & du
Fils, & du Sainct Efprit, non feulement contre toutes
les maladies des cheuaux, mais auffi contre tous les
empefchemens qui leur peuuent auenir : comme fi le
fer d'vn cheual eft tombé par des chemins, incontinent auec vne telle priere il peut aller iufques à
l'eftable fans endommager fa corne, encores que le
chemin foit fort long.

CONTRE les vers qui tourmentent vn cheual, aucuns fe feruent du charme fuyuant : & difent fur le
cheual : Au nom du Pere †, & du Fils †, & du
fainct † Efprit, ie t'exorcife ou adiure toy ver, par
Dieu le pere †, & par le Fils †, & par le fainct †
Efprit, que tu ne manges ni ne fucces la chair, ni le
fang, ni les os de ce cheual, & que tu fois auffi paifible
qu'a efté ce bon perfonnage Iob, & auffi bon que
Sainct Iean, lors qu'il baptifoit noftre Seigneur au
Iordain, au nom du Pere † & du Fils † & du Sainct †
efprit. Il faut dire puis apres trois Pater & trois Aue
maria en l'oreille du cheual, a l'honneur de la faincte
trinité, Seigneur †, Fils †, Efprit †, Marie †.

MAIS eft il poffible que le monde ait efté fi abruti &
tant enforcellé que de fe feruir de moyens fi vains &
eftranges, abufer fi malheureufement de l'Efcriture
faincte, & fe moquer ainfi de Dieu & de fon Eglife!
L'experience, & ce qu'vn chafcun en particulier fait
auoir efté & eftre pratiqué de ces charmes & forcelleries en diuers endroits des pais qui portent le
titre de Chreftienté, monftrent l'horrible brutalité de
ceux qui ne fe veulent feruir de la parole de Dieu
que pour en abufer, & l'horrible vengeance de Dieu
fur eux. Cadamofte efcrit que les cheuaux des Negres
font rendus plus forts & plus affeurez par le moyen
de quelques charmes. Aphricanus efcrit deffus le
tonneau, pour empefcher que le vin ne fe gafte toute
l'annee d'vn charme execrable, *Guftate & videte
quod bonus eft dominus*, abufant trefmefchamment
de ce que le Pfalmifte aproprie à la confcience paifible
& à la felicité eternelle des fideles. De mefme formulaire d'impiété fe feruent-ils pour coniurer les ferpens,
ainfi que s'enfuit, O Serpent, ie t'adure à cefte heure †

par les cinq playes que tu t'arreftes en ce lieu fans te
bouger, auſſi certainement qu'il eſt vray que Dieu
eſt né d'vne pure vierge. † Serpent, ie t'exorcife au
nom du Pere & du Fils & du ſainᶜᵗ Efprit †. Serpent, ie te commande de par la vierge Marie noſtre
dame, que tu m'obeiſſes comme la cire obeit au feu,
& le feu à l'eau, & que tu ne nuifes ni à moy ni à
aucun Chreſtien, auſſi certainement que Dieu eſt nay
d'vne vierge immaculee. † Et pour tant ie t'eſleue au
nom du Pere & du Fils & du ſainᶜᵗ Efprit *eli laſſ
eitter eli laſſ eitter eli laſſ eitter*. Serpent, il faut que
tu aproches de moy comme noſtre Dieu eſt aproché
des Iuifs : ferpent, il faut que tu t'en ailles arriere de
moy, comme noſtre Dieu s'en eſt allé loin des Iuifs.
Cependant telles meſchancetez pleines de blaſphemes,
quoy qu'elles meritent d'eſtre chaſſees & abolies, ne
laiſſent pas d'auoir des gens qui les admirent : meſmes
i'en conoi quelques vns qui les exercent, fans qu'ils en
foyent punis. Et toutesfois elles ne meritent pas d'eſtre
miſes au rang des menfonges des Cabaliſtes qui aſ-
feurent faire toutes choſes, qu'ils promettent auec
parade, par les dix noms du vray Dieu, & par ces
deux Anges, defquels il eſt fait mention es ſainᶜtes
lettres : tout ainſi comme nous voyons ces gentils
defenfeurs de meſchante impieté, faire fouuentesfois
des choſes par l'œuure du diable & par la permiſſion
de Dieu lequel le veut ainſi à raiſon de leur incredulité. La Cabale de ceux-cy eſt pleine & puante de
telles liaiſons & de meſchantes folies magicienes, deſquelles Coſteben Luca, Iuif, a eſcrit vn liure.

Liure 8.
des recogn. Sᴀɪɴᴄᴛ Clement dit fort bien en ceſt endroit : la
choſe eſt venue en fin iuſques à ce point que comme
les diables font chaſſez par la parole de Dieu, dont

nous concluons qu'il y a vne prouidence : ainfi l'art magique a inuenté pour confermer l'infidelité, le moyen par lequel on la pourroit imiter par contraires. Ainfi a on inuenté par charmes d'adoucir le venin des ferpens, & a on trouué des guerifons contraires à la parole & puiffance de Dieu. L'art magique a auffi controuué des minifteres contraires aux Anges de Dieu, oppofant à iceux des aparitions d'ames & des fauffes inuention des diables.

Aloys Cadamufte chap. 28. des nauigat. efcrit que les ferpens font charmez par les Negres.

CHAPITRE V

Moyens Magiques, par lefquels on trouue les larrons, on bleffe la forciere : auec vn abus blafphematoire, tant du nom de Dieu, que de la fainĉte Efcriture.

 ɪᴇ defcriray icy le moyen de defcouurir & reconnoiftre le larron, que quelques vns difent deuoir eftre ainfi experimenté : car auffi cefte chofe apartient aucunement à ce que nous traitons. Eftant tourné vers Orient, faites vne croix deffus du chryftal, auec de l'huile d'oliue, & efcriuez deffous cefte croix, Sainĉte Helaine. Puis vn ieune garçon vierge & né de legitime mariage aagé d'enuiron dix ans prenne ce chryftal auec la main droite, derriere lequel eftant à

genoux dites par trois fois, & bien deuotement cefte
oraifon : Ie vous prie madame faincte Helaine, mere
du Roy Conftantin, qui auez trouué la croix de noftre
Seigneur Iefus Chrift, qu'au nom & en faueur de
cefte treffaincte deuotion & inuention de la croix :
au nom de cefte tres-faincte croix, en la faueur de
cefte ioye que vous euftes lorsque vous trouuaftes cefte
treffaincte croix, en faueur de cefte grande amitié que
vous auez portee à voftre fils le Roy Conftantin : bref
au nom de tous les grands biens defquels vous iouif-
fez pour tous iamais, qu'il vous plaife monftrer
en ce chriftal tout ce que ie demande & ay enuie de
fçauoir : Amen. Et lors que le garçon verra l'ange
dedans le chriftal, vous demanderez tout ce que vous
voudrez, & l'ange vous refpondra. Ceci fe doit faire
à foleil leuant, & lors qu'il fera defia leué, & que le
iour fera ferain & doux.

Liure 16.
de la variété
chap. 93.

l'avois acouftumé, dit Cardan, de me moquer de
toutes ces folies, encores que plufieurs en approu-
uaffent l'experience, & qu'ils tinfent cela comme vn
grand fecret : toutesfois il auint vne fois qu'vn garçon
qui mangeoit auec moy, & qui eftoit fort auifé pour
fon aage, m'aferma auoir veu dedans le col d'vne
phiole, le larron duquel on l'interroguoit, lequel
eftoit defcendu au fonds, & n'eftoit plus aparu, &
que deux autres l'auoyent veu auec luy. Il difoit
auffi, qu'alors qu'il luy commença à aparoiftre, il vid
comme vn efclair brillant : que cefte image auoit mis
la main à fa tefte, & qu'elle auoit tiré le bonnet au
deuant. Cefte phiole, difoit-il, eftoit de voirre, fort
clere & nette, pleine d'eau benite, pofee deffus vn
linge exorcifé, lequel eftoit deffus vne efcabelle auec
trois chandelles de cire, allumees & exorcifees. Il y

auoit auſſi deux fueilles d'oliuier ſur l'embouchure
de la phiole poſees l'vne ſur l'autre en croix. La coniuration qui fut faite eſtoit telle & briefue : S. Ange,
bel ange, ie te prie par ta ſainĉteté & par ma virginité
qu'il te plaiſe de me monſtrer le larron. Il murmuroit
ceſte oraiſon deſſus l'embouchure de la phiole, les
aſſiſtans toutesfois diſoyent par trois fois auparauant
l'oraiſon dominicale, & la ſalutation angelique, eſtans
tous à genoux : & a chaſque fois ils faiſoyent le ſigne
de la croix deſſus la phiole auec l'ongle du pouce. Ils
eſtoyent ſeuls en vn lieu obſcur. Ils virent vn homme
tout entier, qui auoit vn manteau, la teſte baiſſee &
chauue, lequel montoit & deſcendoit par le col de la
phiole tout ainſi que lon void deſcendre & monter
les atomes aux rayons du ſoleil. Or le virent-ils
enuiron l'eſpace de demy-quart d'heure. Et dura
tout ce ſpeĉtacle par trois heures : & toutesfois, comme
le meſme autheur du fait le confeſſe, le larron ne fut
point trouué, ni les deux coupes d'argent, leſquelles
il auoit deſrobees. On conte que pendant que ces choſes
ſe font comme il apartient, celuy qui a deſrobé endure quelque choſe. Ainſi que lon contoit ces choſes,
i'eu enuie de les experimenter, & de fait l'occaſion
s'en offrit. Vne femme qui mangeoit auec nous ayant
enuie de voir quelque choſe de nouueau, fit venir
vne magicienne laquelle s'entendoit fort bien en telles afaires & laquelle apres auoir apreſté ſon ſacrifice,
fit voir pluſieurs choſes à trois filles, ainſi comme
elles diſoyent : toutesfois ie n'y eſtois point. Ce qui
fut cauſe que derechef i'apelay ceſte femme, laquelle
prepara ſon ſacrifice, toutesfois ſans fueilles d'oliuier
& ſans l'oraiſon dominicale : nous eſtions ſeulement
en vne petite tente fermee de tous coſtez. Elle voyoit

auec les filles non pas dedans le col de la phiole,
mais au fond deffus la poincte qui s'efleue au milieu,
non dedans l'eau, mais feulement au milieu du
verre : elles voyoyent di-ie toutes enfemble quelques femblances non du tout parfaites, ains feulement quafi aparoiffantes en leur partie du haut : non
pas grandes, mais de la grandeur de l'ongle du petit
doigt & non plus : & difoyent qu'elles ne defcen-
doyent pas, mais au contraire qu'il leur fembloit
qu'elles montaffent du fond vers haut : ainfi le rapor-
toyent les filles & le garçon, duquel i'ay defia parlé
& qui pour lors auoit vn fien frere en Efpaigne qu'il
difoit voir, comme auffi les fillettes difoyent voir
leurs coufins. Cefte chofe eft auffi efmerueilbible que
fi elle eftoit inuentee à plaifir. Au commencement
que les magiciennes virent le fils de cefte femme qui
leur fembloit beau (ie dis ce petit garçon, lequel
auffi eftoit moyne) elles la prierent de le laiffer faire,
ce qu'elle ne voulut pourautant que cependant fon fils
eftoit tourmenté. Iofeph le Noir, homme qui eftoit
fort verfé en telles chofes, racontoit que quelquefois
le diable s'eftoit aparu à des petis enfans fous la figure
de Iefus Chrift, & les auoit prié qu'ils l'adoraffent : ce
que l'vn d'entr'eux promit faire, pourueu que le diable luy declaraft ce qu'il penfoit, dont eftant cour-
roucé s'efuanouit. Dauantage ils voyoyent ie ne fay
quoy de rouge dedans le col de la phiole au deffus de
l'eau, car la phiole n'eftoit pleine d'eau que iufqu'au
goulet. La forciere difoit que c'eftoit l'ange auec vne
nauette en la main : les fillettes difoyent qu'elles
voyoyent dedans la vague de ce col vne face femblable à celle d'vn petit garçon, & le garçon difoit feulement voir le bras auec la nauette. Ceft ange, comme

ils difoyent, tournoyoit & aparoiſſoit touſiours ſeul :
mais les autres images s'eſuanouïſſoyent incontinent.
Auſſi la vieille commandoit, comme ſi elle euſt eſté
vn maiſtre d'eſcole, aux petits enfans qu'ils euſſent à
apeler & faire venir les images les vnes apres les
autres. Mais ainſi qu'elle monſtroit ces choſes à
chacun, ie luy demanday comment il ſe faiſoit qu'elle
qui auoit eu cinq enfans, peut voir ce que ie ne
voyois point. Elle me reſpondit qu'elle me le feroit
voir, mais qu'il faloit que ce fuſt au iour de S. Iean
Baptiſte, ou au iour de Noël. Et pour autant que ce
iour eſtoit prochain, ie ne faillis à me trouver auec
elle en pleine nuiĉt pour entendre ce ſecret. Ce ſecret
eſtoit de ſix paroles, leſquelles ſe pouuoyent expliquer
diuerſement : mais toutes, ſelon mon iugement,
pluſtoſt au contemnement & contre l'honneur de
Ieſus Chriſt, qu'à ſa gloire : comme, Ieſus paſſe : ces
mots ſignifient que Ieſus meurt, ou bien qu'il paſſe
par la vie, ou bien qu'il prend fin, & ceſte explication derniere ſemble eſtre veritablement celle qu'elle
entendoit. Car elle dit incontinent apres : C'eſt moy,
puis, S. ange & c. Ainſi ie deſcouuris que c'eſtoyent
fables, & qu'elle ne ſauoit rien que des follies. Car
apres que par ie ne ſay quel moyen elle euſt fait
leuer quelques petites bouteilles à la riue de l'eau :
elle me vouloit faire penſer que c'eſtoyent des perles.
Et n'eſt pas inconuenient que par ſon opiniaſtreté
aſſeuree elle ne fit acroire ce que bon luy ſembloit
aux petits enfans, leſquels ſont faciles d'eux-meſmes,
tellement qu'ils confeſſoyent voir ce qu'ils voioyent
pas. Car ie fis tant à la parfin que ces filles, deſquelles
i'ay parlé, me confeſſerent qu'elles n'auoyent rien
veu, auſſi y en a-il pluſieurs en telles afaires, qui

font femblant de voir, de peur que lon ne penfe qu'elles ne foyent pas vierges. Cardan efcrit tout ce que deffus.

Or afin que lon conoiffe l'abus plein de blafpheme, tant du nom de Dieu, que des lettres fainctes, i'efcriray deux moyens de defcouurir le larron ou la forciere, lefquels i'ay tranfcrits en cachette & les ay pris du liure d'vn preftre. Allez vous-en en vne riuiere coulante, & là prenez autant de petits cailloux comme il y a de perfonnes defquelles vous vous doutez auoir efté defrobé : portez-les à voftre maifon & les faites rougir au feu, puis enterrez-les fous le fueil de l'huis, par lequel on a acouftumé d'entrer en la maifon, & les y laiffez l'efpace de trois iours, au bout defquels vous les tirerez deuant que le foleil foit leué. Cela fait mettez vne efcuelle pleine d'eau au milieu d'vn cercle, dedans lequel il y ait vne croix traffee en tra-uers & en biez, fur laquelle il y ait auffi efcrit *Chriftus vincit, Chriftus regnat, Chriftus imperat* c'eft à dire, Chrift eft victorieux, Chrift regne, Chrift commande. L'efcuelle eftant ainfi mife, & fignee du figne de la croix auec vne coniuration faite par la paffion de Chrift, par fa mort & refurrection (laquelle ie tais à raifon des hommes trop curieux des chofes mefchantes) iettez les cailloux les vns apres les autres dedans l'eau, chacun au nom de l'vn des fufpects. Et lors que vous viendrez au caillou de celuy qui aura fait le larrecin, il fera bouillir l'eau, tout ainfi que s'il eftoit tout rouge de feu. Il n'eft pas fort dificile au diable d'efmouuoir ce bouillon en l'eau, afin de charger l'innocent.

On conoiftra le larron par l'arrachement de l'œil en cefte façon. Premierement on lit les fept Pfeaumes

Le moyen de defcouurir le larron.

auec les letanies : puis on dit vne espouuantable orai-
son à Dieu le Pere, & à Iesus Christ, & fait-on l'exorcisme contre le larron. Cela fait on fiche vn clou
d'airin à trois quarres, consacré par quelques certaines ceremonies, au milieu d'vne figure ronde faite
en la façon d'vn œil, & marquee de quelques noms
barbares, on chasse ce clou dedans auec vn maillet
faict de bois de Cyprés, & dit-on en frapant, Seigneur
tu es iuste & tes iugemens sont iustes. Alors le larron
se manifestera en criant.

Le moyen de creuer vn œil au larron.

Si vous voulez par vn autre moyen blesser le larron,
la sorciere ou vostre ennemy, & que cependant le mal
qu'ils vous ont fait cesse, vous couperez le samedi
matin, deuant que le soleil soit leué, vn rameau de
noisetier lequel soit d'vn an, en disant : Ie te coupe
rameau de cest esté, au nom de celuy que i'ay deliberé de fraper ou de mutiler : Cela fait, mettez vne
couuerture dessus la table en disant † in nomine
Patris † & Filij † & Spiritus sancti Dites cela trois
fois auec ce qui ensuit, & incute droch, myrroch,
esenaroth † betu † baroch † ass † maarot. Dites
apres, Saincte Trinité punissez celuy qui m'a fait ce
mal, & l'ostez par vostre grande iustice † eson elion
† emaris ales age : frapez la couuerture.

Pseau. 11.

Moyen damnable par lequel on blesse le larron, la sorciere & l'ennemy.

CHAPITRE VI

Sorcelerie magicienne pour recouurér les chofes
defrobees,

 ADIOVSTERAY ici vne forcellerie magicienne de S. Adalbert, où il n'y a rien que
profanation du nom de Dieu & de l'Efcriture fainɛ̃te. Ce que ie fay, afin que
l'impieté cachee de quelqu'vns qui s'apellent gens
d'Eglife apparoiffe à·tout le monde. Or pour faire
mieux valoir la befongne & attirer l'eau au moulin,
ils veulent que perfonne ne prefume de prononcer
l'anatheme de ce fainɛ̃t, fans licence de l'Euefque de
fainɛ̃t Adalbert & de fon Diocefain, fur peine d'vne certaine excommunication. Au demeurant leur forcellerie
ou maudiffon eft telle. En l'authorité de Dieu tout-puiffant, Pere, Fils & fainɛ̃t Efprit, & de la fainɛ̃te vierge
Marie mere de noftre Seigneur Iefus Chrift, & des
fainɛ̃ts Anges & Archanges, & de S. Michel, & de
S. Iean Baptifte & au nom de l'Apoftre S. Pierre &
des autres Apoftres, de S. Sylueftre & de S. Adalbert,
de tous les Confeffeurs, de fainɛ̃te Aldegonde, des
fainɛ̃tes vierges, de tous les fainɛ̃ts qui font au ciel &
en la terre, aufquels eft donné pouuoir de lier & de
deflier : nous excommunions, damnons, maudiffons,
anathematizons, & forcluons de l'entree de noftre
mere fainɛ̃te Eglife, ces larrons, facrileges, rauiffeurs,
leurs compagnons, confeillers, coadiuteurs & coadiu-

trices, qui ont commis ce larcin, ou qui en ont prins quelque portion : que leur part foit auec Dathan & Abiron que la terre engloutit à caufe de leurs pechez & de leur orgueil : que leur part foit auſſi auec le traiſtre Iudas, qui vendit le Seigneur à prix d'argent, Amen : & auec Ponce Pilate, & auec ceux qui dirent au Seigneur Dieu, Va arriere de nous, nous ne voulons point cognoiſtre tes voyes. Que les fils de ces larrons foyent faits orphelins : qu'ils foyent faits orphelins : qu'ils foyent maudits en la ville, au champ, & en la foreſt, es maiſons, es granges, es liĉts, es chambres, en la cour, en chemin, en la metairie, au champ, en la riuiere, en l'Eglife, au cemitiere, en iuſtice, au marché, en la guerre, eſtans arreſtez, parlans, ne difans mot, en mangeant, en veillant, dormant, bu-uant & en touchant, eſtans aſſis, couchez, debout, en oiſiueté, en trauail, en tout leur corps, en toute leur ame, & es cinq fens de leur corps, en tout lieu. Maudit foit le fruiĉt de leur ventre, le fruiĉt de leur terre : maudit foit tout ce qui eſt à eux, leur teſte, bouche, narines, nez, levres, palais, dents, yeux, paupieres, ceruelle, langue, gueule, goſier, poitrine, cœur, ventre, foye, entrailles, eſtomach, ratte, nom-bril, veſſie, cuiſſes, iambes, pieds, talons, col, efpaules, dos, bras, coude, mains, doigts, ongles des mains & des pieds, coſtes, iointures, genoux, chair, os, fang, peau, mouëlle des os. Maudits foyent-ils depuis le fommet de la teſte iufqu'à la plante des pieds : tout ce qui y eſt foit maudit, auec leurs cinq fens, &c. Et qu'ils foyent maudits en la fainĉte croix, en la paſſion de Chriſt, & auec les cinq playes de Chriſt, & auec l'effuſion du fang de Chriſt, & auec le laiĉt de la vierge Marie. Ie t'aiure, *a* ô Lucifer auec tous tes

Anatomie de l'homme en excommunication.

fatellites, de par le Pere le Fils & le S. Efprit, & de
l'humanité & natiuité de Chrift, & en la vertu de
tous les fainſts, *b* que tu ne ceſſes iours & nuits tant
que tu ayes abifmé ces larrons, ſoit qu'ils ſe noyent
es riuieres, ou ſoyent pendus, ou que les beftes ſau-
uages les deuorent, ou que ils ſoyent bruſlez, ou que
leurs ennemis les tuent, *c* & qu'ils ſoyent hays de
tout le monde. Et comme le Seigneur a donné ceſte

*Vrayement
indignes.*

puiſſance à l'Apoſtre fainſt Pierre & à ſes ſucceſſeurs,
& à nous indignes, qui tenons leur place, que tout ce
que nous lierons en terre ſera lié au ciel & tout ce
que nous deſlierons en terre ſera deſlié au ciel :
fuyuant cela nous fermons le ciel à ces larrons, s'ils
ne ſe veulent amender, nous ne voulons point qu'ils
ſoyent inhumez en terre fainſte, ains ordonnons qu'on
les traine où les aſnes paiſſent. Dauantage que la
terre où ils ſeront enterrez ſoit maudite, qu'ils periſ-
ſent au dernier iugement, qu'ils n'ayent aucune frequentation auec les Chreſtiens, & ſoyent priuez du
corpus Domini en l'article de la mort : que ils ſoyent
faits comme poudre deuant la face du vent, & comme
Lucifer a eſté chaſſé du ciel, Adam & Eue de Paradis,
ainſi ſoyent-ils chaſſez arriere de la lumiere du iour.
Item qu'ils ſoyent compagnons de ceux auſquels le
Seigneur dira au dernier iour, Allez maudits au feu
eternel preparé au diable & à ſes anges, où le ver ne
mourra point & le feu ne s'eſteindra iamais. Et
comme la chandelle que ie tien en ma main s'eſtaind
en la iettant contre terre, ainſi leurs œuures & leurs
ames ſeront eſteintes en la puanteur de l'abyſme, s'ils
ne rendent dans certain temps ce qu'ils ont defrobé.
Que chacun diſe Amen : & puis apres on chantera,
Media vita in morte ſumus.

a Outre ce qu'il n'y a qu'impieté en tout ce formulaire, ie vous prie voyez comment Lucifer & ſes ſatellites ſont proprement ioints auec le Pere, le Fils & le S. Eſprit.

b Il apert de là (ſi telles imprecations ſont de quelque valeur) que ceſt Anatheme theologal attire ſur le monde tous les maux & malheurs qu'on ſauroit penſer : & qu'il ne s'en faut pas prendre à ie ne ſay quelles vieilles radotees qui pour la pluſpart ne ſauroyent lire ni pas meſmes prononcer tant d'horribles & eſtranges coniurations.

Ie di que ceſte excommunication eſt ſi execrable, qu'il faudroit la bannir du monde par edict public & ſolennel. Au reſte, quand Ieſus Chriſt a dit à S. Pierre, ie te donneray les clefs du royaume des cieux, il a entendu par ceſte clef la doctrine celeſte, laquelle tiendroit liez tous ceux qui ſeroyent liez par elle. Le Fils de Dieu n'a point permis qu'on ſoudroyaſt ainſi par anathemes, encor moins l'a-il commandé.

QVELQVES autres, qui ſe ſurnomment gens d'Egliſe, ſe ſeruoyent du Pſeaume cent huitieme, ſelon la tranſlation vulgaire, commençant *Deus laudem meam ne tacueris :* tenans pour certain que quand ils auroyent prononcé les paroles de ce Pſeaume (où il y a des imprecations fort efroyables) contre qui que ce fuſt, il mouroit bien toſt, ou dedans l'an reuolu au plus tard. Mais ce Pſeaume qui eſt le cent neuſieme en ſon vray ordre, & ſe commence *O Dieu mon honneur & ma gloire,* &c. a vn tout autre ſens, car il eſt plain de complaintes, larmes & gemiſſemens, ſpecialement contre les Scribes & Phariſiens & les gens d'Egliſe ſuſnommez : & ſera aiſé d'en comprendre l'expoſition ſi on l'aplique à la perſonne

de Iefus Chrift fe plaignant du traiftre Iudas, & de
la cruauté des Iuifs qui ne demandoyent qu'à efpandre
le fang innocent. Qui voudra prendre le loifir de lire
ce Pfeaume, il verra combien ces magiciens difa-
ment malheureufement la facree parole de Dieu. Et
au refte pour confermer les vrais Chreftiens contre
tous tels charmes & anathemes par trop pratiquez
entre ces gens d'Eglife, ie propoferay ici le fainct
confeil de Cryfoftome au fermon de l'Anatheme, afin
que chacun le fuyue. Pourtant, ie vous prie, dit-il,
que vous ne mettiez iamais en oubli ces paroles. Il
faut redarguer & anathematizer les fauffes & mefchantes doctrines : mais il faut pardonner aux abufez
& prier pour leur falut.

CHAPITRE VII

Du mefchant & bon vfage de la parole de Dieu :
& du moyen illicite de guerir les forcelleries.

DAVANTAGE quel plus grand facrilege fauriez vous penfer que ceftui ci, afauoir
qu'apres auoir opiniaftrement mis en
oubli le propre falut, abufer fi mefchamment du facré nom de Dieu, & forcer fa fainéte
parole pour la deftourner au mefpris de Dieu, & en

couurir les impostures du diable? sa parole di-ie,
laquelle le fils de Dieu Iesus Christ, vaincu de l'amitié qu'il portoit au genre humain a aportee du sein
du Pere eternel, & l'a publiee pour la redemption des
hommes miserables & perdus : afin qu'estans auparauant separez de Dieu par la cheute de leur premier
pere, & qu'ayant perdu toute grace, ils conussent
par ceste parole qu'ils estoyent receus en grace, &
que par ce moyen ils auoyent certains & expres tesmoignages de la volonté de Dieu enuers eux, au
moyen de quoy ils se pourroyent releuer & endoc-
triner toutesfois & quantes qu'ils seroyent agitez &
tourmentez par les flots de leurs sens distraits ailleurs, & qu'ils seroyent vrayement humiliez en eux
mesmes. Gaspar Peucer poursuit bien au long ce propos en son commentaire des deuinations.

Vray vsage de la parole de Dieu.

SAINCT Paul escrit ainsi à Timothee touchant le
vray & naïf vsage de la saincte Escriture, disant :
Toute escriture est diuinement inspiree & proufitable
à enseigner, à conuaincre, à corriger & instruire en
iustice : afin que l'homme de Dieu soit acompli, apa-
reillé à toute bonne œuvre. Item aux Romains,
l'Euangile est la puissance de Dieu pour le salut de
tous croyans. Il dit encores au quatrieme chapitre
de l'Epistre aux Hebrieux. La parole de Dieu est
viue & d'eficace & plus penetrante que tout glaiue
à deux trenchans, & atainct iusques à la diuision de
l'ame & de l'esprit & des ioinctures & des moëlles, &
est iuge des pensees & intentions du cœur. La parole
de Dieu a esté baillee pour ceste vsage, asauoir pour
regenerer la nature corrompue des hommes. Elle le
fait ainsi depuis qu'elle est receuë par foy dedans le
cueur des croyans, par la cooperation du S. Esprit,

2. Tim. 2.

Rom. 1.

lequel befongne puiffamment par cefte parole : non
pas prononcee de la bouche (comme le diable l'a controuué) de ces mefchans & mal-heureux miniftres de
Satan, afin d'en faire autre chofe que ce à quoy elle
a efté ordonnee des les commencemens. Et comme
ainfi foit que la loy de Dieu ait dit, Tu ne prendras
point le nom du Seigneur ton Dieu en vain, car Dieu
ne tiendra pas pour inculpable celuy qui prendra le
nom du Seigneur fon Dieu en vain : il n'y a point
de doute, que tous ceux qui s'aident de ces façons &
manieres d'enchantemens couuers & mafquez de la
parole de Dieu, en feront punis tres griefuement.
Parquoy fi quelqu'vn, fous le manteau de telle parole,
penfe auoir eu veritablement ou par charme ce qu'il
demandoit, ne doutez point que cela n'ait efté fait
par l'operation du diable. Toutesfois ces paroles ainfi
prononcees par ces mefchans & mal-heureux hommes
ne font ni augmentees ni diminuees en leur vertu. Ce
que S. Auguftin certifie, difant : Mes trefchers freres,
il eft certain que Dieu permet ces chofes au diable
pour éprouuer le Chreftien, fi bien que par là il croit
plus facilement au diable, lorsque par tels fortileges
il penfe auoir receu remede en fon infirmité, & auoir
veritablement conu quelque chofe. Mais celuy qui
defire en tout & par tout de garder la religion Chreftienne, doit les mefprifer de tout fon pouuoir.

　　Vovs trouuerez au liure precedent, chapitre quatrieme, vn exemple memorable touchant vne guerifon de la forcelerie demoniaque faite auec vne
certaine maniere de beniffon, & la pourrez raporter
en ce lieu & la continuer à cefte hiftoire, enfemble
cefte cy que ie diray maintenant, laquelle furpaffe la
premiere en fuperftition, & que i'ay tranfcrite du

Deuter. 5.

Sermon 141
du temps.

liure d'vn preftre. Ce que ie feray afin que par ce moyen on puiffe iuger de toutes les autres femblables manieres de guerifons.

Prenez trois mefures d'huile violat, & vous tenant contre le foleil, auant qu'il foit leué, nommez le nom de celuy qui eft bleffé & le nom de fa mere, & les anges de gloire, lefquels font affis au fixieme degré : faites cela l'efpace de fept iours, trois fois le iour. Et au feptieme vous mettrez le malade au foleil & luy oindrez toute fa chair auec de l'huile. Puis en la prefence du Soleil vous le parfumerez de myrrhe, d'Oliban & des principaux parfums. Cela fait vous efcrirez en vne lame d'argent les noms de ces anges d'honneur, lefquels vous parfumerez & les pendrez au col du malade. Cela fe fera le vingtieme du mois, & l'afaire fuccedera fi bien que l'enforcelé fera guery.

CHAPITRE VIII

Magiques & fuperftitieufes guerifons des maladies faites par charmes & paroles inconues & que la vertu des paroles ne s'accorde auec l'harmonie du ciel.

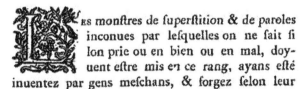 ᴇs monftres de fuperftition & de paroles inconues par lefquelles on ne fait fi lon prie ou en bien ou en mal, doyuent eftre mis en ce rang, ayans efté inuentez par gens mefchans, & forgez felon leur

apetit, & contre l'honneur de Dieu se font peu à peu escoulez parmi nostre saincte & sacree medecine. Telles font ces rimes que l'on dit estre propres contre le haut mal.

Gaspare fert myrrham, thus Melchior, Balthasar aurum.
Hæc tria qui secum portabit nomina regum,
Soluitur à morbo Christi pietate caduco.

Guerisons
magiques
superstitieuses
& meschantes.

C'est à dire. Gaspar porte la myrrhe, Melchior l'encens, & Balthasar porte l'or : Celuy qui portera ces trois noms de Roys, sera gueri du haut mal par la misericorde de Christ. Item en prenant la main du malade il luy faut dire en l'oreille, Ie t'adiure par le soleil & par la lune & par l'Euangile de ce iour baillé de Dieu a S. Hubert Gilles Corneille & Iean, que tu te releues : sans plus retomber, au nom du Pere, du Fils & du S. Esprit, Amen.

Ainsi les vieux peres pensoyent que la veruaine pillee auec sa racine, enuelopee en vne fueille & eschaufee dessous les cendres, guerist les escrouëlles, pourueu qu'elle fut apliquee dessus par une fille vierge à ieun, que le malade aussi fust à ieun, & qu'en la touchant de la main elle prononçast ces mots : Apollon nie que la peste puisse croistre, laquelle vne vierge nuë aura esteincte. Il faloit en disant cela, cracher par trois fois. Beneuenius escrit qu'vn deuin mettant les deux doigts sur la playe d'vn gendarme, & murmurant ie ne say quels charmes fit sortir vne flesche qui passoit dedans le costé dextre de la poictrine : & estoit atachee en l'os de l'espaule senestre. Puis il dit, encores que cela ait esté executé sans mal faire au malade, si est ce que ce n'a point esté sans endommager l'ame de l'vn & de l'autre. Aussi fut-il

aifé au diable s'entendant auec les charmes du magicien, de tirer la flefche, afin que par ces actions frau-
duleufes & pernicieufes il se rendit les autres plus
affuiettis. Mais ie vous donneray pour neant cefte
recette, afin que vous conoiffiez & deteftiez tant plus
l'impiete de ces charmeurs. Il faut dire à genoux par
trois fois, Eftans admonneftez par commandemens
falutaires, prions, en difant, le Pater & l'Aue Maria:
puis en faifant le figne de la croix adioufter ces mots,
Vn gendarme Iuif pouffé de mauuaife volonté frapa
le Seigneur, Iefus Chrift. † Seigneur Iefus Chrift ie
te prie † par ce fer † par cefte lance † par ce fang †
& par cefte eau que tu tires hors ce fer † au nom du
Pere † & du Fils † & du Sainct Efprit, Amen. †

Davantage, pour arrefter le fang on vfe de ces
mots, *In nomine Patris & Filii & Spiritus fancti,
Curat, cara farite confirma confana imaholite.* Item,
Sepa † fepaga † fepagoga † Sang arrefte-toy. Tout
eft confommé, au nom du Pere † podendi † & du
Fils † pandera † & du fainct Efprit † pandorica † paix
foit auec toy, Amen. Ces infenfez charmeurs croyent
que fi quelqu'vn porte par pays l'herbe nommee fer-
pentine, il fera fuir les ferpens, crapaux, lezards, &
toute chofe venimeufe. Puis ils font le charme qui
s'enfuit, afauoir trois cernes en terre en difant, In
nomine Patris an † & Filii elion † & Spiritus fancti
tedion † Pater nofter. Puis il faut dire par trois fois
en difant trois fois *Super afpidem & bafilicum am-
bulabis & conculcabis leonem & draconem.*

28. ch. p. 2.

Ie dirois ici volontiers, quelle communion y a-il
de la lumiere auec les tenebres? ou quel accord entre
Chrift & Belial? i'adioufteray encores ce qui eft efcrit
par Homere que le fils d'Autolyus arrefta le fang qui

Plate
liure 2. Cor. 6.

couloit d'vne playe qu'auoit receu Vlyſſe. Ainſi ſelon
l'opinion de Theophraſte, les charmes gueriſſent les
ſchiatiques : & ſelon Caton les os deſnouëz ſont
remis par ceſte chanſon : Danata, daries, dardaries,
aſtararies : & ce qui enſuit. I'ay conu vn impoſteur
qui pour n'eſtre tourmenté de la goute, entoit de ſa
main vn certain petit arbre, en barbottant quelques
prieres ſur le champ , & croyoit que la maladie ne
viendroit tandis que c'eſt arbriſſeau pouſſeroit des
rameaux : mais que la goutte le tourmenteroit ſi l'arbriſſeau venoit à mourir : toutesfois que le remede
ſeroit d'en replanter vn autre. Si deux enſorcellez ſe
portent haine l'vn à l'autre, eſcriuez les mots qui en-
ſuyuent dedans le pain dont on chante la meſſe. Abrac,
amon, filon : &c. & baillez ce pain à manger à tous
les deux, il enſuyura vne amitié perpetuelle entr'eux.
Contre la morſure du chien enragé eſcriuez cecy
dedans du pain : Irioni khiriori eſſera kuder fere : puis
faites le aualer. Ou bien eſcrire en papier ou ſur du
pain ces mots & les fourrer en la bouche de l'homme,
ou en la gueule du chien enragé : O roy de gloire
Ieſus Chriſt vien en paix au nom du Pere † max au
nom du Fils † max au nom du S. Eſprit prax Gaſpar.
Melchior Balthaſar † prax † max † Dieu imax †.

I'ay conu vn gentilbomme de bonne maiſon, qui
eſtoit fort renommé pour vne gueriſon ſemblable. Il
eſcrit dedans vn morceau de pomme Hax pax max
Deus adimax : & puis il la bàille à manger à celuy
qui eſt mordu par le chien enragé. I'ay entendu qu'il
prend de chacun qu'il guerit vn demy patard de brabant, & que de ceſt argent qu'il amaſſe ainſi, il a fait
faire vne chapelle pres ſon chaſteau, dedans laquelle
on dit pluſieurs meſſes achetees du prix d'vne telle

impieté. Et afin que lon penfe qu'il y ait quelque efficace en ce myftere, on a perfuadé aux credules & temeraires que la vertu de cefte guerifon va feulement du pere au fils aifné, comme par droiɛt de fucceffion, & non à autres. On vfe auffi de femblables monftres de paroles diaboliques contre la douleur des dents : *Galbes galbat galdes galdat.* On pend auffi au col ce fot diɛton : *Strigiles falcéfque dentatæ dentium dolorem perfanate.* C'eft à dire, eftrilles & faux dentelees gueriffez le mal des dents. Contre la fieure quotidiane certains forciers partiffent vne pomme en trois pieces, & efcriuent en l'vne. *Increatur Pater,* en l'autre *Immenfis Pater :* en la troifieme, *Æternus Pater :* puis font manger cela au febricitant à ieun par trois diuers iours. Si ce charme ne fert de rien, ils prenent trois hofties, qu'ils appelent Pain à chanter, & efcriuent deffus l'vne *O febrim omni laude colendam,* fur l'autre *O languorem fanitati & gaudiis afcribendum,* fur la troifieme, *Pax † max † fax †,* & les font manger à ieun au malade. Derechef fi cela ne proufite ils prenent encor de ce pain & y efcriuent, Pater pax † adonay † filius vita † Sabaoth † Spiritus fanɛtus † tetragammaton † & faut que le febricitant les auale au matin, comme deffus. Quelle efficace d'erreur! quel iugement de Dieu contre ceux qui aiment le menfonge & fuyent la lumiere de verité!

QVELQV'VN pour guerir toutes fortes de fieures intermittentes, fait attacher par le milieu deux verges de mefme longueur par la force de quelques paroles : puis il fait vne croix de la partie qui s'eft aprochee & atachee, laquelle il pend au col, & en guerit quelques vns, toutesfois la plus part retombe en fieure mieux que deuant. Les Turcs ont acouftumé d'apliquer contre la poitrine vn bois tout rond, fur lequel ils frapent auec vn autre femblable bois en murmurant ie ne fçay quoy, & difent que par ce moyen ils gueriffent les fieures. Il y a des moines fuperftitieux, qui contre les mefmes fieures pendent quelques billets au col, & commandent de dire quelques prieres à chaque acces de fieure, & qu'au troifieme ils efperent la fanté. Qui eft-ce qui ne void la tromperie ? premierement la confiance y fert de beaucoup : & puis on ne court pas du commencement au remede, tellement qu'es maladies aigues & foudaines defia ainfi auancees, il ne fe peut faire qu'apres tant d'acces il n'enfuyue quelque changement. Si par la puiffance de Dieu, ou du diable, à raifon du billet, la guerifon en enfuit, pourquoy eft-ce qu'elle ne fuit incontinent ? Quelques vns efcriuent ces mots & les atachent au bec d'vn poulet : Gibel, got gabet, puis auec vn poinfon bien aigu ils percent la tefte du poulet droitement par le milieu, & toutesfois il ne meurt point pour cela, & ne laiffe d'aller, principalement en efté. La raifon de ceci eft telle : la tefte & la ceruelle du poulet eft diuifee en deux par vn os, & par cefte diuifion ils font paffer le poinçon, fi bien que la ceruelle n'eftant point bleffee, il ne laiffe point de viure. Toutesfois le vulgaire ignorant penfe que cela foit fait par la vertu de ces paroles. Pourquoy n'en font-ils autant en perçant la tefte d'vn agneau, d'vn homme, ou d'vn chien ? Adiouftez encores la recepte de Conftantin, propre pour prendre des poiffons, Iao, Sabaoth. C'eft doncques à bon droit que Galien, bien qu'il fuft payen, s'eft mocqué de Cariachire & de Bamachie, & leur a preferé Diofcoride, lequel n'a baillé la medecine par

Liure 6,
des fimples.

imprecations & paroles superstitieuses, comme ils
auoyent fait. Le mesme Galien escrit au dixieme liure
des simples, Ce que lon pend, dit-il, est vne substance & non pas des paroles barbares, comme quelques impostures ont acoustumé de faire.

Il ne faut pas oublier en cest endroit le charme
dont s'aident quelques vns en la duché de Mont au
pays de Cleues : pour chasser les chenilles qui rongent
les choux es iardins. Les mots traduits de la rime
Alemande sont tels, Chenilles bien-aimees ce repas
que vous faites en Automne vous proufite autant que
la vierge Marie prenoit de plaisir quand en buuant
& mangeant on ne parloit point de Iesus Christ, au
nom de Dieu, Amen. On s'aidoit encor d'vn autre
charme. Si on cueille vne verge ou petite houssine au
voisinage de la maison d'vn adultere ou d'vn bon
escheuin, & que d'icelle on frape les choux couuerts
de chenilles, elles s'esuauouissent : pourueu que celuy
qui frape marche droit ou de trauers dans le parquet
des choux : mais s'il tourne à l'entour, les chenilles
demeurent.

Or ceci surpasse toute folie que plusieurs croyent
qu'il y a des paroles, lesquelles ont accordance auec
des images du ciel : mesmes qu'il y en a quelques
vnes, qui estans seulement prononcees, ont la vertu
de changer les sens des hommes & des bestes : &
disent que de là on void des images dedans les
mirouers consacrez : que les femmes sont poussees à
l'amour, que les elements sont changez, que la terre
est touchee diuersement, que le feu est empesché de
brusler, & que les maladies sont gueries. O la folie
incomparable! dont procede-elle? de qui est-elle receuë? Car si toute la verité des paroles depend de

*Nulles voix
ne conuiennent
auec
les images du ciel.*

l'harmonie du ciel, comme Alchinde fouſtient, pourquoy donc eſt-ce que ceſte harmonie ne peut operer
feule & d'elle-meſme, puis qu'elle eſt la cauſe fuperieure? Parauanture, dira-il, que le ciel agit par
cauſes moitoyennes. Mais qu'il monſtre ſi la forme
d'ouurer eſt receuë par le ſon, ou par la voix, ou par
les paroles. Car naturellement le ſon eſt deuant la
voix, & la voix deuant la parole. La parole eſt faite
de la voix, & la voix precede le ſon : elle comprend
l'vn & l'autre : & en la definition de la voix le ſon
eſt compris. Le ſon peut eſtre ſans la voix : car
naturellement il eſt deuant, de meſme forte la voix
peut eſtre ſans les paroles : mais les paroles ne peuuent eſtre ſans la voix & ſans le ſon. Si donc la vertu
eſt receuë par le ſon, en la maniere que le ſon eſmeut
les elemens : ceſte meſme vertu pourra eſtre communiquee, voire aux corps ſans ames, parquoy on
n'aura afaire ni de voix ni de paroles. Mais ſi elle ſe
fait en la voix, puis qu'elle eſt en pluſieurs autres
animans auſſi bien qu'es hommes, elle pourra eſtre
faite par les beſtes brutes. Or ſi vous me reſpondez
qu'elle eſt es paroles des hommes, ie vous demande
dont vient ceſte vertu, eſt-elle en la premiere ſyllabe,
ou en celle du milieu, ou en la derniere? ſi elle eſt es
ſyllabes, elle ne fera pas es paroles. La ſyllabe s'eſua-
nouït incontinent, & ainſi il y a pareille raiſon es autres. Dont il s'enſuit qu'es paroles il n'y a aucune
vertu celeſte qui opere.

Afin que les gens de bien fouſcriuent encor plus
volontiers à mon opinion, ie concluray mon propos
par l'authorité de faint Chriſoſtome, laquelle me feruira de glaiue pour couper ceſte teſte monſtrueuſe de
charmes & forcelleries : Les paroles, dit-il, font pro-

*Franc. Pic
diſpute
plus au long
contre
Alchinde
liure 7. chap. 6.
de la
ſuperſtit.
prognoſtic.*

noncees par la bouche du miniftre, & font confacrees
par la puiffance & grace de Dieu. Quant aux forcelleries, fi elles ont quelque efficace, & vertu fecrette,
cela procede de la fiance que les charmeurs ont au
diable. Mais il n'y a nulle efficace en ces paroles,
mais Dieu tres iufte Iuge permet à Satan de tromper
ceux qui fe fient en fes impoftures.

CHAPITRE IX

De la guerifon magique faite par liaifons, colliers,
charaâeres, effigies, anneaux & fignets.

ES liaifons magiques & les colliers pendus au col, tirez & comme defrobez de
plufieurs lieux, & principalement des
fainâes lettres, doyuent eftre icy en-
rollez. Par iceux les hommes font affolis, lors qu'ils
en vfent contre les efforts du diable les enchantemens
& forceleries : comme pour exemple, lors qu'en vn
petit billet ils peindent en petites lettres tout le premier chapitre de l'Euangile de S. Iean, & le font confacrer par vne meffe, puis ils le pendent au col comme
vn grand preferuatif contre les enchantemens & contre les machinations diaboliques. Mais fi ce petit
billet eft de quelque efficace, ceux-la certainement
auront vne finguliere prerogatiue contre les machina-

La parole de Dieu n'est pas vne lettre morte.

tions de satan, lesquels tout exprés ont tousiours la saincte Escriture en leurs mains, ou en leurs manches. Toutesfois si elle n'est enracinee en nos esprits (là où elle sert à effect, estant comme excitee en sa chaleur vitale) n'est que lettre morte, encore que mille fois elle soit pendue au col, liee portee, maniee, barbotee entre les dents, escrite, imprimee & grauee dessus des signets ou de anneaux, beuë & mangee voire auallee.

Iean. 6. Homil. 43 sur le chap. 23. de Sainct Matt.

S. Chrysostome le testifie, disant : Il y a quelques prestres, dit-il, qui portent vne partie de l'Euangile à l'entour de leur col. Mais di moy sol prestre, l'Euangile n'est il pas tous les iours leu & entendu d'vn chacun en l'eglise? si l'Euangile mis dans les oreilles des personnes ne leur a de rien proufité, comment les pourra il garder estant pendu à leur col. Dauantage où est la vertu de l'Euangile? est-elle en la figure des lettres, ou bien en l'intelligence du sens? Si elle est es figures, vous la mettez à bon droit a l'entour du col : si elle est en l'intelligence, il n'y a point de doute qu'il ne fust mieux estant mis plustost à l'entour du cœur, qu'à l'entour du col. Le mesme Chrysostome dit encore ce qui s'ensuit : Lors que tu es tombé en vne griefue maladie, & que les vns te conseillent d'auoir recours aux enchantemens, les autres à des choses pendues au col, & les autres autrement : si tu resistes à toutes ces choses d'vn esprit constant, pour la crainte que tu as de Dieu : & que tu aimes mieux endurer que de t'acointer d'aucunes de des choses, cela te fait & rend presque semblable à

Au liure des diuerses questions.

vn martyr. Pour ceste raison Athanase escrit que les diables craignent beaucoup les paroles du 68. Pseaume, lors que quelqu'vn les prononce attentiuement, & qu'il prie de tout son cueur.

Que Dieu fe monftre feulement,
Et on verra foudainement
    Abandonner la place.
Le camp des ennemis efpars,
Et fes haineus de toutes parts
Fuir deuant fa face.
    Dieu les fera tous s'enfuir,
Ainfi qu'on voit s'efuanouir
Vn amas de fumee :
Comme la cire aupres du feu,
Ainfi des mefchans deuant Dieu
La force eft confumee.

Le mefme tefmoigne que par telle oraifon S. Antoine chaffa Satan en ce rude conflict qu'il eut contre vne troupe de diables. Quelquefois auffi il chantoit ce qui eft contenu au Pfeaume 27. Tout vn camp vienne & moy feul enuironne, iamais pourtant mon cœur n'en tremblera.

Le Pape confacre des Agnus Dei, qu'il appele, contre les diables nuifibles & contre toutes leur machinations : comme on lit au premier liure des ceremonies de l'Eglife Romaine, fection 7. chapitre 3. de la confideraation des Agnus Dej, ou, apres telle confideration ces mots font adiouftez : Nous lifons que le Pape Vrbain cinquieme enuoya à l'Empereur de Grece trois Agnus Dej auec les vers Latins qui s'enfuiuent.

Agnus Dei.

Balfamus & munda cera cum chrifmatus vnda
Conficiunt Agnum quod munus do tibi magnum,
Fonte velut natum per myftica fanctificatum.
Fulgura defurfum depellit & omne malignum
Peccatum frangit, vt chrifti Sanguis & angit.
Prægnans feruatur, fimul & partus liberatur,
Dona refert dignis, virtutem deftruit ignis,
Fortatus munde defluctibus eripit vnde.

Mais encore moins auront de vertu & puiffance les characteres marquez de la main, les effigies, les an-

Les
folies
des
characteres.
effigies, anneaux
& fignets.

neaux & fignets tournez & faits d'vne ou d'autre
figure grauez ou marquez d'images felon le point de
certaine conftitution du ciel. Et comme nulle vertu
des aftres n'eft infufe es ouurages qui fe font par la
main : ainfi n'auient il veritablement aucune vertu
aux fubftances des chofes, & nulle auffi n'en eft retiree, encores qu'elles foyent enrichies d'vne infinité de
marques diuines, de noms, ou des mots tirez de l'efcriture fainéte : car en chacune d'icelles Dieu des le
commencement apofe des vertus efmerueillables &
particuliers, lefquelles font caufes des aétions qui en
fortent. Auffi ne fe fait-il aucune meflange des
qualitez : il n'auient en cefte nature garnie d'vn conuenable temperament des qualitez felon la premiere
ordonnance des chofes, aucune nouuelle & effentielle
forme ou nature : mais au contraire la matiere & la
forme, defquelles ce corps a efté fait, luy font contre
gardees, & feulement on y traffe artificiellement vne
nouuelle figure, & ne laiffe pour cela de retenir fon
temperame.ıt acouftumé, en la compofition de laquelle
figure les eftoilles ne peuuent rien, ni les qualitez
lefquelles pour lors font dedans l'air. Et mefme pour
dire en bref ce qui en eft, ie n'auray point de honte
de declarer librement que tout ceft amas de figures
controuuees, eft vne chofe friuole & fans efficace ou
vertu, encores que lon m'allegue pour me conuaincre,
le philofophe Thebit premier maiftre de la magie,
lequel monftre les moyens de faire les anneaux, par
lefquels ils font acroirè que les efprits font refiouis,
les ennemis, les diables & les maladies font caffees
& les miracles font executez & parfaiéts. Telles eftoyent
les folles opinions que lon auoit des anneaux qu'ils
difent auoir efté compofez par Eudeme le philofophe.

Platon
liure 2. de Rep.

Ils m'obiecteront Albert qui est toufiours femblable à foy-mefme & en tout ce qu'il fait grand faifeur de ces anneaux & fignets, & ne fait grand cas de fe destourner de la verité. Ils m'allegueront auffi M. Ficin, grand philofophe au demeurant, & encores plufieurs autres. Il ne faut oublier l'anneau de Gyges roy des Lydiens, à celle fin que la forciere femme de Menippe Lydien forte mieux ornée d'vne chaine magique, faite d'anneaux, dedans le doigt de laquelle, de peur que elle ne tombe du haut mal pendant que le philofophe la reprend, mettez vn anneau d'argent qui foit graué au dedans de ces characteres & marques † habi † haber hebi †. Donnez auffi contre les fieures des billets controuuez par vn certain garnement porteur de rogatons

Ananifapta ferit, mortem quæ lædere quærit.
Et mala mors capta, dum dicitur ananifapta.
Ananifapta Dei, iam miferere mei.

Nicolas & Guillaume Varignana medecins & Pierre Argellat chirurgien difent que le mary enforcelé, qui ne peut auoir afaire à fa femme, doit vriner par dedans l'anneau de fon mariage, & que fi quelqu'vn veut eftre deflié de l'amour d'vne femme. il ne faut que mettre la fiente de la femme dedans le foulier de l'amoureux, car l'odeur luy fera petit à petit diminuer fon amour : toutesfois il me femble qu'il ne faut point recercher cefte raifon & la tirer des caufes occultes & cachees : dautant qu'elle eft affez manifefte de foy-mefme.

CHAPITRE X

Inuention magique pour guerir & oster toute
forcellerie.

'AY extrait des efcrits de certains fantaf-
tiques & infenfez ce ridicule fecret, fer-
uant (difent-ils) à ofter toute forcelerie:
& maintenant ie le propofe aux gens
de bien & de bon iugement, afin qu'en confiderant
de pres les fcaux, characteres, nombres, mots & coniurations dont les ignorans font fi grand cas, ils en
aperçoyuent & condamnent dauantage la folle vanité.
Or les moyens dont ces charmeurs & forciers ont
voulu esblouyr & tromper le monde font tels. Vn
iour de ieudy, à l'heure que Iupiter domine & eft au
croifsant de la lune, on prend vne platine de
cuyure, & graue-on deffus deux grands cercles entre
lefquels font efcrits les noms du Seigneur afauoir El †
Elohim † Elohe † Zebaoth † Elyon † Eferehye †
Adonay † Iah † Tettagrammaton † Sadai. Au milieu
de ce cercle y a vn quarré rempli de chifres diftinguez en quarreure & diuers characteres magiques,
auec ces deux mots Roguil & Iophiel. Cela fait, le
charmeur dit, O Iupiter roy des planettes, ô fortune
douce & debonnaire, ô Damaffes mabadus, Camas,
Iadas, Dichidos, Offididus, Canores, ie te coniure par
celuy qui t'a creé, difpofé & rangé où il luy a pleu,

que tu me vueilles aſſiſter en mon entrepriſe, à ce que
par la vertu de ceſte platine toutes forcelleries ſoyent
oſtees, que celuy qui la portera deuienne riche, ſoit
aimé, bien voulu & careſſé de chacun. Cometetoro,
Zedelay, Tropines, Zozin, Agare, Bitelbault, Vite-
luault Yton, par celuy qui doit venir iuger les vifs &
les morts, & le monde par feu, Amen. Quand il aura
dit cela par trois fois, il faut perfumer la platine de
maſtich, d'oliban, de bois d'aloes, & la garder en du
tafetas iaune, ou la porter. Si lon veut aider & guerir
quelques forceleries, il la faut mettre au feu, & dire :
ô vous eſprits de Iupiter, d'amour & de dilection,
rendez-moi amiable & plaiſant enuers tous, ye feraye
faites que comme ceſte platine s'eſchaufe dans le feu,
auſſi, & c. Puis on la retire, & la met'on eſtaindre en
du vin, diſant : Comme ceſte platine eſt eſtainte en du
vin, ainſi ſoit eſtainte toute forcelerie, &c. Puis le
charmeur gouſte & boit de ce vin difant, Iod, he,
vau, het, fiat fiat fiat, Amen. Ie n'en deſcouuriray
pas dauantage, ne voulant donner ocaſion aux eſprits
curieux de ſe fouruoyer apres telles impietez, en la
conſideration deſquelles les Chreſtiens ont de quoy
louer Dieu qui leur donne contentement en la conoiſſance & meditation de ſaincte Parole, & de quoy
auſſi trembler en contemplant l'horrible aueuglement
de ceux qui en tant de lieux de la Chreſtienté pro-
fanent ſi malheureuſement le nom de Dieu & ſes
creatures, pour s'aſſeruir à menſonge, & de plus en
plus s'obliger à mort eternelle.

CHAPITRE XI

Des charaǎeres, images, figures, exorcifmes : &
autres chofes illicites, par lefquelles on cerche
les trefors : on ouure les portes fermees, & pend-on
les forciers par les cheueux, & autres tromperies
diaboliques.

ES magiciens ont acouftumé de cercher les threfors en cefte façon : Premiere-ment ils coniurent, & fuperftitieufement, & mefchamment & par blafpheme, vne verge de coudre, marquee de trois croix. Ils y ad-iouftent auffi quelques characteres & des noms bar-bares, puis en fouiffant la terre ils lifent le pfeaume *De profundis,* La meffe, *Le Mifereatur noftri, Requiem, Pater nofter, Ave Maria,* & le *Ne nos inducas in tentationem, fed libera nos a malo. Amen. A porta inferi, Credo videre, Expeǎate Dominum, Requiem æternam :* auec vne certaine oraifon. Si vous mefprifez le temps auquel vous deuez fouir en terre, le diable emporte le threfor.

Povr ouurir les portes fermees, il faut prendre vn morceau du cierge dont on s'eft aidé à baptifer, & y imprimer de fleurs que lon nomme clochettes de noftre dame, & attacher le tout en la partie de deuant de la chemife. Puis quand vous voudrez ouurir il faudra fouffler par trois fois, en difant ces paroles :

Arato hoc partiko, hoc maratarikin, en ton nom i'ou-
vre ceſte porte, laquelle ie ſuis contraint de rompre,
tout ainſi comme tu romps les enfers, In nomine
Patris, & Filii & Spiritus ſanéti. Amen.

On dit auſſi qu'au ſeul toucher de l'herbe Aetio-
pide toutes choſes fermees ſont ouuertes, en barbottant quelque chanſon. On dit le meſme eſtre auenu
à vn lequel eſtoit condamné à eſtre pendu à Veniſe, &
qui par le moyen d'vne ſeule herbe enchantee auec
quelques marques & charaéteres ſe faiſoit paſſage par
toutes les portes, deſquelles les ſerrures eſtoyent rompues & briſees. Mais ſi ceſte vertu eſt es herbes, pourquoy y faut-il murmurer des chanſons & y adiouſter des charaéteres? Ou bien ſi les chanſons & charaéteres ont ceſte vertu, pourquoy eſt-il beſoin des
herbes ? ſi vous dites qu'eſtans ioinétes enſemble elles
ont ceſte efficace, ie diray au contraire que ce n'eſt
qu'vne ſuperſtition. Et comme ie ne veux en rien
deroguer aux miracles des choſes naturelles, auſſi
aſſeure-ie librement qu'il ne faut penſer qu'il y ait
aucune vertu en ces chanſons & charaéteres. Car
comme ainſi ſoit que les herbes ne peuuent rien ſans
l'application des chanſons & charaéteres, il s'enſuit
auſſi qu'elles n'ont aucune vertu ſemblable à celle
qu'on leur baille. Mais ſi vous me reſpondez que
l'effeét s'en enſuit, ie dis qu'il s'enſuit voirement,
mais que c'eſt par l'œuure du diable, lequel s'aide de
la chanſon ou du charaétere, à celle fin que par telles
tromperies il enlaſſe plus eſtroitement ceux qui y
penſent le moins & que cependant il ne donne aucune
ayde.

Ie diray donc auec Pline, n'euſt il pas mieux valu
que Scipion Aemilian euſt ouuert les portes de Car-

thage auec vne herbe femblable, que cercher fi longtemps le moyen de les ouurir auec des engins? Pourquoy les princes chreftiens font ils tant de frais pour
rompre les portes & murailles des villes auec tant de
frais en boulets & poudre à canon ? veu mefmes
qu'ils ne feroyent dificulté d'aller fouiller en enfer
pour y trouuer des richeffes, s'ils auoyent ce moyen
que propofent ici les charmes. Pour fe defendre on
fait vne figure dedans la terre auec de craye & auec
quelques autres folies : puis on recite des Pfeaumes
& oraifons, & rend-on l'acte plus honorable par le
recit de la meffe. Cela fait, on fiche vn clou de fer
dedans vn arbre. Pour faire aparoiftre vn homme
acompagné de mil hommes ou mille cheuaux on
prend vn fcion d'ofier d'vne annee, lequel on coupe
d'vn feul coup, on l'exorcife auec quelques noms
barbares & des characteres phantaftiques. Quelques
vns penfent faire tort à autruy faifant vne image au
nom de celuy qu'ils veulent bleffer, ils la font de cire
vierge ou neufue, & lui mettent le cœur d'vne haron-
delle deffous l'aiffelle droite, & le foye fous la feneftre.
Item ils pendent à leur col l'effigie auec vn fil tout
neuf, laquelle ils piquent en quelque membre auec
vne aiguille neufue, en difant quelques mots, que
i'ay laiffé expres, de crainte que les curieux n'en abu-
faffent. Cefte image, eft quelquesfois faite d'airain, &
pour plus grande deformité ils luy retournent les
membres, comme luy faifant vn pied au lieu d'vne
main, & vne main au lieu d'vn pied, & luy tournant
la face le deuant derriere. Pour faire vn plus grand
mal, ils font vne image en forme d'homme, & luy
efcriuent vn certain nom deffus la tefte : & aux coftez
mettent ceci : Alif, lafeil Zazahit mel meltat leuatam

leutace : puis ils l'enterrent dedans vn sepulchre. Pour le mesme effect, comme ils appelent, ils preparent deux images, lors que Mars domine, l'vne est de cire, l'autre est faite de la terre d'vn homme mort, on baille le fer duquel vn homme sera mort en la main de l'vne des images pour en percer la teste de l'image qui represente celuy que l'on veut faire mourir. On escrit deux noms en l'vne & en l'autre, auec des characteres particuliers que lon fait à part, & ainsi l'autre est cachee & posee en vn certain lieu.

Povr acquerir l'amour d'vne femme, on fait vn image à l'heure de Venus, on la compose de cire vierge, au nom de celle que lon aime, on y apose vn charactere, & la fait-on eschaufer pres du feu : ce faisant on se souuient de quelque ange. On a acoustumé de composer vn semblable monstre pour faire que quelqu'vn obeisse en tout & par tout.

Or afin que les sorcieres soyent pendues par les cheueux, & que ce theatre prenne fin par vn acte tragique, ils composent vne effigie faite de la terre d'vne teste d'homme mort, laquelle ils baptizent au nom de celle qu'ils veulent pendre, & luy baillent le nom qu'ils escriuent auec vn charactere : puis ils la parfument d'vn os puant, & lisent à rebours les Pseau. *Domine dominus noster : Dominus illuminatio mea : Domine exaudi orationem meam : Deus laudem meam ne tacueris, &c.* Cela fait ils l'enseuelissent en deux divers endroits.

Image pour pendre la sorciere par les cheueux.

Or afin que chacun puisse voir à l'œil la folie digne d'estre exterminee du monde, laquelle procede de ces coliers, paroles, characteres, figures, anneaux, images, & d'autres impostures, ie n'ay point voulu taire ces receptes que i'auois prises en cachette à ce

preftre : car auffi on pourra iuger plus aifément de
toutes les autres tromperies des autres fes femblables,
& fi i'y euffe aperceu la moindre eftincelle de verité,
certainement ie n'euffe failli de les mettre incontinent
dedans le feu.

CHAPITRE XII

*Des chofes par lefquelles on penfe que ceux à qui
on baille la queftion, ne fentent aucun mal, & ne
peuuent dire mot.*

N peut aifément iuger de ces bayes, par
ceux, qui ayans commis quelque crime
capital, penfant par vn efcrit, ou par
paroles prononcees ne deuoir endurer
aucun mal, ni eftre contraints de parler deffus la question & gehenne. Ce que quelques abufez fe font tellement perfuadez qu'ils n'ont fait doute de fe prefenter
de leur propre gré en prifon & à la queftion. Car ils
font confermez en ce mal par le diable, auquel il
touche de beaucoup que les mesfaits ne foyent punis,
ains pluftoft accumulez de iour en iour : fi bien que
non feulement les inftrumens & organes de leur
voix font empefchez tellement qu'ils ne peuuent
parler : mais auffi ils tombent en vn fomme fi profond qu'ils n'entendent aucunement ce qu'on leur

demande, nì ne fentent les tourments : mais pendant qu'on les y attache ils difent ces mots, aufquels certainement il n'y a ne fel ne fauge, comme on dit en prouerbe :

Imparibus meritis tria pendent corpora ramis,
Difmas & Geftas, in medio eft diuina poteftas :
Gifmas damnatur, Geftas ad aftra leuatur.

C'eft à dire : A trois rameaux inegaux, trois corps font pendus, Difmas, Geftas, & Diuina poteftas qui eft au milieu : Difmas eft condamné & Geftas eft efleué aux cieux. Il y en a quelques vns qui prononcent certaines autres paroles, *Eructauit cor meum verbum bonum, veritatem nunquam dicam regi.* C'eft à dire : Mon cœur a parlé bonne parole, Ie ne diray iamais la verité au Roy. Quelques autres fe conferment par cefte priere : Tout ainfi que le laict de la benoifte & glorieufe vierge Marie a efté doux & fuaue à noftre Seigneur Iefus Chrift : ainfi cefte torture ou cefte corde foit douce & fuaue à mes bras & a mes membres. Quelques vns encores difent feulement ces mots : Iefus paffant marchoit par le milieu d'eux : vous ne briferez aucuns os d'iceluy. Et toutesfois nous voyons auenir le contraire : car encores que le diable leur empefche tellement les organes du fentiment qu'ils ne fentent rien, fi eft-ce que quelquefois leurs os font brifez & rompus. Dont on pourroit conclure que leurs paroles n'ont aucune vertu, & que les chofes defia par nous mifes en auant font plus ridicules que croyables. Auffi me femble-il bien pour deux raifons, qu'il n'eft pas permis au diable de faire vne chofe femblable à cefte-ci, pendant que ces malfaicteurs abufent superftitieufement de ces

Pourquoy le diable ne peut tonfiours empeftrer la langue & les fens. Rom. 13.

chofes. Premierement attendu que toute puiſſance vient de Dieu, le diable ne luy peut ſi bien reſiſter & moins encor à ſes legitimes actions & operations, que cependant & par ce moyen il arrache les mal-faicteurs d'entre les mains de la iuſtice publique, ainſi que ſainct Auguſtin & Thomas d'Aquin le monſtrent. Secondement, pour autant que l'impieté des mes-faicts n'eſt aucunement plaiſante à Dieu, ni la licence de mal-faire permiſe. Autrement l'ordre inſtitué & la iuſtice de Dieu contreuiendroyent l'vn à l'autre. Ie penſe bien toutesfois que telles choſes ſont ſouuentes-fois ainſi auenues par l'impieté des hommes, laquelle le meritoit ainſi. Car Paul Grilland iuriſconſulte tref-renommé a teſtifié l'auoir veu par deux fois & experimenté de fait, diſant : Premierement à Piſe, lors que i'eſtois aſſeſſeur du magnifique ſeigneur Capitaine de la ville : Secondement à Rome, lors que i'eſtois auditeur criminel des cauſes ſous le reuendiſ-ſime ſeigneur l'Auditeur de la chambre. Il y auoit vn larron ruſé coulpable de deux crimes, contre le-quel on auoit deſia examiné cinq teſmoins, ſur diuers indices d'vn larcin de 137. ducats, lequel ayant en-tendu que la court de monſieur l'Auditeur procedoit contre luy, auant que comparoiſtre perſonnellement, print quelques charmes contre la torture, leſquels apres qu'il euſt experimenté & conu par pluſieurs fois eſtre ſufiſans, il vint de ſa propre volonté vers moy, ainſi que i'eſtois d'auanture en la maiſon de la tour neufue, où i'examinois quelques autres priſonniers, & ſe conſtitua priſonnier, diſant qu'il eſtoit venu de ſon plein gré, pour ſe purger des faits à luy impoſez. Or fut il contraint de venir en fin en la torture, à rai-ſon des grands indices qui faiſoyent contre luy : en

De
la cité de Dieu
liure 10.
Thom. q. 3. 1.
partie
traitté qq.
tit. des miracles.
ſenten. exco.
C. vt fame,
l. ita vineret
D. ad l.
Aquil.
Au
traité
des queſtions
& tortures
q. 4. nombre 14.

laquelle eſtant leué, il dormoit la teſte baiſſee, comme
s'il euſt eſté dedans vn liĉt, ſans ſe lamenter ne crier :
ſi bien que quand on tiroit la corde, il ſembloit que
ce fuſt vne ſtatue de marbre. Il eſt vray que deuant
qu'eſtre leué à la queſtion, il diſoit quelques paroles
tout bas, puis ſe taiſoit comme s'il euſt dormi. Ce
qui me fit douter incontinent que parauenture il auoit
ſur ſoy quelque ſorcellerie ou charme : ou bien que
par ces paroles il receuoit quelque aide. Ie cerchay
doncques diligemment par toutes les parties de ſon
corps, & trouuay en fin vn petit billet dedans ſes
cheueux, ſous ſa coiffe, dedans lequel il y auoit eſcrit †
Ieſus autem † tranſiens † per medium illorum ibat †
os non comminuetis ex eo †. Il eſtoit marqué de
croix. Ie luy oſtay incontinent ce billet, & encores
qu'il s'en pleigniſt fort : toutesfois eſtant remis ſur la
torture & derechef eſleué, il ne laiſſa pas de faire
comme deuant, ayant des le commencement dit quelques paroles ſi bas que ie ne peus oncques les entendre : & de fait il ne confeſſa rien. Depuis on luy
changea les tortures, & fut mis en vne autre, là où
ſemblablement il ne tint conte des douleurs & ne
confeſſa rien : mais perſiſta plus opiniatrement en ſa
negatiue, tellement que il me fuſt force de le laiſſer
& l'abſoudre. Semblable choſe aduint à Hipolyte de
Marſiles pendant qu'il eſtoit official du Duc de
Milan.

GRILLAND dit encores : Il n'y a pas vn an que i'ay
entendu qu'on en a mis vn autre par pluſieurs fois à
la queſtion où il auoit eſté fort tourmenté, & proferoit
tout bas des paroles touchant le laiĉt de la vierge
Marie, & ſembloit qu'il n'enduraſt aucune douleur,
mais au contraire il ne tenoit conte de tout ce qu'on

En
la loy
repeti. col. 4.
ff. de q.

Autre exemple.

luy faifoit. Il dormoit en la torture, comme l'autre,
fi bien que eftant examiné par trois iuges en la prefence du procureur fifcal, on n'en peut oncques tirer
aucune confeffion, encores que fon compagnon, criminel de mefme fait, le declaraft expreffément, & le
nommaft, comme ayant efté complice en ce mesfaiçt.

Autre exemple. I'ay veu fon proces & l'ay conu. Vn autres exemple,
lequel femblablement a efté fait & m'eft auenu à
Rome, touchant vne forciere, laquelle auant qu'eftre
leuee à la torture difoit quelques paroles tout bas,
puis eftant efleuee demeuroit muette comme morte,
& aparoiffoit noire par le vifage, comme vn charbon
eftaint. Elle auoit les yeux efpouuantables, qui luy
fortoyent de la tefte comme à ceux que lon eftrangle,
& ne difoit aucun mot, ni bien ni mal.

Or cefte derniere petite hiftoire ne fait rien contre
noftre difcours : car fi cefte forciere eftoit du nombre
de nos enchantereffes, dequoy fe doit-on efmerueiller
fi le diable luy a empefché la langue & eftouppé la
gorge, tellement qu'elle ne pouuoit parler? Car il ne
vouloit pas qu'elle prouuaft fon innocente, & que
cependant fes tromperies fuffent defcouuertes par ce
moyen.

Opiniaftr:té Novs auons veu vn exemple femblable à ceux de
d'vn deuant, depuis peu de temps en vn bourreau d'Anuers,
bourreau. lequel eftoit François. C'eft homme encores qu'il euft
fait mille remerquables meffaits conus de chacun, fi
eft-ce qu'il ne peut oncques eftre contraint par aucune
forte de tortures, voire des plus cruelles, à confeffer
verité. Car eftant fur la torture il tomboit incontinent
en vne perte & alienation de tous fens. Dont le tres-
fage Senat s'eftant enquis des medecins ordinaires,
conut que telle ftupeur ne pouuoit eftre excitee finon

par des medicamens endormans, tels que nous auons
defcrit cy deffus au 2.° liu. ch. 17. On peut dire auffi
que Dieu a permis qu'il ait ainfi fupporté la torture,
& ait efté demembré cruellement, afin de l'amener
comme par force à quelque reconoiffance de fes fautes
ou pour eftre rudement chaftié & felon fes demerites,
comme reprouué. Car apres auoir efté torturé de
toutes façons, il fut executé à mort fans monftrer aucun figne de repentance tant il eftoit ftupide & enyuré
de fang d'infinis hommes & femmes qu'il auoit fait
mourir de diuers fuplices, pour la parole de Dieu,
par l'efpace de plufieurs annees auparauant. Quelques vns toutesfois, comme efcrit Grilland, difent que
lon trouue des remedes contre ces forceleries, qui
font faits de prieres diuerfes, & par lefquels, comme
ils difent, toutes liaifons & charmes font rompus &
rendus de nul effe&t : tellement que celuy que lon
met fur la gehenne endure en fon corps plufieurs
tourmens. Entre autres ils difent ces paroles du Prophete : Mon cœur a parlé vne bonne parole : ie diray
toutes mes œuures au Roy, &c. Le Seigneur ouure
mes leures, & ma bouche annoncera la verité. Item,
la mefchanceté du pecheur foit confondue : tu perdras
tous ceux qui parlent menfonge. Item, brife les bras
du mefchant accufé, & la langue maligne fera renuerfee. Ils difent doncques que ces paroles, prieres
& exorcifmes les charmes font rendus de nulle efficace, & que les mal-faicteurs font merueilleufement
tourmentez. Voyez Paris de Puteo au traité de
Syndicatu, C. tortura to. 3. fueillet 113. Voyez auffi
Sylueftre Prier. au traité de Strig. demonft. mirand.
liu. quatrieme, chapit. cinquieme, toutesfois regardez y de pres : car ie ne puis rien arrefter de la

*Traité
des queftions
& tortures
q. 4. nombre 16.
Afçauoir
fi la taciturnité.
peut
eftre empefchee
par paroles.*

*Pfeau. 44. & 118.
Pfeaume 50.
Pfeaume 7.
Pfeaume 9.*

vertu de ces remedes, dautant que iamais ie ne les ay
experimentez, ni veu experimenter par aucun.

Qvant à moy, encores que le docteur Grilland &
mille tefmoins auec luy auroyent veu cela de leurs
yeux : fi eft-ce que ie ne croiray iamais que tels actes
fe puiffent faire par la vertu de quelques paroles prononcees, ou efcrites, ou grauees. Car mefme ce larron
fusmentionné eftant deffaifi de fon breuet, ne confeffa
rien pourtant, quelque torture qu'on luy donnaft : &
i'ay prouué fuffifamment que des paroles murmurees
ne peuuent engendrer vne ftupidité es membres. Parquoy il faut qu'il euft avalé quelque bruuage endormant, ou que le diable à qui il pouuoit s'eftre donné
auparauant & fait alliance auec luy, l'auoit rendu
ftupide : fuyuant mefmes ce que i'ay monftré es 10.
11. 12. chapitre du liure precedant, que plufieurs
demoniaques ont efté agitez du diable & par diuers
tourmens, fans en rien fentir : ains apres l'agitation
font reuenus à eux, comme s'ils fe fuffent efueillez de
quelque fommeil profond. Ie conclu doncques fi telle
chofe auient qu'il faut pluftoft attribuer cela à l'artifice du diable, qui comme tres fubtil & efprit qu'il
eft, trouble les humeurs du cerueau, endort profonde-
ment, eftoupe la fource des nerfs, ofte le fentiment &
ftupefie, propofant à ceft effect quelques breuets &
paroles, afin qu'on croye qu'il y ait quelque vertu en
icelles, & que le refte de fes fraudes & illufions demeure cachee là deffous. Ie di le mefme touchant vne
vieille femme de Bruxelles eftimee de tous à caufe de
fa modeftie & faineteté en apparence, & la tenoit on
pour vraye Apoftre de Iefus Chrift, pource quelle
gueriffoit plufieurs petis enfans comme miraculeufe-
ment redreffoit les boffus, remettoit incontinent les

iambes & cuiffes defnouees, fans y apliquer aucun
medicament : mais par quelques ceremonies, comme
en leur commandant de iufner deux ou trois iours
au pain & à l'eau, ou lire trois fois l'oraifon dominicale, ou aller en pelerinage vers noftre dame
d'Ardembourg, ou vers Sainct Arnould d'Ardem-
berg, ou à fainct Iacques, ou à fainct Hubert des
Ardennes : ou d'ouyr deuotement vne meffe ou
deux, ou de dire quelques menus fuffrages. Cela
eftant fait & executé felon fon ordonnance, les malades eftoyent gueris, pour la grande affeurance &
opinion qu'ils auoyent que cefte vieille auoit pouuoir
de ce faire : car auant que rien entreprendre elle re-
queroit d'eux qu'ils creuffent fermement qu'elle les
pouuoit guerir. Or finalement fa rufe fut defcouuerte:
tellement qu'apres auoir efté torturee fans vouloir
rien confeffer elle fut bannie par le magiftrat. Cefte
hiftoire eft defcrite tout au long en la pratique criminel de Ioffe Damhoudere de Bruges, Iurifconfulte
de noftre temps, au chapitre 37. ou il parle des
queftions.

Il ne faut pas oublier ce qu'Albert le grand maintient auec mefme fidelité que plufieurs autres chofes
qu'au raport de certains auteurs nommez Aaron &
Hermes, la pierre nommee Mephites eftant pulueri-
fee, meflee en eau & beurre par celuy qui doit eftre
torturé, fait que il ne fent aucun mal. Voyez ce qui
eft contenu enuiron la fin du feptieme chapitre du
liure fuyant, où il eft parlé des fauffes & deceuantes
preuues, qu'aucuns eftiment tref-affeurees, pour remarquer les Sorcieres entre autres perfonnes. Afin que
la conference des chofes efclarciffe de plus en plus les
artifices & impoftures de l'ennemi du genre humain,

CHAPITRE XIII

Qu'en la chofe figuree de characteres il n'y a au-
cune vertu à raifon de la figure.

E là nous pouuons voir combien de fiance lon doit adioufter au fait du diable defcrit par S. Ierofme en la vie de S. Hilarion. Il y auoit, dit-il, en cefte mefme ville du port de Gaza, vn ieune homme, fort amoureux d'vne religieufe, lequel voyant qu'il n'auoit rien peu gaigner par attouchement, par ieux, par fignes, & par telles chofes qui font les commencemens qui paroiffent lors que la virginité eft prefte de mourir : s'en alla à Memphis, afin qu'ayant defcouuert fa playe, il retournaft vers fa dame armé de fciences magiques. Parquoy ayant efté là l'efpace d'vn an il reuint bien endoctriné par les deuins d'Aefculape, qui luy auoyent apris les moyens, non pour remedier aux maladies des ames, mais pour les perdre : parquoy venant auec la paillardife qu'il portoit en fon efprit, il enterra deffous le fueil de la porte de la fille quelques paroles & quelques figures prodigieufes, grauees eu vne platine de cuiure de Cypre. Soudainement la fille commença à affolir, & ayant ietté le voile de deffus fa tefte, elle frifa & tortilla fes cheueux, commença à grincer les dents, & à nommer en fe lamentant le nom du ieune homme : car la

grandeur de fon amour l'auoit mife en fureur. Parquoy ayant efté menee au monaftere par fes parens,
& baillee à vn bon vieil homme, le diable commença
à crier & à confeffer parlant en elle, l'ay efté forcé,
i'ay efté amené malgré-moy. O comment ie trom-
pois bien mieux les hommes par fonges lors que
i'eftois à Memphis! O les croix & tourmens que
i'endure! Vous me contraignez de fortir, & toutesfois ie fuis detenu lié deffous le fueil de la porte. le
ne puis fortir, que le ieune homme, qui me tient, ne
m'ait laifsé aller. Vrayement la force eft bien grande,
dit le vieillard, veu que tu es detenu par vn filet &
vne platine. Di moi comment tu as ofé entrer en
cefte fille de Dieu? Afin, dit-il, que ie la gardaffe
vierge. Que tu la gardaffe, traitre de chafteté! Pourquoy n'es tu entré pluftoft dedans le corps de celui
qui t'a enuoyé? A quelle raifon, refpond-il, fuffe-ie
entré dedans le corps de celuy qui a dedans foy vn
mien compagnon le diable d'amour. Or l'homme
fainct ne voulut faire cercher ces characteres auant
que purifier la fille & le ieune homme, afin que lon
ne penfaft que le diable fuft forti par les enchantemens acouftumez, ou que lon penfaft qu'il euft
creu à fa parole : d'autant qu'il fçauoit & teftifioit que
les diables font fallacieux & trompeurs, & fins en
leurs fimulations. Apres qu'il eut rendu la fanté à la
ieune fille, il la tança plus que deuant, pour quelle
raifon elle auoit fait ces chofes, par lefquelles le
diable eftoit entré. Voila ce qu'efcrit Sainct Ierofme :
toutesfois ie penfe que ce diable menteur, poffedoit
dauantage la fille, que ne faifoit pas l'amour, & que
cefte chofe n'eftoit auenue par la vertu des paroles ou
des figures grauees dedans la platine d'airain, mais

que la puiſſance luy auoit eſté baillee de tourmenter
ceſte fille par l'occaſion qu'il auoit priſe de ces figures,
ainſi que Hilarion luy reproche. Les malades qui
recourent à telles ſorcelleries pour eſtre gueris, ſont aſprement redarguez par Baſile en l'expoſition du
Pſeau. 45. Si ton enfant, dit-il, deuient malade, incontinent tu vas cercher vn enchanteur, ou tu pends
au col de l'enfant innocent diuers characteres, ou des
figures, ou des lettres, &c.

Sainct Thomas penſe que les anneaux & toutes
autres telles figures faites par art, n'ont aucune action à raiſon de telle figure, & qu'ils ne reçoiuent
aucune nouuelle puiſſance & vertu des corps celeſtes,
non plus que s'ils n'en eſtoyent point marquez: pour
autant que les choſes qui ſe font artificiellement ne
*Au
liure
des œuures
occultes
de nature.*
ſuyuent pas la matiere ni la forme d'icelles. Il en
penſe autant des paroles prononcees, pour autant
que les paroles ne peuuent rien muer que l'ouye.
Parquoy Martin d'Arles theologien, eſcrit fort bien
que c'eſt vne erreur de penſer que les images faites
d'airin, de plomb, d'or, de cire blanche, de cire rouge,
ou d'autre matiere, baptizees, adiurees, conſacrees,
*Liure
de la ſupe:ſt.*
mais pluſtoſt maudites par l'artifice des magiciens
ſous certains iours, de penſer, di-ie, qu'elles ayent
quelques vertus eſmerueillables, telles qu'elles ſont
eſcrites dedans les liures qu'ils ont faits. Sainct Auguſtin auſſi a prouué au dixieme liure de la Cité de
Dieu, comme S. Thomas teſmoigne, que l'opinion
de Porphire eſt fauſſe touchant la maniere de faire
telles images. Il eſt bien vray que les choſes naturelles prennent leurs formes & vertus des choſes
celeſtes mais les images artificielles ne peuuent attirer
aucune puiſſance de l'art, ou auoir aucunes autres

vertus, sinon entant qu'elles les ont à cause de la
matiere de laquelle elles sont faites. Or est-il ainsi que
la figure n'est pas le commencement d'eschange ou
action pourquoy l'or fait d'vne certaine façon n'a
aucune autre vertu que celuy qui est figuré d'vn
autre. Mais il s'enfuit quelque autre effect, certainement il vient de l'œuure des diables, lesquels trompent les hommes, comme dit S. Augustin. Doncques
ces images astronomiques emportent quelque vertu
par le moyen du diable, ce qui est manifeste, pourautant qu'en icelles il faut qu'il y ait des characteres :
à cause que de leur naturelle vertu elles n'ont aucune
action. Les images magiques toutesfois sont diferentes d'auec les astronomiques, en ce qu'es magiques
il se fait des expresses inuocations des diables, si bien
que ces efigies appartiennent expressement aux pactions faites auec les diables. Mais en la façon des
astronomiques il y a vne tacite paction auec les diables au moyen des characteres & figures inuentees
par le mesme diable, selon l'impression desquels characteres, ils cooperent auec ceux qui besongnent &
qui les composent. Voila ce qu'il en dit.

PARQVOY Cardan philosophe & medecin a fort bien *Liure 18.*
escrit : Encores, dit-il, qu'ils ne donnent petite vertu *de la varieté.*
aux signets, comme quand ils attribuent au soleil
le moyen de paruenir aux honneurs, aux Magistrats,
& à la grace des Princes : à Iupiter les richesses & les
amis : à Mercure la subtilité d'esprit : à Saturne la
patience en endurant, & à la Lune la faueur du peu-
ple : ie n'ignore pas toutesfois qu'il n'y ait quelque *Liu. 6. chap. 10.*
vertu aux prieres, mais aux figures rien. Il dit encore *de*
apres auoir declaré les decrets de la folie magicienne *la varieté.*
d'Artephie grand magicien, par lesquels il monstre

que les magiciens n'ont feulement efté trompeurs
mais auffi troublez de leur entendement apres auffi
qu'il a monftré les prodigieux characteres des planettes & des fignets garnis de leurs monftrueufes
formes, il dit incontinent : Ceux font les characteres
inuentez par vn efprit frauduleux, defquels il eft certain que la force & vertu eft nulle : car qu'y a-il de
commun entre les characteres & les planettes qui font

Le mefme
eft
en Agrippa
de la philofophie
occulte.
liu. 1. c. 33.
& liure 3.
chap. 29. 30. 31.

rondes ? Ne penfez pas que ces noms foyent ou Ara-
biques, ou Chaldeens, ou Hebrieux, ou Grecs : &
encores qu'ils le fuffent, quelle vertu auroyent ils
dauantage que les Latins? Il faut doncques que ce
foyent pures inuentions controuuees, lefquelles n'ont
aucune vertu. Que fi vous dites au contraire qu'elles
en ont, certainement cela ne fe peut faire que par le
moyen des diables. Car qui eft-ce qui a peu inventer
telles chofes finon à la perfuafion du diable? & toutesfois il eft tout certain que les diables n'enfeignent
rien. Mais ils diront que les formes font en la mefme
fphere, lefquelles apparoiffent en Inde : ie le veux
ainfi : qui eft-ce qui a monftré que ce charactere eftoit
celuy du foleil, & l'autre de Saturne? Nous voyons
doncques par là tres-apertement que telles chofes
font inuentions controuuees par des mocqueurs. Il y
a plufieurs telles folies magiciennes en ce mefme
liure, & tirees d'Artephie.

Si les magiciens difent qu'ils s'aident de chofes naturelles, de characteres, figures, herbes & paroles, &
que cependant ils ont en horreur les publiques acoin-
tances des diables, ils font conuaincus en ce qu'il eft
trescertain felon Ariftote & les autres philofophes
naturels, qu'il n'y a aucunes vertus actiues es figures,
aux lettres, ni en quelques autres characteres, d'au-

tant qu'ils ne font rien autre chofe qu'vne compofition & ordre inuenté par l'ouurier, foit peintre ou
fculpteur. Item en ce qu'il eſt tres-certain que les
images naturelles ne peuuent rien operer outre leur
figure & forme, tant s'en faut qu'elles fiſſent chofes
admirables par deſſus la loy prefcripte par la nature.
Mais s'ils difent que ce font les fignets d'autant qu'ils
ne font point inſtituez diuinement, ains pluſtoſt
reiettez comme chofes abhorrentes de la nature, il
reſte qu'ils foyent plus que fuperſtitieux, & inuentez
par le diable, lequel les a fabriquez ouuertement ou
figurez en cachette dedans la phantafie de ceux qui
font adonnez à croire les chofes mauuaifes. Auſſi
font-çe fonges que ce qu'Alchinde Aarabe dit, que les
figures & les charaⱦeres imprimez en vne matiere
elementaire engendrent des rayons, par lefquels les
mouuements font excitez es autres chofes : attendu
qu'iceux eſtans faits par artifice ne peuuent mouuoir
les influences des chofes fuperieures. Il faut mettre
en ce mefme rang les folies de Porphyre, qui imagine que les dieux aiment merueilleufement les
figures, & qu'iceux font comprins es images facrees :
ce qui eſt contre Ariſtote & contre les theologiens,
lefquels nieront toufiours que les intelligences fepa-
rees & qui font par deſſus l'homme puiſſent eſtre
arreſtees en quelque matiere, par la vertu des characteres, des herbes ou des paroles.

Si quelqu'vn prend plaifir à voir diuers charaⱦeres
& eſtime qu'on en doyue faire cas à caufe de leur
dignité & belle proportion : qu'il contemple ces linca-
mens marques & charaⱦeres diuers de l'homme qui
eſt vn petit monde qu'il confidere foigneufement le
ciel, la terre, & tout ce qui eſt en iceux : pour cer-

tain il y trouuera de quoy contenter & rauir les yeux & son esprit. Parquoy la fabrique de ces prodigieuses & fausses inuentions demeurera de nulle valeur par la defence que la verité en fait.

Avssi est-ce chose meschante que de controuuer que les paroles sacrees ayent ceste vertu (si c'est que quelqu'vn y ait encores recours) qu'en marquant seulement quelques figures de lettres il s'en engendre de si esmerueillables effects. L'eficace de l'Euangile ne consiste pas en characteres marquez ou grauez sur ceste figure, ou auneau, ou signet, ou image : mais en la vertu mystique pour le salut du croyant. La parole de l'Euangile semee au cœur pres du chemin, ouye, & non entendue est incontinent rauie par le malin : mais estans ouye & receue soudainement & auec ioye sans auoir pris racine non plus que si elle eust esté semee dessus vne pierre, s'esuanouit incontinent. Item estant ouye mais suffoquee par les empeschements de ce monde, elle demeure infeconde & sans efficace, come la graine semee parmy les espines : toutefois si elle est ouye, entendue & apprehendee d'vne ferme foy, elle demeure d'efficace, elle change l'homme en nouuelle creature, elle console les esprits afligez : elle les munit contre les assauts du diable, & les enflammant d'vne ardente inuocation, au nom de Iesus Christ, elle leur fait obtenir tout ce qu'ils demandent. Mais la parole escrite dessus du papier ne peut pas faire cela, ni celle qui est imprimee ou grauee en quelque matiere, ou portee au col, ou inscrite dessus l'entree de la maison ou cachee dessous le seuil de la porte. Et tant s'en faut que le diable soit chassé en voyant les paroles ou sentences de l'escriture saincte peintes, imprimees ou grauees

Rom. 1.
2. Cor. 4.
Matth. 13.
Marc. 4.
Luc. 8.

en quelque forme & maniere que ce foit, que au
contraire luy mefme l'entend bien & n'a point de
honte de l'alleguer pour tromper plus cauteleufement,
comme il fit lors qu'il tentoit Iefus Chrift. Mais il eft
renuerfé & vaincu par bonne confcience & viue foy
engendree par la vraye conoiffance de Dieu, & par
l'infpiration du Sainct Efprit, & par la puiffance de
la parole de Dieu. De la S. Auguftin reiette à bon
droit toutes les liaifons & remedes condamnez auffi
par les medecins.

Matth. 4.
Marc. 1.
Luc. 4.
Pfeau. 90.
Liure 2.
de
la doctrine
chreftienne.

CHAPITRE XIIII

Vne façon fuperftitieufe pour guerir la forcelerie.
Item vne autre folle maniere de chaffer le diable.

 E tranfcr iray icy vne maniere de guerir
la forcelerie, laquelle fait à ce propos,
& eft du tout fuperftitieufe : afin que
l'opinion mefchante de certains fuperftitieux foit toufiours defcouuerte. Elle m'a efté communiquee par M. Iean Ecth renommé en doctrine,
en integrité de vie & vfage des chofes, & medecin
qui a peu de femblables, lequel de fa grace a pris
peine de m'aider en plufieurs chofes touchant ce
Traité : non pas qu'il approuuaft cefte recepte, mais

dautant qu'il eftimoit auec moy qu'il la faloit faire voir à chacun, comme digne d'eftre moquee. Or l'auoit-il recouuree de la mere de la malade, qui difoit l'auoir obferuee auec grand foin & reuerence, & que fa fille en auoit efté guerie. Mais ie penfe bien que voire. L'hiftoire & la guerifon font telles. La fille d'vn legifte tres-renommé N. aagee enuiron de treize ans, & religieufe d'vn monaftere fitué pres Sufat, fut malade, & penfoit-on quelle fuft enforcelee : car elle auoit le ventre tellement enflé qu'il n'y auoit celuy qui ne la iugeaft hydropique : elle iettoit des pierres en vrinant, lefquelles veritablement eftoyent petites pieces de tuilles inégales, les vnes de la groffeur d'vne auelaine, & les autres moindres : ce qu'elle iettoit ayant auparauant enduré de grandes douleurs dauantage elle auoit l'vne des cuiffes deboitee. Par quoy les religieufes fe doutans de plus grand inconuenient, renuoyerent la fille vers fes parens qui incontinent firent venir deux celebres medecins de la ville : à fçauoir M. Iean Echt, & Hubert le Feure, lefquels ayant recherché foigneufement les caufes de cefte maladie, s'apperceurent en la fin & iugerent qu'il y auoit de l'art du diable. Ce qui fut caufe que lon fit iucontinent venir vn deuin vieil homme nommé Abraham, lequel bailla aux parens la maniere de guerifon qui s'enfuit. Premierement & auant toute chofe il faut qu'elle reçoiue le facrement. Puis qu'au matin & au foir elle boyue plein vn petit voirre de la boiffon qui s'enfuit. Prenez vne drachme de Rheubarbe bien efleué, des racines de campane, de l'armoife vulgairement furnommee rouge, de la petite centaure, & de la mente aquatique. Mettez le tout dedans vn pot neuf, excepté

Guerifon fuperftitieufe d'vne fille demoniaque.

Rheubarbe euacue la cholere mais à quelle raifon peut-elle feruir auec les autres plantes pour chaffer le diable?

l'armoife, & le faites bouillir en vin blanc en l'honneur des trois faints noms, & mettez l'armoife
bouillir en vne chopine d'eau. Faites d'auantage dire
par quelque pauure à cinq diuerfes fois la Pate-
noftre & l'Aue Maria, la premiere fois fera à l'intention de la fille enforcellee, & en fouuenance que
Iefus Chrift fut mené au iardin : la feconde en fouuenance que Iefus Chrift fua fang & eau : la troifieme,
en fouuenance que Iefus Chrift fut condamné : la
quatrieme, en fouuenance que Iefus Chrift innocent
fut mis en croix : la cinquieme fois fe dira en
l'honneur de la paffion, en laquelle Iefus Chrift rendit l'ame en la croix : & à fin que par ce moyen il
luy plaife de conuertir la forciere, & ofter la maladie
dont elle a efté caufe, il faut qu'vn homme fimple
prie deuotement en cefte façon eftant à genoux : il
faut auffi que le malade oye la meffe l'efpace de
huit iours fans difcontinuer & qu'il fe leue lors que
lon chante l'Euangile. Il faut encor que parmy fon
boire & fon manger on mefle de l'eau benifte & du
fel exorcifé.

Iʟ y auoit vne autre fille demoniaque, laquelle à la
fufcitation du diable mefme fut ainfi guerie : à fçauoir le diable luy faifoit promeffe qu'elle auroit certaine affeurance de guerifon fi fe mettant en chemin
pour aller à Marcodur elle fe iettoit à genoux à
chafque pas qu'elle feroit fans fe deftourner de la
droite voye, encores qu'elle y rencontraft des foffes,
de l'eau, de la bouë ou autres ordures, dedans
lefquelles il faloit qu'elle ne fift doute de s'agenouiller
iufques à ce qu'elle feroit deuant l'autel de faincte
Anne, où il faloit qu'elle ouïft vne meffe. Car il y a
en cefte Eglife vne fort grande allee & pelerinage. Le

*Folle guerifon
d'vne
demoniaque*

preftre qui chantoit la meffe dit qu'en celebrant il auoit veu à l'entour de la fille vn vmbrage blanc, que la fille difoit auffi auoir obferué, comme vn figne certain de fa guerifon. Voyez la tromperie du diable qui par tel artifice vouloit eftablir vne idolatrie.

Les Paracelfites enchanteurs.

Les Paracelfites ont acouftumé de chaffer les Luitons & Gobelins des maifons en pendant à chafque coin d'icelles vn parchemin qu'ils nomment vierge, fur lequel ils efcriuent : Tout efprit louë le Seigneur : ou, Ils ont Moyfe & les Prophetes : ou, Que Dieu fe leue & fes ennemis feront diffipez. S'ils eftabliffent ainfi les principes de leur art par lefquels ils ont inuenté leurs guerifons, & s'efforcent de chaffer les diables, nous ne deuons auoir crainte qu'ils aboliffent l'ancienne medecine. Car cefte premiere fentence du prophete, efcrite dedans ce parchemin eft du tout abfurde, fi vous la rapportez au dechaffement des diables. Quand; il a dit, tout efprit, il a voulu entendre que toute chofe viuante louaft le Seigneur, non les mefchans : & encores moins Dieu veut il que fes louanges foyent celebrees, par les diables. Qu'ils iugent auffi eux-mefmes comment les paroles qu'Abraham dit au riche peuuent eftre raportees à leur intention, à fçauoir ils ont Moyfe & les Prophetes. Et quant eft de la troifieme fentence s'ils y infiftent, ie les renuoyeray au neufieme chapitre de ce liure où i'ay parlé des colliers & des chofes que lon pend au col.

CHAPITRE XV

Impoſtures infames & deteſtables d'vn certain chi-
rurgien, qui s'entre-mit de guerir vn malade,
& ce qui en auint.

L ne faut pas oublier ici le meſchant acte
d'vn garnement qui fait du chirurgien
au pais de Gueldres, ou il eſt ſupporté
il y a trop longtemps, & quelquefois
auſſi à Cologne. L'an mil cinq cens ſoixante ſept en
temps d'eſté, il trouua moyen de s'inſinuer en la maiſon
d'vn gentil-homme begue demeurant en la duche de
Mont, auquel depuis il a ioué vn tour de ſon meſtier.
Eſtant là comme vn iour il buuoit dautant auec quelques autres, ſuruint vn nommé Albert, capitaine
d'vn chaſteau prochain de là appartenant à ce gentil-
homme begue, ayant la teſte enuelopee d'vn couurechef à la couſtume des malades. On l'auoit conſeillé
de recourir à ce chirurgien pour recouurer ſa ſanté,
& lors il s'adreſſa à luy pour ceſt effect. Pour la pre-
mière recepte, ce gentil medecin commande à Albert
d'oſter ſon couurechef & l'exhorte de s'aſſeoir pour
faire carroux. L'autre diſoit au contraire que
les medecns luy auoyent enioint de boire peu de vin :
mais ceſtuy ci replique qu'il auoit des receptes ſecre-
tes inconues aux autres medecins. Or faiſoit-il cela
afin qu'ayant enyuré & par conſequent priué de iuge-

ment le malade, il peuſt obtenir plus grande ſomme
de deniers pour ſon ſalaire, & en tirer la moitié auant
que paſſer plus outre, comme c'eſt ſa couſtume. Après
cela il tire à part le malade, luy propoſe la grandeur
de ſa maladie, laquelle il maintient eſtre venue de
ſorcellerie, affermant impudemment & contre toute
verité que ce mal enuahiroit & ruineroit en peu de
temps ſa famille & ſon beſtail, ſi lon n'y pouruoyoit de
bonne heure : ce que le pauure malade ſe laiſſa perſuader. Sur ce il fit marché à certaine groſſe ſomme, &
puis s'enquit ſoigneuſement & auec grand artifice, ſi
le malade auoit perſonne en ſa famille de qui lon ſe
peuſt fier. Le malade dit auoir vn ſeruiteur & vne
fille aagee de vingt ans. Elle ſera propre à ce que
nous voulons faire, dit l'impoſteur, ceſt aſſez d'elle.
Lors il commande au pere & à la mere de s'agenouiller
deuant leur fille, & la prier affectueuſement d'obeir
en tout & par tout au medecin, autrement il ſeroit
impoſſible de guerir le pere, lequel auec ſa femme
pour le deſir qu'ils auoyent d'eſtre hors de peine, ſe
ietterent aux pieds de leur fille, & ſelon le dire de ce
garnement la prient & adiurent. L'impoſteur ayant
gagné ce point ordonne au malade de tondre tout le
poil de luy, de ſa femme, de ſa fille, de tous ceux de
ſa famille, & de tout ſon beſtail : puis bailler le tout
à la fille pour le luy apporter à certaine heure aſſi-
gnee au chaſteau & ou ſeroit le malade. Apres auoir
ſi bien ioué la premiere partie de ſa farce tragique, il
pourſuit le reſte comme s'enſuit. Comme la fille fut
venue (ſuyuant le commandement à elle fait) pour
ſecourir ſon pere, l'impoſteur la mene en vne chambre à part, ou ayant fait ſemblant de dire tout bas
certaine oraiſon, il ouure vn liure qui eſtoit ſur la

table, met deux coufteaux deffus en forme de croix
bourguignonne, prononce quelques mots tout bas,
& fait des horribles coniurations auec certains characteres marquez à fa fantafie, finalement il trace vn
grand rond par terre, & commande à la fille de ficher
dedans l'vn des coufteaux coniurez : puis il commence
à proferer tout bas quelques paroles eftranges ou
forgees à plaifir, & baille à la fille l'autre coufteau
pour le ficher auffi en terre. En apres il prefente vne
foupe de pain trempé à cefte pauure fille tout efper-
due, & pource qu'elle refufoit la manger il la luy
fourra dans la gorge. Cefte fouppe eftoit extremement
froide, comme la fille l'a dit depuis, adiouftant
qu'alors ou de frayeur ou par autre occafion elle fut
comme tranfportee & priuee d'entendement. Et fur
ce, le mefchant impofteur luy fit defcouurir le fein,
& la mania longtemps, puis luy commanda fe coucher & defcouurir : dequoy la fille faifant refvs, ce
vilain execrable commence à la mener & iurer
que fon pere mourroit promptement, & que mille
maux luy auiendroyent fi elle n'obeiffoit : & qu'il
faloit neceffairement qu'il euft fa compagnie : comme
il eut lors & la viola mal-heureufement. Le lendemain ayant fait les charmes fufmentionnez il pail-
larda pour la feconde fois auec cefte pauure miferable.
Au troifieme iour il voulut continuer, mais la fille a
declaré depuis qu'il auoit eu deux fois fa compagnie,
& non plus. Cependant, tous les iours il bailloit des
medicamens fi afpres & violents au malade, qu'il le
mit en extremité de mort & l'abatit tout plat au lict,
au lieu qu'auparauant il fe pourmenoit eftant in-
difpoft feulement. Ce n'eftoit pas de merueilles qu'il
fuft ainfi abatu, attendu que fon medecin luy auoit

baillé à boire du vif argent mal preparé, ce difoyent
quelques vns, qui peut eftre auffi eftoyent compagnons de l'impofteur. Le malade fe fentant ainfi
torturé & tourmenté fait venir ce medecin, le prie d'a-
doucir la torturé : & finalement prie fa fille de luy
declarer quelle efperance elle auoit de fa fanté, & ce qui
luy fembloit des entreprifes du medecin. Lors apper-
ceuant fa pauure fille baiffer la tefte, rougir de honte
& pleurer à chaudes larmes, il la preffe tellement
qu'elle luy conte ce que deffus, adiouftant que ce
vilain impofteur l'auoit corrompue & defloree. Ce
miferable pere m'a fait le recit de cefte horrible tragedie. Eft ce point là vn eftrange malefice? Quel forfait! meritant l'vn des cruels fuplices que lon fauroit
inuenter. Or ie n'ay mis en auant cefte acte execrable, finon afin qu'en pareils accidens les malades
rendus plus auifez par la mifere d'autruy, ne fe laiffent fi aifément perfuader & traitter par le premier
affronteur qui leur promettra merueilles, & ne demandera qu'à curer leurs bourfes Cependant, le
vilain impofteur (qui gaigna au pied) a encores des
fauteurs qui font cas de luy, prefchent fa fufifance, &
luy procurent des pratiques, combien que tout le
monde fache que tout vieil qu'il eft il a efpoufé vne
feconde femme du viuant de fa premiere. Mais il y a
bien occafion de gemir, puis que l'enormité de pechez
le merite auffi, que ceux qui employent en d'autres
endroits fi mal & iniquement le glaiue qui leur eft
baillé pour faire iuftice, foyent fi aueuglez de ne voir
telles mefchancetez que la fufmentionee, pour la reprimer comme il apartient.

Estant vne fois appelé pour traiter vn malade qui
eftoit à l'extremité, i'entendis que le chirurgien fus-

mentionné y auoit mis la main, & pour le guerir de
la fievre luy fit faire ce que s'enfuit. Il luy bailloit
à mordre trois morceaux de racines l'vn apres l'autre,
& en les mordant il luy faifoit prononcer des horribles
blafphemes contre noftre Seigneur Iefus Chrift. Il
vaut mieux cacher cela fous filence que les exprimer
plus particulierement. Cela fait il luy commanda de
pendre ces morceaux de racines au col, l'affeurant
d'eftre gueri quand ces racines feroyent feiches, &
que celuy qui les ofteroit de là emporteroit la fieure
auec foy. Mais ce pauure malade mourut toft apres
d'vn empyemè, ce me femble. On pratiquoit auffi
vne autre recepte ridicule & pleine de forcellerie
contre la fieure, en difant ces mots & faifant les fignes
de croix, Iefus Chrift † qui eft né, te deliure N. de
cefte infirmité † : Iefus Chrift qui eft mort, te deliure
? . de cefte infirmité † : Iefus Chrift qui eft refufcité 4
te deliure N. de cefte infirmité. Puis il faut dire tous
les iours cinq fois Pater & cinq fois l'Aue Maria.

DE ce meftier eftoit vn empyrique, lequel fe trouuant à Xante, ville de Cleues, n'y a pas long temps fit
accroire à vn ieune homme malade d'hydropifie qu'il
auoit dans le ventre par forcellerie vne vieille vipere
& deux ieunes auec deux coliers rouges. Or comme
il eftoit apres à le guerir, & qu'on auoit l'œil fur luy,
pour empefcher que parmy les excremens du malade
qui eftoit trauaillé d'vn flux de ventre par les medicaments de ce medecin, il ne meflaft frauduleufement
des viperes mortes : finalement il alla dire que le
malade fentiroit des tranchees & des douleurs comme
d'enfantement, que partant il faloit qu'il mift les
mains occultement aux parties honteufes du ieune
homme. La mere du malade inftruite au parauant,

luy refpond qu'elle feroit de fes mains ce qui feroit de
befoin fi tel cas auenoit. Par ce moyen l'impofteur
quitta le malade qui mourut au bout de quinze iours
& fut ouuert par vn chirurgien, afin que la piperie
de cefte empyrique fuft conue de chacun, comme il
auint : & à raifon de telle defcouuerte ce malencon-
treux hibou s'enuola viftement en vn autre quartier.

CHAPITRE XVI

*Que les diables ne gueriffent point les maladies en
autre maniere, finon en defiftant de malfaire, &
d'efmouuoir les maux dont ils eftoyent caufe.*

 R fi on me met au deuant que par tels
moyens magiques plufieurs font heureufement gueris : Ie refpondray ce que
nous lifons en la vie fainct Barthelemy,
que le diable gueriffoit les malades, non pas qu'il le
fit en gueriffant, mais feulement en defiftant de fon
entreprife, comme efcrit Abdias Euefque de Babylone,
en fon huictieme liure du combat des Apoftres, difant :
Il y auoit vn diable dedans l'idole d'Aftarot en Inde,
lequel confeffoit qu'il gueriffoit les malades, & rendoit
la veuë aux aueugles, qu'il auoit bleffez. Car certainement ces hommes viuoyent fans la conoiffance du
vray Dieu, tellement qu'il eftoit neceffaire qu'ils

fuffent trompez par vn dieu faux, qui par ce moyen
deçoit ceux qui ne conciffent point le vray Dieu. Il
leur efmeut des douleurs, des maladies, des pertes,
des dangers : il leur commande qu'ils luy facrifient,
& lors qu'il retire les maux qu'il a enuoyez, ces
poures fols ont opinion de luy qu'il les ait gueris :
toutesfois il leur baille fecours non en gueriffant,
ains en ceffant de les tourmenter, tellement que lors
qu'il defifte, ils penfent qu'il les a gueris. Il efcrit
encores apres : Le diable rend par art les hommes
malades, & leur perfuade d'adorer les idoles, & afin
de gaigner leurs ames il defifte de les tourmenter,
tellement qu'ils adreffent apres leurs prieres ou à vne
pierre ou à du metail difant, Tu es mon Dieu. Ainfi
apres par le commandement de S. Barthelemy le
diable confeffa que premierement il bleffoit la chair
des hommes : mais qu'il n'auoit aucune puiffance fur
leurs ames, fi ce n'eftoit qu'ils luy facrifiaffent. Il dit
encore : Lors que pour la fanté de leurs corps ils
nous ont fait facrifices, nous defiftons des les afliger :
pour autant que defia nous commençons par ce
moyen d'auoir puiffance fur leurs ames. Ainfi donques defiftans de les bleffer, ils penfent que nous les
ayons gueris, & lors ils nous adorent comme dieux,
encores que ne foyons que diables.

TERTVLLIAN auffi monftre fort bien cecy : Les diables peuuent, dit-il, fauoir les difpofitions de l'air,
tant à caufe qu'ils y habitent que pourautant qu'ils
font voifins des eftoilles & ont quelque commerce
auec les nuees fi bien qu'ils fentent les pluyes, lefquelles apres ils promettent & fe monftrent officieux
en la guerifon des maladies. Car premierement ils
bleffent, puis ils donnent des nouueaux remedes,

comme si c'estoyent miracles, encores qu'ils soyent
contraires : & lors qu'ils desistent de blesser, on croit
qu'ils ont gueri. I'adiousteray dauantage ce que
Tatian Assyrien escrit touchant ce poinct, contre les
Grecs : Nulle maladie, dit-il, n'est ostee par l'oculte
dissension des choses : & n'y a aucun malade qui soit
gueri par fermaillets ou autres preseruatifs pendus
au col. Toutes ces choses ne font qu'assauts des diables.
Celuy qui est malade, celuy qui ayme, celuy qui porte
haine, & celuy qui appete vengeance les prend pour
s'aider : & les diables s'aident de cest artifice. Comme
les figures des lettres, les lignes, & les vers qui en
font escrits ne peuuent d'eux-mesmes monstrer ce qui
s'escrit : ains feulement les hommes les font forgez
pour monstrer leurs pensees & donner à entendre les
choses par vn assemblage de lettres, tellement que
l'ordre d'icelles est certain : ainsi diuerses racines &
l'application des nerfs & des os ne peuuent rien faire
d'eux-mesme : mais telles choses font comme les premiers elements pour estre instruits en la meschanceté
des diables qui ont prescrit ce que chacune d'icelles
pouuoit faire. Et lors qu'ils voyent que les hommes
s'aident de leur ministere & guerison, ils se les rendent seruiteurs. Il dit encores apres : Les diables ne
guerissent point, mais ils prennent les hommes par
fraudes : tellement que Iustin a fort bien dit, & est
digne d'estre admiré, lors qu'il a monstré que les
diables estoyent semblables aux larrons. Car comme
les larrons ont acoustumé de prendre quelques
hommes, puis ayant fait marché auec eux, ils les rendent à leurs amis : ainsi ceux que vous estimez estre
dieux, s'estans insinuez dedans les membres de quelques vns & ayans là dedans fabriqué leur gloire par

fonges & en dormant, ils commandent qu'ils ayent à
venir en public, & là en la prefence de tous, après
qu'ils fe font raffafiez des chofes qu'ils defirent au
monde, ils fe retirent des malades, & aneantiffans la
maladie qu'eux mefmes auoyent excitee & engendree :
ils rendent aux hommes la premiere fanté. Sainct
Ierofme auffi tefmoigne encores que par art magique
il fe puiffe faire quelques miracles, tels que font ceux
qui feulement apartienent à la curiofité & vanité
(comme faifoit Simon le Magicien lors qu'il monftroit
des ftatues qui marchoyent, qui parloyent, qui rioyent
& faifoyent chofes femblables) fi eft-ce que par ceft
art magique les diables ne peuuent executer ce qui
apartient à la vraye fanté, comme eft la guerifon des
langoureux, l'illumination des aueugles & autres
femblables gueriffons, S. Cyprian au traité de la
vanité des idoles, apres auoir longuement difcouru fur
la deuination qui fe fait par le moyen des oyfeaux,
exprime elegamment & en peu de paroles la rufe du
diable, & le remede difant : Ces efprits malins
infpirent les cœurs des deuins, font bouger les entrailles des beftes tuees, guident le vol des oifeaux,
gouuernent les forts, rendent les oracles & enuelopent
toufiours le vray & le faux enfemble. Car ils font
deceus & deçoiuent, ils troublent la vie, inquietent
le repos & fe gliffans es corps effrayent l'entendement, tordent les membres, gaftent la fanté, attirent
& irritent les maladies, afin qu'on les craigne & ferue.
Puis il adioufte, le remede qu'ils donnent à tous ces
maux, c'eft qu'ils ceffent de faire mal à ceux qu'ils
auront tourmentez long temps. Auffi n'ont ils autre
but de penfer, que de tirer les hommes loin de Dieu,
les deftourner de la vraye religion & les atirer à leur

feruice : & pource que eux font deftinez à perdition
ils cerchent des compagnons qui ayent part à leurs
tourments, afauoir ceux que par fraudes ils ont rendus coulpables de leur crime.

De là S. Auguftin dit, Les preftres fideles doyuent
26. q. Vltima
Admoneant.
admonefter leurs peuples, fi bien qu'ils conoiffent
que les arts magiques & tous autres enchantemens ne
peuuent apporter aucun remede aux maladies des
hommes ni mefmes medeciner les animaux langui-
des & boiteux ou mourans : mais que ces chofes font
les liens & embufches du vieil ennemy, par léfquels
ce traiftre tafche de deceuoir le genre humain. Et s'il
auient qu'vn clerc exerce ces chofes, qu'il foit degradé, & l'homme lay excommunié. Il en dit prefque
autant en l'œuure de la cité de Dieu & 26.4.2. *qui*
fine, là où il monftre que telle guerifon doit plus toft
eftre nommee mort que vie. Ifychius fur le 19. chapit.
du Leuitique, au 6. liure de fes commentaires fur
ce liure, dit : C'eft vne trefmefchante chofe d'adherer
aux magiciens, car ils mettent en auant les noms des
diables nos ennemis mortels. Et combien que pour
vn peu de temps ils femblent faire quelques chofes
pour guerir le corps d'vn malade par ie ne fay quoy
que les empyriques mefmes peuuent faire : c'eft feulement pour entretenir les perfonnes en erreur, & n'aident aux hommes pour bonne afection qu'ils leur
portent, ains ne demandent qu'à les rendre efclaues
& à les feparer de Dieu.

Ce que Sabellique efcrit, fait aucunement pour la
Eneade 2. li. 9.
conoiffance de ces guerifons demoniaques. Telle, dit
il, fut la pompe des ieux Circenfes, qui pour lors
furent renouuellez pour autant que quelque perfonnage du peuple nommé T. *Latinus,* ou comme

les autres efcriuent, *Tyberius Atinius*, auoit efté admonefté par Iupiter d'annoncer aux Confuls que
celuy qui menoit la danfe des ieux Circenfes derniere-
ment celebrez, ne luy auoit efté agreable : & que
s'ils n'auifoyent de faire tant que derechef les ieux
fuffent recommencez, la ville eftoit en danger de receuoir quelque perte. Or comme ceft homme n'euft
obtemperé au commandement qui luy eftoit fait par
Iupiter, craignant que fi on n'adiouftoit foy à ce qu'il
auoit à dire, chacun ne fe moquaft de luy : il auint
peu de iours apres que cefte figure luy aparut de
nuict, qu'il perdit fon fils fans qu'il y euft caufe manifefte de maladie. Eftant donc derechef interrogué
par vn femblable Oracle, s'il ne luy fuffifoit pas
d'auoir receu tel loyer pour n'auoir tenu conte de la
diuinité, & comme pour tout cela il celaft encores
l'apparition, il deuint foudainement entrepris de tout
le corps. Alors ayant pris confeil auec fes amis, il fe
fit porter au Senat dedans vne lictiere, & de là il fut
porté par iceux mefmes iufques au parquet, où il
expofa au long & par ordre ce qui luy auoit efté
commandé de dire par l'apparition qu'il auoit euë de
nuict. On dit que par vn grand miracle il fe leua incontinent fur pied, & retourna fain & gaillard en fa
maifon. Ie penfe quant à moy que quelque malin
efprit s'apparut à Atinius, lequel preuoyant qu'en
bref il deuoit perdre l'vn de fes enfans, & que
peu apres il feroit guery d'vne grande maladie,
afauoir lors qu'il laifferoit de le tourmenter : print
ocafion de là de tromper, pour toufiours enfondrer
le peuple Romain en plus grandes tenebres, en re-
mettant ces ieux encores vne fois, propres pour
aueugler la fotte populace.

CHAPITRE XVII

Que la guerison des diables est vne chose feinte, &
que quelquefois elle est permise de Dieu à raison
de l'incredulité des maladuisez, voire que le plus
souuent elle est de grande eficace.

L appert doneques que quelquefois le
diable fait paroistre vne guerison feinte
& simulee, asauoir lors que de plein
gré il desiste de faire le mal duquel il
estoit autheur. Par ce moyen il enlasse facilement les
esprits des hommes esmerueillez d'vne telle chose : &
se les assuiettit par infidelité, luy qui est vn esprit
d'efficace es enfans rebelles. Il s'eforce principalement
que ceux qu'il a trompez luy facent honneur & reuerence telle que lon doit à Dieu. Aussi croyons-nous
que Dieu souuentesfois permet telles choses à cause
de l'opiniastreté & incredulité des hommes, si bien que
ceux qui voyent ne voyent point, ceux qui oyent
n'oyent point, & n'entendent point. Cela se fait encor,
comme pour la fiance que lon a au medecin il semble
que les medicamens ayent vne plus grande vertu :
ainsi quelques vns croyans que par la foy qu'ils ont
aux paroles de tels enchantemens superstitieusement
meslees (encore qu'elles soyent desrobees & tirees assez
sotement des escritures sainctes) il y a vne plus grande
efficace & particuliere puissance en iceux. Ce que

Galien a bien conu, difant : que celuy en guerit dauantage, en qui lon fe fie le plus. Voilà combien peut cefte attentiue imagination de fanté. Parquoy Pomponatius ne craint point de dire que la guerifon qui auient par la reuerence portee aux reliques des faincts, ne laifferoit pas d'auenir des os d'vn chien, fi lon auoit telle & femblable opinion & imagination comme lon a des reliques des faincts. Et mefmes, comme dit S. Auguftin, nous portons reuerence à plufieurs corps & reliques en ce monde, les ames defquels font tourmentees aux enfers.

Liure 2.
des recog.
chap. 2.
Liure
des
enchantemens
chap. 12.

Plvsievrs alleguent des hiftoires tant des anciens que de la memoire de nos peres, & afferment que quelques vns ont recouuert leurs forces & leur fanté perdue par les fimples vœus qu'ils faifoyent aux faints, d'vne ie ne fay qu'elle croyance & fuperftition : ou bien par le feul attouchement, ou par le feul regard des os, voire des boittes : dans lefquelles les carcaffes & les os eftoyent enfermez & referuez. Mais il n'y a point de doute que le diable, feul & vnique autheur de fuperftition n'ait par ce moyen eftabli l'idolatrie. De là mefmes, comme on dit, a pris fa naiffance l'opinion d'aage en aage augmentee & renforcee, par laquelle on a penfé que les feuls vœus faits aux images, ont plus de force & puiffance à chaffer les maladies furuenues es corps, que n'ont pas tous les autres remedes. Ils difent encore que la couftume eft venue de là qu'es aduerfitez on n'a pas recours aux remedes ordonnez de Dieu, mais feulement aux faincts, que lon a penfé eftre maiftres & prefidens de telles ou telles maladies, fi bien que par ce moyen Dieu a efté laiffé derriere & les fecours des medecins ont efté mefprifez & eftimez comme rien :

ils difent auffi que les prieres, qui felon les commandemens de Dieu fe doiuent adreffer à luy feul,
ont efté tranfportees aux fainéts & aux images : &
que la vertu de medeciner donnee aux remedes
naturels, a efté tranfportee aux vœus & aux pele-
rinages.

Or chacun fçait combien eft de grande vertu l'opiniaftre credulité. La fuperftition requiert la credulité
comme la vraye religion requiert la foy. Car la credulité arreftee, peut tant, que mefmes on penfe qu'elle
faiι des miracles es fauffes opinions & actions. Et
chacun en fa religion, ores qu'elle foit fauffe, pourueu
qu'il l'eftime eftre vraye, efleue fon efprit, à raifon de
cefte incredulité, iufques à ce qu'il foit femblable aux
efprits, qui font les princes & conducteurs de telle
religion, & iufques à ce que lon voye qu'il face les
chofes, defquelles la raifon & la nature ne peuuent
iuger. Mais le doute & la defiance affoibliffent
l'œuure encommencee non feulement en la vraye
religion : elles aneantiffent auffi l'effect que lon cerche,
encores qu'il foit confermé par long vfage. Les exemples, comme dit Agrippa, monftrent affez comment
la fuperftition enfuit & contrefait la vraye religion :
à fçauoir lors que lon excommunie les vers & les fau-
terelles, à fin qu'elles ne facent mal aux bleds : lors
que lon baptize les cloches & les images, & que lon
fait plufieurs chofes femblables. Mais pour autant que
ces premiers magiciens, autheurs de cefte fcience, ont
efté Chaldeens, Egyptiens, Affyriens, Perfes & Arabes,
la religion defquels a efté toute peruertie & fouillee
du feruice des idoles : il nous faut bien garder de
permettre que leurs erreurs foyent maiftres de la
pure verité de noftre religion Chreftienne. Car ce

feroit vn grand blafpheme, & vne chofe execrable &
abominable.

CHAPITRE XVIII

Quelques hiftoires plaifantes, par lefquelles il eft
monftré combien peut la temeraire croyance es
guerifons magiques.

V refte, ie monftreray maintenant par
quelques exemples, combien peut la
temeraire croyance : le premier defquels i'ay apris d'vn homme d'Eglife,
theologien de grand renom. Il me dit doncques, que
d'auanture vn certain coureur, trouuant vne femme
trauaillee d'vne maladie des yeux, luy promit guerifon, feulement en luy pendant vn petit billet au col,
qu'il defendoit fur tout n'eftre ofté ou ouuert pour le
lire, autrement qu'il ne feruiroit de rien, fi elle faifoit faute en la moindre chofe. La femme fe confiant
en ce qu'il luy auoit dit, defifta de pleurer, qui eftoit
vne des occafions pour laquelle fa maladie s'aug-
mentoit de iour en autre : fi bien que peu à peu elle
fut guerie. Depuis elle ne prit affez pres garde au
billet, à caufe qu'elle n'auoit plus mal aux yeux, tellement que s'aperceuant qu'elle auoit perdu ce en quoy
elle auoit fi grande fiance, elle recommença à pleurer

Billet ridicule
pendu
au col.

IEAN WIER,   7

& fon mal à rengreger. Le billet auoit efté trouué par
vn autre, qui l'auoit ouuert & leu, & trouué dedans
efcrit en Alemand : Der teuffel Kratze dir die augen
auff, vnd fcheiffe dir in die lœcher : ce que eftant
tourné de mot à mot, fignifie, le diable te creue les
yeux & en rempliffe les pe. tuis de fa fiente. S'il y euft
eu quelque vertu en ces paroles, il n'y a point de
doute qu'elle n'euft perdu les yeux : car ils luy euffent
efté arrachez, & remplis de la fiente du diable.

Ce que Pline raconte de Marc Seruile Nouian prince
Romain, n'eft beaucoup diffemblable à ce que i'ay
dit, craignant d'eftre chaffieux, & auant que nommer
cefte maladie, ou que quelque autre la luy euft pre-
dite, il efcriuoit dedans vn petit billet les deux lettres
Grecques, P & A, & les pendoit à fon col auec vn
petit filet.

*Autre breuet
pendu
au col.* Ainsi vn certain preftre pendit vn petit billet couuert de cuir, confacré deffus l'autel par vne meffe, au
col d'vne fille poffedee quelquesfois du diable, &
agitee d'vne fureur terrible : à laquelle il promit
guerifon par ce moyen, à telle condition toutesfois
qu'elle demeureroit toufiours en ferme opinion de ce
billet : car il difoit que là où elle n'en tiendroit conte,
elle retomberoit en fon mal. Pour cefte caufe chacun
fe mettoit en peine que le billet fuft bien gardé. En
fin vn iour que ma femme Judith eftoit allée à noftre
meftairie, elle entendit la mifere de cefte pauure
fille, dont elle la manda. Eftant venue, elle l'admon-
nefta foigneufement & religieufement, qu'elle euft à
mettre fa fiance en Dieu defenfeur & protecteur des
afligez, qu'elle chaffaft les tromperies du diable, en
mefprifant le confeil du preftre plein de facrilege. Et
pour auant que la table eftoit couuerte pour difner,

elle la pria de prendre le repas, ce fait elle luy ofta
fon billet hors du col. Dont ceux qui eftoyent prefens
s'eftonnerent & s'efpouuanterent, tellement qu'ils fe
retirerent de la chambre, où ils laifferent feulement
ma femme & ma fille Sophie auec la demoniaque :
car ils craignoyent qu'elle ne rentraft en furie, & fe
iettaft fur les affiftans comme elle auoit acouftumé de
faire : pourautant qu'ils voyoyent qu'elle n'auoit plus
fa facree anchre de falut, au moyen de laquelle
comme il penfoyent, elle demeuroit en repos, comme
en vn havre de grace. Cependant cefte fille obeiffant
aux admoneftemens de ma femme, print le repas
fans aucun figne de perturbation d'efprit : ains au
contraire toute refiouye & tellement endoctrinee, que
fans plus fe laiffer deftourner de la vraye & viue
fiance qu'on doit auoir en Dieu, elle s'eft depuis toufiours bien portee. Le cuir eftant couppé on trouua
vn petit papier iaunaftre, tout plain, & fans characteres, lequel ma femme ietta dedans le feu, en la prefence de la fille.

ADIOVSTONS encor vn exemple d'vn autre demoniaque. Eftant affaibli par vn preftre fort outrecuidé,
a force coniurations & fouldres d'exorcifmes, tellement que le diable fembloit vouloir defloger : pource
qu'il ne fortoit pas affez toft au gré de ceft exorcifte,
il mit fur la tefte du demoniaque vn morceau de bois
de la croix caché dans vn eftuy : au moins le peuple
le croyoit ainfi. Apres que l'exorcifte fe fut fort tourmenté, le diable commença à dire. Combien que ie
fache que la fiance, que vous auez au bois de la croix
en laquelle Chrift a efté pendu, foit fauffe & mefchante, atendu qu'à la verité c'eft vn efclat de bois
coupé d'vn gibet, toutesfois voftre obftinee opinion,

& l'inueteree fiance de chacun, fait que pour m'acommoder à vos defirs, ie quitteray ce logis, & en for-
tiray maintenant.

Or n'y a-il perfonne qui ne voye bien que cefte
guerifon eft captieufe, fallacieufe & perilleufe. Le
diable fe ioue fouuentesfois fous ces chofes de peu de
valeur, & cependant il fait ce que les forciers machinent & requierent, tellement que lon penfe que
toute la force & vertu procede de telles fottes inuentions. C'eft donc à bon droit que Rabi Mofes Egyp-
tien certifie que ceux font menteurs & fols qui donnent
vne fi grande force & vertu miraculeufe à la feule
figure, à la feule efcriture, aux feuls lineamens, bref,
aux feules voix qui naiffent par l'atouchement de
l'air. Aelie Spartian efcrit auffi qu'à iufte caufe
l'Empereur Antonin Caracalla commanda & ordonna
que ceux fuffent condamnez, qui portoyent des colicrs
contre les fieures tierces & quartes, dont auffi Lucian
s'eft moqué plaifamment. Sainct Augustin encores
reiette toutes ces manieres de guerifons, comme
fuperftitieufes, difant : Toutes ces chofes font fuperftitieufes, qui font inuentees par les hommes pour
faire ou pour adorer les idoles, comme pour faire
Dieu, vne creature ou vne partie de creature, ou pour
confulter ou faire paction confederee auec les diables,
tels que font les deffeins des arts magiques, qui font
pluftoft racontez qu'enfeignez par les poëtes : tels font
auffi les liures des augures & harufpices, encores plus
licencieux en folies. Telles & femblables font toutes
les liaifons & remedes que la fcience de medecine
condamne, foit en diuinations, ou en quelques notes
qu'ils nomment characteres, ou es autres chofes qui
font propres à pendre ou à lier & attacher : dedans

Liure 1.
perplex.
chapitre 27.

Au
dialogue
des philofophes
liure 2.
de la
doctrine
chreftienne
chap. 20. & 27.
q. 2. c. illud.

toutes lefquelles l'art des diables eft meflé, & procede d'vne certaine damnable accointance des hommes auec les mauuais anges. Dont il apert que toutes ces chofes doyuent eftre euitees par les Chreftiens, re-iettees & condamnees par toutes fortes d'execrations. il dit auffi au fermon 215. du temps. Si vous voyez quelques vns encores rendre leurs vœus ou aux fon-taines, ou aux arbres, cercher les forcieres, ou deuins, ou les prognoftiqueurs, pendre à leurs cols des pre-feruatifs diaboliques, des characteres, des herbes, ou des fucs : dites-leur, en les reprenant aigrement, que quiconque fait ces maux perd le facrement du baptefme. Il en dit autant au fermon 241. du temps.

Il ne faut pas oublier icy la chemife, furnommee de neceffité, que les Alemans appellent Nothembd, tant celebree par nos ayeuls, & qu'ils auoyent acouftumé de veftir en la guerre contre les coups des dards, des balottes & boulets de canons : tellement que par icelle ils euitoyent tous les dangers belliques & autres incommoditez qui peuuent furuenir aux corps. Les femmes groffes ont vfé de cefte mefme chemife, afin d'acoucher plus foudainement & plus à l'aife. De là elle a efté nommee chemife de neceffité, pourtant que lon s'en aidoit en la neceffité & qu'alors elle feruoit beaucoup. Il falloit qu'elle fuft faite en l'vne des nuicts de la huitaine de Noël, tellement que les filles vierges filoyent le lin au nom du diable, elles le deuidoyent, tiffoyent & en coufoyent la che-mife. Elles attachoyent deux teftes en la poictrine, celle du cofté droit auoit vne longue barbe & comme vn morrion en tefte : l'autre du cofté gauche eftoit effroyable à voir, & auoit vne couronne femblable a celle du roy Beelzebub : à chafque cofté de ces deux

La chemife de neceffité.
Les François vfent des chemifes de noftre dame de Chartres.

teftes y auoit vne croix, & toute la chemife couuroit
l'homme depuis le col iufques à la moitié du corps,
auec les manches. I'en ay veu vne femblable chez vn
Gentil-homme de nom, laquelle il auoit recouuree
d'vn fien oncle qui eftoit braue gendarme, lequel
auoit acouftumé de fe fortifier d'icelle, & y adiouftoit
grande fiance : comme plufieurs Empereurs & autres
grands feigneurs ont acouftumé de faire. Toutes ces
chofes toutesfois eftans ainfi fuperftitieufes, fentent
leur doctrine Satanique.

CHAPITRE XIX

Que plufieurs grands Medecins fe font aidez de
liaifons, characteres & charmes : Item de la gueri-
fon Homerique & du miracle de Vefpafian.

EPENDANT ie n'ignore pas que plufieurs
excellens medecins n'ayent fait vne
grandiffime faute en ceft endroit, aiou-
ftans foy à ces folies, & du nombre def-

Liu. 10. chap. 1.
liu. 9. chap 4.
& au liure 11.
en la fin.
liu. 12. chap. 9.
Io. Gerfon
l'entreprend.

quels eft Alexandre Trallian, trefdocte au demeurant,
lequel efcrit que l'image d'Hercule fitué droit, &
eftoufant vn lion, enchaffee en vn anneau & portee
au doigt, eft vn remede contre la cholique. Auffi
confeille-il aux graueleux, aux podagres & aux febrici-

tans, non feulement des liaifons, mais auffi des
characteres & des charmes. Il allegue mefmes Galien,
au traité de la guerifon Homerique, comme fi laiffant les chofes, lefquelles apparoiffent euidemment,
il fe fuft perfuadé auec le temps qu'il y a quelque
vertu es autres, laquelle toutesfois il auoit niee auparauant. Le tihre de ce Traitté eft venu de ce
qu'Homere a efcrit, que par paroles le fang auoit efté
arrefté & que par mifteres les maladies auoyent efté
gueries. Aeffe auffi n'a point eu honte d'enchanter
par charmes fuperftitieux les hereftes & les petis os
arreftez dedans le gauion & en la gueule. Nous auons
encores tranfcrit par ci deuant des liures de Beniuenius comment la fleche auoit efté tiree hors le cofre
du corps, par la vertu des charmes. Marcellus allegue
des charmes à chafque bout de champ : & Octauian
s'en eft aidé es Euporiftes. Q. Serenus a efcrit que ce
mot, Abracadabra, efcrit en vn papier, felon la
figure qu'il en ordonne, & pendu au col, guerit les
fieures, & principalement celles que les medecins
nomment hemitritees. Gourdon auffi & plufieurs autres medecins modernes adonnez aux fuperftitions,
ores qu'ils fuffent des premiers, ont eu des charmes
particuliers, tellement qu'ils en ont inuenté & trouué
plufieurs pour arrefter le fang, contre les accez du haut
mal, contre les acouchemens dificiles, contre les
fieures intermittentes & erratiques, contre les vers,
les playes, les fiftules, les deboitemens des os, les
hargnes & ie ne fçay quelles autres maladies. Or
quand vous voyez l'experience (dit Auger Ferrier,)
confermee par l'authorité de tant d'hommes illuftres,
que ferez-vous? Car ce n'eft pas le fait d'vn homme
arrefté de iugement, que de contreuenir à ce qui

*La
guerifon
Homerique.*

*Liure 2.
de fa methode
c. 11.
de la guerifon
Homerique.*

aparoit aux fens, & eft vne chofe temeraire de penfer
aneantir les experiences des doctes. Et vous mefmes
vous me demanderez ce que i'en fens. Ie le diray librement. Car ie ne fuis ni fuperftitieux ni amateur de
fables : mais ami de la verité : à laquelle me voulant
du tout adonner i'ay bien voulu parler de ces guerifons prodigieufes, afin que ie ne femblaffe manquer
en quelque partie des operations de mon art. I'ay
donques defcouuert & aperceu que les euenemens de
telle guerifon ne procedent point des characteres ni
des charmes : mais que la vertu de noftre efprit eft
telle, que depuis qu'il s'eft perfuadé quelque chofe
honnefte, & qu'il a perfeueré conftamment en cefte
perfuafion, il execute puiffamment la chofe qu'il a
commencee, pourueu que l'efprit de celuy fur lequel
il agift ne luy foit repugnant & defiant. Car s'il le
rencontre ayant fiance & comme coadiuteur, il execu-
tera pluftoft fon intention s'il le rencontre ni confiant
ni defiant, la vertu de l'efprit qui opere, ne laiffera
pour cela d'agir & executer. Cela fe void ordinairement es douleurs des dents, efquelles on a acouftumé
d'vfer fouuentesfois de cefte maniere de guerifon.
Car l'enchanteur efmeut tellement l'efprit du malade
qui ne luy contredit point, que la douleur fe diminue
& ceffe petit à petit, pendant qu'il barbote entre fes .
dents, ou bien qu'il agit auec fes characteres. Ce qui
n'eft pas fans grande merueille. Mais fi d'auenture
le malade n'y a point de fiance, fi bien qu'il eftime ce
remede eftre du tout ridicule, ou bien s'il y a quelques affiftans, qui l'empefchent d'y adioufter foy, &
mefdifent du remede en fa prefence, l'enchanteur ne
fera rien : car il a vn efprit repugnant à ce qu'il s'eft
perfuadé.

l'ENTRELASSERAY icy ce qu'il me fouuient eſtre
auenu à vne ieune damoiſelle, qui fut guerie du mal
des dents par le charme d'vn gentil-homme : mais
eſtant repriſe de ce qu'elle auoit eu recours à vn
remede defendu de Dieu, elle s'en repentit, & la
douleur luy recommença, laquelle toutesfois s'en alla
depuis de ſoy-meſme. Quiconque entreprendra d'enchanter ſans confiance & perſuaſion, celuy la perdra
ſa peine, ſi ce n'eſt qu'il rencontre vn eſprit ſi ſot &
infenſible, qu'il ne puiſſe aperceuoir que lon le
trompe par diſſimulation. Ce ne ſont doncques point
les charmes & charaĉteres qui peuuent ces choſes :
mais c'eſt la vertu confiante de l'eſprit, lequel s'accorde auec celuy ſur lequel il agit, comme a fort bien
dit le poëte :

> L'eſprit qui dedans nous exerce ſa puiſſance
> Fait ees choſes : en nous il fait ſa demeurance,
> Et non pas aux enfers, ou aux aſtres du ciel.

MAIS ceſte confiance & ferme perſuaſion s'engendre en l'eſprit des indoĉtes, par l'opinion qu'ils ont
des charaĉteres & des paroles ſacrees : toutes-fois les
doĉtes qui ont l'intelligence des choſes, n'ont que
faire de l'exterieur, mais conoiſſans la vertu de l'eſprit, ils peuuent par icelle faire des choſes mer-
ueilleuſes : telles que Philoſtrate raconte auoir eſté
faites par Apollonius, lors que laiſſant les aſaires exterieures & mondaines, il ſe fuſt retiré à la ſeule contemplation de l'eſprit. Parquoy l'eſprit indoĉte, c'eſt
à dire celuy qui ne ſait ſa puiſſance & nature, peut
bien guerir les maladies apres qu'il s'eſt confermé
par les choſes exterieures. Mais le doĉte & conſtant
guerira par la ſeule parole : ou bien afin que par vn

mefme moyen il excite l'efprit de l'indocte, il s'aidera
des chofes exterieures, non feulement de celles, defquelles le vulgaire a acouftumé d'vfer : mais auffi il
en inuentera quelques vnes, qui luy feront pour lors
en main, ou dont il fe fouuiendra. Voila ce qu'il
efcrit. Mais M. Thomas Eraftus excellent medecin
refute doctement cefte opinion de Ferrier, en la 1.
partie de fes difputes contre la nouuelle medecine de
Paracelfe.

*Enneade
7. liure 3.*

O\R afin que lon entende plus manifeftement que
le diable fouuentesfois befongne & fe iouë pour le
damnement des hommes en ces guerifons, qui font
ordonnees outre le cours de nature, ie tranfcriray
icy les paroles d'Antoine Sabellique. C'eft vne chofe
efmerueillable, dit-il, de combien d'impoftures les
malins efprits s'aidoyent pour aueugler les yeux tant
du Prince que des autres, du temps que Vefpafian
eftoit en Alexandrie. Car, pendant qu'il facrifioit,
Bafilides fon ferf, afranchi & qui pour lors eftoit
abfent, fut veu, comme s'il luy euft miniftré, fi bien
que le nom Royal fut comme vn augure du futur
Empire. Vn peu apres, ainfi qu'il eftoit affis au
tribunal, deux hommes du peuple luy vindrent
demander l'aide que Serapis leur auoit annoncee &
monftree : l'vn eftoit aueugle & l'autre eftoit boiteux,
& difoyent qu'en dormant ils auoyent efté admoneftez

*Miracle
de
Vefpafian
par qui fait.*

que l'aueugle verroit clair, fi Vefpafian daignoit oindre fes yeux de fa faliue : & que l'autre iroit s'il le
touchoit de fon pied. Mais comme chacun reiettoit
cela & que lon penfoit tels faits impoffibles, Vefpafian n'ofa l'experimenter du commencement : toutes
fois il fut tant prié par fes amis, que en pleine affemblee il experimenta l'vn & l'autre : tant que l'euene-

ment s'en enfuyuit. Car le diable, qui eſtoit adoré
fous le nom de Serapis par toute l'Egipte mere
d'erreurs, craignoit que l'Eglife des Chreſtiens, nouuellement eſleuee en ceſte ville, ne le chaſſaſt de fon
ancienne habitation. Et preuoyant que deux malades
deuoyent eſtre gueris en ce mefme iour, il les incita
d'aller demander fecours à Vefpafian, à fin que par
l'euenement qui en deuoit enfuyure, & par la faueur
de celuy qui deuoit eſtre Empereur, la maieſté & le
credit de l'oracle fuſt augmenté, & que Vefpafian
eſtant Empereur, ne s'adonnaſt & fe tournaſt vers la
fplendeur de la vraye lumiere.

CHAPITRE XX

Des liaiſons, colliers, & fermaillets naturels. Item
que les diables ne peuuent eſtre attireȝ ni chaſſeȝ
par aucunes plantes ou matieres terreſtres.

E ne veux toutesfois defroger aucunement aux liaifons, colliers & fermaillets
naturels, car il y a pluſieurs fubſtan-
ces, lefquelles en leurs naiſſances, à raifon de leur fpecifique & indiuiduale conſtitution (s'il
m'eſt loifible de parler ainfi) reçoyuent vne vertu
celeſte, qui par vne contrepaſſion naturelle & oculte,
empefche, & lie les actions des autres, dont eſt venu

le nom & le commencement de la liaison naturelle.
Ainsi la presence du diamant & de l'aux empesche
l'operation de l'æmant, si bien qu'il ne peut tirer le
fer, ainsi que naturellement il a acoustumé faire.
L'huile aussi empesche que l'ambre ne tire la paille.
Les colliers & fermaillets naturels ont vne raison naturelle, par laquelle ils agissent : aussi quelques medecins disent qu'il en sort des vapeurs, lesquelles
estans occultement atirees par la respiration peuuent par leur vertu & faculté changer la cause
de la maladie & remettre le corps en sa premiere
santé. Pour ceste raison nous auons acoustumé, contre le haut mal, de pendre au col de la racine de
Piuoine masle nouuellement tiree de la terre, & de la
Morgeline à la fleur rouge : nous vsons aussi en mesme
façon de la fiente de loup & de son boyau contre les
douleurs de la cholique, non pas à raison d'vne vertu
d'enchantement, comme pense Pamphile le medecin,
mais à cause d'vne vertu naturelle occulte, comme i'ay
dit, ou bien à cause de quelques esprits harmoniques,
ainsi que la pluspart des medecins modernes. Parquoy
Galien les ayant experimentez veut que lon se fie aux
periaptes ou colliers, en telle façon que la vertu de leur
similitude ou semblance soit celle qui aide, & non les
paroles des magiciens enchanteurs. Theophraste sou-
stient ceste mesme opinion, disant : Il faut plustost
penser ces choses estre absurdes, qui estant liees &
pendues sont nommees contraires aux sorcelleries, &
qu'on pense porter vne aide souueraine tant aux
corps qu'aux maisons, encores que elles soyent controuuees par les hommes qui desirent de celebrer &
magnifier leurs sciences. De là nous voyons qu'il n'y
a aucune contrepassion entre les esprits malins & le

*Voyez
Theodore Prise
medecin
escriuant
à Eusebe,
liure dernie..*

*Liu 10.
de simpl.*

*Liure 6.
de
l'histoire
des plantes.*

Moly & le Millepertuis, encores que les superstitieux & credules le nomment la fuite des diables : aussi ne deuons nous penser que les malignes vapeurs des mauuais Dæmons puissent estre chassez loin de nous par autre puissance que par celle de Dieu. Autant en faut-il penser des testes des loups attachees contre les portes. Aussi à grand peine conois-ie maison où la fenestre soit plus ouuerte aux diables, qu'en celles esquelles on baille la garde des portes à ces testes. Ie sçay bien que quelques auteurs renommez & d'autorité ont escrit que ces herbes pendues en la maison chassoyent toutes sorcelleries loin des hommes & du bestail : ie say bien aussi que mesmes ils ont escrit que par la vertu du chardon Cnebusien, lequel est nommé aussi Cuns par les Egyptiens, on fait venir le diable & parle-on auec luy : mais il ne les faut croire outre les limites de verité, dautant qu'il a esté plus aisé de leus faire croire ces choses par les arts simulez du diable, qu'il n'y a pas à ceux, qui ayans vestu Iesus Christ, ont conu les tromperies de Satan. Pour ceste cause les histoires tesmoignent que les excellens esprits des anciens ont esté bien fort empestrez & enlassez dedans les labyrinthes des practiques & prognostications diaboliques, lesquels ont cessé & sont deuenus muets par l'auenement de Iesus Christ, ainsi que plusieurs tesmoignent. Les diables sont esprits, & tout ainsi qu'ils ne peuuent estre attirez par aucunes plantes ou autres matieres terrestres, ne peuuent aussi en estre chassez encores que souuentesfois ils dissimulent fallacieusement à ceux qui les adorent, que par la vertu de quelques choses ils sont inuitez, attirez, trainez, contraints, voire chassez : ce qu'ils font afin de les rendre tousiours plus serfs par vne

Le Moly.
Le Millepertuis.

Fuite
des Dæmons.

Les
testes des loups.
Dio. lib. 3.
chap. 37.
Pline
liu. 28. chap. 10.
Dios lib. 3.
chap. 15.
Proclus
de la Magie
& sacrif.

I. François Pic
oppugne fort
ces opinions,
liure 7. chap. 5.
de
la prognost.
superstit.

S. *Augu.*
de la
Cité de Dieu.
Eufebe
liu. 5. ch. 1. 8.
& liu. 8. chap. 6.
Pline
liu. 30. chap. 1.
1. partie
q. 115. art. ad 3.

malheureufe croyance. Auffi S. Thomas tefmoigne,
allegant S. Auguftin au vingt vnieme liure de la Cité
de Dieu, que les diables font attirez par plufieurs
efpeces de pierres, d'herbes, de bois, d'animaux, de
charmes, de ceremonies : non pas ainfi que les animaux font attirez par les viandes, mais comme par
des fignes fpirituels, pourueu qu'ils leur foyent of-
ferts en figne d'vn honneur Diuin, dont ils font tres-
cupides. Parquoy le forcier s'aide de ces chofes à la
folicitation du diable, & ce expreffément ou tacite-
ment par la paction de l'inuocation : ou bien pour
difamer les creatures de Dieu : lefquelles font bonnes
d'elles mefmes, ou pour exciter vne plus grande
croyance, & pour deceuoir dauantage la foy & les
ames des hommes perdus, lefquels s'aident de telles
chofes en leurs inuocations. Ce n'eft donques pas le
forcier, mais pluftoft le diable qui vfe de ces chofes,
comme eftans de grande efficace à vn tel forcelage,
& s'en aide comme des fignes de la paction qu'il a
faite auec le forcier que defia il poffede comme celuy
qui l'adore, comme vn heretique & vn homme def-
uoyé de la foy. Voila ce qu'il efcrit. Ie ne veux pas
dire toutesfois qu'il n'y ait des corps, comme font les
melancholiques ou choleriques, lefquels pendant
qu'ils font agitez par le diable, ont aucunement
apaifez, changez & foulagez de leur mal par aplica-
tions de quelques chofes, ou par l'harmonie des fons :
comme nous lifons que Saül fut apaifé & rendu

1. des Rois 16.

plus doux par le moyen de la mufique qui luy adou-
ciffoit l'ouye.

CHAPITRE XXI

Par quelles matieres les anciens & ceux de l'Eglise
Romaine penfoyent que les diables & forcelleries
fuffent chaffees.

EVX de ceste religion penfoyent que le
foulphre chaffaft les diables, lors qu'on
en faifoit vn perfum : duquel les
preftres, comme efcrit Proclus, auoyent
acouftumé d'vfer en leurs purifications, comme auffi
ils faifoyent de Bitum, & d'eau marine : car le foulphre purifie à raifon de la fubtilité de fon odeur, &
l'eau marine à caufe d'vne partie ignee qu'elle comprend en foy. Pour cefte raifon Ouide a efcrit de
Medee :

> Trois fois par feu, trois fois par eau coulante,
> Trois fois par foulphre à la fenteur poignante,
> L'homme vieillard par fa main fut purgé.

ON dit auffi que la quintefueille a la vertu de purifier : & pour cefte caufe les preftres anciens auoyent
acouftumé d'en vfer. Auffi dit-on que les rameaux de
l'oliuier font de fi grande vertu & pureté que fi vne
paillarde plante l'oliuier, l'arbre demeurera toufiours
fterile, ou bien il fe feichera du tout. Ils penfent auffi
que l'encens foit propre pour telles purgations,
comme auffi ils eftiment de mefme vertu la mirrhe,

Les
chofes
que lon penfe
auoir la vertu
d'ofter
la forcellerie.

la veruaine, la valeriane (que les Arabes appelent Phu), le Palma-Chrifti porté fur foy, la racine de couleuree, & la racine de Sarafine feiche & mife en perfum : Item la benoifte, la fanemode ou galliot, & la fcille pendue fur l'entree de la porte. Aucuns ont attribué telle vertu à la veronique, qu'ils eftimoyent vne maifon preferuee de toute forcellerie, ou cefte herbe eftoit plantee. On dit qu'il croift en Morauie vne herbe nommee Holitha qui chaffe les diables.

AVTANT en penfent-ils de l'amer d'vn chien noir mis en perfum, & difent que fon fang oingt contre toutes les parois, eft de grande eficace tant à chaffer les malins efprits, que les forcelleries en quelque lieu qu'elles foyent. Il y a encores plufieurs chofes recommandees contre les fafcinations & charmes, comme le petit noyau des dattes limé deffous la dent : la racine du fatyrion à fçauoir de la femelle, laquelle eft diftinguee par entrenœuds & par la plus grande abondance de tiges. Ariftote dit que la rue eft vn preferuatif contre la forcellerie & le charme. Et Dioscoride a efcrit que l'Aliffum pendu en la maifon, eft vn grand preferuatif contre les forcelleries des hommes & des beftes à quatre pieds. Item vn des rameaux de la troifieme efpece de Rhamnus mis aux feneftres & aux portes. Appion le grammarien dit que la Cynocephalie eft de mefme vertu. Auffi penfent-ils que l'herbe que nous nommons les gans noftredame eft de grande eficace contre le charme, & ce par le tefmoignage de Virgile, qui à efcrit aux Buccoliques.

Liu. 3. chap. 89.

Pline liu. 30. chap. 2.

> Enlaffez voftre chef des gans de noftre dame
> De peur que cy apres la langue trop infame
> Ne face quelque tort au poete futur.

Novs lifons encores que le cuir du front d'vne Hyene refifte au charme. On raporte auffi à ce propos plufieurs pierres tant d'Albert que des autres qui ont efté comme les foires marchandes des diables, & y adioufte-on quelque foy. Ainfi Denis efcrit que le iafpe eft contraire aux apparitions des efprits. Ils racontent auffi que le corail rouge pendu au col des enfans, ou enchaffé dedans des braflelets, & porté au bras, voire feulement retenu en la maifon, a vne grande prerogatiue contre les charmes. Ils difent que la pierre nommee Lyncurium empefche que les yeux foyent trompez & charmez : que l'Heliotropienne les esblouit : qu'elle rend inuifible celuy qui la porte : que le perfum de la pierre Lipparis fait fortir toutes les beftes : que la Synochitte fait fortir les ames des enfers : l'Aymant fait paroiftre les images des dieux : & que l'Enectis mis deffous la tefte de ceux qui dorment, leur fait rendre des oracles. Mefué efcrit fuperftitieufement que l'huile de gagate eftant confacré eft bon pour les demoniaques. On dit auffi que le perfum fait des plumes de Huppe, chaffe tous les phantofmes. Il s'aident auffi des œufs es purgations, & les œufs font nommez purgatifs, comme Ouide le monftre difant :

Liure 3.
des Antid.

> La vieille y vienne auffi : qu'elle face en la forte
> Que le lict & le lieu foit purgé : qu'elle apporte
> Du foulphre auec des œufs dans fa tremblante main.

On a penfé qu'en mangeant d'vn Piuert on eftoit gueri de la liaifon : que le perfum fait de la dent d'vn homme mort en fait autant, & que lon eft auffi gueri de cefte maladie quand on oingt tout le corps auec l'amer d'vn corbeau & de l'huile de Iugiolaine, felon

Cleopatre : comme auſſi on fait par le moyen du vif-
argent enfermé en vne plume, ou dedans les eſcailles
d'vne auelaine bien bouchee & atachee auec de la
cire, puis miſe ſous le cheuet de l'enſorcelé, ou deſſous le ſueil de la porte par laquelle il doit entrer en
la maiſon, ou en la chambre.

Tob. 7.

CEVX de noſtre religion n'auront garde de faillir à
m'alleguer le perfum que Tobie fit auec le cœur &
le foye du poiſſon mis ſur les charbons, par l'odeur
duquel le diable s'en alla au plus loin de l'Egipte, où
l'Ange l'atacha : toutesfois ie leur reſpondray que le
diable ne s'en alla pas tant à cauſe du perfum, comme

Tob 6.

il fit par la chaſteté & aſſiduelle oraiſon que Tobie le
ieune & ſa femme faiſoyent à Dieu miſericordieux, &
par l'inſtitution de l'Ange.

EVSEBE raconte que le dieu Serapis, nommé Plu-
ton par les Grecs, donna quelques marques aux
Egyptiens par leſquelles le diable eſtoit chaſſé, meſmes
qu'il enſeigna à ceux qui l'en requeroyent, comme les
diables, aparoiſſans en figures de beſtes brutes, eſ-
pioyent à faire mal aux hommes : entre leſquels ceux
eſtoyent plus en danger, qui ſe rempliſſoyent de plus
exquiſes viandes. Les anciens auoyent acouſtumé de
cracher en leur ſein contre les faſcinations & charmes.
Auſſi liſons nous en Theocrite :

Il crachera trois fois dedans mon ſein.

Et Ouide :

Chacun de vous crache dedans ſon ſein.

Contre
les tempeſtes

ON penſe encores que les tempeſtes des diables
aëriens ſont apaiſees & diſſipees par vn grand bruit &

par la fumee des herbes qui fentent mal. Et Gauden-
tius Merula dit que les femmes d'Italie en temps de
tempefte ont acouftumé de brufler à couuert des
herbes de mauuaifes fenteurs, comme fi elles eftoyent
defendues de la boutique des Academiques. Les
preftres ont recours en ce temps à leurs cloches,
& fe fient dauantage à ce grand bruit, lequel n'eft
d'aucune efficace enuers Dieu, qu'ils ne font pas aux
oraifons & aux iufnes : imitans en cela les Thraciens,
lefquels fentans aprocher la tempefte commençoyent
à crier horriblement & efleuer leurs voix dedans les
nues, eftans armez de toutes pieces, & tenans leurs
efpees en leurs mains auec des cymbales. Olaus le
Goth efcrit encore le femblable des peuples feptentrionnaux, lefquels excitoyent vn fon efclatant contre
les nues, & tiroyent à coups de traits dedans l'air,
voulans monftrer qu'ils donnoyent aide à leurs
dieux, lefquels ils penfoyent eftre pour lors affaillis
par les eftrangers. Ils n'eftoyent encore contens de
cefte temeraire fuperftition, mais ils auoyent & gardoyent à ce mefme vfage des marteaux de cuyure
d'vne pefanteur prefque incroyable, lefquels ils nom-
moyent marteaux de Iupiter, & les referuoyent par
grandes ceremonies, afin que par le moyen d'iceux,
comme par les tonnerres Claudians, & par cefte chofe
inufitee ils efleuaffent vn bruit dedans le ciel, lequel
ils penfoyent eftre excité par leurs marteaux, car ils
cuidoyent par la force & vertu de ce fon fi eftrange,
qu'ils imitoyent des ouuriers & artiftes, leurs dieux
eftre pluftoft fauorables à leurs guerres : ce qu'ils
obferuoyent fort ceremonieufement. L'vfage de ces
marteaux de Iupiter a duré iufqu'à l'an mil cent
trente. L'hiftoire des Gots aux dixhuitieme liure,

*Liu. 1. chap. 5.
des
chofes memorables*

*Liu. 3. chap. 8.
des
feptentrionnaux.*

*Marteaux
de
Iupiter.*

chapitre feizieme, dit que les Saxons s'aidoyent auſſi
de telle ſorte de marteaux.

Nos peres auſſi ſe ſont perſuadez l'eſpace de longues
annees, par le moyen d'vne mauuaiſe doctrine qu'ils
receuoyent de leurs curez, que l'Armoiſe pendue en
la maiſon le iour de S. Iean Baptiſte, comme auſſi
pluſieurs autres arbriſſeaux & plantes : des chandelles
& flambeaux benits à quelques certains iours plus
feriaux, ou bien exorciſez par ie ne ſay quels autres
moyens & allumez à la neceſſité : eſtoyent d'vne
grande vertu, & auoyent comme vne prerogatiue
contre les tempeſtes, les foudres, les tonnerres : contre la puiſſance & les œuures du diable, & toutes autres ſortes de ſorcelleries. Pendant les tempeſtes auſſi
on court incontinent par troupes aux cloches, & les
fait-on ſonner à toute force & volee, comme ſi elles
eſtoyent vn tres-ſouuerain rem⸱ : & comme vne anchre ſacree contre tous ces dangers. Martin d'Arles
Au
traité des ſuperſt.
nombre 9.
Matth. 4.
Marc. 1.
Luc. 4.
eſcrit que quelques vns allument vn petit faiſſeau
d'herbes, lequel a eſté benit au iour ſainct Iean, eſtimans qu'il eſt d'eficace contre les tonnerres, les foudres, la greſle : & que par le perfum d'iceluy le diable
eſt chaſſé & les tempeſtes apaiſees. Mais il ne faut
pas que l'antiquité preſcriue contre la verité : car
c'eſt la foy qui eſt ſpirituelle, laquelle chaſſe le diable :
c'eſt la parole de Dieu qui eſt d'eficace par l'eſprit :
dont nous liſons pluſieurs anciens teſmoignages &
exemples dedans les ſaincts & ſacrez liures de verité,
leſquels on ne pourroit refuter.

On vſe d'vne ſemblable ſuperſtition en l'Apennin
d'Italie entre Boulongue & Piſe : car incontinent que
la tempeſte commence à s'eſmouuoir, les femmes ſor-
rent dehors, & leuant les mains en l'air, elles l'ar-

reftent auec vn fromage fait le iour de l'Afcenfion de
noftre Seigneur, & marqué par deffus en croix bourguignonne, auec vne corde qui paffe au trauers en
croix : fi bien que par ce moyen elles penfent eftre
deliurees de la tempefte. Là mefmes elles gardent vn
œuf ponnu le iour de l'afcenfion, & l'attachent au
haut du toiɛt de la maifon, & croyent que par ce
moyen la maifon eft hors des dangers de la tempefte.
Les autres mettent la table au milieu de la chambre
& mettent deffus entre deux cierges allumez la pierre
Ceraunienne, laquelle fue incontinent, & penfent
que ce foit vn miracle, encores que cela fe façe naturellement, tout ainfi comme quand les vitres des
feneftres rendent de l'eau en mefme temps en la
maniere qu'elles font en vn poifle.

Povr ce mefme effeɛt on vfe de quelques exorcifmes
pour confacrer plufieurs herbes, tellement qu'elles
feruent pour la fanté de l'ame & du corps de ceux
qui en vfent : & prie-on que loin des hommes & des
beftes qui en goufteront, la pourriture & tous autres
phantofmes du diable foyent efloignez.

L'EAV que Dieu tout puiffant a creée pour vne infinité d'vfages, doit eftre raportee en ceft endroit, apres
auoir acquis des plus grandes vertus par les paroles
qui s'enfuyuent. Ie t'exorcife creature d'eau au nom
de Dieu le Pere tout puiffant, & au nom de Iefus
Chrift fon fils noftre Seigneur, & en la vertu du
S. Efprit, à fin que tu fois faite eau exorcifee pour
chaffer toute puiffance de l'ennemy, & pour arracher
& defraciner le mefme ennemy auec tous fes anges
apoftats. Alexandre premier Euefque de Rome, fut
celuy qui commanda que lon exorcifaft cefte eau
benite pour chaffer les diables, afin qu'elle fuft gardee

Eau benite.

au temple & en la maifon. Item Regino au 1. liure de la difcipline ecclefiaftique, chap. 210, dit que l'eau eft benite, afin qu'elle fanctifie ceux qui en font arroufez. Il prouue auffi par le 5. chap. du Concile de Nantes qu'il en faut arrofer les maifons, les champs, les vignes, le beftail & fa pafture, la viande & le bruuage des hommes : mais l'Eglife des Grecs l'a condamnee, comme vne chofe fuperftitieufe.

Le fel a auffi fa vertu particuliere, par lequel Helifee, felon le commandement de Dieu, adoucit l'eau de Hierico, laquelle auparauant ne valoit rien. Et maintenant outre cela il eft rendu plus fainct & plus excellent contre Satan par le moyen de ces exorcifmes. Ie t'exorcife, creature de fel, au nom de Dieu † viuant, au nom du vray † Dieu, au nom de Dieu † fainct, au nom de Dieu qui commanda à Elifee le Prophete de te ietter en l'eau, afin que la fterilité de l'eau fuft guerie : à ce que tu fois fait fel exorcifé pour le falut des croyans : à ce que tu fois fait la fanté du corps & de l'ame à tous ceux qui te prendront, & qu'es lieux où tu feras afpergé tout phantofme, mefchanceté & tromperie de la fraude diabolique, & tout efprit immonde adiuré, foit chaffé & eftrangé, & cæ. Alexandre 1. en l'epiftre decretal. 1. Idem textu, ext. in c. aquam fale confperfam, de confec. diftinct. 3.

Mettez encores au mefme rang ce tant celebre baufme, lequel a tant de diuerfes vertus, outre la fuaue odeur qu'il rend, & que Moyfe inftitua en fa Loy, afin que les Roys & facrificateurs Leuitiques en fuffent oingts, pour confermer leur vraye election iufques à ce que le Roy & facrificateur eternel Iefus Chrift euft veftu chair humaine. Ce baufme eft purifié

de bien plus graues exorcifmes en l'eglife Romaine,
& eft falué par neuf fois, le genouil trois fois en terre,
auec vn grand barbotement de telles paroles : Ie te
falue fainctehuile : ie te falue par trois fois S. Chrefme : je te falue par trois fois S. baufme. On a opinion
que non feulement par la vertu de ce S. baufme le
diable eft chaffé, mais auffi on croid que le S. Efprit
eft fubftitué en fon lieu. Mais ie veux bien que le
lecteur Chreftien fache qu'il n'y a rien moins que
vray baufme en toutes ces ceremonies.

CHAPITRE XXII

*Que le diable ne peut eftre tiré par aucune herbe :
comme Iofephe le maintient. Item de la racine
nommee Baaras.*

 R quant à ce que Iofephe fe glorifie,
qu'en la prefence de l'Empereur Vefpafian il vid vn Iuif nommé Eleazar,
lequel par l'aplication d'vn anneau
qu'il auoit, ou eftoit enchaffee la racine trouuee par
Salomon, tira le diable par le nez d'vn demoniaque à
qui il le bailla à flairer, lequel eftant tombé en terre,
fut banni par le mefme Eleazar en prononçant vn
charme de la coniuration Salomonique. Quant à cefte
hiftoire, di-ie il faut certainement confeffer que

Iofephe Hebrieu, Vafpafien ethnique, & Eleazar Iuif
furent trompez par les impoftures du diable, lequel
faifoit femblant d'eftre tiré par la puiffance de la racine attribuee à Salomon, bien que de fa propre
volonté il defiftaft par la permiffion de Dieu, & non
contraint : car il fait femblant d'eftre contraint pour
tromper autruy plus cauteleufement. Ce qu'il faifoit
afin que lon adiouftaft plus de fiance à l'anneau, ou
à la fable controuuee touchant la racine du tout
inepte à chaffer le diable, que non pas à vn feul Dieu,
lequel eft le vray chaffeur de Satan, & auquel par vn
legitime ordre des chofes nous deuons auoir recours.
Et afin que l'iffue de cefte farce prinft fin par vne
mefme menterie, qu'eftant mefchant de foy mefme, il
fuft couuert d'vn beau manteau, ne fuft remis en
doute & euft plus d'authorité, il fut attribué à Salomon, fous la renommee & bonne opinion duquel le
diable cependant pouuoit eftablir & affeurer toutes
fes fraudes & fallacieufes inuentions. Toutesfois il
apert qu'il a efté le prince de la vraye fapience, & du
tout deftourné de la fuperftitieufe magie des diables,
mefmes au contraire qu'il auoit acouftumé, comme
nous trouuons es hiftoires des Hebrieux, de difputer
des arbres & des herbes depuis de cedre du Liban
iufques à l'hyffope : Item des beftes cheualines, des
oifeaux, des ferpens & poiffons. Ce qui demonftre
feulement vne conoiffance des choffes naturelles, ou
bien, fi vous l'aimez mieux, vne naturelle magie. Si
ce n'eft que quelqu'vn vueille foupçonner trop obftinément que pour l'amour de fes femmes il ait voulu
aprendre les curieufes fciences.

Liu. 7. chap. 25.
de la
guerre des Iuifs.   POSSIBLE que cefte racine eft celle que le mefme
Iofephe defcrit en vn autre endroit : & afin que les

impoftures & tromperies du diable foyent mieux
defcouuertes, ie ne feray aucune dificulté d'en efcrire
icy l'hiftoire. Au refte, dit Iofephe, en la vallee qui
enuironne la ville du cofté de Septentrion, il y a vn
lieu nommé Baaras, où croift vne racine auffi nommee
Baaras, qui refemble de couleur à la flamme : & ref-
plendit fur le vefpre, comme iettant des rayons, de
laquelle on ne peut pas aifément aprocher : on ne la
peut auffi facilement arracher : car elle fe recule auffi
toft qu'on y veut atteindre, & ne la peut-on arrefter,
finon quand on efpand deffus de l'vrine de femme,
ou du fang menftrual. Il y a dauantage, que fi quelqu'vn la touche, c'eft vne chofe bien certaine qu'il en
mourra, fi dauanture il ne porte de la mefme racine
pendue en fa main. Toutesfois on la prend d'vne
autre façon fans danger, qui eft telle : On effarte tout
à l'entour, tellement que bien peu de refte de la racine
demeure dedans la terre : puis on attache vn chien à la
racine, lequel voulant fuyure celuy qui l'a attaché, il
arrache facilement cefte racine, & meurt bien toft
apres, comme au lieu de celuy qui la deuoit arracher
& ofter de là, dautant qu'apres la mort du chien, il
n'y a nul danger de la prendre. Elle a vne vertu en
foy qui fait mettre les hommes en danger pour la
tirer de terre. Car fi feulement on applique cefte racine aux malades qui font poffedez des efprits malins,
qui font efprits d'hommes mefchans ayans mal-
heureufement vefcu, qui reprennent les autres viuans,
& qui tuent ceux qui ne font point fecourus, elle les
chaffe hors. Voilà ce qu'en efcrit Iofephe. Toutesfois
on eftimera moins de cefte racine, fi lon regarde plus
attentiuement & d'vn œil plus fubtil de l'entendement, le moyen de la tirer de terre. Or cy deffus

nous auons monſtré qu'on ne ſauroit attirer ni
chaſſer les diables, par vertu d'vne matiere terreſtre.
Aelian eſcrit preſque le meſme au 14. li. ch. 27.
d'vne herbe magique nommee Cynoſpaſte autrement
nommee Aglaophotis, & penſe-on que c'eſtoit la racine de Baaras ſus-mentionnee. De iour elle ſe cache
parmi les autres herbes auſquelles elle reſſemble, &
ne la peut-on conoiſtre. Mais de nuiƈt on la void
luire comme vn eſtoile, & auoir vne ſplendeur de
feu, ſi qu'on la peut aiſément choiſir entre les autres,
& par ainſi ayans mis quelques marques autour de
la racine ils s'en vont, & ſans cela ils ne pourroyent
la reconoiſtre de iour. Au matin ils viennent & trouuent l'herbe à leurs marques, mais ils ſe gardent bien
de l'arracher ni de fouiller à l'entour : car ils diſent
que le premier qui la touche, ne conoiſſant pas la
proprieté d'icelle, meurt incontinent. Ainſi donc ils
amenent vn ieune chien qui n'a mangé de vingt-
quatre heures au parauant, & lient bien fort d'vn
cordeau ceſte herbe au plus bas de ſa tige, puis attachent à l'autre bout du cordeau leur chien auquel
ils preſentent à quelques pas de là force chair cuite,
& eux ſe tirent fort loin. Le chien flairant la chair
tire de toute ſa force pour l'aller prendre, & ainſi
arrache ceſte herbe : mais ſi le Soleil luit ſur les racines d'icelle, le chien meurt ſoudainement. Lors ils
l'enterrent auec quelques ceremonies ſecrettes, comme
eſtant mort à leur ſeruice & pour l'amour d'eux. Pline
au 4. liure cha. 17. entre autres herbes magiques
enſeignees par Democrite, fait mention d'vne apellee
Aglaophotis, à cauſe de ſon excellente couleur : &
croiſt parmi les marbres de l'Arabie du coſté de Perſe,
à raiſon dequoy auſſi on l'appelle Marmorite : & dit

que les magiciens s'en feruent, quand ils veulent faire venir les malins efprits.

On raconte vne prefque femblable fable de ce petit homme, que lon fait auec des racines de Mandragore, de rofeau, de coulevree, & de quelques autres plantes. Car les impofteurs engrauent en icelles, pendant qu'elles font encores vertes, la forme d'vn homme ou d'vne femme : & fichent de la graine de millet ou de l'orge es parties efquelles ils veulent que le poil naifle : puis ayant fait vn trou en terre, ils l'enfouif-fent & la recouurent le fablon, iufques à ce que les petis grains ayent ietté leurs racines, ce qu'ils difent eftre parfait en l'efpace de vingt iours tout au plus. Lors ils la retirent derechef, & auec vn coufteau bien trenchant ils rongnent les petis filaments des grains & les acommodent fi bien, qu'ils reffemblent à la barbe, aux cheueux, & aux autres poils du corps. Il font acroire au fimple peuple fot & niais, que ces ra-cines, qui reprefentent la figure d'vn homme, ne peuuent eftre tirees de terre qu'auec vn trefgrand peril & danger de la vie : & que pour les tirer ils y attachent vn chien, qu'ils s'eftoupent les oreilles auec de la poix, de peur qu'ils n'entendent les cris de la racine, lefquels entendus les feroyent tous mourir fans qu'il en peuft efchaper vn feul. Les vertus que lon raconte eftre en ce petit homme ainfi fait & forgé font eftranges : ils difent qu'il eft engendré deffous vn gibet, de l'vrine d'vn larron pendu, & qu'il a de grandes puiffances contre les tempeftes, & ie ne fay quelles autres calamitez. Toutesfois ce ne font que folies.

Ce qu'on lit au fecond des Decrets eft memorable : Toufiours le diable caché fous les fauffes couuertures

Chap. 26. q. 5.
Epifco.

fe manifefte lors qu'il contrefait les chofes qui font es
perfonnes, fous lefquelles il a enuie de tromper.
Toutesfois fi quelqu'vn s'opofe au contraire, & qu'il
die : comment eft-ce que ces chofes que les deuins
predifent auiennent? ou comment peuuent-ils donner
remede aux malades, ou enuoyer les maladies aux
fains, s'il eft ainfi qu'ils n'ayent aucune particuliere
vertu ou puiffance? Nous luy baillerons cefte refponfe : Que pour cefte raifon perfonne les doit croire,
fi quelquesfois les chofes, qu'ils prognoftiquent,
auiennent : ou bien s'il femble qu'ils gueriffent les
malades, ou qu'ils bleffent ceux qui font en bonne
fanté : pourautant que ces chofes font faites par la
permiffion de Dieu, afin que ceux qui oyent ces
chofes & les entendent, foyent efprouuez & qu'il
aparoiffe de quelle foy ou deuotion ils font enuers
Dieu. Comme on lit au Deuteronome que Moyfe
felon la parole de Dieu, commanda au peuple qu'il
n'euft à croire au prophete ou au fongeur, encores
que le figne ou miracle qu'il auroit predit auint : fi
ce qu'il dit deftourne du vray feruice de Dieu.

Deuter 15.

CHAPITRE XXIII

Le grief & abominable abus des prestres exorcistes.

AVANTAGE il y a des hommes sots, temeraires & audacieux, qui s'appellent
gens d'Eglise, mais mondains par trop,
à raison de leur orde & sale vie, tels
que les demande celuy qui ioüe le principal personnage en ceste farce, qui estans appelez pour
guerir ceux que lon pense estre ensorcelez ou demoniaques, par leurs exorcismes acoustumez & par la
formule de certaines ceremonies obseruees, acourent
pour guerir la maladie ou pour chasser le diable,
lequel quelquesfois se retire de sa propre volonté, au
moyen de leurs execrables blasphemes : & se ioüe
ainsi pour tousiours establir & confermer l'impieté.
Ce sera bien fait de mettre ces exorcistes au nombre
des enchanteurs & forciers. Mais afin que lon puisse
conoistre, comme on fait le lion par les ongles, leurs
impostures, i'en descouuriray icy quelques vnes
qu'ils obseruent. Apres qu'ils ont fait confesser celuy
qui doit estre coniuré, ils font cercher diligemment
par toute la maison, dedans les licts, & dedans les
coussins & oreillers & dessous le sueil de la porte,
s'il y a point quelque matiere de sort ou charmes,
laquelle doit estre aussi tost bruslee. Certainement
ceste superstition n'est point venue des Apostres, ni de

la primitiue Eglife : car fi par les exorcifmes les for-
cellerj . du diable font entierement gueries, pourquoy ces chofes de peu de valeur cachees aux anglets
de la maifon, ou enfouies deffous terre, auront elles
pouuoir d'empefcher, puis qu'elles ne touchent aucunement le corps, & ne font aucun mal par leurs
vapeurs? Cela fait, l'enforcellé tient vne chandelle en
la main, & s'agenouille en terre : on luy iette de
l'eau benite, & luy attache-on vne eftolle à l'entour
du col, & outre les oraifons, on recite les Letanies
vulgaires, adiouftant à l'inuocation des fain&s ces
mots : Prie pour luy, ou, Priez, & luy foyez fecou-
rable : Deliure-le Seigneur. Puis au lieu d'oraifon
ils vfent d'exorcifmes, lefquels font continuez pour
le moins trois fois la fepmaine, à celle fin qu'en mul-
tipliant les interceffions, la grace de la fanté foit

2. de la 2. partie
q. 3. chap. 5.
Matth. 11.
Iean 14. 16.
'Matth. 6
Matth. 11.
Iean 14: 16.
Matth. 6.

obtenue. Les theologiens auteurs du Maillet des
forcieres prefcriuent cefte forme d'exorcifmes, contre
l'euidente doctrine de Chrift, qui dit, Venez à moy tous
qui trauaillez & eftes chargez & ie vous foulageray.
Ie fuis la voye, la verité & la vie. Tout ce que vous
demanderez en mon nom à mon Pere, il le vous
donnera. Item, quand vous priez ne foyez grands
parleurs, comme les Ethniques, qui penfent par leur
babil eftre exaucez, ne foyez donc faits femblables à
iceux : car voftre Pere conoit ce dont vous auez
afaire, autant que luy demandiez. Ie ne diray pas
dauantage de ces amadouëmens de ceremonies, finon

Ceremonies
vaines figures
des
chofes.

qu'ils ont quelque aparence de pieté, mais pour autant que ce font mafques elles n'empefchent point les
affauts des mefchans esprits : au contraire elles
donnent quelquefois ouuerture à plus grande impieté. Ta parole eft la lanterne de mes pieds, dit le

Pfalmifte, & la lumiere à mes fentiers. Cefte lumiere
a vne merueilleufe vertu de chaffer les puiffances de
tenebres qui la hayffent & fuyent viftement. Celuy
qui a efté fi hardi que de tenter Iefus Chrift, ne craint
point vn afperges d'eau benite. Mais il redoute ceux
qui font veftus de robes lauees au fang de l'Agneau.

Av refte, l'exorcifeur pourra quelquesfois proceder
outre l'ordre, & ce par oraifons : & s'il peut bien lire
les efcritures (ces theologiens parlent cefte façon, dont.
il apert que l'exorcifeur ne fait pas lire quelquesfois, & moins encores entendre ce qu'il lit) qu'il life
les quatre premiers Euangiles des quatre Euange-
liftes : Item l'Euangile *Miffus eft Angelus,* & la
paffion du Seigneur, toutes lefquelles chofes ont vne
grande vertu à chaffer les œuures du diable. Qu'il
life auffi l'Euangile S. Iean, *In principio erat verbum,* qu'il la face efcrire & pendre au col de l'enforcellé, & que par ce moyen il attende la grace de
fanté. Voila leurs paroles.

Novs pourrions refuter plufieurs de ces chofes par
les tefmoignages de l'Efcriture, comme fi l'exorcifeur
n'entend pas ce qu'il dit, & que feulement la langue
parle, comment pourra-il veritablement prononcer
Amen? Voyez fainct Paul en la premiere epiftre des
Corinthiens, 14. chapitre : car ie defire eftre bref.

Iean l'Anglois dit auoir recueilli de Conftantin,
Gautier, Bernard & Gilbert, vne recepte pour guerir
les epileptiques, lunatiques ou demoniaques : c'eft
que le malade & fes plus prochains parens apres
auoir iufné trois iours, viennent au temple vn iour
de vendredi des quatre temps : qu'il y oye la meffe de
ce iour là, du Samedi & du Dimanche fuiuant.
Qu'alors quelque bon preftre (s'il s'en trouue) doit

lire fur la tefte du patient l'Euangile qu'on lit en
Septembre, & en temps de vendanges apres la fefte
de Sainte croix aux quatre temps, afauoir, Cefte forte
de diables ne peut eftre iettee hors que par iufne &
oraifon, puis il faut deuotement efcrire ceft Euangile,
le pendre au col du malade & il fera gueri.

Traitté 7. Il me femble que ie puis bien alleguer fur ce paffage
ce que S. Auguftin a efcrit fur l'Euangile de S. Iean,
en cefte maniere : Les efprits malins fe forgent à eux-
mefmes des ombres d'honneur, afin que par ce moyen
ils deçoyuent ceux qui fuyuent Iefus Chrift : tellement, mes freres, que ceux qui feduifent : par liaifons,
par prieres, par machinations de l'ennemy, ont acouftumé de mefler le nom de Chrift parmy leurs enchantemens. Car ils ne peuuent pas feduire les Chreftiens
en baillant du venin, fi ce n'eft en y meflant du miel,
afin que l'amer foit caché deffous ce qui eft doux, &
que par ce moyen il foit pris en bruuage : fi bien
qu'il me fouuient auoir conu vn preftre de ce rang,
lequel auoit acouftumé de dire : Ceftuy eft Chreftien
defguifé, parlant de ceux qui fe laiffoyent ainfi feduire. Pour quelle raifon eft-ce, mes freres, finon que
les Chreftiens ne peuuent eftre feduits autrement?
Ne cerchez donc point Chrift ailleurs que là où il a
voulu eftre prefché : & en la maniere qu'il a voulu
eftre prefché, tenez-le, & l'efcriuez auffi en vos cueurs.
C'eft vn rempar contre tout affaut & embufche de
l'ennemy. Ne craignez point. Il ne tente point fi ce
n'eft qu'il luy foit permis, ou qu'il foit enuoyé. Il eft
enuoyé comme eftant mauuais, par vne puiffance qui
le maiftrife. Il luy eft permis quand il demande
quelque chofe. Et cela fe fait, mes frères, non pour
autre caufe finon à fin que les iuftes foyent effayez,

& efprouuez, & que les iniuftes foyent punis. Que
craignez vous doncques? Allez au Seigneur voftre
Dieu, & foyez certains que vous n'endurerez point
ce qu'il ne veut pas que vous enduriez & ce qu'il veut
que vous enduriez eft vn fouët de correction, non vne
peine de damnation. Nous fommes endoctrinez pour
aller à l'heritage celefte, defdaignons nous donc d'eftre
fouëttez? Voila ce que dit S. Auguftin. Efcoutons à
ce propos le docte auis de Iean de Saltzbery au 2.
liu. du Polycrat. ch. 27. Les malins efprits font fi
frauduleux, qu'ils font femblant de ne fe mefler ou
mefmes de faire par contrainte ce qu'ils executent
alaigrement, & qu'ils aprennent aux hommes de
faire & executer. Ils veulent qu'on eftime que la
vertu des exorcifmes les a contrains & attirez : & afin
qu'on s'en donne moins de garde, eux-mefmes com-
pofent des exorcifmes au nom de Dieu, de la S. Trinité, de la vertu de la conception & incarnation de
Iefus Chrift : & baillent tels exorcifmes aux hommes,
obeiffent à ceux qui s'en feruent, tant qu'en fin ils
les ayent enuelopez auec eux en mefme crime de
facrilege & damnation. Car parfois ils fe transforment
en anges de lumiere, commandans les chofes honneftes, defendans les illicites. Ils fe monftrent pro-
cureurs de chafteté, confeillent ce qui eft vtile : afin
de s'infinuer plus aifément comme bons & propices,
item pour eftre plus doucement efcoutez, aimez plus
eftroitement, & qu'on ne leur refufe rien puis apres.
Auffi prennent-ils la forme & figure de gens venerables, afin qu'on les reuere dauantage, & plus promptement.

Deqvoy feruira doncques ce recit d'Euangile pour
chaffer le diable, ou pour renverfer fes œuures puis-

qu'elles n'ont pas esté instituees pour cest effect, ou qu'elles n'y accordent aucunement? Lors que Iesus Christ & ses disciples, & les autres sain&s personnages, chassoyent les diables, ils vsoyent de paroles commodes & propres à tel effect, & respondoyent, comme on dit, categoriquement. Car si en la simple prononciation des paroles mal acommodees au fait, la vertu desiree est aparuë quelques Iuifs exorciseurs n'en eussent pas fait móins, mais plustost dauantage, lors qu'ils essayoyent de chasser les malins esprits, en inuoquant dessus les demoniaques, le nom de nostre Seigneur Iesus, & disans, Nous vous coniurons au nom de Iesus que Paul annonce. Or estoyent ils sept des enfans de Sceue Iuif, prince des sacrificateurs, qui faisoyent ces coniurations. Et toutesfois l'esprit malin respondant leur dit : Ie conois Iesus, ie say qui est Paul, mais vous autres qui estes-vous? Et l'homme auquel estoit le mauuais esprit se iettant sur eux, & estant maistre d'eux, vsa de force contre eux, en sorte qu'ils s'enfuirent nuds & blessez de ceste maison. Et cela vint à la conoissance de tous les Iuifs & Grecs, qui habitoyent en Ephese, dont crainte les saisit tous & le nom du seigneur Iesus estoit magnifié, & plusieurs de ceux qui auoyent creu venoyent confessans,& declarans leurs mesfaits. Et plusieurs aussi de ceux qui s'estoyent exercez en choses curieuses aporterent leurs liures, & les bruslerent deuant tous, contans le prix desquels ils trouuerent cinquante mille pieces d'argent.

L'office des exorcistes & la coniuration des espris malins possedans quelques hommes, selon que cela est pratiqué à S. Pierre à Rome, ont esté imprimez à Rome, puis en Auignon l'an mil cinq cens quinze :

Il faut vser
de
paroles commodes
au fait
pour chasser
Satan.

Act. 19.

où entre diuerses oraisons & exorcismes fort ridicules, y a vne priere qui propose à Iesus Christ l'anatomie du corps humain, comme s'il ignoroit quelle
partie il faut guerir. Ceste priere est telle : Seigneur
Iesus Christ, ie te prie que tu tires toutes langueurs
de tous les membres de cest homme : de la teste, des
cheueux, du cerueau, du front, des yeux, des oreilles,
des narines, de la bouche, de la langue, des dents,
du palais, du gosier, du col, du dos, de la poitrine,
des mammelles, du cœur, de l'estomach, des flancs,
de la chair, du sang, des os, des iambes, des pieds,
des doigts, du talon, de la mouëlle, des nerfs, de la
peau, de toutes les iointures de ses membres, &c.

CHAPITRE XXIIII

Histoires memorables de quelques exorcistes.

 e n'ay pas voulu obmettre en ce discours
vne histoire rare, mais memorable,
touchant vn exorciseur, du nombre de
ceux qui pensent qu'a eux seuls apar-
tient l'office de chasser les diables par exorcismes. Il
y auoit vn certain Curé au village de Durvveiss pres
Ffvveiler, lequel promettoit asseurément & se vantoit que par ses exorcismes il deuoit deliurer vne
ieune fille, nommee Helaine, qui estoit demoniaque,

& demeuroit à Loen village situé pres Aldenhou en la Duché de Iuliers. De fait il apella, pour rendre le spectacle de ce miracle plus solennel, quelques prestres ses voisins, l'vn desquels curé de Biecht, nommé Iean Vvindel, qui assista à tout, me l'a raconté & escrit tout au long à ma requeste. Or ainsi que cest exorciste, par plusieurs coniurations eust en vain remonstré & suadé au diable qu'il sortist, le diable luy respondit en fin, qu'il demeureroit, pourautant que plusieurs de ses compagnons le confermoyent & l'asseuroyent : qu'ils estoyent tous assemblez à l'entour des vitres par lesquelles la lumiere estoit donnee au lieu, auquel ils estoyent. Ce pauure curé se confiant en l'auteur de mensonges, s'adressa incontinent aux vitres, que le diable luy auoit monstrees, & voyant qu'il y perdoit sa peine, en fin tout indigné commença à parler Latin en ceste matiere, croyant, comme ie pense, que le diable n'entendoit point son langage : Si tu as aucune puissance, dit-il, de passer dedans le sang chrestien, sors hors du corps de ceste fille & entre dedans moy. Le diable incontinent luy respondit

Le diable respond en Latin à l'exorciseur.

en Latin & brusquement : Qu'ay-ie afaire de tenter celuy, dit-il, lequel de tout droit ie dois posseder au dernier iour? Cela fait, Iean Sartor curé de Loen voulant sauoir quel tesmoignage le diable rendroit de la messe, luy demanda en langue vulgaire, pour quelle raison il contraignoit la fille d'aller au temple, toutesfois & quantes qu'elle entendoit la cloche qui sonnoit pour la messe, si c'estoit que la messe fust bonne ou mauuaise : le diable luy respondit que pour lors il ne pouuoit pas respondre à ceste question, mais qu'il en delibereroit. Cela auint l'an 1559. enuiron le 17. iour d'Aoust.

Si ceſt exorciſeur euſt quelquefois leu dedans la vie de S. François, il euſt trouué vn moyen aſſez facile pour chaſſer le diable, Car ainſi que quelquesfois ſainct François voyoit qu'il perdoit ſa peine en con-iurant vn, il commença à le menacer qu'il luy en-uoyeroit frere Iuniperus nautonnier de Ieſus Chriſt : & ſi toſt que le diable oyoit ce mot, il ſe ſauuoit viſtement.

Au liure des conformitez feuillet 85.

On lit encores dedans ceſte meſme hiſtoire, que S. François contraignoit vn diable par ſes exorciſmes de faire confeſion de la verité, laquelle il repeta par quatre fois, touchant la vertu des indulgences de la vierge Marie, leſquelles ſont de ſi grande efficace pour la peine & la coulpe (comme ils diſent) que par le moyen d'icelles toutes choſes ſont remiſes en l'Egliſe, voire & euſt-on tué tout le monde. Ce diable ſe plaignoit que par la vertu d'icelles toutes les ames leur eſtoyent retirees, ſur leſquelles auparauant ils auoyent puiſſance. Et encores, ô quelle douleur! il diſoit qu'il y en auoit pluſieurs qui s'enuolloyent hors du purgatoire, leſquelles annonçoyent la grande efficace de ces indulgences. Il confeſſoit dauantage, qu'il eſtoit entré dedans le corps de ceſte femme, afin que la vertu de ces indulgences fuſt conuë : & eſtant interrogué, il confeſſa derechef qu'il vaudroit beau-coup mieux, que celuy qui n'en fait conte, tiraſt vn aſne par la queuë depuis Rauenne iuſques à Milan.

Facil. 154. 135.

Vn moine voulant chaſſer le diable, fit faire vne proceſſion ſolennelle, & en ceſt equipage vint trouuer le demoniaque. Mais Satan ſe iouant de toute ceſte troupe, commença à dire en Latin par la bouche de ce demoniaque : *Popule mi quid feci tibi?* c'eſt à dire, Mon peuple que t'ay-ie fait?

Il auint l'an mil cinq cens foixante & trois, qu'vne belle-mere trauailla tant la fille de fon mary nommee Girarde, aagee d'enuiron douze ans, à force de la tancer, de la battre, & de la faire iufner, qu'en fin elle en deuint malade du haut mal. Mais vn certain moine nommé Vbinand, de l'ordre des Iacopins, s'efforça de chaffer le diable hors de fon corps (car il penfoit qu'elle fut demoniaque) en luy mettant contre la bouche le pain de la meffe auec vne boite. Ce mefme moine aplicqua des exorcifmes à vne vache, & commanda que lon enfouift vn morceau d'vne eftoille à l'endroit où la vache auoit acouftumé de paftyrer. Certainement c'eft vne chofe efmerueillable que ces efclaues du diable foyent impunément endurez par le Magiftrat, lequel refufe audience aux gens de bien, ou à ceux qui pouffez d'vn bon zele, ne veulent foufcrire à quelque forme de cenfeffion. En quoy, comme en toutes autres chofes, il faut preferer la modération & iugement de monfieur Theodore Cron conful de Vvefel, perfonnage digne de louange, du confentement de chacun à raifon de fa doctrine, pieté prudence & humanité.

Celvy qui fait la guerre au diable à Cologne, eft nommé Godart de Hagen, beau-pere du conuent des conuerfes.

Simon le mufnier, natif de Heffe, ou d'aupres de Mayence, aueugle des yeux du corps & de l'efprit : ayant fait le meftier d'exorcifte auec des adiurations eftranges, & des tours de fineffe fort memorables, tant au pays de Vveftphale qu'es autres circonuoifins, l'efpace de quelques annees, finalement il eut proces contre fa femme qu'il accufoit de larrecin, & ce en la ville d'Ofnabourg où il auoit ia demouré par trois

ans, & dont le Magiſtrat, auerti de ſes ruſes, eſtoit
deliberé le chaſſer. Le neufieme iour de Feurier, l'an
mil cinq cens ſoixante quatre, ſur le ſoir, ſa femme
l'exhorta de monter au grenier de ſa maiſon pour
cercher enſemble leur argent perdu. Eſtant monté ſur
le plancher elle le ietta du haut en bas par vne
trappe qui y eſtoit : puis elle deſcendit incontinent
apres, & d'vne hache luy coupa la teſte & le bras
gauche, qu'elle ietta dans le feu, delibereé d'en faire
autant du reſte puis apres. Les voiſins oyans le bruit
& eſmeus de la puante odeur de ces membres bruſlez,
acoururent & entrerent à la foule dans la maiſon où ils
virent ceſt horrible meſnage. La femme fut empriſonnee, puis tenaillee & miſe ſur la rouë le 12. iour
de Feurier enſuyuant. Conſiderez ici les iuſtes iugemens de Dieu.

Il y auoit à Magdebourg vne femme nommee
Catherine, qui ſouloit vſer de certaine coniuration
contre ſon mari quand elle conoiſſoit qu'il la vouloit
batre : & ſouſtenoit que par tel expedient elle s'eſtoit
garantie de pluſieurs coups qui autrement l'euſſent
affolee. L'an mil cinq cens ſeptante trois au mois
d'Aouſt, comme nous paſſions par là en grande compagnie, pour aller conduire en Pruſſe la treſilluſtre
ducheſſe Marie Eleonor, elle nous faiſoit ce conte,
diſant l'auoir apris d'vne damoiſelle. Les paroles
Alemandes de ceſt exorciſme, traduites en François,
portent ce que s'enſuit, Ie coniure ton inſolence, à ce
que ton cœur ſoit rompu, que ta bouche ne parle
point, que ton bras ſoit mutilé : ainſi m'aide Dieu le
Pere, le Fils, & le S. Eſprit, Amen. Il faut repeter
trois fois les dernieres parolcs. Mais voilà vne impieté extreme.

CHAPITRE XXV

De l'exorcifme & de la meffe qui condamne & en-
uoye en enfer.

ɪʟ faut en paffant adioufter ici que certains docteurs ont vn fecret formulaire
d'exorcifme, fort execrable, qu'ils appelent *Condemnatio ad gehennam.* Ils
s'en feruent, quand les efprits (qu'ils apellent) rodent
de nuict par les chambres & es maifons, tourmentans
ceux qui y habitent par foufpirs & hauts cris, à caufe
des tourments qu'ils fouffroyent en Purgatoire, pour
auoir eu du bien mal acquis, ou commis quelques
mefchancetez, ou failli à bien executer quelque
charge qui leur auoit efté commife, ou pour quelque
autre telle occafion. Si vn tel efprit ne peut eftre contraint par Meffes, ou exorcifmes communs, au autres imprecations, de s'en aller ou de demeurer coy :
alors l'exorcifte, apres quelques ceremonies, va fraper
du pied fur le tombeau du mort duquel l'efprit
reuient, & dit ces mots, *Vade ad gehennam,* c'eft à
dire va à la gehenne, & tout foudain l'efprit, obeiffant
à tel commandement, tombe en enfer où il eft condamné pour iamais. De là en auant on n'oit aucun
bruit de nuict. Vray eft qu'on ne s'aide pas volontiers de ce remede que fort rarement, attendu qu'il y
a du danger, & faut qu'au prealable tous autres

remedes ayent esté pratiquez. Il y a vn personnage bien conu demeurant à Coblentz, qui a esté fort exhorté par les moines de permettre qu'on pratiquast cest exorcisme en sa maison.

A ce que dessus apartient la Messe qui condamne & enuoye en enfer, appellee *Seinch miss* par les prestres Alemans. En celebrant ceste messe, l'esprit qui fait du trouble est soudainement precipité en enfer, sans espoir de remission. Ie suis content d'en proposer ici vn exemple que ie say bien, & qui pourra seruir pour faire conoistre semblables accidens. Enuiron l'an mil cinq cens quarante huict, en vne ville de la Comté de Monts au logis de madame de Vuiss, vn prestre de ma conoissance, lequel est depuis paruenu à plus haute dignité, estant couché en vne certaine chambre, ou i'auois aussi mon lict, quand i'estoye appellé pour le seruice de ceste dame (de laquelle i'estois pensionnaire) & dormant fut resueillé de nuict par vn chat qui passa par vne lozange rompue en la verriere, & fit du bruit par la chambre. Au matin ce prestre fit ses plaintes à la dame : assez & trop credule en cest endroit : alleguant que toute nuict dans ceste chambre mal-encontreuse il auoit esté miserablement tourmenté & afligé d'vn esprit, & qu'il s'en sentoit encor. Quoy plus? La pauure dame estonnee & effrayee, comme il auient aux femmes, demande incontinent comme elle auoit à se gouuerner. Le prestre respond incontinent, qu'il faudroit vne Seinckmesse, pour chasser l'esprit en enfer. Cest auis est trouué bon, & apres que le prestre eust promis d'y satisfaire, il se retira vers ses compagnons. Quelques semaines apres il se represente à la dame, demandant, auec vne impudence & importunité familiere à telles gens, le

payement de la Seinckmeſſe : adiouſtant que pour
ſon regard il ne demandoit rien, ains ſeulement pour
certains poures preſtres qui auoyent chanté grand
nombre de Seinckmeſſes, & qu'il faloit payer promptement telles gens qui ne viuoyent d'autre choſe. Elle
demande combien il faut. Ce bon homme d'Egliſe
afferme là deſſus qu'il faloit dixhuit cheualots de
Gueldres. La dame qui eſtoit à Duisbourg, & n'auoit
argent en main, prie le Gardien des Cordeliers de les
luy preſter, au deſceu du preſtre, qui ayant receu
l'argent en ſortant de la maiſon auec ſa proye rencontre d'auanture le beau pere qui venoit diſner auec
la dame, lequel il ſalua impudemment, & en tendant
la main où eſtoit l'argent à deſcouuert, luy dit, Beau-
pere, voici ma part, où eſt la voſtre? Le cordelier reſpond, La derniere fois que i'ay veu ceſt argent, il
eſtoit mien. Sur ce le preſte ſe retire auec le ſalaire
de ſa Seinckmeſſe, riant ſous ſon bonnet de ce que
l'eſprit d'enfer luy auoit aporté vne ſi belle rente : &
fit bien parler de ſoy pour auoir attrappé ſi graſſe
proye. Il me ſouuient d'auoir quelquefois reproché à
la dame ſa credulité & tromperie.

CHAPITRE XXVI

Hiſtoire memorable de l'eſprit d'Orleans.

I AY bien voulu adiouſter en ceſt endroit l'hiſtoire d'vn exorciſme controuué & feinɛt, laquelle eſt digne d'eſtre leuë, afin que par la comparaiſon & ſemblance, on puiſſe iuger de toutes autres aɛtions ſemblables. Ceſte hiſtoire eſt autant vraye, comme certainement ie l'ay conuë & veuë auenir. Car enuiron ce temps ie parti de Paris pour aller à Orlans, ayant pris la charge des enfans de Noël Ramard medecin du feu Roy François & de la Royne de Nauarre, aſauoir Noël prieur de S. Ladre es faux-bourgs de Paris, & Iean, auec ſon nepueu Iean Vernet, leſquels peu de iours apres ie remenay à Paris. Pour lors i'eſtois fort familier de pluſieurs hommes doɛtes & renommez, principalement de medecins, aſauoir de Gerard le Feure de Cahors, de Vital Beſumbé, de Ioachin natif de Prouence, de Michel de Villeneufue & autres. De ce meſme temps le doɛte Iean Sleidan demeuroit auec Iean Sturmius, homme de grande doɛtrine. Et pourautant que Iean Sleidan a eſcrit au long le diſcours de ceſte tragedie, ie l'ay ſeulement tranſcrit de luy, comme il s'enſuit.

L'AN mil cinq cens trente quatre, La femme du Preuoſt de la ville d'Orleans auoit ordonné par ſon

teſtament, qu'elle feroit enterree ſanspompes ou bruit.
Car ſelon la façon de France, quand quelqu'vn eſt
mort, les crieurs des treſpaſſez qui ſont louez pour ce
faire, vont par les carrefours de la ville, & ſonnans
leurs clochettes appellent le monde : puis nomment
le treſpaſſé, & ſes tiltres, exhortans de prier pour luy
& denonçans l'heure & le lieu où il doit eſtre in-
humé. Quand on vient à le porter en terre, les Men-
dians y ſont ordinairement mandez, & ſe porte force
torches & autre luminaire. Ces myſteres ſe font à
l'enuie : car où il y a plus magnifique conuoy, là y a
plus grande afluence de peuple & plus d'admiration.
Mais la femme du Preuoſt ne voulut rien de toutes
ces fanfares. Son mari qui luy portoit bonne afeċtion,
fit ſelon ſa derniere volonté, & donna ſix eſcus aux
Cordeliers : au temple deſquels elle eſtoit enterree,
aupres de ſon pere & pere-grand. Ce don ne les con-
tenta pas gueres, comme beaucoup moindre que la
proye ia par eſpoir d'eux deuoree. Depuis ils requirent
le Preuoſt de leur donner du bois, qu'il faiſoit couper
& vendre. Ce qu'il leur refuſa tout à plat. Ils prindrent cela fort à cœur, ioint qu'il n'eſtoit gueres en
leurs papiers par deuant : & machinerent, pour ſe
venger, de dire que la femme eſtoit damnee eternellement. Les auteurs de la tragedie & maiſtres de l'œuure eſtoyent Coliman & Eſtienne d'Arras, tous deux
doċteurs en theologie. Coliman iouoit le perſonnage
d'exorciſte, & auoit en main tout l'equipage qui fait
beſoin en telles afaires. Et voicy comme ils y beſon-
gnerent. Ils cacherent vn ieune nouice ſur la voute
du temple, qui lors qu'ils diſoyent matines à minuiċt,
fit grand tintamarre. On le coniure : mais il ne dit
mot. Commandement luy eſt fait de declarer s'il eſt

esprit muet : derechef il se tempeste, & fait grand
bruit. C'estoit le signe. Ceste entree faite, ils s'adres-
serent à quelques citoyens d'aparence, qui leur portoyent faueur, & leur raporterent qu'il estoit auenu
vn piteux cas en leur conuent, sans leur rien declarer.
Ils les prient de se trouuer à leurs matines. Ce qu'ils
font : & comme ces matines se commençoyent, l'esprit commença à rabaster d'en haut. On l'interrogue
qu'il veut, & qui il est. Il fait signe qu'il ne luy estoit
permis de parler. On luy commande donques de respondre par signes aux demandes. Or il y auoit vn
pertuis où il mettoit l'oreille, pour entendre la voix
de l'exorciste qui faisoit les coniurations. Puis il auoit
vn aix en sa main, qu'il frappoit estant interrogué :
de sorte que on le pouuoit ouïr d'embas. Premierement on luy demande s'il n'est point de ceux qui sont
là enterrez, & les noms de plusieurs recitez par ordre,
qui estoyent là inhumez, finalement on vient à la
femme du Preuost, Là il donna signe qu'il estoit son
esprit. Interrogué s'il estoit damné, & pour quel demerite : si c'estoit pour auarice ou paillardise, ou orgueil, ou charité non exercee, ou pour la nouuelle
heresie de Luther : dauantage que c'est qu'il veut
dire par ce tintamarre : si c'est que son corps soit deterré, & transporté hors de terre saincte. A toutes ces
demandes il respond comme on luy auoit aprins, par
signes negatifs ou affirmatifs, selon qu'il frappoit son
petit aix deux ou trois fois. Entendu doncques que la
cause de sa damnation estoit Lutherienne, & que il
signifioit que le corps fut deterré : les Cordeliers requirent les citoyens, qu'ils auoyent fait venir, de tes-
moigner des choses qu'ils auoyent veuës, & de sousi-
gner aux actes faits les iours precedens. Ce qu'ils

refuferent apres auoir pris confeil, craignans d'ofenfer
le Preuoft, ou d'en auoir facherie. Les Cordeliers nonobftant tranfportent leur hoftie (qu'ils apellent le
corpus Domini) auec toutes les reliques de faints en
autre lieu, où ils chantoyent leurs Meffes : ce qui fe
fait felon les Canons des Papes, quand quelque lieu
eft prophané & fe doit reconcilier : car il y en a quelques chapitres en leurs liures. L'Oficial auerty de ce
fait fe tranfporta fur le lieu auec quelques honneftes
gens, pour s'informer plus certainement du fait, &
commanda les adiurations eftre faites en fa prefence.
Quant & quant il requit quelques vns eftre deputez
pour monter fur la voute, & voir fi quelque efprit
leur aparoiftroit. A cela Eftienne d'Arras repugnoit
fort & ferme, & difoit pour fes raifons, qu'il ne faloit
troubler l'efprit. Et combien que l'Official infiftaft
viuement, pour faire faire les exorcifmes & adiurations, toutesfois il n'en peut eftre le maiftre. Cependant, le preuoft apres auoir admonefté les autres
iuges du lieu de ce qui eftoit à faire, alla par deuers
le Roy, & luy conta le fait. Et pource que les Cordeliers s'armoyent de leurs priuileges & immunitez,
pour entrer en conoiffance de caufe, le Roy donna la
commiffion à certains Confeilliers du parlement de
Paris, pour iuger la caufe fans opofition ou apellation
quelconque. Antoine du Prat Chancelier & Legat
du Pape par tout le royaume de France, fit le pareil.
Parquoy les Cordeliers ne pouuans plus reculer, ni
tendre afin de non refpondre, furent menez à Paris :
mais il ne fut poffible de rien tirer d'eux. On les
auoit feparez en diuers lieux, pour en faire bonne
garde : & le nouice eftoit au logis du Confeiller Fumée.
Iceluy eftant fouuent interrogué, ne vouloit rien con-

feſſer, craignant qu'apres les Cordeliers ne le tuaſſent, s'il auoit difamé l'ordre. Mais apres que les Iuges l'eurent aſſeuré qu'il n'auroit nul mal, & ne rentreroit iamais en leur ſuiettion, il leur deſchifra toute leur menee : & eſtant depuis confronté deuant les autres, ne varia nullement. Se voyans conuaincus & comme pris ſur le fait, toutesfois ils recuſoyent les Iuges, & s'armoyent de leurs priuileges. Mais cela ne leur ſeruit de rien : car ils furent condamnez d'eſtre re-menez à Orleans, & mis en priſon : puis eſtre menez deuant la grande Egliſe, & de là en la place où on execute les malfaiℓteurs, pour là confeſſer publique-ment leur meſchanceté. I'ay ſouuenance que de là en auant on diſoit en commun prouerbe, lors qu'on contoit quelque fable, que c'eſtoit l'eſprit d'Orleans.

CHAPITRE XXVII

Hiſtoires ſemblables à la precedente, auenues en Suiſſe, en Italie, en Eſcoſſe & en Flandres : Item, que le diable eſt exorciſte.

 R d'autant que George Buchanan, le plus doℓte poëte Latin de noſtre temps, deſcrit en ſon poëme Latin intitulé : *Franciſcanus*, c'eſt à dire le Cordelier, la precedente tragœdie, & autres ſemblables aſſez

conues iouees à Berne & à Sienne : & y adiouſte vne
elegante deſcription de l'entreprife d'vn certain moine
d'Eſcoſſe, pour remettre fus le Purgatoire : i'eſtime
que cela ne conuiendra pas mal en ceſt endroit-ci.
Ainſi donc il introduit vn vieil cordelier haranguant
en preſence des autres, & diſant entre pluſieurs diſcours celuy qui s'enſuit, traduit du Latin au moins
mal qu'il a eſté poſſible.

> De nos predeceſſeurs la riche inuention,
> Faiſans acroire aux fols de mainte nation
> Que les ames des morts de nuict apparoiſſoyent,
> Qu'auecques l'eau benite & charmes ils chaſſoyent :
> Eſt allee à neant, lors que les bons eſprits
> Ont deſcouuert l'erreur duquel ont eſté pris
> Les pauures anciens : & ne reçoyuent choſe
> Qui n'ait au texte ſainct ſa ferme preuue encloſe :
> Quoy que toute Sorbonne en tiltres & en ſeaux
> Iure & maintienne ſaincts tous ces ſonges nouueaux.
>   Las ! ceſte inuention du bon temps, fut ſi forte,
> Que du plus chaſte lict elle ſauçoit la porte.
> Le vueil des teſtateurs ſoudainement changeoit.
> En terre ſaincte, à Rome, vn niais voyageoit,
> Laiſſant ſon lict en garde au vilain adultere
> Qui tandis s'en ſaouloit : mais alors qu'au contraire
> Vn riche ne fondoit cent meſſes en mourant.
> Ou à ſes heritiers laiſſoit le demeurant
> De ſes biens, ſans auoir ſoin de noſtre cuiſine,
> Nos peres n'enduroyent vn oubli tant indigne.
>   Ce deſpit fit armer les freres genereux

Cordeliers
à Orleans.

> A Orleans ſur Loire, ou ſi par l'œil ſoigneux
> De tant de ſurueillans leur adreſſe peu caute
> N'euſt monſtré deuant tous la frauduleuſe faute :
> Nous ſerions maintenant en honneur & credit.
> Nous nous nuiſons ſouuent. Vn ordre contredit,
> Ou s'arme contre l'autre, à ſon propre dommage.

Iacopins de Berne.

> Les Iacopins de Berne, auec grand auantage
> Auoyent deſia forgé vn ſainct François nouueau :
> Les mains & pieds ſleſtris & percez ſous la peau
> Paroiſſoyent à tous ſi des freres l'enuie,
> Ne pouuant ſuporter des Iacopins la vie,
> N'euſt deſcouuert la fourbe, au danger & meſpris

De tous ceux qui auoyent ce menfonge entrepris,
Ceux d'Itale plus fins ont à Siene les playes
De faincte Catherine, & les maintiennent vrayes.
Et ces fonges plaifans ils fauent efchanger,
Tant adextres ils font, à l'or de l'eftranger.
   Toutesfois en ce temps, par efprit temeraire,
Des miracles ne faut en tous lieux contrefaire :
Ains entre montagnards & quelques fots bergers,
Encores y a-il, par fois, de grands dangers :
Veu mefmes que fageffe à prefent fe retire
Es forefts, & y veut les idiots inftruire.
Qui euft dit qu'en Efcoffe : en vn pays fi froid,
On euft trouué des gens qui d'œil & cœur adroit
Euffent peu defcouurir quelque deuote feinte
Langius Cordelier, qui porte l'ame feinte ?
De rufes à milliers, pour dextrement piper
Les vieilles qu'en fes rets il fait bien attraper :
Ayant vn creux obfcur auec vne nuict fombre,
A fon deffein ne put toutesfois donner ombre.
   En Efcoffe il y a vn champ fort fpacieux :
Sterile de tous fruits, qui ne prefente aux yeux
Que du fable couuert d'vne feche bruiere,
Moutons & beufs paiffans n'y aparoiffent guere,
Brief c'eft vn vray defert. Là fous des rochers creux
En des cailloux noircis font enclos certains feux,
Qui fouuent allumez par veines enfoufrees
lettent à gros bouillons des fumeufes nuees.
De terre on void monter vne noire vapeur.
La flamme retenue en l'obfcure efpaiffeur
Des cachots fouterrains, bruit, tournoye & s'efforce
A trouuer vn pertuis, & de toute fa force
S'agite tellement qu'elle perce en maints lieux
Le champ, & creux nouueaux fait conoiftre à nos yeux.
C'eft en fomme vn endroit puant & folitaire.
Là mainte & mainte fois, Langius, ce bon frere,
Auoit ouy (du moins il le difoit ainfi)
Des ames en tourmens demandantes merci,
Des diables hurlans qu'il voyoit fur la plaine
De leur queuë tracer des rayes fur l'araine
Et fouuent luy fembloit, venant illec à iun
Des marmites d'enfer qu'il humoit le perfum.
   Ayant du peuple fot abruué les oreilles
Par le menteur raport de fi grandes merueilles,
Ce moine fe prepare afin d'exorcifer.
Premier vn cerne rond on luy void deuifer,

Et des cernes petits au grand il fait enclorre.
Au beau milieu d'iceux lon plante droit encore
Vn gros pieu, pres duquel estoit mis vn vaisseau
Rempli d'vne salee & exorcisee eau.
Tout si bien agencé, Langius le bon pere
Vestu d'habits sacrez, dont chascun le reuere,
Arrouse tout ce cerne & dedans & dehors
De l'eau benite auec son asperges retors,
Barbotte hastiuement mots mystiques, terribles :
Adiure ciel & terre, & les enfers horribles.
   Ia paroissoit la nuict du mystere entrepris,
Et du pays voisin le peuple auoit ia pris
Sa place, afin de voir ceste estrange nouuelle.
Mais Langius craignant quelque œil ou quelque oreille
Qui descouurist son fait, commande à haute voix
Que tous laics loin du pieu se tirent ceste fois,
Et quiconque ce iour n'a de parole expresse
Pour tous pechez passez fait au prestre confesse :
De peur que les esprits refusent d'aprocher
Des laics qui ne sont rien autre chose que chair :
Et que quelque diable à iun & cerchant proye,
Ne se rue sur ceux qu'il trouuera par voye:
Des griffes deschirant, despeçant, deuorant
De ces malauisez le pauure corps mourant.
   Tandis vn villageois vers ce pieu lon ameine
Ainsi qu'en sacrifice. Or quoy qu'on le pourmeine,
Et marche iusqu'au lieu sachant tout le complot.
Neantmoins tout esmeu il ne sonne vn seul mot,
Non plus que s'il faloit sortir de quelque gouffre,
Ou qu'il vist Cerberus plain de feu, plain de soulphre,
Les ames empoigner & froisser en ses dens :
Soit qu'il se donnast peur des ses plus ieunes ans,
Quand vne fable rend des enfans plus faschez
Par ridicule peur tous les pleurs estanchez :
Soit que le lieu couuert de brouillaz & fumee,
A l'enfer ressemblant eust son ame troublee.
Le reste de ce ieu se fait secrettement :
Le peuple, chassé loin, l'ignore entierement.
Cependant lon oyoit de terribles complaintes.
Aux diables vne voix faisoit menaces maintes :
Mesloit vne priere & sans qu'aucun parlast
La response on oyoit. Langius se debat,
Leue les yeux au ciel, les baisse contre terre,
Et à son estomach de son poing fait la guerre.
D'eau benite poursuit tout le temple arrouser :

Tant que le point du iour venoit pour auifer
Les efprits lors errans de faire la retraite,
Et chacun fe ferrer en fa vieille cachette.
  De ce temple au fortir Langius à l'inftant
Ce qu'il faut dire & taire au peuple va contant.
Il defcrit les tourmens, les ennuis, les miferes
Que fouffrent dans le feu les ames folitaires.
La contenance il paint de ces pauures efprits,
Et de quelle chaleur purgatoire eft efpris
Combien d'ames on met bouillir dans les marmittes,
Et combien d'autres font en longues broches cuites.
En quel nombre on les met es torrens tous glacez :
Combien de meffes faut à tous ces trefpaffez,
Afin de foulager leur douloureufe peine.
Il difoit cefte chofe eftre feure & certaine,
Comme s'il euft vefcu es enfers cinquante ans.
Auffi n'auoit-il pas faute de fols croyans :
Si que l'opinion du feu de purgatoire
(En defpit de Luther) ia recouuroit fa gloire,
Et de prefent encor fe verroit en vigueur,
Si ce fot villageois, ou troublé de la peur,
Ou yure, ou corrompu d'argent, n'euft dit la fable
Et les afrontemens du cagot execrable.
Deflors tout ceft efpoir d'attirer de l'argent
S'efuanouit en l'air, & l'Efcoffoife gent
Au lieu de purgatoire & de mainte autre fainte,
S'efgaye aux beaux rayons de la verité fainéte.

Apres ce difcours, le beau-pere, qui fait la harangue, confeille les cordeliers d'eftre bien auifez de là en auant, & ne dire qu'on ait eu des fonges ou veu des efprits, finon en quelques quartiers fort eflongnez, & d'où perfonne ne foit reuenue pour les conuaincre de menfonge.

Ce que raconte Erafme eft affez conforme à l'inuention du moine d'Efcoffe. Vn certain curé de village auoit vne niepce veufue bien fournie d'argent. De nuiét il va en la chambre d'icelle enueloppé d'vn linceul & contrefait l'efprit, prononçant des paroles ambigues : car il efperoit qu'il la femme appelleroit

Liure 22
de fes epift.
en la penu..

vn exorcifte, ou qu'elle mefme parleroit. Mais elle
plus courageufe, pria fecretement vn fien coufin,
de venir coucher vne nuiĉt en fa chambre. Iceluy
pour faire fon exorcifme prend un gros bafton, boit
fon faoul de bon uin, afin d'eftre plus affeuré, & fe
couche. Toft apres furuient l'efprit felon la couftume,
gemiffant & fe lamentant tout bas. L'exorcifte s'ef-
ueille, n'ayant pas du tout cuué fon vin, & s'approche
de l'efprit qui de voix & de contenances penfoit luy
faire grand peur. Mais l'exorcifte refpond, Si tu es le
diable, ie fuis fa mere : fur ce il empoigne le preftre,
le frotte viuement à coups de bafton, & l'euft tué,
s'il n'euft changé de voix & crié, Pardonnez moy, ie ne
fuis pas vn efprit, ie fuis meffire Iean. La femme
reconoiffant la voix, faute de fon liĉt en bas, & fepara
les combatans, &c.

Il faut rapporter en ceft endroit vne autre hiftoire
qui conuient à noftre propos, & dont ceux de Cleues
peuuent bien parler. Vn chirurgien du trefilluftre
Duc de Cleues, nommé Euerard, auoit vne femme
afiez vieille, & vne belle ieune feruante laquelle
il desbaucha & eut fa compagnie. Or pour pouuoir
paillarder plus aifement à l'auenir, la feruante fit
femblant d'eftre tourmentee d'vn efprit. Euerard
continua fes ordures fous tel pretexte affez long
temps, en telle forte que le peuple commença de
foupçonner qu'il y auoit de la vilenie au fait de
cefte feruante. A raifon de ce, Euerard va trouuer le
curé de fa paroiffe, fe plaint du tort qu'on luy fait de
le charger d'vn tel crime, & le prie de le iuftifier en
fon profne & maintenir les aparitions des efprits : ce
qui fut fait. Finalement la feruante par le confeil de
fes amis interroga l'efprit, de ce qu'elle auoit à faire

pour eftre deliuree de ce tourment: Ils luy confeil-
lerent (difoit-elle) qu'il faloit iufner deux fois la
fepmaine au pain & à l'eau, ce qu'elle faifoit femblant d'obferuer en prefence de fa maiftreffe. Elle
adiouftoit que l'efprit luy auoit enioint d'aller en
pelerinage a Aix, acompagnee de deux perfonnes.
Obeiffant à cela, elle maintint qu'en tout le chemin
l'efprit luy eftoit aparu auec vn vifage ioyeux, luy
auoit ouuert les portes de toutes les chapelles ren-
contrees en chemin : & que le pelerinage acompli il
luy auoit fait vne grande reuerence en la remerciant.
Mais il y auoit du myftere en cela. Car Euerard
eftoit l'efprit qui auoit ioué ce rolle, & tandis que lon
penfoit que la garce fut allee en pelerinage, elle
acoucha d'une fille, qui en fon viuant auoit le vifage
fort pafle, à raifon de quoy chafcun l'apelloit l'Efprit.
Auint qu'au mefme temps quelques troupes partirent
de Cleues pour aller à ·la guerre en France : alors
Euerard donna ordre à fes afaires, laiffa fa femme
& fe fourra parmi ces troupes auec fa putain : mais
on eftime qu'ils font morts en France, pource que
depuis leur depart on n'a eu nouuelle d'eux.

Voyez les chapitres vingt, & vingt & vnieme du
troifieme liure, ou nous auons parlé des deux preftres,
lefquels faifoyent femblant d'exorcifer vn diable qu'ils
auoyent contrefait : & d'vne femme demoniaque,
laquelle fut guerie. Cefte maniere de gens ne faudra
pas d'alleguer fon priuilege de ce que le prince des
preftres adiuroit Iefus Chrift au nom du Dieu viuant.   *Matt. 27*

Le diable auffi entend bien la maniere d'exorcifer,
& a bien ofé affaillir Iefus Chrift par ce moyen,
difant : Ie t'adiure au nom de Dieu que tu ne me   *Marc 5.*
tourmentes point : mais Iefus Chrift par fa puiffance

Matt. 8.
Marc. 5.
Luc 8.

commanda non seulement au diable, ains à plusieurs,
Sortez hors, allez vous-en. Et incontinent ils furent
contraints de luy obeir, tellement qu'Eusebe a fort
bien dit en son Panegyrique : Le Sauueur commun
de tous a chassé par vne inuisible & Diuine puissance,
loin de ses brebis, ainsi qu'vn bon pasteur, toutes les
puissances rebelles, lesquelles, (comme bestes sauu-
ages volent dedans l'air qui est sur ceste terre habi-
table) s'insinuoyent dedans les ames des humains. Les

Actes 16.

Apostres & les disciples ont commandé en son nom
& en peu de paroles que les diables sortissent : car
ils portoyent en leurs bouches la puissance, de toute
la nature & le commandement de toute la vertu
cachee tant au ciel qu'en la terre.

Ayans chassé doncques loin de nous & exterminé
tous nos deuins & prognostiqueurs, qui sont les
occultes princes des magiciens, & tous tels autres
compagnons de superstitions & vulgaires exorcismes :
laissons toutes ces sciences Egyptiennes, funebres
secrettes de charmes, vaines fureurs, arts abominables,
boissons d'amour, propres pour forcer mesmes les
dieux, toutes poisons, demoniaques factions, liures
Plutoniques & diaboliques, coniurations infernales,
& ceremonies diaboliques escrites en parchemin ou
en papier, laissons toutes ces superstitions & les con-
sacrons au feu & à l'eau, au contraire appuions-nous
en Dieu, & sincerement & simplement remettons
toute nostre fiance en Iesus Christ fils de Dieu, par le
moyen duquel nous viuons, nous-nous mouuons,
& sommes ce que nous sommes. Reste maintenant de
proposer le moyen de guerir la sorcelerie.

CHAPITRE XXVIII

Certain moyen pour guerir la forcelerie.

 IL nous faut maintenant prendre tout autre moyen que celuy que iufques ici lon a tenu pour couftume inuiolable : lequel moyen foit beaucoup plus conforme à la doctrine de Iefus Chrift & des Apoftres pour chaffer Satan, ou pour guerir fes forceleries. Premierement & deuant toute chofe, incontinent que lon s'aperçoit de quelque mal engendré contre l'ordre de nature : il faut auoir recours, felon l'ordonnance de Dieu, à celuy qui eftant celebre par doctrine, profeffion & vfage, entend fort bien les maladies, leurs differences, leurs fignes & leurs caufes : c'eft afauoir au medecin qui foit de bonne confcience. Car il auient quelquefois de fi grands & eftranges accidens es maladies, encores qu'ils auiennent par vne force & impetuofité de la nature, que toutesfois les hommes indoctes & qui n'entendent point les chofes naturelles, & font d'vne foy chancellante, les rapportent incontinent aux forcelleries, comme nous voyons auenir es diuerfes efpeces de conuulfions & retiremens de nerfs, en la melancholie, au haut mal, en l'eftoufement de l'amary, en la femence pourriffante, & en plufieurs autres effects des venins & poifons. Mais le medecin prudent & auifé difcernera les maladies,

Ecclef. 38.

& les fymptomes ou accidens, & lors que il les aura diligemment confiderez, adiouftant auec cefte diligente inquifition des chofes naturelles, vne reigle & confideration la plus iuſte & droite qu'il pourra, s'il void que le mal paffe outre les limites de nature, & qu'il s'apperçoiue des mouuemens & actions de Satan, lequel eft efprit : il renuoyera la charge de toute la

1. Timot. 3.
Tit. 1.

guerifon au medecin fpirituel, afauoir au Miniftre de l'Eglife, qui foit hommé de bien, de faine doctrine, tenant le myftere de la foy auec pure confcience : qui foit conu eftre d'vne vie innocente, non adonné au vin, ni fuiet au gain deshonnefte, & duquel les gens de bien portent bon tefmoignage. Cependant il fera neceffaire fe refouuenir qu'il y a plufieurs chofes qui ne procedent de la forcellerie, mais d'vne occulte raifon & caufe naturelle, & qui font inconues aux medecins. Car comme il y a des chofes qui ont vne occulte puiffance de bien faire & aider, ainfi y en a-il qui l'ont de meffaire, lefquelles toutesfois le medecin ne peut pas toufiours conoiftre.

Tovtes-fois le medecin pourra feruir en ce, que fi le malade eft de fon naturel, ou par maladie, ou par quelque autre maniere, chargé d'humeur melancholique (dedans lequel humeur le diable fe mefle volontiers, comme eftant fort commode à fa tromperie) ou de quelque autre humeur malin, il le pourra bien purger deuëment. Pomponatius auffi raconte que les anciens exorcifeurs, que lon nomme precantateurs, auoyent acouftumé, deuant que coniurer, de purger les corps des demoniaques auec les medecines qui ont puiffance de tirer l'humeur melancholique. Car communément ces perfonnes font tourmentees de doubles maladies, l'vne corporelle

procedante de l'humeur melancholique, & l'autre
fpirituelle, en laquelle ceft ennemy iuré du genre
humain les trauaille de folie, de trifteffe, de crainte,
de defplaifir de viure, & de defefpoir, dont ils font
tourmentez iour & nuict, & dont ils les efpoinçonne
comme de tentations douloureufes & lugubres, ainfi
que s'il rongeoit vn foye de quelque nouueau Titie
confiné aux enfers. Le Conciliateur dit que il a veu
& experimenté qu'apres la purge de ceft humeur, les
demoniaques ne faifoyent plus tant de merueilles
comme ils fouloyent : c'eft en l'explication du probleme
qu'il en a propofé. Par ce moyen Galgarand medecin
tref-renommé à Mantouë, guerit parfaitement la
femme d'vn coufturier, laquelle eftoit poffedee du
diable, & parloit plufieurs langages.

Il y auoit vne fille melancholique à Burg, laquelle
apres auoir efté long temps coniuree, confeffoit eftre
poffedee de l'efprit de Virgile : ce que lon penfoit plus
aifément, pource qu'elle eftoit fimple fille & fort
deuote, & qui auoit toufiours demeuré en la maifon,
& eftoit Tufcane de nation, s'affectoit à parler le
Mantuan, c'eft à dire la langue Lombarde, tellement
que quelqué-fois elle laiffoit efchapper quelque mot
Latin. Or apres que les coniurateurs y eurent perdu
leur temps, le medecin la guerit par la grace de Dieu,
ayant premierement vfé, felon que l'art luy commandoit, de medicaments qui purgent la melancholie,
& pris de ceux qui ont vertu de fortifier & recon-
forter. Ainfi doncques apres que lon a purgé le corps,
le Miniftre de l'Eglife pourra plus facilement vfer des
moyens pour chaffer le malin efprit, comme eftans
les empefchemens naturels leuez, fi bien qu'aifément
il entreprendra le refte de la guerifon.

Il s'enquestera diligemment de la vie & des meurs
de celuy qui fera poffedé de l'efprit malin ou enforcelé. Item de fa nourriture en la religion Chreftienne, & es principaux poinċts de noftre foy, & de
quelle affeurance il croit & a creu en Dieu. Eftant
fufifamment inftruit de ces chofes, il trouuera le
chemin tout frayé pour venir au refte de la guerifon.
Car Dieu permet que Satan ait puiffance & eficace
de tromper fur les meurs corrompus, fur la vie orde
& fale, & fur les enfans rebelles, les fens defquels le
Dieu de ce monde a tellement offufquez, que la
lumiere de l'Euangile de la gloire de Chrift, qui eft
l'image de Dieu, ne les illumine aucunement. Auffi
faut-il qu'il y ait vne corefpondance des afeċtions,
afin qu'il auienne ce qu'on dit en prouerbe, D'vn
mauuais corbeau, mauuais œuf.

Eph. 2.
2. Thef. 2.
2 Cor. 4.

Qvand donc le Miniftre de l'Eglife aura, par diligente inquifition & artificielle conieċture, conu aucunement la caufe de la maladie, il appliquera vn
medicament commode : comme fi la vie du malade a
efté parauant trop diffoluë, il l'admoneftera felon les
paffages de la fainċte Efcriture, il le corrigera, il le
retirera par exemples, il l'exhortera à amendement de
vie : & en la fin voyant qu'il fe fera reconu, il le re-
mettra au troupeau. Quand il verra vn homme
opiniaftre, il le pourfuyura & contraindra en temps
& lieu, voire à toute heure. Item il reprendra &
menacera les opiniaftres du iufte iugement de Dieu.
Il releuera & confermera, autant qu'il luy fera
poffible, les craintifs & desfians, il les affeurera de
l'ineffable bonté & mifericorde incomprehenfible de
Dieu, dont il y a plufieurs tefmoignages pleins de con-
folation, defquels il s'aidera, & les alleguera en temps

& lieu. S'il en void quelques vns deſtournez par
fauſſes doctrines, fanatiques opinions & tromperies
ſuperſtitieuſes, & qu'il s'aperçoyue que de là le diable
ait pris occaſion de les tourmenter, il faudra qu'il
defracine ceſte yuroye, & qu'au lieu d'icelle il y ſeme
auec toute diligence vne doctrine pure & ſalubre. Il
ne faudra pas qu'il ſe contente de reciter ſimplement
& ſelon la lettre l'oraiſon dominicale, & le ſymbole
des Apoſtres (ce que le plus malicieux peut bien
faire) mais il faut qu'il plante tellement dedans l'eſprit la viue parole de Dieu, que lon s'aperçoiue
qu'elle aura eſté aprehendee & receuë actuellement &
en eficace, & que de là lon voye qu'elle eſt la puiſſance de Dieu pour le ſalut de tous croyans, contre   *Rom. 1.*
tous les aſſauts des diables : que lon conoiſſe auſſi
que Dieu viuifie, luy qui eſt Pere eternel, tout-puiſ-   *Rom. 6. 8.*
ſant & de grande miſericorde, au nom de ſon fils,
lequel eſt mort pour noz pechez & refuſcité puiſſam-
ment pour noſtre iuſtification, par la gloire du Pere,
apres auoir englouti la mort, vaincu Satan & triomphé
de l'enfer. Sainct Iaques commande que nous prions   *Iac. 5.*
ſi quelqu'vn d'entre nous eſt afligé.

CHAPITRE XXIX

Les moyens par lesquels les demoniaques & enfor-
celez doyuent estre instruits de l'imposture & im-
puissance du diable.

1. Pierre 3.　　Il faut aussi qu'il soyent instruits des œuures & impostures des diables, afin qu'ils conoissent combien il est impuissant & languide, tellement qu'il ne peut rien sans la permission de Dieu : & que Dieu ne luy permet pas toutes choses, mais qu'il luy prescrit des limites outre lesquels il ne peut rien. Il leur faut remonstrer aussi que Iesus Christ estant monté au ciel est assis à la dextre de Dieu, & qu'il a dessous soy les Anges, les puissances & les vertus assuietties : que s'il a esté en son pouuoir de les subiuguer, à plus forte raison a-il vaincu Satan, & l'a tellement reserré, qu'il ne peut rien, s'il ne luy est particulierement *1. Pierre 5.*　ottroyé. Et que par ainsi ce que Dieu de sa clemence permet en nous, ne peut estre mal, car il a soin de nous : qu'aussi estant Dieu de toute grace il nous restaurera, apres que nous aurons esté vn peu affligez il nous fortifiera & asseurera, puis qu'au nom de Iesus *1. Pierre 5.*　Christ nous sommes apelez à l'eternelle gloire. Qui est-ce qui nous pourra nuire, si nous sommes emulateurs des choses bonnes? Car tout ce qui est baillé au fidele, luy tourne en proufit & en bien, selon ce que S. Paul a dit : Toutes chofes tournent à bien à ceux qui aiment Dieu. Il faut doncques que nous prions fans fin, afin que la volonté du Pere celefte foit faite en nous. Nous meritons par nos pechez tout ce que nous endurons, ainfi que dit S. Hierofme. Les diables n'ont quelconques vertus contre aucun, dit fainct Iean Damafcene, fi ce n'eft que Dieu luy permette par difpence, comme on a veu par l'exemple de Iob & des pourceaux. Incontinent que Dieu leur a permis, ils ont force & fe transforment en toute telle figure qu'ils veulent, felon l'image, c'eft à dire, felon la phantafie. Sainct Gregoire dit auffi : l'efprit malin n'a aucune puiffance contre l'homme, fans la permiffion de Dieu tout puiffant : auffi n'a-il peu entrer dedans les pourceaux qu'il ne luy ait efté permis. Sainct Chryfoftome a dit encores : Le diable tente les hommes, mais ce n'eft pas tant qu'il veut : car quant à foy iamais il ne defifteroit de tenter, d'autant qu'il n'a autre afaire. Il ne mange point, & ne dort point & n'a autre befongne que de tenter, de tromper & renuerfer. Il ne faut doncques non plus craindre la puiffance du diable. que nous craignons l'empefchement que Dieu luy donne, comme fainct Ambroife le tefmoigne, efcriuant fur faint Luc. Car auffi les malins efprits font nommez les efprits de Dieu, dautant qu'ils font fes captifs, & n'ofent toucher, chaftier, ni tenter aucun, fi ce n'eft que Dieu leur permette. Satan ne peut pas bleffer l'vn des cheueux de Iob, que premierement il n'euft impetré la permiffion, laquelle luy fut limitee. Il ne faut doncques craindre le diable, mais pluftoft Dieu qui tient ceft ours attaché à des chaines, fi bien qu'il ne peut rien fans fon exprès commandement. Ainfi le Chreftien receura du doigt

Rom. 8.
Matt. 6.

Liu. 2. chap. 4.

Iob 1.
Matt. 8.

Aux dialogues liure 3.

Sur S. Mat. liure 1.

de Dieu tout ce qui luy auiendra d'infortune : car il
tient tout en fa main. Et ceux ne meritent pas d'eftre
nommez Chreftiens, qui imputent les maux auenus,
à quelque femme maligne, au diable, & non à la

Iob. 1. 2.

volonté de Dieu. Iob eft afligé par le diable, toutesfois
il le prend comme venant de la main de Dieu, difant :
le Seigneur l'a donné, le Seigneur l'a ofté : il a efté
ainfi fait comme il luy a pleu, le nom du Seigneur
foit toufiours benit. Il n'a eu aucun efgard à la verge
qui le frapoit, ains feulement à la volonté du pere.
La verge punit le fils, & toutefois le fils ne dit pas
que cela foit venu de la verge, fi ce n'eft qu'il ne foit

Matt. 10.

encores enfant fans raifon. Mais il dit que ç'a efté fon
pere, qui tient la verge en la main, & s'en fert à le
chaftier. Vn feul poil ne tombe pas de la tefte fans fa
volonté : car au contraire ils font tous contez. Il tient
la verge & en vfe griefuement & longuement, & à
l'endroit qu'il veut.

CHAPITRE XXX

*Comment il faut inciter les demoniaques à patience
inuincible.*

*Toute afliction
doit
eftre portee
patiemment.*

POVR ces caufes & raifons il nous faut fupporter patiemment toutes les aflictions
qui auiennent à noftre chair, foit qu'elles
auiennent naturellement, ou contre
nature. Autant nous en faut-il faire, s'il nous auient

quelque douleur d'efprit, quelque fafcherie, quelque
trifteffe, ou tentation. Il nous faut toufiours repre-
fenter, comme vn miroir deuant les yeux, l'exemple
du treffainct Iob, lequel apres auoir efté tourmenté
en fi diuerfes façons, & eftant opreffé du fardeau de
tant de calamitez & miferes, commença à louer
Dieu (encores que quelquefois n'eftant fufifant de les
porter, il femble qu'il ait prononcé des paroles d'impatience) & iaçoit qu'il ne fuft coulpable d'aucune
mauuaife occafion donnee, fi eft-ce qu'il n'accufe
point le diable, & ne fe plaint point d'auoir receu tant
& tant de pertes de ceftui-ci, ou de ceftuy-là : mais
il confeffe tout luy eftre auenu par l'equitable volonté
de Dieu : tellement que lors que fa femme luy repro-
choit, difant : Où eft maintenant ton Dieu, auquel
tu te fies ? il ne fe defcouragea pas, ains refpondit, tu
parles comme vne folle. Si nous auons receu des
biens de Dieu, pourquoy ne porterons-nous les maux
patiemment ? Ainfi nous faut-il en noftre afliction
efleuer l'efprit & les yeux vers Dieu, & foubmettre
doucement à fa volonté treffainte, tant nous que les
chofes qui nous appartiennent : car il ne veut rien
finon ce qui eft bon, encores que quelquesfois il ne
le nous femble pas. Il chaftie ceux qu'il aime, & ne
veut point la mort du pecheur, mais pluftoft qu'il fe
conuertiffe & qu'il viue. Il vfe du miniftere de fes
feruiteurs, comme de celuy du diable ou de quelqu'autre, afin qu'il nous puniffe de nos meffaits &
incredulitez, & que par ce moyen il nous remette à
la droite voye de conuerfion. Ou bien le Seigneur
noftre Dieu nous tente en la maniere que nous lifons
au treizieme chapitre du Deuteronome, afin qu'il
aparoiffe fi nous l'aimons ou non de tout noftre cœur

Iob. 2.
Hebr. 12.
Ezech. 18.
Pour
q celle raifon
Dieu
fe fert
du miniftere
du diable
& de fes anges.
S. Augustin
Sermon 24.
du temps.
Luq. 1.

Iaq. 2. & de toute noſtre ame. S. Iaques eſcrit, Mes freres, tenez pour vne parfaite ioye quand vous cherrez en diuerſes tentations, ſachans que l'eſpreuue de voſtre foy engendre patience. Mais il faut que la patience ait vne œuure parfaite, afin que vous ſoyez parfaits & entiers, de ſorte que rien ne vous defaille. Il dit auſſi que l'homme eſt heureux qui ſoufre tentation, dautant qu'apres qu'il aura eſté eſprouué, il aura la couronne de gloire, laquelle le Seigneur a promiſe à

1. Pierre 4. ceux qui l'auront aimé. De là S. Pierre admoneſte, Bien-aimez ne trouuez point eſtrange quand vous eſtes comme en la fournaiſe pour voſtre eſpreuue, comme ſi quelque choſe eſtrange vous auenoit, ains entant que vous communiquez aux ſoufrances de Chriſt, eſiouiſſiez vous, afin auſſi qu'à la reuelation

2. Timo. 2. de la gloire d'iceluy vous vous eſiouyſſiez en vous eſgayant. S. Paul admoneſte Thimothee qu'il porte les afliĉtons comme bon gendarme de Ieſus Chriſt.

Iaq. 5. Car nul n'eſt couronné que celuy qui a combattu legitimement. S. Iaques admoneſte les fideles diſant : Mes freres, prenez pour exemple d'afliĉtion & de patience les prophetes qui ont parlé au nom du Seigneur. Voila, nous tenons bien-heureux ceux qui ont enduré. Vous auez ouy la patience de Iob, & auez veu la fin du Seigneur, car le Seigneur eſt treſmiſericordieux

2. Pierre 2.
Iob. 1. 2. & pitoyable. Et comme teſmoigne S. Pierre, Il fait retirer les gens de bien hors des tentations. Satan a afligé Iob en tout & par tout (excepté en ſon ame que Dieu a voulu demeurer ſaine & ſauue) voire en ſes biens & en ſes enfans : ce qu'il a fait par la per-

Iob 42. miſſion que Dieu luy en auoit baillee : mais apres ſa patience inuiolee Dieu luy rendit le tout en treſgrande abondance & auec vſure, la main duquel n'eſt maintenant moins liberale, ains il peut faire encores le mesme, voire infiniement dauantage. Pourquoy doncques la malice ou la violence des hommes ou du diable nous pourra-elle estonner? pourquoy sommes-nous effrayez quand nous voyons leurs flesches? lesquelles encores qu'elles soyent descochees contre nous ou fichees en nous, si est-ce que la mort ne s'en ensuyura pas, pourueu que d'vne foy constante nous les repoussions & renuoyons au contraire. Il faut resister au diable, & il fuira de nous, il ne luy faut donner aucune place en nous ains luy dire comme a fait Iesus Christ, va arriere de moy Satan. Dieu est fidele, lequel n'endurera point que nous soyons tentez, outre ce que nous pouuons : ains il donnera l'issue auec la tentation, afin que la puissions sous-tenir. Il conoit ce dont nous auons mestier, voire auant que nous luy demandions. Dauid nous admo-neste de ne nous estonner de la crainte nocturne, c'est asauoir de la tentation cachee : ni de la flesche volante de iour, c'est à dire de la tentation mani-feste : ni des troubles nocturnes, c'est à dire des appa-ritions & espouuantemens : ni de l'assaut du diable de midy, que S. Paul apelle ange de lumiere, en qui le diable se transfigure.

Il faudra aussi exciter diligemment les afligez à vne patience inuincible contre les assauts du diable, & à vne constante fiance en Dieu par les exemples de nos anciens Peres : comme par l'exemple de sainct Antoine d'Egypte, lequel fut tellement & si cruelle-ment deschiré par les diables, pendant qu'il estoit caché dedans vn tombeau, que son seruiteur le ra-porta au logis comme mort : où ayant repris ses esprits, & estant reuenu à soy, il se fit rapporter dere-

Iaq. 4.
Ephef. 4.
1. Cor. 10.

Pseau. 91

1. Cor. 11.

Le combat de S. Antoine d'Egypte auec les diables.

chef en cachette dedans le tombeau, eftant eftendu
par terre de la grande douleur qu'il fentoit à caufe
de fes premieres playes. Il rappela par vne grande
conftance d'efprit les diables au combat, lefquels fans
delayer prindrent les formes & aparences de diuerfes
beftes, & fe iettans deffus fainct Antoine, le na-
urerentà coups de dents, de cornes, & d'ongles, iufques à ce que foudainement vn rayon de la lumiere
les euft chaffez auec les tenebres. Sainct Antoine
eftant gueri entendit bien que Iefus Chrift luy
affiftoit, auquel il dit où eftiez vous bon Iefus, où
eftiez vous? pourquoy ne m'auez-vous affifté des le
commencement pour guerir mes playes? vne voix
luy refpondit, Antoine, i'eftois ici prefent : mais i'ay
differé à raifon de ton combat, lequel il m'a pleu
contempler premierement. Et dorefnauant ton nom
fera renommé par tout le monde, pour autant que tu
t'es monftré vaillant guerrier. Vincent efcrit au
liure 14. de fon hiftoire, que ces chofes ont efté
anottees par Athanafe, & traduites du Grec par Eua-
grius, où on lit chofes eftranges de cefte lutte & de
l'exellente patience de ce S. perfonnage.

Ie ne fache homme qui ait efté plus courageux que
Hilarion (qui viuoit du temps de S. Antoine, & eftoit
plus ieune) ne qui ait plus vaillamment mefprifé les
impoftures des diables : car eftant au defert, fouuent
il luy eftoit auis qu'en plain minuict il oyoit des
voix de petis enfans, des beellemens de brebis, des
bœufs mugiffans, des femmes qui pleuroyent, des
lions rugiffans, vn cliquetis d'armes, & des bruits
eftranges. Or vne fois il refolut de confiderer de pres
telles illufions, & apres auoir fait le figne de la croix,
il fort de fa logette au cler de la Lune, & regardant

de pres, il aperçoit vn chariot venant à courfe de cheuaux vers luy : lors ayant inuoqué le nom de Ieſus de Nazareth, il s'arreſta tout court, attendant ce que tout deuiendroit. Sur ce, toute ceſte terrible apparence de chariots fut engloutie en terre deuant ſes yeux. Au reſte, combien qu'il fuſt tourmenté cruellement par le diable, il eſtoit victorieux lors qu'il prioit, mais incontinent qu'il defiſtoit ſi peu que rien, le diable le reprenoit par derriere & par les coſtez, & ſe moquoit de luy, diſant : Bailleras-tu maintenant de l'orge ou de la paille à ton aſne qui eſt las? car Hilarion auoit peu auparauant parlé ainſi à ſa chair trop rebelle : Aſne, ie te nourriray deformais non pas auec de l'orge, mais auec de la paille, afin que tu ne donnes des ruades. Vous pouuez voir ici que ſainct François n'a pas bien conu la force de l'homme de bien, à ſuporter toutes les aflictions du diable. Car nous liſons en ſa vie que frere Gilles interroga ſainct François à ſauoir ſi le diable eſtoit ſi horrible qu'vn homme ne le peuſt ſouſtenir l'eſpace d'vne patenoſtre. Sainct François reſpondit que perſonne ne pourroit ſouſtenir le diable l'eſpace de la moitié d'vne patenoſtre, qu'il ne mouruſt incontinent. Rapportez en ceſt endroict le ſermon de ſainct Cyprian, touchant le bien de penitence, là où on lit auſſi pluſieurs exemples de l'impatience. Item le 4. ſermon de Chriſoſtome.

*Antoine Sabel.
liu. 10.
des exemples.*

*Au liure
des conformite;
fueillet 42.*

CHAPITRE XXXI

L'efficace des prieres communes en la guerifon de la forcellerie.

Prieres communes.

I L faudra dauantage en cefte guerifon aider les malades des prieres communes
tirees auec confiance du plus profond
des entrailles de l'efprit, afin qu'il plaife
au pere de mifericorde augmenter la foy des enforcelez, & ayant chaffé le diable qui eft leur bourreau,
les guerir de leurs playes. Cela eft commandé difere-te-
Hebr. 13. ment par l'auteur de l'Epiftre aux Hebrieux, difant,
ayez fouuenance des prifonniers, comme fi vous eftiez
emprifonnez auec eux, & de ceux qui font tourmentez
comme vous-mefmes auffi eftans du corps. Priez les
Iaq. 5. vns pour les autres, afin que vous foyez gueris,
comme dit fainct Iaques. Car la priere de l'homme
3. Rois 17. iufte auec efficace, fert de beaucoup. Elie eftoit
homme fuiect à femblable paffions que nous, & il requit en priant qu'il ne pluft point, & il ne plut point
fur la terre trois ans & fix mois. Et derechef il pria,
& le ciel donna de la pluye, & la terre produit fon
fruit. Item, y a-il quelqu'vn d'entre vous malade?
qu'il apelle les anciens de l'Eglife & qu'ils prient
pour luy, & qu'ils l'oignent d'huile au nom du feigneur : & la priere de foy fauuera le malade, & le
Seigneur le releuera, & s'il a commis peché, il luy

fera pardonné. De là s'enfuit qu'il y a grande vertu
aux oraifons publiques de l'eglife & aux particulieres
des fideles de Chrift acommodees à la chofe, dont eft
maintenant queftion. Iefus Chrift impetra par fon   *Luc* 22.
interceffion que la foy de S. Pierre ne deffailliff point   *Ephef.* 6.
contre les affauts de Satan, lequel defiroit de la cribler
comme le bled. S. Paul exhorte foigneufement les
Ephefiens de veiller auec toute diligence & priere
pour tous les fainEts contre les aftuces & tromperies
du diable. Il admonefte auffi Timothee qu'auant   *1. Timo.* 2.
toutes chofes on face requeftes, prieres, fupplications
& aEtions de graces pour tous hommes. Les apoftres
encores defirent que la foy foit augmentee en eux au
moyen de Iefus Chrift. Marie fœur de Moyfe eft de-   *Nomb.* 12.
liuree de la lepre par la priere de fon frere : ainfi par   *Matth.* 17.
la priere du pere qui s'agenouilla deuant Iefus Chrift,   *Marc* 9.
& qui dit, Seigneur aye pitié de mon fils pour autant   *Luc* 9.
qu'il eft lunatique, & eft miferablement afligé, le
diable fut tancé & l'enfant fut guery. Ceft homme   *Matt.* 15.
proteftoit qu'il croyoit, & prioit Iefus Chrift qu'il
luy pleuft donner aide à fon incredulité. La femme
Grecque Syropheniciene de nation, eftant à genoux   *Marc* 7.
deuant Iefus Chrift, le pria qu'il luy pleuft de chaffer
le diable, par lequel fa fille eftoit miferablement tourmentee. Ainfi fa fille fut deliuree par fa priere. Iudith   *Iudith* 8.
fe confioit beaucoup en la priere de fes freres quand
elle difoit, Priez à celle fin que Dieu fortifie ce que
i'ay propofé de faire, &c. Ne faites autre chofe pour
moy finon prieres au Seigneur noftre Dieu. S. Pierre,   *AEtes* 8.
S. Iean prient pour les Samaritains, afin qu'ils reçoiuent le fainEt Efprit.

CHRISOSTOME en la 3. Homelie de l'incomprehenfible nature de Dieu, tefmoigne que les demoniaques

estoyent amenez au temple par le Diacre à l'heure
qu'on s'assembloit, & que la Cene du Seigneur se
celebroit, & leur faisoit on baisser la teste, puis tout
le peuple pricit pour eux. Les demoniaques, dit-il,
estoyent amenez comme retenus de quelques liens,
afin qu'en presence du peuple & de toute la ville,
chacun priast Dieu pour eux, & que tous d'vn
commun consentement priassent vn mesme Dieu &
Seigneur pour eux, & le suppliassent à grand cry d'en
auoir compassion. Outreplus, Prosper d'Aquitaine
recite qu'au temple, tandis qu'on celebroit la Cene
du Seigneur, on amena vne fille demoniaque, pour
laquelle chacun pria le Seigneur : cela fait, elle parti-
cipa à la saincte Cene, & fut deliuree. Luy-mesmes
au sixieme liure des Predictions & promesses, dit que
de son temps vne fille Chrestienne estant en vn bain
à Carthage, y regarda d'œil impudique l'image de
Venus, à laquelle elle se compara : lors elle fut soudainement possedee du diable, qui la serra tellement
par la gorge, que par l'espace d'enuiron septante iours
& autant de nuicts, il luy fut impossible d'aualler
viande ni bruuage. Ses pere & mere n'apperceuans
aucun soulagement, meinent la fille à vn ministre de
l'Eglise, & luy content comment les choses alloyent.
La fille adiousta, qu'à la minuict vn oiseau inconu
venoit vers elle & luy fourroit ie ne say quoy en la
gorge. Finalement on la mena au temple, ou lon pria
Dieu pour elle : & apres qu'on luy eust presenté le
pain de la Cene du Seigneur, qu'elle eut peine de
prendre, à cause du diable qui s'y opposoit, elle fut
deliuree.

THEODORE le lecteur, recite au 2. liu. qu'vn roy de
Perse commanda à vn Euesque preschant à des

Chreſtiens en ſon royaume, de chaſſer les diables : à quoy l'Eueſque obeiſſant aſſembla les Chreſtiens, fit prieres à Dieu, & les chaſſa par adiurations. Sozomene au 6. liu. cha. 28. dit qu'vn certain moine d'Egypte, nommé Iean, chaſſoit les diables par la ſeule inuocation du nom de Dieu.

THEODORET au 4. li. ch. 21. de ſon hiſtoire Eccleſiaſtique, raconte que du temps de l'Empereur Valens, pluſieurs moines, entre autres Macaire & Iſidore, furent releguez en vne petite iſle où il n'y auoit point de Chreſtiens, par la meſchanceté d'vn nommé Lucius : & qu'eſtans là par leurs prieres mutuelles ils chaſſerent le diable hors du corps de la fille du preſtre de l'iſle, & la rendirent guerie à ſon pere. Le meſme auteur au 5. liu. cha. 21. dit que Marcel eueſque d'Apamee du temps de Theodoſe, voulant ruiner le temple de Iupiter adoré en ceſte ville-là, chaſſa le diable qui eſtaignoit le feu qu'on mettoit au temple, en la ſorte que s'enſuit. Il fit aporter de l'eau dans vn petit vaiſſeau & la mit ſur l'autel, puis ſe proſternant en terre, il pria Dieu de ne laiſſer paſſer plus outre ceſte tyrannie du diable. La priere paracheuee, il fit le ſigne de la croix ſur l'eau, & commanda au diacre d'en arrouſer la flamme : quoy fait le diable s'enfuit.

S. Auguſtin fait auſſi mention au 22. liu. de la cite de Dieu, ch. 8. qu'vn certain Heſperius auoit vn heritage en Afrique, où les diables rodoyent de telle ſorte, que ſes ſeruiteurs ni ſon beſtail n'y pouuoyent ſubſiſter. Ainſi donc eſtant contraint par ceſte calamité domeſtique, il vint prier les miniſtres de l'Egliſe que l'vn d'eux vinſt faire illec les prieres. L'vn d'entr'eux y alla, fit les prieres d'vne treſardente

affeſtion, & mefmes y celebra la S. Cene : lors toute
ceſte tempeſte des diables ceſſa. S. Ambroiſe dit que
la priere eſt vn ſeur bouclier, dautant que par iceluy
on repouſſe tous les dards enflammez du malin.

CHAPITRE XXXII

L'efficace du ieuſne à chaſſer les œuures du diable.

VSSI faudra-il commander les iuſnes, ſi
dauenture la chair, pour eſtre trop à
ſon aiſe, eſt entree en arrogance, & que
par ce moyen elle ait fait place au
diable : afin qu'eſtant retenue en bride par ce frein,
elle retourne en ſon rang, Dont Porphyre eſcrit, que
le ieuſne & la chaſteté ſont beaucoup à louer : non
que par ces deux Dieu ſoit principalement appaiſé :
mais afin que les diables qui prennent plaiſir au ſang
& à vilenie, & qui pour en iouir entrent dedans le
corps de ceux qui en vſent, ſoyent empeſchez & retirez en arierre. Car il y a vne certaine eſpece de
diables qui ne peuuent eſtre iettez hors que par
prieres & ieuſnes, ainſi que dit Ieſus Chriſt, lors qu'il
reprend ſes diſciples d'incredulité, à cauſe de laquelle
ils ne les auoyent peu chaſſer. Eliachim auſſi grand
preſtre du Seigneur parle en ceſte façon à tout Iſraël,
Sachez que le Seigneur exaucera vos prieres, ſi vous

Matt. 17.
Marc 9.
Luc 9.

accufant vous perfeuerez en ieufnes & oraifons en la prefence du feigneur. Raphaël enfeigne Tobie que la priere & les ieufnes font chofes bonnes.

Iud. 4.
Tobie 12.

HECTOR Boëce raconte vne hiftoire fort à propos, afauoir qu'il y eut vn beau ieune fils demeurant en vn village du pais de Gareoth, diftant de fept lieues d'Aberdon, lequel en public & en la prefence de l'Euefque d'Aberdon fe compleignoit qu'il y auoit defia plufieurs mois qu'il eftoit trauaillé par vn diable fuccube, lequel eftoit d'vne face la plus belle qu'il euft iamais veuë, & entroit de nuict en fa chambre les portes eftans fermees. Il declara qu'il le careffoit & couchoit auec luy, & que quand le matin venoit, lors que le iour ne faifoit que commencer à poindre, il fe retiroit fans faire aucun bruit. Il dit dauantage qu'oncques il n'auoit peu fe depeftrer de cefte orde & vilaine folie, encores qu'il s'en fuft mis en peine, & l'euft effayé par tous moyens. L'Euefque fage & bien auifé, commanda à ce ieune fils qu'il fe retiraft ailleurs qu'en la maifon où il demeuroit, & qu'il s'acommodaft, felon la religion Chreftienne, à ieufner & prier plus que de couftume, & zele plus ardent : qu'il efperoit que par ce moyen fe rendant attentif à bonnes œuures & à pieté, le diable le laifferoit & s'enfuiroit. De fait l'heureux fuccez enfuyuit incontinent ce fainct & falubre confeil, car le ieune fils, l'ayant executé religieufement, fut peu de iours apres du tout deliuré de ces folles conceptions. Auffi nous lifons en la vie de fainct Bernard, que la femme de Nauer fut deliuree du diable apres qu'elle fe fuft confeffee, & qu'elle euft communié au facrement, ce qui a acouftumé d'eftre acompagné de ieufnes & de prieres.

Liure 8.
de l'hiftoire
d'Efcoffe.

I'allegveray en cest endroit & transcriray d'Athanase & Cyprian, la vertu & la louange du ieusne,
comme d'vn contrepoison trespuissant, laquelle doit
estre mise au deuant des yeux d'vn chacun principalle-
ment en ce temps tant dissolu, vlceré, & suiect aux
maladies du corps & de l'ame, & principalement aux
assauts du diable, le ieusne guerit les maladies, il des-
seiche les distillations, il chasse les diables & les
mauuaises pensees. Il rend l'esprit plus net, le cœur
plus pur, le corps plus sain, & arreste l'homme au
trosne de Dieu. Item : Quiconque est trauaillé de
l'esprit immonde, il se doit asseurer que par ce medicament, asauoir par le ieusne, les esprits malins qui
l'affligent s'enfuyront comme craignans la vertu du
ieusne : car les diables se delectent fort en gourman-
dise & en l'oisiueté du corps. Cyprian au traité du
ieusne & des tentations de Iesus Christ : Le ieusne
estant conduit par discretion, domte toute rebellion
de la chair, il despouille & desarme toute tyrannie
de la gueule. Le ieusne, enclot & garrote en vn cep
les mouuemens extraordinaires, il lie & restraint les
appetis desuoyez. Le ieusne orné d'humilité rend les
seruiteurs de Dieu contempteurs du monde, le
ieusne rend les chairs sans leuain, il les nettoye & af-
fermit, il deseiche & consomme les pourritures qui
procedent de la gresse. Le ieusne se repaist des de-
lices des Escritures : il se raffermit de contemplation :
il s'apuye en grace, & se nourrit du celeste pain.
L'interpretation des songes est reuelee à Daniel par le
moyen du ieusne, & par ce mesme moyen de ieusne,
les trois iesnes hommes sortent de la flamme Baby-
lonique sans auoir mal. Moyse demeure l'espace de
quarante iours en la montaigne, perseuerant auec le

Seigneur, & ainſi il merite de parler familierement auec Dieu, & d'auoir le miniſtere de la Loy. Elie demeure auſſi au deſert & s'abſtient parautant de iours. La priere eſt d'eficace quand le ieuſne a precedé : & toutesfois & quantes que l'eſtude des eſcritures ſainctes a precedé, la priere deuote n'eſt eſconduite. Origene ſur le 17. chap. de S. Matthieu, où Ieſus Chriſt dit que ſes Apoſtres ne peurent ietter le diable à cauſe de leur incredulité. S'il nous faut, dit-il, quelquesfois eſtre autour des demoniaques, ne faiſons point d'adiurations ni d'interrogations, & n'arraiſonnons point l'eſprit malin : mais perſeuerans· en prieres & en ieuſnes obtenons de Dieu la deliurance du malade, & chaſſons les malins eſprits par prieres & par ieuſnes. Il y a deux beaux ſermons en Baſile, & vn en Chriſoſtome, à ſçauoir le 8. touchant l'eficace du ieuſne.

CHAPITRE XXXIII

La vertu des aumoſnes.

 L faut encores ſelon la faculté & richeſſe d'vn chacun departir & diſtribuer des aumoſnes aux pauures : ce que ſainct Paul eſcriuant aux Philippiens apelle odeur de bonne ſenteur, & vn ſatrifice agreable &

Philip. 4.
. Rom. 12.

plaifant à Dieu. Lequel auffi exhorte inftamment les
Romains à patience en afliction, & à s'adonner aux
prieres & à communiquer aux neceffitez des faints.
Corneille Centenier de la bande Italienne, homme
craignant Dieu, faifoit beaucoup d'aumofnes au
peuple, & priant Dieu affiduellement, quelle voix
AB. 10. entendit-il de l'ange? Corneille tes oraifons & tes
aumofnes font montees en memoire deuant Dieu.
Tobie 12. L'ange Raphael dit à Tobie, l'aumofne vaut mieux
que faire amas d'or : car l'aumofne deliure de la
mort, purge les pechez, & fait trouuer mifericorde &
Tobie 4. vie eternelle. Item, Tobie le pere dit à fon fils deuant
que mourir : fais aumofne de ta fubftance & ne des-
tourne point ta face du pauure, & il auiendra que la
face du Seigneur ne fe deftournera point de toy : fois
auffi mifericordieux tant que tu pourras : fi tu as
beaucoup, donne abondamment : fi tu as peu, tafche
auffi de donner vn peu liberallement. Certainement
tu thefaurifes pour toy vn bon falaire au iour de
neceffité. Car l'aumofne deliure de tout peché & de
la mort : & ne foufrira point que l'ame voife en
tenebres. L'aumofne fera pour grande confiance
deuant le fouuerain Dieu à tous ceux qui la font.
Luc 11. La verité mefme dit en fainct Luc, donnez l'aumofne,
Dan. 4. & toutes chofes vous font nettes. Daniel confeille à
Nebuchadnefar Roy de Babylone qu'il rachete fon
ame par aumofnes. Nous lifons auffi en l'Eclefias-
Ecclef. 3. tique : Comme l'eau eftaint le feu ardant, auffi l'aumofne nettoye les pechez : & Dieu confidere celuy qui
rend grace. Il luy en fouuient au temps à venir, &
Ecc.ef. 17, & 29 trouuera fermeté au temps de fa mort. Car l'aumofne
de l'homme eft comme vn fachet auec luy, & gar-
dera la grace de l'homme comme la prunelle de l'œil :

& puis apres reſſuſcitera & rendra retribution à vn chacun ſur ſa teſte. Enclos doncques l'aumoſne au ſein du pauure, & icelle ſera pour toy exaucee contre tout mal. On peut ici raporter & acommoder le ſermon que S. Cyprian a fait de l'aumoſne : Item les 32. 33. 34. 35. 36. 37. homelies de Chriſoſtome.

CHAPITRE XXXIIII

Comment il ſe faut diuerſement comporter enuers ceux qui ſont afligez en diuerſes ſortes. Item pluſieurs exemples de diuerſe gueriſon dignes d'eſtre imitez.

LVSIEVRS de ces choſes peuuent eſtre propoſees auec iugement par vn prudent Miniſtre de l'Egliſe, au malade qui a quelques intervalles francs entre les accez. Mais enuers celuy qui eſt continuellement afligé & a l'eſprit troublé, les prieres publiques, & l'interceſſion des fideles, appliquees & correſpondantes à la neceſſité preſente, les ieuſnes & le ſoulagement des pauures, auront tel efficace qu'il plaira à Dieu.

Av reſte, s'il y a pluſieurs enſorcellez ou demoniaques en vn lieu, comme ordinairement nous voyons cela auenir es monaſteres, principalement de filles

Ce qu'il faut faire depuis que il y a pluſieurs qui ſont demoniaques en vn meſme lieu.

(comme eſtans les commodes organes des tromperies de Satan) il faut auant toute choſe, qu'elles ſoyent ſeparees, & que chacune d'elles ſoit enuoyee vers ſes parens ou alliez : afin que plus commodément elles puiſſent eſtre inſtruites & gueries, ayant toutesfois eſgard au moyen ſelon la neceſſité de chacune : à ce qu'on ne les chauſſe toutes à vne meſme forme, comme on dit communément : à la façon de pluſieurs ineptes, menteurs, impoſteurs, & grands maiſtres de ſuperſtition & d'impieté. Ainſi donques laiſſant toutes les autres manieres de paroles peu commodes, toutes ceremonies menſongeres, & autres choſes qui n'aident en rien, il faudra qu'il taſche à chaſſer le diable, lequel ſe moque le plus ſouuent de telles follies, & trompe ceux qui en vſent, faiſant ſemblant de ſe vouloir mettre en fuite, comme s'il eſtoit chaſſé : encores que de ſon bon gré il face place, afin de touſiours nous enlaſſer dauantage dans les labyrinthes d'incredulité, ſi nous penſons qu'il ſoit chaſſé par ces moyens defendus. En ceſte maniere donques il ſort ſouuentesfois des corps, & certes treſuolontiers, d'autant que plus à l'aiſe il poſſede & commande aux ames. Mais les religieuſes, qui ſont renfermees, & auſquelles il n'eſt permis de ſortir hors le conuent (ce que certainement ie ne puis aprouuer en ce cas) ou bien celles qui ont deliberé & arreſté d'endurer patiemment & conſtamment auec Iob, & auec vn renoncement d'elles meſmes, la main clemente de Dieu & la verge du pere : celles-la, di-ie, ſe doiuent ſuporter les vnes les autres, & ſe conſoler & enſuiure entant qu'il leur eſt poſſible, les remedes ordonnez. Dauantage, il ne faut endurer que les ieunes voyent tels ſpectacles, de peur qu'eſtans eſtonnees par la

Les ieuſnes ne doiuent eſtre admis à tels ſpectacles.

nouueaut ! & grandeur des tourmens elles ne tombent
en quelque mal. Car à celles le diable fait ordinairement la guerre & les espie.

Il m'auint vne fois d'enuoyer vne lettre à vne ieune
fille enfermee en vn conuent, la priant qu'elle m'en-
uoyast les histoires de plusieurs religieuses qui auoyent
esté autresfois tourmentees & afligees par le diable,
d'incroyables especes de maux (comme i'ay escrit au
liure precedent, chapitre dixieme) à quoy elle me fit
response qu'il y en auoit encores deux du nombre
d'icelles qui auoyent bien quatre uingts ans, & dont
elle auoit souuentesfois entendu qu'elles ne voudroyent pour rien n'auoir esté trauaillees de cette
cruelle calamité, qui leur estoit auenue par la volonté
de Dieu : dautant qu'elles auoyent receu par ce moyen
vn don de finguliere & Diuine grace & illumination :
ce que mesme leur vie tesmoignoit. Quel inconuenient est-il auenu à Antoine d'auoir porté des rudes
maistres sur son col ? puis que les ayant endurez par
la volonté de Dieu, il en a acquis plus grand gain &
gloire ? Elle m'escriuoit aussi que de ce temps là
on y auoit enuoyé onze personnages doctes, afin
qu'ayant veu les espouuantemens des accidens effroyables, ils les espluchassent de pres, & y donnassent
remede : mais dautant qu'ils demeurerent constans
& perseuerans, dautant le mal fut rengregré plus
violentement que de coustume, tellement qu'elles
confessoyent que leur guerison auoit esté en fin
un singulier ouurage de Dieu. Car conoissans qu'elles
auoyent receu ceste afliction de la main de Dieu,
elles s'estoyent du tout submises à son bras puis-
sant, auoyent renonce à elles mesmes, & tellement embrasse l'humilité, que par le moyen d'icelle

Histoire memorable
des
religieuses
gueries.

elles auoyent refifté à toutes leurs affections, & les
auoyent vaincues : bref, elles s'eftoyent tellement
conformees de tout leur cœur à la reigle de la parole
de Dieu, que peu à peu toutes ces furies s'eftoyent
efuanouies. I'ay bien voulu coucher ici la plus
fainéte partie de la lettre de cefte religieufe, pour
iuftes raifons, dautant que ce confeil accorde fort à
ce que i'ay entrepris de monftrer : & afin auffi que
quelqu'vn ne fe perfuade temerairement que les religieufes foiit du tout retirees du nombre des gens de
bien : encores que ie ne vueille pas nier que lon n'y
puiffe defirer beaucoup de chofes, qui y font permifes
par erreur, beftife & mauuaife information.

Av refte, eftant quelquefois entré en ce monaftere
auec vn autre, ie communiquay auec vne vieille
religieufe, laquelle auoit enduré ce mal l'efpace de
dix ans, & pour cefte raifon rendoit grandes graces à
Dieu, & difoit que fi l'aage le permettoit, elle en-
dureroit encores fort volontiers telles calamitez.
Dauantage, elle m'exhorta de ne permettre qu'en
telles afaires on vfaft d'exorcifme fi dauenture i'eftois
apellé au confeil. Il y en auoit vne autre, afligee de
mefme, & qui par le confeil de quelques vns, eftoit
ordinairement bourrelee à coups de verges par vn
fien frere : & encores nous voyons cela eftre confeillé
par quelques vns, comme fi les verges chaffoyent le
diable, lequel au contraire procure vne telle bourrellerie. Cefte pauure religieufe oultree de honte par ce
faiét tant indigne, deuint en chartre peu à peu, &
voulant mourir commença à chanter. Parquoy eftant
interroguee pour quelle raifon elle chantoit : elle refpondit que c'eftoit pourautant qu'elles s'affeuroit de
fon falut eternel. Il y en auoit encores vne autre, la-

quelle apres auoir esté longuement trauaillee par le diable, & se sentant prochaine de la mort, s'offroit du tout à Dieu en attentiue priere, le supliant qu'il fist auec elle selon son bon plaisir en ce temps & pour tout iamais, pourueu que son nom fust glorifié. Elle pria ses autres sœurs religieuses qu'apres sa mort elles ne chantassent point le *Miserere mei Deus*, comme elles auoyent acoustumé de faire pour les autres : mais plustost le *Gloria patri* : monstrant par là vn tres grand exemple du renoncement qu'elle auoit fait de soy-mesme.

Exemple d'vn vray renoncement de soy mesme

Vovs pourrez retirer de l'histoire qui s'ensuit vne guerison singuliere & digne d'estre obseruee touchant ceux qui sont afligez par le diable. Philippe Vvesselich de Coulongue moyne de l'abbaye de Knechtenstein, homme entier & simple, estoit tourmenté miserablement & diuersement par vn esprit qui representoit vn de ses Abbez, tout maigre & descharné, ia des long temps mort. C'estoit enuiron l'an mil cinq cens cinquante. Parfois il estoit porté dessus le toict, quelquesfois dessus les soliueaux qui passent en trauers par dessus la cloche. Et quelquefois il fut trouué ayant tout le corps dedans le viuier, & la teste sur la terre. En fin l'esprit se manifesta & donna à entendre la cause de ce long & diuers tourment : disant qu'il estoit l'esprit de cest Abbé nommé Mathias Duren, ia des long temps enterré, & qu'il estoit trauaillé dautant qu'ayant autrefois fait peindre l'image de la vierge Marie, il n'auoit assez sufisamment contenté le peintre nommé Nouesian, & qu'il auoit eu si grande perte qu'il s'estoit soy-mesme endommagé. Or estoit-ce chose vraye. Il adioustoit encores la maniere du payement, pour lequel il n'y a point de faute que

Exemple de la guerison d'vn demoniaque.

le diable n'euſt entrepris ceſte tragedie : aſauoir que
ce peché ne luy pouuoit eſtre remis, ni ne pouuoit
eſtre deliuré, ſi Philippe (que le diable penſoit eſtre
organe fort commode à ſes tromperies, à raiſon de ſa
ſimplicité) n'alloit par deuotion en pelerinage iuſques
à Treues & Aix, chanter trois Meſſes en ſon intention, l'vne de la Trinité, la ſeconde de Noſtre Dame,
& la tierce du temps. Or pour ſatisfaire au plaiſir de
ceſt eſprit ils demandoyent conſeil aux theologiens de
Coulongne, & meſmes les moynes aſſemblez en
chapitre requirent cela à leur Abbé M. Girard Strail-
gen de Morſen, lequel eſtant doué d'vn meilleur
iugement, fut d'opinion contraire, diſant que il
faloit pluſtoſt par reprehenſion faire changer d'auis
au moyne Philippe, aſauoir que ſe confiant par viue
foy en Dieu le pere de toute miſericorde, & en Ieſus
Chriſt noſtre patron & defenſeur vnique, il meſpriſaſt
conſtamment les impoſtures du diable : & que ſi l'eſprit reuenoit il luy reſpondiſt qu'il n'eſtoit pas en ſa
liberté, mais ſous la charge d'autruy, & que pour ſa
pauureté il ne luy pourroit obeir. Ce qu'ayant fait,
l'eſprit luy reſpondi qu'il le diſt au ſouprieur : car
il auoit opinion que ceſtuy la confirmeroit ſon deſſein.
L'Abbé voyant que le diable perſeueroit, & que le
moyne ne reſiſtoit pas d'vne aſſez grande confiance à
ſes tromperies, il l'endoctrina derechef & l'exhorta
diligemment de ſe reconoiſtre, de reuenir à ſoy, & ne
preſter ſi facilement l'oreille aux ruſes de Satan. Il le
menaça aigrement que là où il pourſuiuroit, comme
de couſtume, à preſter l'oreille aux eſprits, il ne faudroit à luy faire bailler le chapitre. Onques depuis le
diable ne reuint, & s'en alla ailleurs, voyant que ſes
efforts eſtoyent repouſſez par la grande conſtance de

l'Abbé, & par l'efprit de Philippe efleué par la confiance qu'il auoit en Dieu, pour refifter contre la trompeufe & damnable intention du diable. Ie ferois bien d'auis que lon vfaft quelquefois de femblable remede en pareilles fraudes diaboliques.

CHAPITRE XXXV

Remedes certains & aprouuez, pour guerir ceux qui contrefont les Demoniaques.

NE certaine femme nommee Barthelemie, demeurant au village de Vvel, auoit prins vne couftume, fi elle fe trouuoit à la meffe, quand on chantoit en Alleman l'hymne qui commence *Gloria in excelfis Deo*, de tomber en extafe, comme fi elle euft efté poffedee du diable : & demeuroit en ceft eftat iufqu'à ce que l'hymne fuft paracheuee. Pour quelque temps elle ioua cefte farce, fans qu'aucun y prinft garde : mais en fin Anne de Virmont, dame du village, la fait venir au chafteau, luy demande doucement & amiablement, pourquoy elle fe laiffoit furmonter au chant de ceft hymne, veu que les paroles Alemandes & les Latines n'eftoyent differentes en fignification. Sur ce elle commence à lire l'hymne en

Aleman, & la luy interpreta, monſtrant qu'il n'y auoit
choſe contraire au ſeruice de Dieu, ou mauuaiſe qui
peuſt donner occaſion à aucun de s'en offenſer. Parquoy elle l'admoneſta de prendre courage, ſautant
qu'elle ſe deliberoit de chanter l'hymne, & qu'elle
s'aſſeuroit de la guerir preſentement, ſi le mal la
prenoit, par vne medecine qu'on luy auoit apriſe, qui
eſtoit fort ſouueraine à chaſſer les diables ſemblables
à celuy qui la tourmentoit. Mais elle n'eut pas ſi toſt
commencé à chanter, que la femme ſe laiſſa tomber
en terre, ayant toutesfois auparauant regardé le lieu
plus commode où elle deliberoit de tomber. Incontinent la dame ſage & honneſte, auec ſa fille de
chambre Catherine Biland femme de gentil eſprit,
luy leuerent la robe, & luy baillerent des verges aſſez
aſprement, ſans toutesfois paſſer les limites de raiſon : ſi bien que la demoniaque commença à tirer ſa
robbe, ſe couurir, & ſe defendre le mieux qu'elle pou-
1. Aphoris. uoit. Ainſi, comme dit Hippocrate, il faut vſer de
forts medicamens aux maladies fortes & pernicieuſes.
Derechef la dame perſuada à ceſte malade que la medecine qu'elle luy auoit baillee eſtoit vn preſeruatif
de grande vertu contre les pareils aſſauts du diable,
comme des gens fort doctes luy auoyent apris. Parquoy elle l'exhorta derechef de prendre meilleur
courage, l'aſſeurant que la plus grande partie de la
force du diable eſtoit domptee par ce medicament :
& meſmes elle luy commanda de chanter, ſi bien
que ce doux cantique fut recommencé, & s'acheua
ſans que la femme s'eſmuſt aucunement. Ce que les
ſeruiteurs qui eſtoyent à la porte de la chambre obſer-
uerent diligemment : & incontinent qu'elle fut ſortie
ils la prindrent & l'acompagnerent chantans le can-

tique à haute voix, tellement que lon a obferué qu'il
n'y auoit meilleur ni plus certain moyen de chaffer
les diables, que ceftuy-cy. Toutesfois il faut eftre
prudent en l'vfage de telle theriaque : car on ne peut
pas guerir toutes les maladies des yeux auec vn feul
collyre. Seulement ce remede eft propre à chaffer incontinent, & fans delay, cefte efpece de diable qui
affaut & tourmente les hommes, toutefois & quantes
que les mefmes demoniaques le veulent. Cefte Barthelemie m'a confeffé elle mefme qu'elle auoit efté
ainfi guerie au chafteau de Vvell, par le moyen de la
dame du lieu. Le Canon foixantieme touchant ceux
qui feignent eftre demoniaques, eut quelque effect en
cefte maladie, par lequel il eft dit, qu'il faut punir
ceux qui font femblant d'eftre poffedez du diable, &
qui par vne deprauation de mœurs fe contrefont, par
les mefmes punitions & trauaux que ceux la ont
acouftumé d'endurer, pour eftre deliurez du diable,
qui veritablement font demoniaques.

RONDELET dit auoir veu vn homme à Rome nommé
Iules, lequel fembloit eftre cataleptique toutesfois &
quantes qu'on prononçoit ces mots de la paffion,
Confummatum eft. Parquoy ainfi qu'il eftoit quelquefois chez Alexandre profeffeur en la langue Hebraique, fa femme les prononça en fa faueur, & lors
le preftre fembla tomber en extafe, dont Alexandre
commanda que lon aportaft vn bafton pour le guerir
de cefte maladie : ce qui le fit incontinent reuenir à
foy. La caufe qui le fit foupçonner que le preftre
contrefaifoit le malade, fut que auant qu'il tombaft
il le vid regarder vn lieu, ou en feureté il pouuoit
repofer fa tefte. Auffi entendit-il quelque temps apres
que pour cefte caufe les Venitiens l'auoyent banni

auec vne garfe qu'il auoit, laquelle femblablement
feignoit eftre malade de pareille maladie.

Or n'eftoit ce point ֊ne feinte, mais vne vraye ca-
talepfie caufee par vn fang melancholique efpandu
par la fubftance du cerueau, laquelle tourmentoit
vne ieune femme demourante pres de Nifmes aux
Seuenes. Elle eftoit aagee de vingt & cinq ans, &
eftoit mariee à vn ieune homme, qu'elle n'aimoit pas
beaucoup, & auoit demouré feulement huiĉt iours
auec luy quand ce mal la print. Ce qui fut caufe
qu'elle retourna en la maifon de fes parens, où elle
fe portoit bien tant que l'oubly de fon mary continuoit : car incontinent qu'elle fe refouuenoit de luy,
ou qu'on luy en parloit, ou bien que le mary la
venoit voir, le mal la prenoit auant qu'il l'euft veuë
ou entendue. Si d'auenture elle portoit vne cruche
d'eau par les chemins, elle la pofoit en terre quelquefois, & s'affeoit, ou bien elle fe couchoit aupres, & y
demeuroit vne efpace de temps la bouche & les yeux
ouuerts fans mouuement ou fentiment, excepté que
lon voyoit les mufcles du ventre & des coftes in-
ferieures, qui fe debattoyent fort.

CHAPITRE XXXVI

Ce qu'il faut faire en la forcellerie, par laquelle la compagnie charnelle des Mariez eft empefchee.

HINCMAR Archeuefque de Rheims, efcrit ainfi de l'empefchement fait par le diable touchant la compagnie charnelle : S'il auient, dit il, que la compagnie charnelle foit empefchee par forcelerie, fuyuant la permiffion de l'occulte, mais non pas iniufte, iugement de Dieu, & fuyuant l'operation du diable : il faut exhorter ceux aufquels ces chofes font auenues, qu'ils ayent à fe confeffer d'vn cœur contrit, & d'vn efprit humilié, à Dieu & au preftre.

Au chap. fuper fort. 33. q. 1.

Au traité des forcieres & Pytho.

VLRIC Moliter efcrit qu'au proces, auquel le mary fut accufé de l'impuiffance naturele auenue par charme, il fut arrefté au palais de Conftance, que premierement les medecins vifiteroyent celuy que les loix apellent maleficié & froid, pour fauoir fi en luy il n'y a aucune caufe naturelle d'impuiffance : puis apres que la femme viuroit encores trois ans auec fon mary, lequel cependant efprouueroit fes forces, donneroit l'aumofne plus que de couftume, & iufneroit, afin qu'il pleuft à Dieu, lequel a inftitué le mariage, de retirer ce mal. Ce decret eft certainement digne d'eftre pratiqué. Il fe faut auffi ayder en

ceſt endroit des choſes que i'ay eſcrites en la vraye
guerison des autres ſorcelleries.

Ie ſay vn autre remede, aſauoir des charaĉteres
eſcrits en du parchemin vierge, & dont on fait grand
cas, comme d'vn ſecret ſouuerain contre ce mal. Sur
iceux on barbote par ſept fois vn Pſeaume de Dauid :
& lie on le parchemin ſur la cuiſſe du mary. Mais ie
n'en diray pas dauantage, & voudrois que tel recepte
fuſt enſeuelie en enfer.

Av demeurant, i'enſeigneray ici ſecrettement au
leĉteur, pourueu qu'il me promette le tenir ſecret,
vne autre guerison fort ridicule, mais pratiquee trop
deuotieuſement, par vne femme nommee Catherine
Loë, de laquelle ie conoy les enfans. Du commencement, elle trouua que ſon mari n'auoit point vertu
d'homme, parquoy apres auoir cerché diuers expe-
diens pour remedier à ce mal, elle s'en va au temple
d'Everfeld en la duché de Mont, preſente à S. Antoine
& fait pendre deuotement ſur l'autel d'iceluy vn
morceau de cire qui auoit la forme d'vn membre
viril, afin de recouurer guerison pour ſon mary. Le
Curé, qui ne ſauoit rien de telle offrande, apres auoir
prononcé à yeux clos & baiſſez, le Canon de ſa Meſſe,
les ouurant & leuant contremont, ſelon la couſtume,
apperceut ſoudain ceſte offrande, & conoiſſant que
c'eſtoit, commença à dire tout haut en cholere, Qu'on
m'oſte ce diable de là.

CHAPITRE XXXVII

En quel temps, par quelle maniere, & par quelles
gens les exorcifmes doyuent eftre pratiquez.

v refte, fi cefte calamité & ouurage de
Satan ne ceffe par le moyen des chofes
fufdites, il fera permis de l'arguer felon
la doctrine de Iefus Chrift contenue
en S. Marc au feizieme chapitre, où il eft dit que les
croyans chafferont les diables en fon nom. Pour cefte
caufe & à l'exemple des Apoftres & de la primitiue
Eglife, feule pure & nette de toutes fuperftitions, le
miniftre le chaffera au nom de Iefus Chrift, eftant
pouffé d'vn vray zele : s'affeurant du tefmoignage de
fa bonne confcience, ayant ce don particulier du
fainct Efprit de chaffer les diables, eftant armé du
glaiue de l'efprit, afauoir de la parole de Dieu, &
couuert par tout des armures diuines, ayant pris fur
toutes chofes le bouclier de la foy, par lequel il puiffe
eftaindre toutes les flambantes fleches du malin. Bref,
ayant toutes les armures, lefquelles i'ay propofees
felon S. Paul, au commencement de ce liure, afin
que Iefus Chrift ne luy die ce qu'il difoit à fes
difciples lefquels ne pouuoyent chaffer les diables :
O nation incredule & de trauers, iufques à quand
feray-ie auec vous ? iufques à quand finalement vous
fuporteray-ie? mais au contraire qu'il s'affeure fermement fur cefte infallible promeffe : Ie vous dis en

Quel doit eftre
l'exorcifte.

Matth. 17.
Marc 9.
Luc 9.
Iean 14.

Matth. 21.
Marc 11.

verité que celuy qui croit en moy fera les œuures que ie fais, voire plus grandes : car ie vay à mon pere. Et tout ce que vous demanderez à mon pere en mon nom, ie le feray à celle fin que le pere foit glorifié par le fils. Si vous demandez quelque chofe en mon

Luc 20.

nom, ie le feray. S. Luc efcrit encores que feptante difciples reuindrent deuers Iefus Chrift auec grande ioye, difant : Seigneur les diables font mefmes affuietis à nous en ton nom. Et luy leur refpondit, Ic voyois Satan lequel defcendoit du ciel ainfi qu'vne foudre. Voici ie vous donne la puiffance de marcher fur les ferpens & fcorpions, & fur toute la vertu de l'ennemy, fi bien que rien ne vous nuira. Ainfi a1

Philip. 2.
Actes 4.
Genefe 1.
Iean 1.

nom de Iefus Chrift tout genouil flefchit tant des chofes celeftes, terreftres qu'infernales. Il n'y a aucun autre nom donné aux hommes foubs le ciel auquel il faille que nous foyons fauuez. Par ce feul verbe du Pere eternel toutes chofes ont efté creees, le ciel, la terre & tout ce qui eft en iceux : felon fa volonté toute, cefte grande affemblee d'Anges fut renuerfee & precipitee. Autant qu'il y auoit de diables, qui tenoyent les pauures miferables mortels en leurs puiffances & liens tres-ferrez, ils eurent peur & s'en-

Marc 1. 5 9.
Luc
4. 8. 9. 11. 13.

fuirent à l'auenement & regne de Iefus Chrift, au nom duquel les difciples croyans ont chaffé les diables. Et fainct Paul chaffa l'efprit Pythonique en Macedoine, hors du corps de la fille demoniaque,

Act. 16.

difant : Ie te commande au nom de Iefus Chrift que tu ayes à fortir hors d'elle, & à l'heure mefme il s'en alla. Ainfi les diables s'enfuirent au commandement de fainct Pierre, & prierent qu'on leur permift de demeurer encor vn feul iour es corps qu'ils poffe-

Abd. liu. 1.
de
l'hiftoire
des Apo.

doyent, comme efcrit fainct Clement.

Novs lifons en fainct Hierofme, en la vie d'Hilarion hermite de la Paleftine, d'vn feruiteur de l'Empereur Conftantin natif de Franconie en Allemagne, lequel le malin efprit auoit toufiours poffedé depuis fa ieuneffe. Ceft homme fut mené à Gaza vers Hilarion, auquel il expofa en langue Syriaque & Grecque (encores que le demoniaque ne les euft oncques aprifes) les diuerfes caufes pour lefquelles il eftoit poffedé. Mais le fainct perfonnage luy refpondit : Ie ne te demande point comment tu es entré, ains feulement ie te commande de fortir au nom de noftre Seigneur Iefus Chrift. Sainct Simon Apoftre brifa en ce mefme nom l'idole du Soleil, & fainct Iude celuy de la Lune, hors defquels fortirent les diables en forme d'Ethiopiens. Sainct Thomas chaffa le diable de dedans l'idole du Soleil, & fainct Philippe l'Apoftre fubiuga en Scythie vn dragon, lequel fortit de l'idole de la mort. Sainct André chaffa fept diables, lefquels transformez en chiens fe tenoyent parmy les fepulchres pres le chemin & trauailloyent les paffans. Ainfi dit-on que Sylueftre enferma vn dragon dedans le Capitole, & que Philippe chaffa Leuiathan.

Apres que S. Iean l'Euangelifte euft domté le venin, il chaffa vn diable, lequel auoit toufiours efté dedans le temple de Diane depuis deux cens quarante nœuf ans, en luy difant : Ie te defens au nom de Iefus Chrift Nazarien de plus demourer en ce lieu, & incontinent le diable fe partit d'Ephefe. Pour cefte caufe ce tres-fainct perfonnage fut enuoyé en exil en l'Ifle de Pathmos. Ainfi que Cynops prince des magiciens eftoit en la ville de Phara, & où il trompoit le peuple par forcelleries & le retiroit de la doctrine de S. Iean & des miracles qu'il faifoit au nom de Iefus

*Liure 4.
des recognit.*

*Abdias
Euefque de Babylone
liure 6.
de fon hiftoire
& liure 9. 10. 3.*

*Les
miracles
de S. Iean
contre
Cynops magicien.*

Chrift, dont il eftoit fauffement accufé par les preftres
d'Apollon : il fe vantoit de refufciter les morts fous la
figure defquels les diables aparoiffoyent fortans de
la mer. En la fin, Cinops dit à S. Iean, Vien fi tu
veux iufques au Haure, afin que tu voies ma puiffance, & tu t'efmerueilleras d'auantage. Parquoy
fainét Iean y alla auec toute la troupe du peuple, &
defendit aux trois diables, lefquels l'acompagnoyent
fous la forme de trois hommes nouuellement reffufcitez, de s'en aller. Apres donc que Cynops euft frapé
des mains, & que la mer euft rendu vn grand bruit,
il fe ietta dedans comme il auoit fait auparauant, &
ainfi s'efuauouït de la veuë des hommes, qui ne ceffoyent de crier en le louant & difant : Cynops tu es
tres-grand, & perfonne ne l'eft excepté toy. Ce pendant fainét Iean prioit le Seigneur qu'il luy pleuft
faire que ce magicien ne fuft plus veu entre les viuans.
Et tout foudain on entendit vn grand murmure dedans la mer, & les vagues eftoyent efleuees à l'endroit où il s'eftoit precipité, & oncques puis il n'a-
parut. Et les diables qui là eftoyent prefens fous la
figure de ceux que lon difoit eftre des long temps
reffufcitez, furent coniurez par l'Apoftre de Dieu
difant : Fuyez hors de ceft ifle au nom de Iefus Chrift
crucifié, & n'y reuenez iamais, & incontinent ils
disparurent de la veuë de tous les affiftans, lefquels
en vain attendoyent Cynops pour fauoir s'il reffufci-
teroit. Arfatius excellent tefmoin de la verité de Dieu
du temps de l'Empereur Licinius, vid vne fois certain
demoniaque courant les rues auec vne efpee def-
gainee, dont il effrayoit & faifoit fuir tout le monde.
Mais Arfatius fe prefenta à luy, inuoqua le nom de
Iefus Chrift, & par fa feule parole chaffa le diable &

Saʒom.
liure 4. chap. 16.

deliura le demoniaque. Auffi Rufin teftifie au 1. liure, chap. 4. Que les diables fuyoyent à la parole de Paphnutius. Cela monftre combien le nom du maiftre a ferui aux Chreftiens, & quel bien leur eft reuenu de l'auoir enfuyui.

L'an mil cinq cens vingtneuf, Adolphe Clarbarch, homme docte & Chreftien, fut emprifonné à caufe de la religion en vne tour de la ville de Cologne, fort agitee de malins efprits, & apelee la porte des poules : afin d'y eftre plus rudement tourmenté nuict & iour. La premiere nuict ces efprits tempeftans à leur maniere acouftumee, & reprefentans des fpectacles effroyables, Adolphe fe print à prier Dieu d'vne ardente afection de cœur & les vainquit & troubla tellement, que depuis rien n'apparut en cefte prifon, non pas mefmes depuis que ce bon perfonnage euft efté bruflé pour auoir franchement & conftamment auoué & confeffé le nom de Iefus Chrift. Tant eft forte & pleine d'efficace l'ardente priere que le Chreftien fait à Dieu contre les machinations du diable. Or il auoit efcrit de fon doigt auec de l'encre fait de charbon puluerifé & meflé en eau (pource qu'on ne luy auoit voulu bailler encre ni papier durant fa captiuité) contre la muraille deux vers Latins, dont la fubftance eftoit telle, Quand Dieu eft auec nous, il faut que les illufions de Satan s'efuanouyffent.

Voila la coniuration, voila le grand & fort exorcifme, voila la certaine maniere de chaffer le diable, voila le moyen fommaire, voila les characteres par lefquels la puiffance infinie eft apelee pour faire les chofes par deffus la commune force de la vie : voila la vraye doctrine, le ferme fondement, & la pierre des philofophes, laquelle eft de toute autre efficace

Efa. 28
Ephe. 2.

que n'est pas celle que les alchemistes trompez vont
cerchant, ains plustost c'est la pierre angulaire, sur
laquelle tout bastiment est fermement apuyé. Voila
les tesmoignages diuins & les enseignemens de nos
choses sacrees : voila les memoires du vray prestre,
les signes purs, & les ceremonies, lesquelles sont
contentes de peu, faciles à faire & de peu d'apareil :
& desquelles nous deuons vser pour chasser les diables.
Voila la science plus haute que le ciel, plus profonde
que les enfers, deliuree de tous perils, ennemie des
esprits espouuanteurs, contemptrice des luitons, hai-
neuse des idoles, laquelle n'a afaire d'encens ou de
vin, & commande à toutes ombres mortelles, aux
Gobelins & aux Luitons : ne fait cas des sepulchres
& tombeaux, ni d'aucunes aparitions des morts : laquelle chasse hardiment à front ouuert, comme dit
Capnion, tous les sots espouuentails : toutes les allees
& venues, & toutes les munitions des enfers : laquelle
est victorieuse de la destinee & de la nature, & sans
se lasser parfait & acomplit infalliblement tout ce que
bien & droitement nous saurions demander, pourueu que nous obseruions les moyens que nostre maistre
nous a commandez. Iesus Christ par sa seule parole a
guery toutes maladies & a chassé les diables. Parquoy si vous voulez besongner droitement & seure-
ment, il faut que vous mettiez ce conseil de S. Paul

Colos. 2. deuant les yeux : Tout ce que vous faites soit en
parlant, soit en besongnant, faites-le au nom de nostre
Seigneur Iesus Christ. Voila le salubre medicament :
voila la panacee ou plustost nostre salut & guerison.
Ainsi donques Nanzianzene a fort bien dit en son
Defensoire : Les diables tremblent quand le nom
de Christ est inuoqué. Les impostures, les liai-

fons, les prodigieufes forcelleries, toutes les œuures
du diable ne peuuent rien contre luy, & ne fubfis-
teront vn feul moment, mais elles s'efuanouïffent
auffi toft que la parole. Et ainfi Lactance a fort bien
efcrit : les diables craignent les iuftes, c'eft à dire ceux *Liure 2. chap. 16.*
qui font vrais feruiteurs de Dieu, au nom duquel *de l'ori. d'erreur.*
eftans coniurez ils fortent des corps, & de la parole *Et*
defquels eftans batus, ils ne confeffent pas feulement *S. Clement*
qu'ils font diables, mais auffi fe nomment par leurs *liu. 9.*
noms : pourautant qu'ils ne peuuent mentir à Dieu, *des recogn.*
au nom duquel ils font coniurez, ni aux iuftes, par
la parole defquels ils font trauaillez. Ainfi donques
ils crient quelquefois auec grand hurlement, difans
qu'ils font batus & bruflez, & qu'ils fortiront incontinent. Or voyons-nous auffi cler que le iour, qu'en
ceft ordre de guerifon apuyee fur le fondement de la
faincte Efcriture, n'y a aucun foupçon d'erreur,
d'idolatrie, ni aucune opinion de blafpheme cachee.

CHAPITRE XXXVIII

Maniere de chaffer les diables, pratiquee en l'eglife
ancienne.

Ais afin que perfonne ne calomnie mon
intention, comme eflongnee de la pratique ordinaire des Eclefiaftiques de
noftre temps & conclue qu'on doit re-
ietter ce que ie propofe : l'adioufteray en ceft endroit

les propres mots de S. Clement qui efcrit bien la
maniere de chaffer les diables, pratiquee en l'Eglife
primitiue, & conforme à ce que i'ay dit ci deffus.
Ainfi donc il dit au 8. liure des Conftitutions des
S. Apoftres, chap. 32. Que l'exorcifte ne foit point
ordonné : car ce combat procede d'vne volontaire
bienuueillance, & de la grace de Dieu en Iefus Chrift,
par l'affiftance du fainct Efprift. Car celuy qui reçoit
le don de miracles, eft declairé tel par reuelation de
Dieu, veu que la grace qui eft en luy eft manifeftee à
tous. Et en ce mefme liure, chap. 7. Apres que les
Catechumenes feront fortis, que le diacre dife, Vous
demoniaques priez : vous qui eftes ici, priez affec-
tueufement pour eux, afin que Dieu mifericordieux,
pour l'amour de Chrift tance les efprits malins & immondes, & arrache fes feruiteurs de la puiffance de
l'ennemi. Celuy qui a reprimé la legion des diables
& le prince des malins efprits, tance encor maintenant ces anges Apoftats, & deliure fes creatures de
leur tourment, & nettoye ce qu'il a creé par grande
fageffe. Prions de bon cueur, Sauue les, releue les,
Seigneur, par ta vertu. Demoniaques, enclinez
vous afin de receuoir benediction. Que l'Euefque
prie, difant, Toy qui as lié le fort armé, & pillé
toutes fes armes, qui nous as donné pouuoir de marcher fur les ferpens & fcorpions, & fur toute vertu
de l'ennemi : qui nous as liuré lié l'homicide ferpent,
comme vn paffereau à des petis enfans, combien qu'il
foit redouté de toutes creatures quand tu luy lafches
la bride : qui l'as deietté comme la foudre du ciel en
terre, non pas d'vne cheute locale, mais d'honneur
en deshonneur à caufe de fa malice volontaire, toy
dont le regard deffeiche les abyfmes, & les menaces

font diffoudre & fondre les montagnes : toy dont la
verité demeure eternellement, qui es loué des enfans,
benit des allaitans, celebré & adoré des Anges, duquel le regard fait trembler la terre : toy qui touches
les montagnes & elles fument, qui rens la mer feiche
en la menaffant, & vuiaes tous les fleuues d'icelle,
qui fais des nues la poudre de tes pieds, & chemines
fur la mer, comme fur vn plancher : O vnique fils
du pere fouuerain, tance les malins efprits, & deliure
de leur tourment les ouurages de tes mains : car à
toy eft la gloire, l'honneur, & l'adoration, & par toy,
à ton pere, & au S. Efprit eternellement, Amen. A
ce que deffus s'accorde fainct Auguftin au liure de
l'vtilité de croire, chap. 22. Par vraye pieté les
hommes de Dieu exorcifent & chaffent les puiffances
de l'air, ennemies & aduerfaires de la pieté, non pas
en les flatant : par prieres ils furmontent toutes
aduerfitez & tentations, non pas en priant les malins
efprits, mais en priant Dieu contre iceux. Car ils ne
vainquent ne fubiuguent finon ceux qui font compagnons de leur mefchanceté. Ainfi donc le diable eft
vaincu au nom de celuy qui a prins noftre nature
humaine, qui a vefcu fans peché, afin qu'en luy qui
eft noftre facrificateur & facrifice nous obtinffions
pardon des pechez : en luy, di-ie, qui eft mediateur
entre Dieu & les hommes Iefus Chrift homme, lequel,
ayant acompli ce qui eftoit requis pour la purgation
de nos pechez nous a reconciliez à Dieu.

CHAPITRE XXXIX

Auis de Philippe Melanĝhon touchant les Demo-
niaques, recueilli des epiſtres d'iceluy.

OMBIEN qu'il y ait par fois quelques
caufes naturelles de la phrenefie ou
manie : c'eft toutesfois chofe affeuree,
dit-il, que les diables entrent es cœurs
de certaines perfonnes, & y caufent des fureurs &
tourmens, ou auec les caufes naturelles ou fans
icelles : veu que lon void parfois tels malades eftre
gueris par remedes qui ne font point naturels. Souuent auffi tels fpeĝacles font autant de prodiges &
prediĝions de chofes à venir. Il y a douze ans qu'vne
femme du pays de Saxe, laquelle ne fauoit lire ni
efcrire, eftant agitee du diable, le tourment ceffé
parloit en Grec & en Latin de la guerre de Saxe qui
auint puis apres, & prononçoit en Grec & en Latin
des mots dont le fens eftoit, Qu'il y auroit grande
angoiffe en terre, & fedition entre le peup!e. Quatre
ans auparauant y auoit vne fille au marquifat de
Brandebourg, laquelle en arrachant des poils du
veftement de quelque perfonne que ce fuft, ces poils
eftoyent incontinent changez en pieces de monnoye
du pays, lefquelles cefte fille mafchoit auec vn
horrible craquetis de dents. Quelques vns luy ayans
arraché de ces pieces d'entre les mains, trouuerent

que c'eftoyent vrayes pieces de monnoye, & les
gardent encor. Au refte, cefte fille eftoit fort tourmentee de fois à autre : mais au bout de quelques
mois elle fut du tout guerie, & vit auiourd'hui en
bonne fanté. On fit fouuent prieres pour elle, &
s'abftint-on expreffément de toutes autres ceremonies.

I'ᴀʏ entendu qu'en Italie y auoit vne femme fort
idiote, & neantmoins eftant agitee du diable quelqu'vn luy ayant demandé quel eftoit le meilleur vers
de Vergile ? elle refpondit tout foudain,

Difcite iuftitiam moniti & non temnere Diues.

Auffi ay-ie ouy dire qu'à Rome il y a des nonnains
miferablement tourmentees. I'eftime qu'elles font
demoniaques, & que cela fignifie les iugemens de
Dieu fur l'Italie & fur autres pays. Au demeurant,
ie croy que ces maux & les diables mefmes peuuent
eftre chaffez par la priere des Chreftiens. Et ceux
qui inuoquent purement noftre Seigneur Iefus Chrift
fils de Dieu feront bien, s'ils commandent hardiment
aux diables de fortir hors des demoniaques : & que
les fideles pafteurs des Eglifes prefchent publiquement du dernier iugement du Fils de Dieu, ou la
malice du diable fera defcouuerte, & que lon declare
auffi que ces malins efprits feront tourmentez de
punitions eternelles & incomprehenfibles. Mais il
faut proceder en cela d'vn cueur ardent & affeuré,
fans s'arrefter aux ceremonies ni à l'adoration du
pain de la meffe, ni à l'eau benite, ni à l'inuocation
de S. Corneille ou d'autres tels fainéts. Ie fay plufieurs autres exemples, par lefquels il apert clerement que la priere de vrais Chreftiens a ferui
grandement à tels malades.

CHAPITRE XL

*La folle & inepte maniere de laquelle on vse couftu-
mierement pour guerir le beftail enforcelé. Item
le moyen plein d'impieté par lequel on penfe apaifer la tempefte,*

ERTAINEMENT ie ne puis entendre ni
fauoir fur quel tefmoignage ou exemple
de l'Efcriture fainéte s'apuye la vulgaire & mal acrue façon de guerir le
forcellage par vn homme inepte, fot, & le plus fouuent doublement aueugle, en laquelle cefte maniere
de gens s'aide, outre vne infinité d'inutiles ceremonies de malheureux & mefchans exorcifmes, voire
pleins de blafphemes. Ils veulent que lon penfe qu'à
force de crier haut, & de proferer vne infinité de
paroles, ils contraignent le diable de fortir, repetans
par plufieurs fois des Euangiles, qui n'apartiennent
aucunement à ce dont il eft queftion, le fymbole des
Apoftres, l'oraifon deminicale, la falutation Angelique, & ie ne fay quelles autres chofes femblables.
Mais d'où vient que telles chofes font propres pour
chaffer Satan? où en eft le commandement, où en eft
l'exemple en Iefus Chrift, en fes Apoftres, en fes difciples, ou bien es Miniftres de la primitiue Eglife?
L'intelligence de ces paroles ne refpond aucunement
à ce dont il eft queftion. Iefus Chrift & ceux qui

l'ont enfuyui ont vfé de paroles conuenables pour chaffer les diables. Et toutesfois il n'y a celuy qui ne voye que le recit de paroles dont ceux ci abufent, n'a aucune accointance ou femblance auec ce qui eft entrepris. Or maintenant que ceux la poifent vn peu leur abominable facrilege, mais tant s'en faut qu'ils ayent honte d'vfer de cefte maniere de faire, que mefmes ils ne font point de dificulté d'apliquer folennellement aux beftes & aux chofes fans ame leurs coniurations execrables, & d'vfer ordinairement du nom de Dieu, lequel nous deuons craindre, fans qu'en ce faifant ils ayent aucun exemple de l'Eglife primitiue, en laquelle la pure doctrine eftoit annoncee. Ils n'ont point de honte auffi d'adapter aux vaches le figne de la croix auec l'oraifon dominicale, & la falutation Angelique repetee par trois fois, comme les auteurs du Maillet des forcieres l'efcriuent. Les doctes Theologiens tiennent qu'ils font vne grande faute & tranfgreffent le fecond commandement. De ma part ie l'eftime ainfi.

Les coniurations fuperftiticufes appliquees aux beftes & aux chofes fans ame. 2. Second. part. queft. 2. chap. 7.

OVTRE ce que deffus, Iaques de Chufe, chartreux, defcrit comme il faut confacrer le fel, le pain, & l'eau, & comme il faut manger le pain auec l'eau neuf iours fuiuans, durant lefquels faut reciter trois Pater nofter, & trois Aue Maria en l'honneur de la faincte Trinité, de fainct Hubert, &c., contre toute maladie de gens & de beftes, contre les affaux de Satan, & contre la morfure du chien enragé. Mais il me femble que ce moine a tref mal employé fon temps en tels menfonges. Il y a quelques endroits où lon pouldre de fel les gens & les beftes, & leur fait on vn parfum d'encens exorcifé : puis on prononce quelques Letanies.

ITEM pour empefcher que les forcieres n'empoifonnent le beftail, on donne la recepte qui s'enfuit. Prenez au temps de Pafques ce qui degoutte du haut d'vne chandelle benite alors, & faites de cela vne petite chandelle : puis vous leuez de matin vn iour de dimanche, allumez la chandelle, & en faites diftiller les goutes fur les cornes & oreilles de la befte, en difant : Au nom, &c., puis bruflez vn peu auec le feu de cefte chandelle la befte au deffous des cornes ou des oreilles, &c. Ce qui reftera de la cire ou chandele, plantez-le en forme de croix deffus ou deffous la porte par laquelle les beftes entrent & fortent : & de tout l'an voftre beftail ne fera endommagé des forcieres. Ils beniffent auffi le beftail à qui les forcieres oftent le laict, comme s'enfuit. Prenez des rameaux de palmes & faites vne croix, puis efcriuez ces noms Tetragrammaton, &c. & les mettez en croix, fur cefte croix, puis les couurez de cire confacree la veille de Pafques. Ou bien, efcriuez ces noms en de la cire benite, & mife en croix fur vne croix de bois des rameaux recueillis de deuant le crucéfix le iour des rameaux : puis mettez fur ce bois vn lopin de corporalier & d'eftolle benite. En apres il faut enuelopper le tout en vn drapeau de lin, y mettant deffus vn peu de Aurefne ou garderobe & des fueilles de rameaux, puis faut mettre cela dans le vaiffeau à trauers duquel on coule le laict tiré des beftes : & faut auffi que la befte malade boiue à neuf diuerfes fois de l'eau benite : & les beftes qui perdent leur laict doyuent eftre arroufees d'eau benite comme deffus, &c. Item, ce remede fert contre tous malefices au braffage, au labourage, pour les tainéturiers, pour toutes fortes de gens & beftes : & ainfi des autres, &c.

Item les noms fus efcrits doyuent eftre mis en de la cire benite, comme dit a efté ci deffus : lors ils chaffent tous malefices.

Povr guerir gens & beftes enforcelees, faut efcrire ces mots † Iefus Nazarenus † rex Iudæorum †. Non percuties eos qui fignati funt hoc figno, Thau T. & faut mettre le billet où cela eft efcrit en leur viande & bruuage. Voila les beaux remedes de ce chartreux, & d'autres moines auffi bons Theologiens & Chrestiens que luy, qui pour repouffer les forceleries faifoyent percer la corne d'vne vache auec vne tariere, & mettre dedans vne drogue compofee de cire de Pafques, d'encens du mefme iour, & d'vn lopin d'eftole.

Adioustons encor la recepte dont vfoit Chriftine chambriere de Theodore Lopers vicaire de la maladerie de Kreueld, pour faire reuenir le laict à trois vaches qu'il auoit. A leur retour des champs, fi elle voyoit ces vaches ne rendre pas tant de laict que de couftume, elle leur commandoit de fortir au nom de mille diables, & aller requerir leur laict. Lors il fembloit que ces vaches s'allaffent rendre & arrefter deuant la porte d'vne femme qu'on eftimoit forciere, ou elles mugiffoyent quelque temps, puis retournoyent en l'eftable, & difoit on qu'elles rapportoyent du laict. Quelles refueries & impoftures !

Ces beaux theologiens efcriuent que c'eft vne chofe bien experimentee & affeuree contre la grefle & les tempeftes excitees par les forcieres, de ietter trois grains de grefle dedans le feu fous l'inuocation de la tref-fainte Trinité outre le figne de la croix. Il faut auffi reciter par deux ou trois fois l'oraifon dominicale, & la falutation Angelique, & adioufter l'Euan-

Superftitieux apaifement de la tempefte excitee par les forcieres.

S. Auguftin la defend 37. q. 7 non obferuetis.

gile de S. Iean : *In principio erat verbum*, puis faire
le figne de la croix deuant & derriere en toutes les
parties de la terre. En la fin apres que l'exorcifte aura
repeté par trois fois *verbum caro factum eft*, & autant
de fois, *Per euangelica dicta fugiat tempeftas ifta* :
incontinent la tempefte ceffera. Ces theologiens en
cefte façon commettent la mefme faute laquelle ils
veulent iuger es autres : & reffemblent ceux defquels
le poëte fatyrique a efcrit.

> Cependant que les foles vont euitant les vices
> Autres pechez ils font.

Car que s'en faut il que par telles coniurations ils
ne reprefentent veritablement la maniere de faire des
impofteurs & enchanteurs? Et toutesfois ils n'efprou-
uent pas feulement ces chofes & autres femblables es
afaires de peu d'importance, mais auffi es benites
creatures de Dieu : voire mefmes ils en abufent
defloyaument es myfteres & inftitutions de Iefus
Chrift. Toutesfois ces chofes font fi abfurdes qu'elles
ne meritent d'eftre dauantage refutees, & n'y a point
de doute qu'ils ne facent vne grande faute contre le
fecond commandement : encores qu'il leur femble
tout autrement.

Mais s'ils m'obiectent que bien fouuent en prononçant le nom de Dieu & de Iefus Chrift les exorcifmes & prieres prennent fin, fi bien qu'ils impetrent
ce que ils demandent, ie leur prie d'entendre auffi
Matth. 7. les vrayes paroles de Iefus Chrift : Plufieurs me
diront en cefte iournee-là, Seigneur Seigneur, n'auons
nous pas prophetifé en ton nom? & n'auons-nous pas
fait plufieurs vertus en ton nom? Et lors ie leur diray
ouuertement : Ie ne vous conus onques : departez

vous de moy, ouuriers d'iniquité. Le diable donc ne cede point à la vertu des exorcifmes des mefchans : mais de fon propre gré, afin de toufiours confermer l'impieté, & pour dauantage enfoncer les autres dedans les gouffres d'erreur.

C'EST donques à bonne raifon que S. Thomas a efcrit au liure de la puiffance de Dieu, queftion 6. art. 10. en la folution du troifieme argument : fi Salomon a fait des exorcifmes, dit-il, du temps qu'il eftoit en eftat de falut, il fe peut faire qu'en iceux il y auoit quelque vertu de contraindre les diables, procedante de la puiffance diuine. Mais s'il les a faits du temps qu'il adoroit les idoles, tellement que c'ait efté par la vertu des arts magiques : certainement il n'y a eu aucune puiffance en ces exorcifmes pour chaffer les diables.

CHAPITRE XLI

Ce qu'il faut faire contre les venins & contre les maux que le beftail femblera endurer fupernaturellement.

'IL auient que le beftail endure quelque maladie contre nature (ce qui eft fort dificile à conoiftre, dautant que fouuentesfois il mange des venins par les pafturages, ou bien il les attire par le vent) il faudra

deuant toute chofe luy bailler quelque medicament
contre les autres affections femblables, & faire les
autres chofes que lon penfe eftre neceffaires, felon la
coniecture naturelle & felon les preceptes de l'art,
ainfi que doctement & copieufement Vegece a efcrit
Liure 6. & 7. en fes quatre liure de l'art Veterinaire, ou marefcha-
Li. 17. 18. & 19. lerie, & comme auffi Columelle, Cefar, Conftantin,
plufieurs autres tant anciens que modernes ont laiffé
par efcrit. Cela fait, il en faudra premierement
attendre l'euenement. Mais fi tout ne fert de rien, &
qu'au contraire le beftail fe meure, il fe faudra propofer la patience de Iob, & raporter toute cefte
calamité & dommage à la volonté de Dieu, lequel
donne & ofte, & fait comme bon luy femble. Et fe
faudra bien garder d'auoir recours aux magiciens,
deuins, & ceux qui font pleins d'efprit Pythonique,
contre l'euident commandement de Dieu, lefquels
certainement par vne imitation pleine de facrilege
femblent aprouuer l'idolatrie de Marc Caton, touchant la purgation des champs faite par certaines
ceremonies, folennels facrifices, par paroles & vœus
faits & dediez à la Terre, afin qu'il luy plaife nourrir
des arbres eftrangers : & mefmes par les prieres
adreffees aux arbres, à ce qu'eftans tranfplantez il
leur vienne à gré de croiftre en vne autre terre : &
aux raues, lors qu'on les feme, que il leur plaife eftre
vtiles à toute la famille & aux voifins. Item par les
prieres adreffees à Mars, à ce que le beftail & les
champs foyent conferuez.

Novs lifons en Vegece vn perfum fort vtile à chaffer
les maladies du beftail, lequel (eftant mal informé)
il efcrit eftre bon pour purifier les animaux, ofter la
forcelerie, chaffer les diables, & pour empefcher la

greſle : toutesfois par ſon odeur & ſuyuant la cauſe
naturelle il reſiſte aux maladies tant des hommes que
des autres animaux, & a la vertu de purifier l'air,
la recepte en eſt telle. Prenez deux liures de ſouphre
vif, vne liure de bitume Iudaique, de l'opoponax, de
la branque vrſine, du galban, du caſtoreon, & du
glayeul crud, de chacun 6. onces : deux onces de ſel
ammoniac, de ſel de capadoce, de corne de cerf, de la
pierre gagatte maſle & femelle, de chacun 3. onces :
de pierre hæmatite, de l'æmant, de la pierre argérite,
de chacune vne once : des hippocanpes, ou cheuaux
de mer, des queuës & des ongles marins de chacun
ſept onces : trois onces de raiſin marin, de moëlle de
cerf, de gomme de cedre, de poix liquide, de chacun
trois poids : ſept os de ſeche, demie once d'or & vne
gouſſe de balluque. Toutes ces choſes doiuent eſtre
meſlees enſemble, & puis bruſlees. Mais ſi vous ne
pouuez trouuer les pierreries ſuſdites, ou bien ſi le
couſt vous empeſche de les acheter, vous ne laiſſerez
pas de faire le demourant, car il eſt de grande vertu.

CEPENDANT toutesfois il ſe faudra diligemment enquerir & auiſer s'il n'y aura point quelque meſchanceté cachee en aucun lieu, ainſi qu'il me ſouuient
auoir eſté fait en Holande par vn maçon, lequel entrant dedans les eſtables cachoit en derriere de la
fiente de loup dedans les auges, par la ſenteur de laquelle, comme par la preſence de ſon ennemy deuorant, & par vne contrepaſſion le beſtail eſtonné &
tout furieux ſe tourmentoit outre ſa couſtume deça
& de là, tellement que les laboureurs troublez penſoyent qu'il fuſt enſorcelé. Parquoy ils auoyent incontinent recours au maiſtre de toute ceſte farce, qui
eſtoit fort renommé à cauſe de la guериſon qu'il fai-

*Le
beſtail enſorcelé
par fineſſe.*

foit des forcelleries : lequel en oftant en cachette la
matiere & la caufe de tel forcellage, afauoir la fiente
de loup, faifoit incontinent ceffer la maladie. Car
depuis que la caufe eft oftee, l'effect eft femblablement ofté. Voila comment par telle profeffion il gai-
gnoit tellement quellement fa vie : toutesfois les gens
de bien l'admonneftoyent qu'il euft à renoncer de
bonne heure à telle fauffeté, autrement qu'il en pourroit eftre puni.

*Que c'eft
qu'il faut faire
contre
les poifons.*

Av refte, il faudra recourir aux medecins, pour
auoir remede contre les venins, & contre toutes boif-
fons amoureufes, afin qu'eftans diligemment inftruits
par le raport que lon leur fera, par les circonftances
& par les accidens furuenus, ils puiffent auoir affeurance, finon de l'entiere conoiffance du venin,
pour le moins par quelque coniecture, & qu'ainfi le
pluftoft qu'il fera poffible (car le retardement aporte
auec foy peril) ils puiffent ordonner par ordre les
contrepoifons, felon la qualité & grandeur du venin,
& felon que l'artificielle & exacte methode leur enfeigne d'y mettre la main. Si par ce moyen la caufe
de la maladie peut eftre conuë, l'effect s'efuanouïra
incontinent. Ie n'expliqueray point icy les venins, ni
les fignes qui fuyuent apres que lon les a pris, ni mefmes les particuliers contrepoifons d'icelle, dautant
qu'ils font conus par les medecins. Quand il auient
que les malades de telles maladies ont recours à autres hommes temeraires qu'aux doctes mede ins, certainement les pauures mal-heureux experimentent
bien fouuent le fort de la mort, encores que la vertu
peftilente du poifon foit tardiue : car fon venin acroit
peu à peu, & en fin il touche le cœur ou gift la vie.

Fin du cinquieme liure.

LE SIXIEME LIVRE

TRAITANT DE LA PVNITION
QVE MERITENT LES MAGICIENS INFAMES,
LES SORCIERES ET EMPOISONNEVRS.

CHAPITRE I

*Que selon la diuersité des magiciens infames on doit
imposer diuers suplices.*

 N ne me doit pas imputer à vice, si
i'aiouste icy mon opinion, contraire à la
vulgaire desia par plusieurs annees inueteree & receuë. Ce que ie fay comme
donnant vn surcroist aux cinq liures precedens, encores que de ma profession ie sois medecin, & qu'il
semblera parauenture que i'outrepasse les limites de
ma vocation. Car il est loisible à chacun de cercher
la verité cachee és profondes tenebres, & ne faut point
qu'il y ait aucune autorité de l'ancienneté qui luy

foit preferee. Et puis que ces impoftures diaboliques
font tellement enueloppees en des labyrinthes inex-
plicables, qu'il eft tredificile à vn chacun de s'en depeftrer, encores qu'il euft pour aide le plus rufé du
monde : certainement celuy ne doit eftre repris, lequel tafche, felon la portee de fon efprit, de defcouurir la verité : mais au contraire il doit eftre aidé, &
eft digne de louange, s'il auance vn bon œuure.
Pourquoy doncques ne fera-il permis à vn medecin,
lequel fait profeffion de recercher les chofes cachees, a
eftudié & employé le temps quelquesfois en telles
efcoles (dont les autres pourront iuger combien
heureufement) pourquoy di-ie ne luy fera-il permis
de fe prefenter en iugement, & dire fon opinion, laquelle ne preiudicie à ceux qui y ont intereft? Les
medecins auffi ne porteront aucune ennuie au legifte,
ni à autre, au contraire l'honoreront doublement,
toutesfois & quantes qu'il donnera fon iugement de
chofes controuerfes entr'eux ou bien de celles qui par
vn long vfage & par opinions y ont pris pied. Nous
irons au deuant & embrafferons ceft auis s'il nous
conduit à la conoiffance de verité : mais fi au contraire il fe rencontre non receuable, nous le reiet-
terons.

Ie diray donques, fous correction des legiftes, qu'il
ne faut egalement, confufement & fans difcretion des
vns aux autres, chaftier de pareille punition les magiciens infames, qui font de diuerfes fortes, lefquels à
bonne raifon i'ay cy deffus diftinguez d'auecques les

*Tous
les Magiciens
ne doiuent
eftre punis
de mefmes peines.*
forciers & empoifonneurs. Car tous ceux que i'ay
nommez magiciens, font ceux qui recerchent ces fciences curieufes & ces characteres de blafphemes, non
par ignorance ou par contrainte, mais de leur propre

gré & par grande eſtude, non ſans y faire de grands
frais & bien ſouuent de longs voyages pour la recerche d'icelles. Quelquefois ils achetent à grands couſts
les liures execrables de ceſt art, deſquels les ſuiets &
nourriſſons du diable tettent les myſteres de la ſcience
ſatanique : afin qu'en apres ces vaillans diſciples
puiſlent receuoir le degré de maiſtriſe quand ils auront bien & fidelement ſerui leur maiſtre & principal
doſteur duquel degré il a acouſtumé de recompenſer
ceux leſquels il s'eſt aſſuietti tant en corps comme en
ame, & qu'il tire à damnement, ſi ce n'eſt que par
la grace de Dieu & eſtans pouſſez par l'aiguillon
de leur conſcience, ils renoncent au menſonge de
Satan, & ſe reconoiſſent de bonne heure. Moyſe commanda iadis que les magiciens fuſſent punis de mort.
Il appert auſſi par les paroles de ſainſt Pierre (comme
eſcrit ſainſt Clement) que depuis ils ont eſté ainſi
punis : Celuy, dit-il, mes freres, lequel ie vous monſtre eſt venu par deuers moy vn peu au parauant, &
m'a raconté des practiques meſchantes de Simon,
comment il les auoit laiſſees & auoit quitté la boutique de telle meſchanceté au profond des abyſmes :
non pas qu'il en euſt regret ou qu'il s'en repentiſt,
mais craignant qu'il ne fuſt puny par les loix. Et
pour ceſte cauſe il s'en eſt fuy tout effrayé en An-
thioche de Iudee, penſant que Ceſar le fiſt cercher
pour le punir. Caſſiodore eſcrit auſſi que l'arreſt
d'Athalaric roy des Goths eſt tel, qu'il faloit punir par
la rigueur des loix les ſorcieres, ou ceux qui croyent
qu'il faut deſirer quelque choſe par le moyen de leurs
ſciences mal heureuſes. Car c'eſt vne choſe meſchante
que d'eſtre doux, à l'endroit de ceux que la pieté
celeſte ne veut qu'on laiſſe impunis. Raportons en-

Leuit. 20.
Deut. 18.
Liure 3.
des recog.

Abdi
liure 1.
de l'hiſtoire
des Apoſt.

Liure 11.
des recogn.
Liu. 9. chap. 13.

208

LIVRE VI.

*Liu. 8. chap. 19.
de la
Cite de Dieu*

cores icy l'opinion de sainct Augustin, lequel dit selon la sentence de Ciceron, qu'il estoit escrit es douze tables des antiques loix Romaines : Celuy soit puny par supplice, lequel exercera ces arts. On entend en ceste loy le magicien & empoisonneur, & non vne pauure vieille decharnee, laquelle n'a ni science ni conoissance d'aucun art. Toutes les republiques bien policees condamnent les sciences des magiciens.

Il y a cependant plusieurs magiciens qui ne sont si exorbitans en meschanceté au detriment d'autruy, que en recitant, selon que bon leur semble, vne maniere de coniuration superstitieuse ou pleine d'impieté, ou bien en murmurant tout bas & en secret quelques paroles sottes, à raison d'vne societé & acointance secrette qu'ils ont prise auec les diables par le consentement de leur volonté, font paroistre en vn vaisseau, ou dedans vn mirouër, ou en l'aer, ou en autre endroit, l'image & representation de quelque chose que ce soit, laquelle on demande, ayant parauant charmé les yeux de ceux qui les regardent. Or ne peuuent ils rien monstrer veritablement ou essenciellement par ce moyen, sinon des choses imaginaires & phantastiques : comme tous les magiciens de Pharaon, qui estoyent de mesme profession & pouuoir que ceux-cy, ne firent oncques monstre que d'vne prestigieuse semblance des choses. Il faut admonester & contraindre ceste sorte de magiciens, qui ne sont point nuisibles, qu'en renonçant à l'acointance qu'ils ont auec le diable, ils ayent à se reconoistre. Il en faut autant faire en toute Republique bien policee aux charlatans, bastelleurs & ioueurs de passe-passe, afin que cy apres ils n'attrapent plus par ce moyen cauteleux les deniers du simple peuple, lequel de sa nature est amateur de

*Exod. 7. 8.

La
peine
des magiciens
qui ne font pas
beaucoup de mal.*

chofes curieufes. Tous ceux qui s'effayent de tirer en
chofes ferieufes ou ioyeufes aucun effeﾃ que ce foit,
contre l'ordre de la nature, contre l'vfage de la parole
de Dieu, & ce par mefchantes execrations, exorcifmes, prieres, abus pleins de blafpheme du nom de
Dieu, contre le fecond commandement, & par paroles
barbares, qui d'elles-mefmes defcouurent leur auteur:
tous ceux-la, di-ie, doyuent eftre premierement instruits par vne plus pure doﾃrine, puiﾃ contrains &
retenus par tres expres commandement, à ce qu'ils
ayent à fe reconoiftre, comme eftans feﾃateurs des
fciences curieufes contre leur propre falut. Et où il
auiendroit qu'obftinément ils perfeuerent, il leur
faudra impofer vne amende arbitraire par laquelle ils
foyent retenus, afin que lon ne die que ils ayent forfait contre la loy que Moyfe eftablit contre les blafphe-
mateurs.

Av refte, il y a plufieurs magiciens, qui font reli-
gieux de profeffion, comme ils difent, & qui n'ont
point honte de fe vanter fçauoir des fciences occultes,
d'entendre les forceleries & leurs guerifons tellement
que fi quelqu'vn eft afligé d'vne maladie fafcheufe,
inconuë au vulgaire ignorant, & non accouftumee, &
que fe confiant à leur fauffe fcience on leur demande
confeil : ils perfuaderont que cefte maladie procede
de forcelerie ou enchantement, encores qu'elle foit
iffue d'vne caufe naturelle & non inconuë à ceux qui
font mieux exercitez en la medecine. Ils paffent encores plus outre, & par quelques indices ils mons-
trent comme au doigt vne pauure femme fouuentesfois innocente : ils controuuent la maladie,
ils chargent l'innocent d'vne calomnie inuincible,
& font trompeurs doublement, & doyuent eftre

Leuit. 21.

IEAN WIER, II.   14

mis au rang non feulement des faifeurs de fauſſe
monnoye, qui font les harpies du gain deshonneſte,
dautant que ſous ombre de pieté ils amorſent les
perſonnes & les vouent & offrent au diable : mais
auſſi il les faut eſtimer comme ceux qui ſement des
libelles difamatoires ſi nous voulons iuger iuſtement
& egalement de ceſte ſemence feconde, de laquelle
naiſſent tant de controuerſes & haines mortelles, par
leſquelles les voiſinages, les bourgs & les villes s'en-
tremangent & ruinent. Et toutesfois ceſte maniere de
gens n'eſt deſtituee de ſes defenſeurs, à raiſon parauenture du tiltre de religion lequel ils portent. Car celuy
qui touche ces oingts eſt accuſé de vouloir creuer
l'œil a Dieu meſme. Voila à leur conte, vne grande
meſchanceté & digne de mort. C'eſt, diſent-ils, le
moins qu'on puiſſe faire que de les retirer de ceſte
choſe, ou de les debouter de la iouiſſance de leurs
biens, ou de les enuoyer en exil. Or ie laiſſe entre les
mains de ceux qui ont intereſt & pouuoir de les
punir, d'augmenter, diminuer la peine, ou de la
changer ſelon l'enormité du meffaiɔt, afin que lon ne
die que i'outrepaſſe les limites de ma vocation.

Punition
des medecins
magiciens.

Il faut mettre en ceſt meſme catalogue des magiciens
(car ainſi le meritent-ils) tous ceux qui contre la
maieſté & vray vſage de la parole de Dieu & au meſpris inſuportable de la medecine ſacree & treſutile
entre toutes ſciences, donnent contre toutes maladies
tant des hommes que des beſtes, du ſel exorciſé par
coniurations & par paroles ſacrees, detorquees en
ceſt exorciſme, & font auſſi boire de l'eau exorciſee
par ceſte meſme puiſſance, ou par exorciſmes deſtituez de vrayes vertus, ou par paroles mal ſonan-
tes & hors de propos, ou par quelque nom ſacré, ou

par quelques paſſages de la ſain&te Eſcriture, fardez &
maſquez finement, afin que la fraude n'apparoiſſe,
comme dit ſain&t Auguſtın. Il y faut mettre auſſi
tous ceux qui s'aident de paroles ſacrees ou eſtranges
& ſans ſignification, recitees, ou eſcrites, ou pendues au col, ou attachees en quelque endroit que ce
ſoit. Il n'y a point de doute, & faut confeſſer que
toutes telles gens ſurpaſſent les bornes de ſuperſtition : & pour ceſte cauſe ils doyuent eſtre repris
aigrement & refrenez de peur que tant ceux qui ſont
ces choſes, que ceux qui les permettent, ne treöuſchent
en meſchanceté & ſacrilege d'idolatrie, & que quelque
iour ils ne ſe repentent trop tard quand ils en ſeront
punis.

CHAPITRE II

Quel chaſtiment meritent les deuins, & ceux qui por-
tent vn diable enfermé en vn anneau, ou en du
voirre. Item, que tous les liures de Magie doyuent
eſtre bruſlez.

v reſte, pluſieurs magiciens enflez de
l'eſprit de Python, ſe meſlent de deuiner, & ſe vantent de pouuoir faire
retourner les choſes perdues que quel-
qu'vn aura deſrobees, ou de monſtrer le lieu où elles

Les
deuins
& prognoſtiqueur
doyuent
eſtre mis au rang
des
pertubations
de la
republique
& des fauſſaires.

ont efté ferrees, ou de defcouurir les chofes cachees &
defquelles on eft en doute. Mais comme ainfi foit que
telles gens pouffez de l'amour qu'ils fe portent, facent
profeffion d'vne fcience occulte, laquelle ils ignorent,
afin que lon les eftime eftre quelque chofe : & qu'ils
font pouffez de leur propre malice pour tromper, ou
allechez par auarice pour faire gain par fraude, encores que le plus fouuent ils n'entendent rien que par
la cooperation de Satan, & ne laiffent de fe vanter
qu'ils ont la conoiffance des predictions (encores qu'ils
parfacent ce qu'ils promettent, par quelques exorcifmes, execrations, vœus & ceremonies) ie tien qu'on
les doit mettre tous au rang des feditieux, perturbateurs de la republique & fauffaires, comme eftans
tous apuyez fur menfonges, & fur l'auteur de menfonges, comme fur vn tefmoin trefaffeuré, auquel fe
confians, ils accufent de larcin ou d'autre mefchanceté, ceux qui ont toufiours vefcu paifiblement & en
eftime de gens de bien entre leurs voifins, defquels
ils ont efté toufiours reconus pour innocens. Et toutesfois eftans ainfi notez fans l'auoir merité, ils font
fleftris d'vne calomnie qui demeure attachee à leurs
fucceffeurs, & par ce moyen il y a plufieurs familles,
peuples & voifinages celebres, qui parauant auoyent
toufiours vefcu paifiblement, lefquelles font troublees
& defiointes par enuies & par haines. Le magiftrat

Leuiti. 20.

La
punition
que
Moyfe
a ordonné
aux deuins
& magiciens.

leur doit premierement faire defenfe, puis les condamner à l'amende pecuniaire & arbitraire felon la
qualité de mesfait : & où ils ne defifteront, ils doyuent
eftre punis par banniffement, comme il me fouuient
auoir efté autresfois prattiqué par grande prudence
contre vn deuin nommé Ioachim, par le celebre
Senat de Gueldres. Car ie ne leur fouhaite pas la

punition qui leur a esté ordonnee par Moyse en la Loy
selon la volonté de Dieu, laquelle est telle : l'homme
& la femme esquels l'esprit pythonique ou de diuination sera trouué, mourront de mort, on les lapidera,
& leur sang soit sur eux. Item, la personne qui se re-
tournera aux sorciers ou aux deuins faisant fornication apres eux, ie mettray ma face contre ceste personne, & la feray exterminer du milieu de mon peuple. Item, en Deuteronome dixhuitieme chapitre :
En toy ne sera trouué magicien vsant d'art magique,
ni homme ayant esgard aux temps, ni aux oiseaux, ni
sorcieres, n'enchanteur qui enchante, ni homme demandant conseil aux esprits familiers, ni deuins, ni
demandant auis aux morts : car tous ceux qui font
telles choses, font abomination au Seigneur, & à
cause de telles abominations le Seigneur ton Dieu les
exterminera de deuant ta face. Ainsi mourut Ocho-
sias Roy d'Israël : car estant malade il mesprisa le
vray Dieu & les moyens legitimes, & enuoya vers
Beelzebub dieu d'Accaron. Pour ceste cause le Roy
Saul, par vn edict public, les bannit sous grandes
peines qu'il ordonna : il chassa de la terre les magiciens & deuineurs, & fit mourir ceux qui auoyent des
esprits pytoniques en leurs ventres. Luy mesme aussi
ne peut eschaper ceste punition, pourautant qu'il re-
courut à la femme Pytonique en Endor. Le Seigneur
Dieu encores se courrouça fort contre Manassé &
contre les Israëlites, qui furent griefuement punis de
ce qu'ils auoyent supporté les deuins, au second des
Rois, chapitre dixseptieme & vingt & vnieme. Isaye
aussi s'en est souuenu, es chapitres dixneufieme &
quarantequatrieme.

Il faut enroller ici tous ceux qui portent vn mise-

La
punition
de ceux
qui portent
vn diable
enferme
en vn anneau,
ou
enchaſté
dedans vn voirre.

rable diable, afin qu'il obeïſſe à leur volonté, & leur reſponde, lequel ils ont attiré par parfums & ceremonies, & l'ont empriſonné ſubtilement & artificiellement dedans vn anneau fait par vn orfeure : ou bien ceux qui le portent dedans vn chriſtal ou dedans vn voirre dur & difficile à caſſer, là où il eſt ſi eſtroitement & irremiſſiblement enchaîné, que ſeulement il fait ſeruice en deuinant ou en deſcouurant les choſes cachees à ſes maiſtres, comme feroit vn ſeruiteur captif ou vn eſclaue, car ainſi le demande l'ordre des choſes naturelles, que comme le maiſtre eſt maiſtre du ſeruiteur, ainſi eſt le ſeruiteur du maiſtre. C'eſt toutesfois vne choſe eſmerueillable comment ce voirre ne ſe fond par la chaleur du diable qui de nouueau y eſt accouru du profond du feu d'enfer.

Il ne faut aucunement endurer ceſte maniere de gens, qui font premierement tort à leurs ames, trompent les hommes, & ſe ſouillent d'impieté. Les conſeillers d'Arnhem en Gueldres ont propoſé & diuulgué depuis peu de temps pa l'autorité l'Empereur vn exemple de iuſte punition, lequel eſt grand, & digne d'eſtre imité, par eux pratiqué contre vn homme de ceſte profeſſion nommé Iaques Ioſſe de la roſe, de Courtray, lors que le Chancellier M. Adrien Marin Nicolai, excellent en doctrine, bonne renommee, & prudence, auquel ie ſuis fort tenu pour pluſieurs raiſons, preſidoit en ceſte compagnie. C'eſt homme portoit vn anneau dedans lequel il penſoit auoir enfermé vn diable par exorciſmes, & à qui il eſtoit contraint parler de cinq iours en cinq iours pour le moins, pour ſauoir de luy des nouuelles & autres choſes dont il l'interroguoit. Il auoit auſſi des

liures, dans lesquels plusieurs sorceleries & coniurations estoyent contenues, & au moyen dequoy il
vouloit guerir & discerner les maladies, non seulement des hommes, mais aussi des bestes, procedantes
de la sorcellerie, d'auec celles qui sont naturelles.
Parquoy apres qu'il eust esté quelque temps detenu
prisonnier, il fut mené au lieu public deuant le palais,
où estant solennellement enuironné d'vne grande
partie du peuple, il fut contraint par la sentence
qu'il auoit receuë de rompre auec vn marteau la
feincte prison du diable captif, asauoir l'anneau, &
de donner par ce moyen liberté à son prisonnier,
sinon que quelqu'vn voulust dire que par la violence
du marteau le diable eut esté escaché, puis qu'il estoit
enfermé dedans la partie plus massiue d'iceluy. Et
fut contraint de ietter ses liures au feu, & d'attendre
qu'ils fussent consumez du tout. Puis il fut banny,
ayant payé les despens de la poursuite tels que de
raison. Cela fut fait à Arnhem le 14. de Iuillet,
l'an 1548. On doit par mesme moyen condamner &
rompre par sentence solennelle le chrystal, les voirres
& autres tels organes consacrez & dediez à vsages
semblables & malheureux : & la punition ordonnee
à ceux qui les font & les maintiennent selon l'enormité du mesfait, comme le Magistrat auisera estre
bon de faire suyuant l'equité.

Les anneaux, chryſtail, voirre & autres telles choſes doyuent eſtre rompues en public.

Av reste, nous ne deuons aucunement douter de
ce que lon doit faire des liures de ces sciences
curieuses, veu que nous en lisons vn exemple memorable & digne d'estre imité par toute la posterité &
sans aucune doute, lequel est escrit es Actes des
Apostres, où nous lisons, comme par la predication
de S. Paul faite en Ephese tous les liures d'execra-

Les liures des magiciens doyuent eſtre bruſlez

Act. 19.

Abdi.
liure 4.
de
l'hiftoire
des Apoftres.

tions furent aportez & bruflez iufques au prix de
cinquante mille pieces d'argent. Hermogene le magicien aporta vne grande quantité de liures de magie
à fainct Iaques, lefquels furent tous bruflez. Athanafe
efcrit auffi au liure de l'humanité du verbe, que
tous ceux qui auoyent eu la magie en admiration,
bruflerent leurs liures. Et Vlpian le iurifconfulte
veut que tous ces liures comme damnables & de
lecture reprouuée, foyent defchirez. L. *Cæteræ.* § 1.
ff. fam. hercife.

Augu.
de la
cité de Dieu,
liu. 8. chap. 19.

RAPPORTEZ ici tout ce grand theatre de deuinations
demoniaques, lefquelles nous auons mifes au fecond
liure entre les magiciens infames. L. Apulee fut
acufé de necromance par Sycionie Emilian par deuant
Claude Maxime proconful d'Afrique, par lequel,
comme quelques vns veulent, il fut condamné,
encores que plufieurs eftiment eftre auenu autrement. Le Roy Charles VII fit pendre vn Marefchal
de France, nommé Gilles, pource qu'il eftoit magicien. Plutarque en la vie d'Artaxerxes defcrit la
punition des magiciens en Perfe.

CHAPITRE III

Ce que les loix & les Decrets ont arreſté touchant les magiciens, deuins, & ceux qui vont au conſeil par deuers eux.

 L m'a ſemblé bon d'aiouſter icy ce que les loix & les Decrets ont arreſté touchant ceſte orde & vilaine aſſemblee de magiciens deſquels nous parlons. Et principalement à cauſe de ce que quelques vns nous obiectent, qui confeſſent que les ſorcieres n'ont aucun pouuoir à faire venir la tempeſte & la greſle. Il eſt donques eſcrit : Il y en a pluſieurs qui exercent des ſciences meſchantes, troublent les elements & les gaſtent, ne pardonnans meſmes à la vie des hommes innocens, auſquels ils portent dommage. Et pour autant que telles gens ſont aduerſaires de nature, il faut qu'ils ſoyent punis de mort. Or auons-nous aſſez monſtré par cy deuant que nos ſorcieres ſotes, vieilles & radotees, n'exercent aucun art, & que meſmes elles ne peuuent par aucun moyen troubler ou gaſter les elemens, non plus qu'aucun des hommes. Parquoy ceſte loy ne les concerne aucune-ment. Mais s'il y en a quelques vnes qui eſpient la vie des hommes pour l'endommager, il n'y a point de doute qu'elles ne le facent par le moyen des venins : & pour ceſte cauſe elles doiuent eſtre nom-

L. multi. C. de maleficiis & mathematicis.

mees forcieres & font empoifonneufes, & par confequent elles doiuent eftre punies felon ceft edict. Il
eft auffi efcrit au neufieme liure du Code par l'Empereur Conftantin Augufte à Maxim. Nul deuineur,
nul preftre (c'eft à dire docteur de la magie defendue)
& nul de ceux qui ont acouftumé de miniftrer &
femer telles fuperftitions, n'aproche du fueil de la
porte d'autruy, ni pour autre aucune chofe : ains que
l'amitié de tels perfonnages foit chaffee encores qu'elle
foit d'ancienneté. Que lon brufle le deuineur lequel
fera entré en la maifon d'autruy, & que celuy qui
l'aura fait venir par prieres ou par prefens, foit enuoyé en exil en vne ifle, apres que fes biens auront
efté confifquez. Le mefme Empereur efcrit au peuple :
Que perfonne ne voife au confeil vers le deuin, ou
vers le mathematicien, ou vers le necromancien :
Que la fauffe confeffion des deuins & prognoftiqueurs
ne foit entendue. Que les Chaldeens, magiciens &
autres, que le vulgaire nomme empoifonneurs, à
caufe de la grandeur de leurs mesfaits, n'entreprennent aucune chofe touchant cecy : bref, que la
curiofité de deuiner foit abolie pour toufiours. Le
mefme Empereur efcriuant à Taurus grand preuoft
de l'Empire : Encores que les corps de ceux qui font
conftituez en dignité foyent mis aux tourmens,
afauoir outre les crimes monftrez par les loix : & que
les magiciens qui font en quelque partie de la terre,
foyent eftimez ennemis du genre humain : pour
autant toutesfois que ceux qui font à noftre fuite ont
quafi la mefme maiefté : s'il fe rencontre quelque
magicien, ou quelque autre adonné aux exercices
magiques, que le vulgaire par couftume apelle forcier,
ou s'il fe rencontre quelque deuineur, prognoftiqueur,

*Les
loix impériales
contre
les deuins,
magiciens, facri-
leges
& empoifonneurs.*

*Chaldeens,
magiciens
& empoifonneurs.*

augure ou mathematicien, ou autre qui cache vn art de deuiner par songes, ou face quelque chose de semblable en nostre suite ou de nostre associé à l'Empire, qu'il soit despouillé de sa dignité & n'euite point la peine & les tourmens. Mais s'il est conuaincu & qu'il nie & repugne à ceux qui auront descouuert sa meschanceté, qu'il soit mis sur la gehenne & qu'en luy deschirant les flancs auec griffes de fer il porte la peine deuë à sa meschanceté.

Nvl ne doit prendre conseil du deuin, & tout homme doit cesser de deuiner : & quiconque fera le contraire, sera puny. *h. d. fecundum Sal.*

Personne ne doit demander conseil à vn enchanteur pour sauoir les choses auenir ni aux Chaldeens, ni aux sorciers : & quiconque fera autrement, il sera puny capitalement. *Viuian.*

Cevx qui inuoquent les diables, ou qui font des charmes par des images de cire, soyent punis. *h. d. Sal.*

Cevx qui font des enchantemens pour mauuaise fin, doyuent estre punis. Et encores qu'ils les facent à bonne fin, si est-ce qu'ils seront punis de droict Canon, *26. q. 2. cap. illos &c. ex tuorum. extra. de sortilegis, &c. fin. c. tit. vbi glosa. Bart. Sali.*

Vlpian *in l. item apud Labeonem. §. si quis. ff. d^ iniur.* dit que ceux sont condamnables par les constitutions des princes qui font profession d'aucune diuination illicite. *iuxta l. nemo habet. C. de mathemat.*

Les deuinations & les consultations des deuins sont condamnees au Synode de Tolede, & es epistres decretales, de Gregoire, *& hab. 26. q. 5. si quis :* Si quelcun s'arreste aux deuineurs, pronostiqueurs, ou enchanteurs, ou quiconque se sera aidé de phylacteres, qu'il soit excommunié. La glose dit que les phylacteres sont les billets ou breuets dedans lesquels les enchantemens sont escrits. Le mesme, *& hab.* 26. *q.* 5. *contra :* Nous exhortons soigneusement vostre fraternité qu'elle ait à prendre garde d'vn soin digne de pasteur, contre ceux qui adorent les idoles, contre les deuineurs & sorcieres. Que s'il auient qu'ils ne se vueillent repentir & amender, nous voulons qu'ils soyent chastiez de verges s'ils sont serfs : mais s'ils sont libres, ils doyuent estre enfermez, & menez en prison.

S. Augustin, 26. *q. vltima admoneant :* Que les prestres fideles amonestent leurs peuples de penser que les arts magiques & enchantemens ne peuuent aporter aucun remede aux maladies des hommes &c. Item si quelque ecclesiastique exerce ces choses, qu'il soit degradé : si c'est vn lay, qu'il soit excommunié.

Item au Concile d'Ancyre, chap. 34. Ceux qui cerchent les deuinations, qui ensuyuent la façon de faire des Gentils, ou qui introduisent en leurs maisons ces gens pour sauoir ou pour purger quelque chose par art magique, qu'ils soyent submis à la reigle de cinq ans selon les degrez ordonnez pour penitence. La glose. les gens sont bruslez selon la loy : & ceux en la maison desquels telles choses sont faites, sont bannis apres la confiscation de leurs biens. *C. de malefi. nullus.*

En ce mesme Concile furent condamnez par vn decret general les enchantemens & sorceleries comme pernicieuses inuentions des diables : & est commandé aux Ministres des Eglises d'arracher entierement ce mal du milieu de leurs troupeaux. Item il leur est

enioint de refuter & condamner l'opinion que les forcieres ont que de nuiǎt elles font montees fur des
beftes de toutes fortes, & font beaucoup de chemin
en l'air volans apres Diane : veu que rien de tout cela
ne fe fait à la verité, ains elles font trompees par les
illufions du diable.

Iᴛᴇᴍ en vn Synode du Pape Martin : Si quelqu'vn,
fuyuant la maniere de faire des payens, introduit des
deuins ou des forcieres en fa maifon, comme pour en
chaffer le mal dehors, où pour ietter quelque forcelerie ou pour faire les purgations payennes, qu'il
en face penitence par l'efpace de cinq ans.

Iᴛᴇᴍ au Concile de Laodicee, *can*. 36. Il ne faut
point que les preftres ou clercs foyent magiciens ou
enchanteurs, ne qu'ils facent des phylaǎteres, qui
font autant de cordeaux pour eftrangler leurs ames.
Nous ordonnons que ceux qui pratiqueront telles
chofes, foyent iettez hors de l'Eglife.

Iᴛᴇᴍ felon le 4. Concile de Tolete chap. 30. Si
quelque Euefque, ou preftre, ou diacre, ou autre de
quelque ordre ecclefiaftique, eft furpris & defcouuert
d'auoir pris confeil des deuineurs, enchanteurs, prognoftiqueurs, augures, forciers, ou autres qui facent
profeffion de l'art magique, & qui exercent telles
chofes femblables : eftant fufpendu de l'honneur de
fa dignité, qu'il prenne le foin d'vn monaftere : & que
là eftant condamné à perpetuelle penitence qu'il paye
fa facrilege mefchanceté commife.

Gʀᴇɢᴏɪʀᴇ efcrit à Adrian notaire : On nous a
rapporté que vous auez pourfuyui quelques enchanteurs & forciers. Affeurez vous que voftre follicitude
& bon zele nous a efté agreable. Il faut auffi que
vous ayez foin de vous enquerir diligemment & de

26 q 3 c.
non oportet.

corriger d'vne punition eſtroiſte autant que vous trouuerez de ces ennemis de Chriſt.

Iᴛᴇᴍ ſelon le Concile d'Orleans : Si quelque eccleſiaſtique, moyne ou ſeculier a opinion qu'il ſale obſeruer les deuinations & prognoſtications, ou qu'il ſale appliquer à aucun les ſorts qu'ils diſent eſtre des ſainⅽts, que celuy ſoit chaſſé de la communion de l'Egliſe, & ceux auſſi qui auront creu auec luy.

Iᴛᴇᴍ ſelon le Concile de Carthage, chap. 39. Nous commandons que celuy qui ſert aux augures & enchantemens, & qui s'arreſte aux ſuperſtitions & ſabbats des Iuifs, ſoit ſeparé de la congregation de l'Egliſe.

Sᴇʟᴏɴ le Concile Acquirence, *part. 2. cauſ. 26. quæſt. 5. epiſcopi.* Que les Eueſques & leurs miniſtres s'eſtudient de tout leur pouuoir à defraciner de fond en comble hors de l'entendement de leurs parroiſſiens la ſorcellerie & art magique pernicieuſe, inuentee par le diable : & s'ils rencontrent quelque homme ou femme qui ſuyue ces meſchancetez, qu'ils les iettent hors de leurs paroiſſes comme eſtans vilainement deshonorez. Car l'Apoſtre dit : Euite l'homme heretique apres la premiere & ſeconde correⅽtion, ſachant que celuy qui eſt tel eſt renuerſé, & qu'il a peché eſtant condamné par ſoy meſme. Ceux-la ſont renuerſez & detenus captifs par le diable, qui delaiſſans leur Createur cerchent l'aide du diable. Et pour ceſte raiſon la ſainⅽte Egliſe doit eſtre nettoyee de telle peſte.

Iʟ y a le Canon 61. de la condamnation des ſorciers : Ceux qui ſe ſont adonnez aux deuins, ou à ceux qui ſe nomment centurions, ou à quelques autres ſemblables gens pour aprendre d'iceux s'ils leur veulent reueler quelque chofe, felon ce qui a efté par cy deuant arrefté par nos peres foyent punis felon le Canon qui eft des fix ans. Il faut punir de mefme tous ceux qui pourment ça & là des Ours, ou des femblables beftes pour le plaifir & damnation des idiots : & ceux auffi qui difcourent fur les folles tromperies de la fortune, du deftin, de natiuitez & de tous tels amas de vaines paroles. Autant en faut-il faire à ceux qui difent chaffer les nues, aux maudifeurs, aux faifeurs de fermaillets & aux deuins. Au refte, nous difons felon les fainfts Canons, qu'il faut du tout reietter de l'Eglife ceux qui perfeuerent en ces chofes, & qui ne changent point leur mauuaife opinion, comme auffi ceux qui n'euitent ces pernicieufes & Ethniques inftitutions. Car quelle accointance y a-il de la lumiere auec les tenebres? ou quel acord de Chrift auec Belial?

Av troifieme canon du Concile d'Agde, Il fe faut enquerir, s'il y a quelque femme qui fe vante de pouuoir changer les entendemens & cœurs des hommes par quelques malefices & enchantemens : item, de les pouuoir conuertir de haine en amour & d'amour en haine, ou leur ofter, ou leur gafter leurs biens : & s'il s'en trouue quelqu'vne qui fe dife auoir efté transformee & emportee auec la troupe des diables pour courir de nuict en l'air fur certaines beftes, & eftre de la bande : qu'on fouette telles femmes & qu'elles foyent chaffees hors de la parroiffe. Ici n'eft faite aucune mention des forcieres, felon que nous les auons defcrites, ni des crimes qu'on leur attribue : partant il ne les faut chaftier de mefmes fupplices que les malefiques dont eft ici fait mention. Semblablement la loy Mahumetique condamne tout art

diuinatoire, & tient que Dieu feul conoit les chofes
fecrettes & avenir : au moyen de quoy tels deuins
& leurs adherans font quelques fois emprifonnez par
les inquifiteurs Mahumetiques.

En ceft endroit i'adioufteray l'auis d'Ifichius, contenu au 2. liure de fes commentaires fur le 7. chapitre du Leuitique. Tous ceux, dit-il, qui obferuent
les augures, deuinations, purgations, iours, & temps,
& encores plus les magiciens & empoifonneurs, font
abominables deuant Dieu. Et au 6. liure des mefmes
commentaires fur le 20. chapitre. Nous auons declairé ci deuant, dit-il, que ce n'eft pas vne legere
faute d'auoir recours aux magiciens ou empoifonneurs : car en l'vn & en l'autre on fe recule de Dieu,
foit qu'on eftime les Pythoniques & empoifonneurs
fenfibles ou intelligibles au nombre defquels font
ceux-la, les trompeurs & flatteurs, qui predifent
chofes fauffes au nom de Chrift, & qui par mefchantes
doctrines corrompent l'entendement de plufieurs,
tellement qu'ils deftournent leurs oreilles de la verité, & s'adonnent aux fables & à menfonges. Item,
C'eft vne trop grande mefchanceté d'eftre deuin ou
enchanteur : car celuy qui eft tel eft corrompu &
corrompt les autres en fon iniquité. S. Cyprian au
liure du double martyre dit que les magiciens renoncent Iefus Chrift couuertement, veu qu'ils ont
alliance auec les diables qui font fes ennemis.

CHAPITRE IIII

Edits des Empereurs, touchant la punition des deuins & magiciens infames.

N cest endroit i'adiousteray les edits publiez contre les deuins & magiciens infames, contenus au liure des Statuts de l'Empire publiez en Aleman : & les expliqueray sommairement.

En l'article 17. Que personne ne soit emprisonné, ni mis à la question estant accusé par vn magicien infâme ou devin : neantmoins ce magicien & delateur sera chastié. Si le iuge passe outre sur l'accusation du magicien, il sera tenu de payer les despens dommages & interests de l'accusé qu'il aura emprisonné, torturé & difamé.

En l'art. 35. Si quelcun veut aprendre à vn autre l'art magique, ou qu'à cause d'icelle il ait menacé son prochain, & qu'il s'en ensuyue du mal : ou si quelqu'vn a eu grande accointance auec enchanteurs & enchanteresses : ou s'il s'est aidé de telles choses, & que pour ceste raison il ait esté estimé & appellé magicien : ces indices semblent sufire pour faire qu'vn tel soit mis à la torture.

Or le chemin & la procedure que lon tient maintenant est toute autre, veu que par l'accusation malicieuse ou par la fausse presomption d'vne populace

abeltie, certaines vieilles mocquees & affaillies par le
diable, ou pluftoft bleffees & enforcellees par iceux,
font iettees par la iuftice dedans des cachots de brigands, & repaires des malins efprits, puis on les liure
aux bourreaux qui les defchirent fur la torture, in-
uentans auec vne horible cruauté, des tourments in-
dicibles. Car bon gré maugré, tant innocentes puiffent
elles eftre, on ne les ofte point de la torture qu'elles
n'ayent confeffé le forfait dont on les acufe. Par ainfi
il auient qu'elles aiment mieux eftre bruflees &
mourir innocentes en peu d'heures, à l'apetit de ces
fanguinaires, que d'eftre continuellement tirees fur
les gehennes & tortures de ces cruels bourreaux.
Mais fi à force de tortures elles meurent entre les
mains des bourreaux, ou que par les tourmens leur
vigueur foit tellement efpuifee en ces tenebres ou
elles font, que venans à voir le iour elles expirent incontinent, alors chacun crie, qu'elles fe font tuees,
ou que le diable leur a rompu le col, combien que
cela puiffe eftre auenu de la rigueur de la torture, &
de l'ordure de ces cachots. Mais quand celuy qui
fonde les reins & les cœurs, ceft enquefteur & iuge de
la verité plus cachee, aparoiftra, vos procedures feront
manifeftes, ô iuges fanguinaires, ô hommes cruels,
inhumains, & deueftus de compaffion. Ie vous
aiourne deuant le trefiufte throne de ce iuge fouuerain, qui iugera entre vous & moy, alors la verité
enfeuelie & foulee aux pieds fera debout pour demander raifon & faire vengeance de toutes cruautez.
Alors aparoiftra quelle conoiffance vous auez eu de
chreftienté, dont quelques vns d'entre vous fe glorifient tant : lors vous fentirez quel poids la parole de
Dieu aura eu parmi vous : lors on vous mefurera de

Les iniuftes & temeraires iuges doyuent penfer à ceci. Ceux qui procedent fagement & en crainte de Dieu en tels faits ne font touchez aucunement en toutes ces menaffes.

la mefme mefure qu'aurez mefuré. Ie pourroy prouuer aifément ces chofes par exemples manifeftes en
l'Empire Romain, ou ceft edit a efté publié : mais ie
me contenteray d'vn feul, eftant deliberé de publier
les autres (outre ceux qui font ia contenus en ceft
œuure) auec le temps, fi lon ne fe deporte de ces
cruautez & traitemens barbares.

Vn certain Comte que ie cognoy bien, eut depuis
deux ans en çà deux forcieres en prifon, lefquelles il
fit brufler, apres les auoir defpecees en la torture :
dont l'vne mourut auant qu'eftre menee au feu.
L'autre, torturee à toute outrance, confeffa que par
fes forceleries, & à l'aide d'vne ieune fille, feruante
d'vne damoifelle, elle auoit fait deuenir fol vn certain
gentilhomme. Alors & tout foudainement cefte fille
fut emprifonnee auec vn homme : & tous deux
furent tant tirez par le bourreau, que le iuge, eftant
venu par le commandement du Comte vers moy, qui
auois demandé les confeffions des deux femmes
bruflees, me confeffa de fa propre bouche, n'eftre
eftonné d'autre chofe que de ce que la fille auoit peu
endurer tant de queftions ordinaires & extraordinaires. Dauantage, lon auoit efprouué en cefte fille,
fi elle nageroit fur l'eau, ce qui auint, & penfe on
que c'eftoit vn fuffifant tefmoignage pour prouuer
qu'elle eftoit forciere. Ie defcriray la fauffeté en vn
mot, c'eft que le gentilhomme n'eftoit point enforcelé,
mais demoniaque : & pource qu'vn preftre & vn
moine auoyent perdu leur peine voulans chaffer le
diable, on me demanda confeil là deffus. Ie priay
auffi le Comte par fon iuge & par lettres que ie luy
efcriuis, qu'il me baillaft en garde cefte fille, pour
conoiftre la verité du fait. Au bout de quelque mois

elle & l'homme furent deliurez de prifon. Or quelque
temps auparauant, le diable s'eftoit pourmené en la
maifon du Comte, & (fi i'ay bonne memoire) auoit
tourmenté le frere baftard d'iceluy. Maintenant ce
Comte eft tout plat au lit il y a quelques mois
& ne fe peut remuer, combien qu'il y foit encores
ieune.

CONSIDERONS maintenant le 42. article de ces constitutions imperiales. Si quelqu'vn eft accufé de forcelerie, qu'on s'enquiere de la caufe & des circonstances, comme dit a efté, afauoir par quels inftrumens,
comment, quand, auec quelles paroles, & de quelle
façon le mal a efté perpetré. S'il confeffe auoir caché
dans terre ou en fa maifon quelque chofe propre à
executer fes forcelleries : il faudra donner ordre de
trouuer cela : mais s'il dit auoir marqué cela par
paroles ou characteres, il faudra auffi confiderer fi ce
font forceleries ou chofes y apartenantes : Item,
conuiendra s'enquerir qui luy a aprins ces forceleries,
comment il eft paruenu là, s'il a pratiqué ces forceleries en autres chofes, fur qui. & quel mal s'en eft
enfuyui. Ceft article commande notamment qu'on
s'enquiere foigneufement de quelle matiere, par
quels moyens, en quel lieu & temps le malefice a efté
commis : Item fi la forcelerie eft un art ou vne illufion diabolique, & fi cela fe peut faire, & eft en la
nature des chofes : fi par tels inftrumens & moyens,
fi cela conuient aux accufations & tefmoignages : &
partant faut demander confeil à ceux qui conoiffent
les fubftances des chofes & les vertus d'icelles. Outreplus, il faut fauoir quel dommage cela a peu faire :
car il auient fouuent que telles chofes font defcouuertes n'auoir non plus d'eficace que la paille qui

vole en l'air, comme il en fera plus amplement parlé es feptieme & huitieme chapitres fuiuans.

L'ARTICLE nonantehuitieme veut que fi quelqu'vn endommage autruy par enchantemens, qu'il foit bruflé vif. Mais que celuy qui aura vfé d'enchantemens fans faire tort à autre, foit puni felon la grandeur du forfait en quoy le iuge fe gouuernera par confeil. Il ne faut douter que par la vertu des enchantemens quelqu'vn ne puiffe eftre endommagé : fi cela auient, faut conclure que c'eft poifon, & non autre chofe : car le regard, les paroles ou quelque brouillerie cachee fous le fueil de la porte ou ailleurs, ne fauroyent bleffer : comme nous l'auons prouué par diuerfes raifons en ceft œuure.

CHAPITRE V

L'hiftoire du Pape Syluestre, deuxieme du nom, eft icy propofee aux magiciens qui fe repentiront.

'AY bien voulu propofer à ceux qui reconoiftront leur faute l'exemple memorable du Pape de Rome LXXXI. nommé Sylueftre fecond : felon qu'il a efté efcrit par Platine, Nauclere, Pierre de Premonftré, Benno Cardinal, en la chronique de frere

Martin de l'ordre des freres prefcheurs, & en plufieurs autres. Ce Pape eftoit nommé parauant Gilbert,
François de nation, & eftoit, comme on dit, paruenu
au pontificat par mauuaifes pratiques. Car eftant encores ieune garçon, il fut rendu moyne au conuent
de Flory diocefe d'Orleans : & ayant laiffé le monaftere il fuyuit le diable, auquel il s'eftoit du tout
adonné, & fe tranfporta à Seville en Efpagne, pour
aprendre les bonnes fciences, ou s'il s'acointa d'vn
philofophe Sarrafin grand magicien. Eftant logé chez
iceluy il vid vn liure de necromance lequel il defira
prendre en cachette : mais pourautant qu'il eftoit
gardé foigneufement, il fit tant par le moyen de la
fille de fon hofte, de laquelle il eftoit fort familier,
que l'ayant pris fecrettement, il le leut. Et encores
qu'il euft promis le rendre, fi commença-il à penfer
comme il le pourroit defrober & s'en aller : toutefois
il craignoit le danger que portoit vn tel larcin.
Gilbert doncques pouffé par la diabolique cupidité
d'ambition, par le moyen de fon maiftre obtint premierement par prefens l'Archeuefché de Rheims,
puis celuy de Rauenne, & en fin il eut auec vn peu
plus de peine, mais à l'aide du diable, la Papauté,
qui fut l'an mil, comme efcrit Pierre de Premonftré,
ou bien l'an neuf cens nonante & fept, comme efcriuent les autres. Mais ce fut à telle condition, qu'après
fa mort il demeureroit du tout à celuy par les fraudes
duquel il eftoit paruenu à cefte grandeur & dignité.
Or encores que durant fon Papat il diffimulaft les arts
magiques, fi auoit-il vne tefte d'airain, laquelle il
gardoit en vn lieu fecret, & qui luy rendoit refponfe
fi quelquefois il demandoit quelque chofe à l'efprit
malin. En fin il auint comme Gilbert cupide de

regner s'enqueroit du diable combien de temps il demeureroit en son Papat, que cest ennemy du genre humain luy respondit ambiguëment, comme de coustume : Tu viuras, dit-il, longtemps, pourueu que tu n'ailles point en Ierusalem. Ainsi donc il auint l'an quatrieme auec vn mois & dix iours de son pontificat, comme il disoit la Messe en l'Eglise de saincte Croix surnommee de Ierusalem, il tomba soudainement en vne grosse fieure, & conut par le bruit que faisoyent les diables qu'il deuoit bien tost mourir : car eux s'attendoyent receuoir bien tost leur loyer. Ainsi l'escrit Pierre de Premonstré. Toutesfois ce Pape se repentant pleura & confessa en presence du peuple l'erreur qu'il auoit suyui en la magie. Et premierement il exhorta chacun à bien & sainctement viure, à laisser toute ambition, & fraudes diaboliques : puis il pria qu'après sa mort on mit le tronc de son corps deschiré & rompu comme il meriroit, dessus vn chariot, & qu'il fust enseuely au lieu auquel les cheuaux le trainans s'arresteroyent d'eux-mesmes. Or ainsi qu'il estoit en ces angoisses de la mort, il suplioit, comme dit Benno, que lon luy coupast les mains & la langue par laquelle il auoit blasphemé Dieu, en sacrifiant aux diables. On dit doncques (comme escrit Platine) que par le vouloir & prouidence de Dieu les cheuaux s'arresterent d'eux-mesmes pres l'Eglise de S. Iean de Latran, & qu'en cest endroit son corps fut enseuely afin que les meschans conoissent qu'ils pourront trouuer pardon enuers Dieu, pourueu qu'en leur viuant ils se repentent.

CHAPITRE VI

Hiſtoire admirable d'vne ſorciere Eſpagnole nom-
mee Magdelaine de la Croix, laquelle ſe repentit
de ſes fautes & obtint grace.

NVIRON l'an mil cinq cens quarante cinq,
auint vn cas non moins eſtrange qu'admirable en la ville de Cordouë au
Royaume d'Andalouſie en Eſpagne.
Vne fille de pauure maiſon, des l'aage de cinq ans
fut miſe en vn conuent de nonnains par ſes parens
ou tuteurs. Lon ne ſait ſi c'eſtoit par deuotion ou à
cauſe de pauureté. Eſtant en ce bas aage qui ne ſait
encor que c'eſt de mal, on dit neantmoins (tant les
iugemens de Dieu ſont profonds) que le diable luy
aparut en forme d'vn more fort noir & hideux.
Combien que de prime face elle en euſt grand
horreur, toutesfois ceſt ennemy la flatta tant, & luy
promit tant de ces menues beſongnes à quoy les
petits enfans prennent plaiſir, qu'il l'acouſtuma à
deuiſer auec luy, luy enioignant touſiours fort eſtroitement qu'elle (qui eſtoit encore fort craintiue) ne
deſcouriſt rien de ceſte aſſociation. Or en ce temps,
la fille monſtra auoir vn eſprit merueilleuſement
prompt, & vn naturel autre que les autres, parquoy elle eſtoit fort eſtimee des nonnains aagees
& des autres ieuſnes filles. Car il ſemble que le

diable vifaſt ſpecialement à ce but, de trouuer vne
ieuſne fille qui luy peuſt ſeruir d'inſtrument propre
pour ſe moquer de toute l'Eſpagne : & que pour y
paruenir il luy faloit donner vn tel luſtre de ſaincteté & de religion, que par ce moyen (eſtimé propre
par deſſus tous pour abuſer le monde) il vinſt à bout
de ce qu'il pretendoit. Magdelaine eſtant parvenue à
l'aage de douze ans ou enuiron fut folicitee par le
diable de ſe marier auec luy, & pour douaire il luy
promettoit de faire, que par l'eſpace de trente ans ou
enuiron elle viuroit en telle opinion de ſainéteté par
toute l'Eſpagne, qu'il n'y en auroit iamais eu de pareille. Tandiſque Magdelaine ſous l'opinion de ce contract paſſoit le temps à ſa chambrette auec ceſt eſprit
immonde, qui l'entretenoit par ſes illuſions, vn autre
diable ſeruiteur du marié prenoit la forme & ſemblance de Magdelaine, ſe trouuoit au temple, au
letrain, au cloiſtre, & en toutes les aſſemblees des
nonnains, auec grande apparence de deuotion. Item
il faiſoit ſauoir à Magdelaine, apres auoir fait ſon
ſeruice en l'Egliſe, tout ce qui ſe manioit au monde :
dont elle donnant aduertiſſement à ceux qui l'auoyent
deſia en grande reputation, fut eſtimee dauantage
eſtre vne treſſainéte vierge, & commença-on de
l'appeler Propheteſſe. A cauſe de ce, & combien
qu'elle n'euſt pas encore attaint l'aage, elle fut
eſleuë abeſſe par la commune voix de tous les moines
& de toutes les nonnains. C'eſt vne choſe toute
notoire en Eſpagne, que quand les nonnains faiſoyent leurs paſques aux iours accouſtumez entre
elles, le preſtre crioit touſiours qu'on luy auoit prins
vne de ſes hoſties, laquelle eſtoit ſecrettement portee,
par l'ange ſus mentionné, à Magdelaine qui eſtoit au

milieu de ses sœurs, & qu'elle mettoit dans sa bouche,
& la leur monstroit comme par grand miracle. On
dit dauantage, qu'auenant quelquesfois que Magdelaine n'estoit pas presente quand la messe se disoit,
combien qu'il y eust vne paroy entre deux, neantmoins quand on leuoit le corpus domini, ceste paroy se fendoit en deux, afin que Magdelaine vist
l'hostie, & qu'elle la mangeast puis apres. C'est aussi
vne chose toute notoire, que si en quelque iour de
feste solennelle les nonnains la menoyent en pro-
cession, pour rendre l'acte plus sainct & admirable,
par quelque insigne & prodigieux accident, elle estoit
soufleuee de terre en presence de tous, de la hauteur
de plus de trois coudees. Par fois elle portoit vne
petite image de Iesus Christ nouueau né & nud,
& en pleurant (car elle iettoit des larmes à foison
souuentesfois & quand il luy plaisoit) ses cheueux
luy croissoyent iusques aux talons, dont elle couuroit
l'image : puis ses cheueux reprenoyent soudainement
leur premiere longueur. Elle faisoit plusieurs autres
telles illusions, principalement les iours solennels,
pour rendre les mysteres de sa religion plus venerables.

Or combien qu'au commencement du contract le
diable eust promis à Magdelaine que le renom de
grande pieté en elle dureroit tant d'annees, toutesfois en tout ce temps elle ne fit miracle qui valust :
car iamais on n'ouit dire qu'elle eust gueri vn seul
malade. Cependant, les Papes, l'Empereur, les grands
Seigneurs d'Espagne luy escriuoyent, & par leurs
lettres la suplioyent d'auoir eux & leurs afaires pour
recommandez en ses prieres : mesmes luy demandoyent auis en choses de tres grande importance,
comme si c'eust esté quelque seconde Olda prophe-

telle : ce qui est aparu par les lettres des plus grands
de la Chreſtienté, trouuees au cabinet de Magdelaine,
apres la reuelation du ſecret d'iniquité. Outreplus il
ſe trouuoit pluſieurs dames & damoiſelles, qui n'en-
uelopoyent leurs enfans nouueaux nez, que premierement Magdelaine de la croix n'euſt auec ſes
mains ſacrees touché & benit les bandelettes. Auſſi
toutes les Nonnains d'Eſpagne eſtoyent merueilleuſement contentes d'vn tel ioyau, & atribuoyent à leur
patrone & deeſſe Magdelaine tout ce qu'il y auoit de
ſainɛteté en leur ordre. Cependant, il ne ſe trouuoit
perſonne, entre tant d'excellens & doɛtes perſonnages
Eſpagnols, qui conut ces impoſtures diaboliques,
tant les tenebres eſtoyent eſpaiſſes, l'aueuglement &
la ſtupidité horribles. Toutesfois à la parfin, Dieu,
Pere vnique de verité, par ſa bonté indicible voulut
que ceſte deteſtable hypocriſie & fraude Satanique
fuſt manifeſtee. Car Magdelaine apres auoir employé
trente ans pour le moins en ceſte acointance auec le
diable, & eſté Abbeſſe douze ans, elle commença à ſe
repentir de ſa vie paſſee. Partant apres auoir deteſté
les arts diaboliques & la deteſtable ſocieté de Satan,
elle deſcouurit franchement, & contre l'opinion de
tous, aux viſiteurs de l'ordre qu'on appele, ceſte in-
ſigne meſchanceté. Or quelques Eſpagnols dignes de
foy & fort doɛtes m'ont recité que Magdelaine auoit
conu que ſes nonnains apperceuoyent la fraude, &
craignant d'eſtre accuſee, les preuint & confeſſa la
premiere ſon forfait : pour ce que la couſtume
d'Eſpagne eſt, que ſi quelqu'vn confeſſe vn meſfait
volontairement, on luy fait grace.

A ceſte confeſſion chacun deuint tout eſperdu, tant
ces nouuelles eſtoyent eſtranges, & fut on d'auis de

s'en querir fort curieufement de ceft affaire. Pour y
proceder legitimement & par meilleur ordre, Magdelaine fut emprifonnee au couuent dont elle eftoit
Abbeffe. On l'interrogue, elle confeffe tout : ce pendant le more continuoit fes illufions. Car tandis
qu'elle eftoit en prifon, veillee de pres par gens qui
eftoyent d'ordinaire à la porte de fon cachot, & qu'on
examinoit fon afaire, les nonnains eftans entrees au
temple à minuiĉt pour chanter matines, le fantofme
de Magdelaine fe vint affeoir en la principale chaire
du chœur à la maniere acouftumee, & fut veu à
genoux comme priant, & attendant les auftres nonnains, tellement que chacune d'elles penfoit que ce
fuft leur Abbeffe, & que les vifiteurs luy euffent permis de fe trouuer à matines, pour les grands tefmoignages qu'elle donnoit de fa repentance. Ainfi ce
fantofme fe trouuoit à matines de nuit : au fortir
defquelles chafque nonnain retournoit en fa cham-
brete, fans ofer parler à elle, à caufe de l'honneur
qu'elles luy portoyent encor pour fa reputation precedente. Mais le iour fuyuant, les nonnains entendans
que Magdelaine eftoit encor en prifon, raporterent
aux vifiteurs qu'elle auoit efté veuë la nuit precedente.
Eux ayans examiné le fait, trouuerent que Magdelaine n'eftoit point fortie de prifon. Son proces fut
finalement envoyé à Rome, & pource qu'elle auoit
volontairement confeffé fon malefice, on luy fit grâce
& luy donna-on pleniere abfolution. L'hiftoire contient d'auftres tragedies plus horribles, que ie n'ay
voulu ici inferer : car feulement i'ay voulu monftrer
par vn tel exemple en vn fi grand Royaume, que ceux
qui fe repentent doyuent eftre plus doucement traitez
qu'ils n'ont efté autresfois.

CHAPITRE VII

Recit de la malheureufe fin d'vne forciere.

INCENT efcrit apres Guillerinus, vne fin beaucoup plus lamentable d'vne forciere d'Angleterre, encores que ie penfe que ce foit vne fable controuuee : toutesfois à ce que les chofes fabuleufes & ioyeufes, foyent meflees parmy les vrayes & ferieufes, ie defcriray cefte fable ou cefte hiftoire femblable à vne fable, pour recreer le lecteur. Il y auoit, dit-il, de ce temps vne femme à Berhel vilage d'Angleterre, laquelle eftoit forciere & deuine. Or ainfi qu'elle banquetoit, il y eut vne corneille, qu'elle nourriffait pour fon plaifir, qui commença à crailler plus que de couftume. Ce que la maiftreffe ayant entendu, laiffa choir vn coufteau que elle tenoit en fa main, & incontinent le vifage luy pallit : puis s'eftant plainte vn long temps, en fin elle dit : Auiourd'huy ma charrue eft paruenue iufques à fon dernier fillon : i'entendray auiourd'huy & endureray vn grand dommage. Et comme elle parloit encores, il arriua vn meffager, lequel luy raporta que ce mefme iour vn fien fils enfemble toute la famille eftoyent morts de mort foudaine. Ce qu'ayant entendu incontinent de grande fafcherie elle fe coucha malade, & commanda qu'on fit venir deux de fes enfans, dont l'un eftoit moyne &

Au miro. hift. liu. 26. chap. 29.

Ce qui eft auenu à vne forciere & deuinereffe auant que mourir.

l'autre religieuse : ausquels en pleurant & se lamentant elle dit en ceste maniere : Ie me suis adonnee iusques à maintenant, par ie ne say quel malheur, à vn art magique qui est la sentine de tous vices & la maistresse de tout allechement, ayant seulement esperance en vostre religion, encores que ie desesperasse de moy-mesme. Parquoy maintenant que ie voy & que ie say que les diables me doyuent venir querir, puis que ie les ai creus & feruis, ie vous prie, par les entrailles maternelles, que vous essayez de soulager mes tourments : car la sentence de la perdition de mon ame sera irreuocable. Prenez doncques mon corps, & le couchez dedans vne peau de cerf, puis enfermez-le dedans vne biere de pierre : faites enfermer le couuercle auec du fer & du plomb, & enlassez la pierre auec trois grandes chaînes. Si ie demeure l'espace de trois iours en ceste maniere, sans que l'on attente aucune chose contre moy, enseuelissez moy au quatrieme : encores que i'aye crainte que la terre ne vueille receuoir mon corps, à raison de mes sorcelleries. Que lon chante pour moy les Psaumes l'espace de cinquante nuicts, & que l'on face dire des Messes par autant de iours. Les enfans executerent la volonté de leur mere, & toutesfois ils ne peurent rien faire. Car ainsi que les deux premieres nuicts les gens d'Eglise chantoyent les Pseaumes à l'entour du corps, les diables briferent aisement les portes du temple, encores qu'elles fussent fermees auec de grands barreaux, & vindrent rompre les deux chaînes qui estoient aux deux bouts de la biere : toutesfois celle du milieu demeura entiere. A la troisieme nuict, enuiron le poinct du iour, tous les fondemens du monastere semblerent estre renuersez par le bruit que faisoyent

ceux qui entroyent. Et y en eut vn entre autres plus
terrible en vifage & de plus grande taille, lequel mit
les pieces des portes, qu'il rompit de force, en mille
morceaux, & s'aprocha par grande arrogance pres du
corps, où ayant nommé le nom de la morte, il commanda qu'elle euft à fe leuer, laquelle refpondit
qu'elle ne le pouuait pas à raifon des liens. Tu les
rompras, dit-il, & à ton dam : & incontinent la chaine
que les autres n'auoyent peu rompre de leur force,
fe brifa comme vne cheneuotte. Ainfi ietta-il auec le
pied le couuercle de la biere, & prenant la morte par
la main il la mena deuant tous deuers la porte de
l'Eglife, où il y auoit vn cheual noir enharnaché
fuperbement & de grand appareil, lequel hanniffoit,
& eftoit tout enuironné de griffes de fer, fur lequel la
miferable eftant montee, s'efuanouit des yeux des
regardans auecque toute fa fuite : toutesfois on l'entendit bien la longueur de deux lieuĕs ainfi qu'elle
crioit, & prioit qu'on luy aidaft.

CHAPITRE VIII

Qu'il ne faut point mettre les sorciers au nombre
des heretiques. Item de la difference de leur
garde & prison.

Comment
les sorcieres
trompées
pensent
que les œuures
du Diable
soyent les leurs.

 R pource qu'ordinairement les sorcieres, sont femmes ia vieilles, de nature mélancholique, de petit esprit, qui se descouragent aisément & ont bien peu de fiance en Dieu, il n'y a point de doute que le diable ne s'acoste & insinue plus volontiers en tels organes, comme estans idoines & commodes pour leur troubler les esprits de diuerses apparitions & illusions, dont estans charmees elles ont opinion & mesmes elles confessent auoir fait ce qui a esté fort esloigné d'elles. Et qu'il ne soit ainsi, vous trouuerez que toutes ces choses sont executees par le diáble, si par vne promptitude & bonté d'esprit vous raportez & conferez à la vraye reigle toutes les choses qui sont et peuvent estre faites par le diable, & celles que lon pense estre faites par les hommes au moyen d'iceluy & par les instruments qu'il propose. Ce qui fait que ie n'ose les mettre au nombre des heretiques, attendu mesmes que personne ne merite d'estre ainsi nommé, sinon celui qui ayant esté par quelquesfois admonesté demeure opiniastre en ses phantastiques & mauuaises opinions. L'erreur en l'esprit ne fait pas l'heretique, mais bien l'opiniaſtreté de la volonté. Parquoy ces pauures femmes qui ont la phantaſie toute corrompue par Satan, & qui ſont diſtraites ailleurs par fauſſes imaginations, n'ayans commis aucun acte contre perſonne, doiuent eſtre examinees & mieux inſtruites es principaux poincts de noſtre ſoy chreſtienne : afin que ce qu'elles ont promis au commencement de leur religion encommencee, & que ce qu'elles ont depuis euité, ſe deſtournans, ſans y prendre garde apres la fallacieuſe & clandeſtine pourſuite du diable (ce que nous ſauons meſmes eſtre auenu à Eue noſtre premiere mere) main tenant renonçant au diable & ſe reconnoiſſant, elles s'efforcent de tout leur pouuoir de faire le contraire par la grace de Dieu. Que pourra faire en cecy moins que le diable (par vne perſuaſion contraire) le fidele miniſtre de Ieſus Chriſt, lequel ramena en la bergerie de Chriſt la brebis perdue par la pourſuite de Satan ? Il le fera ſans dificulté, s'il l'examine ſoigneuſement des articles de la ſoy : & s'il luy remonſtre doucement ceux eſquels eſtant mal conſeillee, elle aura failly. Ainſi verra-il ſi opiniaſtrement elle reſiſtera à la ſainte doctrine, & ſi elle meritera le nom d'heretique : ou bien ſi eſtant conuertie & retiree de ceſt endormiſſement de ſeduction & vice de l'eſprit, elle deſire & fait requeſte de tout ſon cœur, qu'on prie pour elle qu'elle ſoit reunie au corps de l'Egliſe. Il ne faut donc pas que les Chreſtiens ſoyent ſi promps & faciles, à la ſuſcitation & ſelon la mauuaiſe opinion de quelque malueillant, de ietter au fond des priſons ces pauures vieilles imbeciles d'eſprit, tant à cauſe de leur aage que de leur ſexe : des priſons, di-ie, noires, obſcures, puantes, & qui ne doyuent eſtre ordonnees pour la garde des hommes, comme eſtans les

domiciles des efprits malins, lesquels y tourmentent
les enfermez : il ne faut pas aulli qu'ils les liurent
(comme nous voyons eftre fait en plufieurs endroits,
non à tant prudemment que rigoureufement) à eftre
miferablement tourmentees d'vn bourreau par les
plus cruelles efpeces de tourmens, comme fi on les
enfermoit dedans le taureau de Phalaris, ou fi
elles eftoyent mifes en vne torture la plus horrible de
toutes.

OVTRE toutes ces gehennes il faut noter que les
Iurifconfultes ont mis grande difference entre garde
& prifon : car ils ne veulent aucunement que la garde
de ceux qui doiuent eftre punis capitalement foit con-
tee pour peine. Mais comme lon tient conte d'equité
& de compaffion, ainfi le nom de garde eft prefque
du tout hors d'vfage entre plufieurs. Ainfi il auient
que ces miferables creatures de Dieu troublees parauant en leur efprit par l'affiduelle pourfuite, charme
& illufion du diable, apres auoir efté longtemps en
folitude, dedans l'ordure des prifons, au milieu des
noires tenebres, en perpetuelle horreur des trompeufes
aparitions des diables, & font derechef bourrelees par
diuers tourmens, lors que lon les met fur la gehenne :
il auient, di-ie, qu'elles aiment mieux tout à la fois
changer cefte miferable vie auec la mort : fi bien
qu'elles confeffent librement toutes les mefchancetez
qu'on leur propofe pluftoft que d'eftre derechef iettees
& referrees dedans ces cauernes de puantes prifons
& tortures perpetuelles. Il eft auenu, par ce moyen,
qu'à force de tortures & de tourmens une pauure
vieille defia prefte à brufler, confeffa qu'elle auoit
engendré le long hyuer, à l'extreme froidure, & toute
la glace qui dura fi longtemps l'an mil cinq cens

foixante & cinq. Il y eut quelques perfonnages d'autorité qui penfoyent que cela eftoit plus vray que la
verité mefmes, encores qu'il n'y ait rien plus abfurde
en toute la nature. Ainfi me l'a efcrit Monfieur Antoine Houeau, Abbé d'Echternac, craignant Dieu &
de grande reputation. Pour paracheuer cefte tragedie,
tellement que rien n'y defaille, le plus fouuent on fait
venir des bourreaux forts cruels, qui par bruuages
(faits de mixtions qui enyurent ou oftent le fens) tirent
des confeffions de crimes eftranges & de malefices,
qui fouuentesfois ne peuuent eftre en la nature des
chofes. Or quand vne perfonne a le cerueau bleffé de
tels bruuages, comment tirerez vous d'elle la verité :
qui eft-ce à quoy il faut s'arrefter en matieres criminelles?

CHAPITRE IX

Les fauffes & trompeufes experiences pour conoiftre
les forcieres.

'EST vne chofe trop ridicule, & dont ie
m'efmerueille, qu'il fe trouue homme
ayant raifon qui puiffe adioufter fi peu
que rien de foy à cefte fotte perfuafion
que lon a pour conoiftre les forcieres, à fauoir que les
forcieres criminelles aufquelles on a lié les pieds &

les mains, ou le poulce de la main droitte auecque
le gros orteil du pied feneftre, & le poulce de la
main feneftre auec le gros orteil du pied droit, eftans
iettees en l'eau ne vont iamais au fond, mais demeurent toufiours au deffus. Et difent que ceci eft
vne certaine experience & indice affeuré, lequel eft
pratiqué en plufieurs endroits par le magiftrat & par
les bourreaux. S'il y a quelque malefice il part de l'efprit : en ce que lon eftime que les forcieres, alliees
auec le diable ayent renoncé Dieu, Pourquoy doyuent-
elles eftre moins au deffus de l'eau que les autres. Car
comme ie confeffe que les caufes naturelles du furna-
gement font en ces femmes, comme la legereté, la ra-
reté, le vent enfermé lequel fouleue, l'habileté du corps
viuant & autres occafions, ainfi fouftien-ie quelles
font es autres comme en celles qui font coulpables.
Que fi lon aperçoit quelque chofe qui furpaffe l'ordre
de nature, ie dis que cela eft fait par le diable, lequel
fouleue ces femmes defquelles on a conceu vne fauffe
opinion, & empefche qu'elles n'enfondrent, afin que
par ce moyen fallacieux ceft impofteur & fanguinaire
induife le iuge à donner vne inique fentence : car
ainfi Dieu permet cefte fallacieufe experience à caufe
de l'incredulité du Magiftrat. Il faut pluftoft croire à
la raifon naturelle qu'à vne folle & fauffe experience,
inuentee par le diable, & que tout Chreftien doit
detefter. Or Hippocrate tefmoigne que la femme a la
chair beaucoup plus rare & tendre que n'a pas
l'homme. Et Philarque efcrit qu'il y a vne maniere
de gens en Pont, nommez Thibiens, lefquels ont deux
prunelles en l'vn des yeux, & la femblance d'vn
cheual en l'autre & iamais ne fe peuuent noyer,
encores qu'ils foyent chargez de leurs veftemens. Si

Liure 1.
des
maladies
des femmes,
au commencement.
Pline
liure 7. chap. 2.

cela est vray, il faut que ils ayent ceste particuliere vertu de nature.

Novs lisons au liure du Maillet des sorcieres vne semblable experience de temerité & superstitieuse fausseté demoniaque. On fait oindre le dimanche les souliers des ieunes enfans auec du sain de porc, ainsi comme on a acoustumé de faire quand on les a ra-coustrez. Si pour l'heure les sorcieres entrent en l'Eglise, elles n'en pourront sortir iusques à ce que ceux qui les espient en sortent, ou bien tant qu'ils leur donnent expresse licence de sortir. Ce que l'on obserue en plusieurs endroits pour ce mesme effect, & ce qui est plein d'impieté, n'est gueres dissemblable de ce premier moyen. On prend vne portion de la terre que les prestres iettent premierement par trois fois sur les morts qu'ils enterrent, laquelle estant sanctifiee par le sacrifice de la messe ils espandent sur l'entree de l'Eglise, & disent que la sorciere ne pourra à cause d'icelle sortir hors l'Eglise. Item ile prennent des coppeaux de bois de chesne auquel quelqu'vn aura esté pendu ou se sera estranglé de soy-mesme, il les arrousent d'eau beniste & les mettent à l'entree de l'Eglise, & disent que les sorcieres n'en peuuent sortir iusques à ce qu'on ait osté ces coppeaux.

On lit au liure des coniurations imprimé à Rome & en Auignon ce qui s'ensuit. Pour chastier & des-couurir vne sorciere prenez vn pot à traire le laict, vne chasiere, vn bassin neuf d'estain seruant à faire fromages : tirez du laict de toutes les vaches tant de laict que vous en puissiez faire vn fromage. Puis le percez d'vne espingle, & autant de trous qu'y ferez, autant la sorciere (au nom de laquelle auez fait ce fromage) aura de pertuis au visage, &c. Item, Re-

2. de la seconde partie. question 2. au commencement.

gardez vne forciere au front & vous trouuerez que le
diable le luy a ratiſſé pour oſter le chreſme du bapteſme, tellement qu'elle porte vne marque, qu'elle
taſche de cacher auec ſon couurechef. Voyez le
3. liure, chap. 3. Outreplus, on tient que ſi vne
forciere mange le roy des mouches, cela la fortifie pour
ne confeſſer la verité quand on la met à la torture.
Mais la ſuperſtitieuſe credulité eſt cauſe d'vne telle
perſuaſion. Au contraire, Democritus diſoit de ſon
temps que il y auoit vne certaine racine iaune ſans
fueille en vn quartier des Indes, de laquelle ſi on
faiſoit des trochiſques, & qu'on en fîſt une infuſion
dans du vin, & qu'on en baillaſt à boire aux torturez,
ils confeſſoyent en dormant leurs mesfaits, par les
diuerſes illuſions qui ſe preſentoyent en leur cerueau.
Voyez l'onzieme chapitre du cinquieme liure.

CHAPITRE X

Que c'eſt qu'il faut faire en l'inquiſition d'vne for-
cellerie commiſe : & qu'il ne ſe faut arreſter à
la ſeule confeſſion.

 L faloit, apres les inquiſitions faites,
obſeruer ceſte reigle infallible, qui eſt
de s'enquerir auec iugement & diligence d'vn chacun des forfaits confeſſez
& regarder ſi les pertes & calamitez dont elles ſe

difent eftre caufe, font telles, & fi elles font en nature.
Que fi on en trouue quelques vns ainfi endommagez
& malades ou affligez, fi bien que lon penfe ces maux
eftre auenus par le moyen de celles qui le confeffent,
il faudra s'enquerir du tout par quel moyen, matieres
& inftrumens ces chofes font auenues. afauoir-mon
fi ces matieres, moyens & inftrumens, ont la vertu
de produire tels effects. En quoy faifant il faut prendre
le confeil des celebres medecins entendus en la
conoiffance des vertus & facultez des chofes naturelles : comme les loix veulent que lon face en tous
autres cas de mefme matiere. Car tout ainfi qu'il ne
fe faut arrefter à la confeffion d'vne perfonne melancholique ou troublee d'efprit, auffi ne faut-il temerairement determiner de la punition felon leur
confeffion, fi ce n'eft que par certaines circonftances
& euidentes demonftrations il aparoiffe de la forcellerie
ou empoifonnement furuenu au moyen de quelque
poifon baillé, ou appliqué, ou mis en tel lieu que
d'iceluy les vapeurs & fumees ayent peu nuire &
empoifonner. Car il faut que les preuues foyent plus
claires que le iour, principalement es proces que lon
nomme criminels, qui eft vne opinion treflouable
des Iurifconfultes. Dautant que plufieurs chofes fe
difent & fe fement confufement en ceft afaire de forcellerie turbulemment ou par vne mauuaife opinion,
ou foupçon, ou par malice & mauuaife affection, ou
à caufe de la difficulté, des maladies, ou de là perte
des biens, & ce au moyen de l'incredulité, par ce que
les hommes ne s'adonnent pas affez, & ne fe fub-
mettent de tout leur cœur à la iufte volonté de Dieu.
Plufieurs chofes auffi font arreftees fuyuant la confeffion de ces vieilles que le diable a trompees ce

*Il ne fe faut
arrefter
à la confeffion
d'vn
homme troublé.*

*Il faut
en
proces criminels
que les preuues
foyent clairs
comme le iour.*

pendant que le malin efprit conduit diligemment le
gouuernail de toute la machination, fi bien que
quiconque y prefte l'oreille legerement, penfant l'accufation & la confeffion eftre vrayes, il fe fent en fin
tellement trompé, qu'eftant tombé & enlaffé en vn
labyrinthe inexplicable, à peine en peut-il iamais
trouuer le bout, s'il delibere d'executer toutes chofes
felon la reigle des loix & la rigueur du droict, &
fuyuant ce qu'il aura entendu. C'eft l'artifice de
Satan de confondre & entrelaffer tellement les chofes
de fubtils filets, qu'elles ne peuuent eftre defliees par
aucune bonté d'efprit, ni expliquees par la prudence
d'homme quelconque, fuft il habile par deffus tous
les autres. Ainfi i'ay fouuentesfois obferué par exemples, qu'il eft beaucoup meilleur de s'arrefter du
tout des le commencement & fe contenir dedans fes
bornes, ou bien fe retenir de bonne heure, de crainte
d'ouurir la feneftre au diable pour entrer en nous &
s'infinuer en nos actions, lequel a efté des le commencement homicide, par le moyen des apperts menfonges,
ou de la verité corrompue & falfifiee. Ainfi ne trouuera on aucune voye qui foit plus courte pour ofter
les occafions à Satan de paffer outre : autrement
iamais on ne verra la fin des menfonges & fauffes
calomnies entremeflees quelquesfois d'apparence de
verité, afin que la tromperie foit mieux cachee. Et
pourtant ie voudrois qu'en ceft endroit la belle fentence contenue au droit Canon 30. q. ca. 5. *Nec
illud*, fuft receue comme elle le merite. Ne iugeons
nullement des chofes incertaines, iufqu'à l'auenement du Seigneur, qui produira en lumiere les chofes
cachees, & illuminera les cachetes de tenebres, &
manifeftera les confeils des cœurs. Car encores que

les chofes vrayes foyent telles, fi ne faut il croire
finon ce qui eft prouué par fufifans tefmoignages,
conuaincu par preuue euidente, & publié par ordre
de iuftice.

Il nous feruira d'adioufter ici l'opinion de Cardan.
Il apert, dit-il, qu'elles font quelquesfois punies,
pourautant qu'elles font accufees de forcellerie ou
d'impieté : toutefois le plus fouuent elles ne font que
folies, & ne peut-on tirer d'elles aucune confeffion,
ni iugement entier, comme lon fait des voleurs & autres malfaicteurs, par lequel elles puiffent eftre condamnees à mort. Mais toutes leurs refponces font
pleines de vanitez, menfonges, repugnances, & in-
conftances : car quant à ce que lon dit que les abfen-
tes s'affemblent, il eft du tout faux, & ne s'accordent
aucunement que du iour de leur affemblee pource
qu'il eft tout notoire qu'elle a efté. Si lon examine
diligemment, & comme il apartient, ceft argument,
il aparoiftra que ceft art eft du tout faux, & que
veritablement elles ne s'affemblent pas en vn : car
vne feule en pourroit defcouurir cent ou dauantage,
puis que felon leur opinion il y en a tant qui s'affemblent. Et toutesfois elles n'acufent finon celles
que lon soupçonne par le commun bruit, ou bien celles
qu'on leur monftre lefquelles elles reconoiffent non
par le ieu (car ainfi nomment elles leur vifion) mais
par l'ouye, & par les propos qu'elles ont enfemble.
Et eft certain que cela leur auient tant en dormant
comme en veillant : elles voyent & entendent les
chofes mefmes à caufe de leur contemplation arreftee
& de la foy qu'elles y ont, comme Rafis conte de
celuy qui par folie penfoit eftre vn coq, & fe leuoit à
certaine heure pour chanter à la maniere des coqs, ce

liure 15.
de
la variété
chap. 80.

qu'il continua par plufieurs annees. Cefte opinion &
vifion fe conferme dauantage par les propos que elles
tiennent enfemble. Et fi elles ne vont pas fi fouuent
à tel ieu : car telle y a-il qui a peine en vn an y penfe
aller trois fois. Elles n'y vont auffi que quand bon
leur femble, encores que lon penfe que cela leur
auienne fouuentefois, à raifon des onguents defquels
elles s'aident.

<hr />

CHAPITRE XI

Les confeffions de trois femmes bruflees pour foup-
çon de forcelerie, ici propofees & expliquees.

R afin que cefte chofe, de foy-mefme obfcure & couuerte de tenebres, foit
mieux efclarcie par exemples, i'ay mis
en ceft endroit les confeffions de deux
femmes prifes & bruflees depuis quelque temps en
vne cité Imperiale, lefquelles deux confeffions m'ont
efté communiquees des regiftres iudiciaires, par le confentement du Conful : aufquelles i'ay encores adioufté
vne tierce. Premierement, l'vne confeffe qu'elle
s'eft diftraite de Dieu tout puiffant, que par charme
elle s'eft adonnee au diable, & que fon amoureux fe
nomme Bernard, que par fix fois elle a fait auorter
vne femme de bien N. en luy baillant de la ceruoife

*Confeffion
de la
premiere femme,
comme
d'vne forciere.*

à boire. Item qu'elle a enforcellé la femme de N. ſi bien qu'elle eſt couchee dedans le lict comme griefuement malade. Le Magiſtrat ordonna, ſuyuant ceſte confeſſion, que ceſte pauure miſerable ſeroit bruſlee : & certainement à iuſte cauſe, s'il eſt aparu qu'elle ait commis ces forfaits.

Refutation de la premiere confeſſion.

Mais ie vous prie que i'explique ceſte confeſſion en trois mots. Ce qu'elle confeſſe s'eſtre retiree de Dieu & s'eſtre adiointe au diable, n'eſt point criminel ciuilement : car qui eſt celuy de nous qui ne fait le ſemblable? dautant que qui fait peché eſt ſerf de peché, comme dit Ieſus Chriſt, Celuy qui commet peché, eſt au diable : car le diable peche des le commencement. En cela les fils de Dieu ſont manifeſtez d'auec les fils du diable. Tout homme qui ne fait iuſtice n'eſt pas de Dieu, auſſi n'eſt celuy qui n'aime ſon frere. Celuy qui n'eſt auec moy, dit Ieſus Chriſt, eſt contre moy : & celuy eſpard qui n'amaſſe auec moy. Mais eſtans admonneſtez nous nous pouuons reconoiſtre & y a moyen de penitence. Qui eſt-ce doncques qui a empeſché que ceſte femme eſtant repriſe & mieux inſtruite ne s'eſt reconuë? Nous liſons bien dedans le liure des Conformitez qu'il y eut vn moine, lequel s'amouracha d'vne femme, & pria le diable qu'il la luy ameñaſt, promettant qu'il ſeroit ſien, & luy bailla pour aſſeurance ſon ſeing eſcrit de ſa propre main & de ſon ſang. Toutesfois il s'en repentit & deſcouurit la maladie de ſon eſprit à ſes freres, leſquels retirerent à force de meſſes la ſcedule hors de la main du diable.

Iean 8.
1. Iean 3.

Matt. 12.
Luc. 11.

Qvant à ce qu'elle confeſſe auoir eu afaire auec le diable nommé Bernard, il eſt tout manifeſte, ſelon ce que nous auons eſcrit es autres liures, que telle choſe

L'imaginaire embraſſement du diable.
Liu. 2. chap. 34.

n'eſtoit qu'vne fantaſie, où expreſſément nous auons
expliqué les phantoſmes, tellement que par ces raiſons on deuoit moins adiouſter de ſoy à ceſte confeſſion, laquelle deuoit eſtre eſtimee fauſſe en ce qu'elle
procedoit d'vn eſprit troublé. Qui a eſté celuy, ie
vous prie, qui luy a donné ce nom de Bernard que
luy meſme, lequel l'a ſuggeré au ſens corrompu de
l'ouye, ou bien en la vertu imaginatiue, afin qu'il
s'aſſeruiſt & allechaſt ceſte pauure femmelette chancellante de l'eſprit, au moyen de ce nom vſité entre
les Chreſtiens, lequel ainſi luy bailloit plus grande
fiance? Et toutesfois pour ceſte illuſion de Satan &
perturbation de l'eſprit de ceſte femme, il ne faloit luy
faire endurer la mort. Auſſi eſt-il impoſſible que l'enfant ſoit mort dedans le ventre, par le moyen d'vne
ſeule pomme : ſi ce n'eſt qu'il y euſt du venin meſlé,
ce qu'il faloit recercher diligemment : comme auſſi
faloit-il ſauoir ſi ce venin auoit la vertu de faire
mourir l'enfant ſans que la mere en encouruſt aucun
inconuenient : & non du tout s'arreſter deſſus la
confeſſion. Car ce qui eſt auenu par la volonté de
Dieu & par ſon conſeil, lequel nous eſt caché, ou
bien ce qui eſt diuinement permis au diable, eſt
tellement ingeré quelquesfois en l'eſprit troublé de la
femme, qu'elle penſe l'auoir executé : dont toutesfois
celuy la trouuera du tout incoulpable, qui raportera
& iugera le tout ſelon la reigle de raiſon, & non
peſamment, où, comme on dit, par maniere d'acquit.
Autant en faut-il dire de la fille de N. empoiſonnee
& morte à cauſe de la ceruoiſe qu'elle auoit beuë.
Car auſſi faloit il recercher plus ſoigneuſement, par
le conſeil des medecins & de ceux qui ſont entendus
en ces matieres, ce qui auoit eſté meſlé parmy la

ceruoife, & fi elle auoit quelque vertu venimeufe. Il
fe faloit auffi enquefter de mefme diligence par quels
moyens la femme de N. eftoit tombee en maladie,
fans prefter fi facilement l'oreille à la vulgaire &
odieufe parole de charme & de forcellerie. Car toutesfois & quantes que ces folles & inconftantes vieilles
racontent que par leurs faux enchantemens quelque
infortune eft auenue, ie ne ferois difficulté d'affeurer
que cela eft procedé par le peruers inftinct du diable,
& qu'elles font autant coulpables d'auoir fait venir
cefte maladie, comme font ceux qui n'y penferent
iamais. Parquoy que ceux là auifent bien de quels
crimes ils fe rendent attaints, lefquels fi inconfideré-
ment donnent quelquefois fentence auant que d'y
auoir penfé affez à loifir.

Escovrons maintenant la confeffion de l'autre laquelle fut auffi bruflee en ce mefme endroit, & l'ex-
pliquons fommairement. Elle confeffa comme depuis
fix ans en vn matin elle deliberoit de fe faire mourir,
à caufe d'vn defefpoir auquel elle eftoit tombee, il
arriua par deuers elle vn grand homme de belle fta-
ture & affez beau, lequel portoit vn manteau noir &
le refte de fon habit tout noir : & qui la confolant en
fa fafcherie luy confeilla entre autres chofes de ne fe
defefperer, mais de prendre courage, & qu'il luy promettoit de luy adminiftrer toufiours toutes chofes
neceffaires & de l'argent en abondance, pourueu
qu'elle s'adonnaft du tout à le croire & faire fa volonté. C'eft homme, dit-elle, luy monftra vn grand
amas d'or. Elle confentit à fon confeil, reniant Dieu
tout-puiffant, Marie mere de Iefus Chrift, & tous les
faincts. Cela fait, il luy ofta le chrefme du front, &
luy promit de coucher ordinairement auec elle, luy

La confeffion d'vne autre iugee à mort.

difant qu'il fe nommoit Alexandre. Elle confeffa dauantage que ce concubinaire a eu afaire auec elle par quatre fois en fa maifon, dedans fon lict. Item que par charmes elle a tiré la bonne fortune d'vn braffeur N. en mettant vn peu de raifine vulgaire dedans la chaudiere où la ceruoife bouilloit. Item qu'elle a fait malade la femme du chartier N. par le moyen de quelques charmes, pourautant qu'elle luy auoit refufé quelque chofe. Item qu'elle auoit rendu malade, & auoit mutilé le fils de N. par le moyen de quelque forcellerie.

Refutation de cefte confeffion. Ces meffaits font certainement dignes d'eftre punis s'il eft ainfi qu'ils foyent vrais. Et toutefois vous voyez comme cefte femme hors de fon fens s'eft, par maniere de parler, iettee dedans les filets, faifant vn contract imaginaire, ou pour le moins de nulle efficace & vertu, auec ceft amoureux phantaftique (comme nous auons amplement monftré en noftre troifieme liure) lequel luy aparut veftu de cefte forme imaginaire, encores que ce ne fuft qu'vn efprit fans veftement & fans couleur, & qui trompeufement luy monftra quelque or en aparence & non de l'or, pour mieux la tromper : tout ainfi comme il eut afaire auec elle en opinion feulement & phantaftiquement. Dauantage il fit femblant de luy ofter fon chrefme, la telle quelle vertu duquel, s'il eft ainfi qu'elle confifte en la feule exterieure aplication, & que par tel frottement elle periffe, il y a ia long temps que l'eau de laquelle elle fe lauoit le front & la face, l'euft nettoyee & mife hors. Or l'eficace & vertu du Baptefme *1. Pierre. 3.* nous eft enfeignee tout autrement, & ne confifte point en l'extérieur lauement par lequel les ordures font lauees, mais en ce que la bonne confcience refponde à

Dieu. Vous trouuerez vne plus ample response & refutation de ces choses en nostre troisieme liure, chap. troisieme & quatrieme.

Le renoncement de ceste femme fait en contractant n'eust par esté de si grande importance, qu'estant admonestee & plus fidelement instruite, elle n'eust bien renoncé les practiques du diable & se reconoissant & confessant son erreur, on ne la deust receuoir derechef au giron de l'Eglise. Sainct Pierre estant admonesté & aduerty par Iesus Christ ne laissa pas de le renoncer, voire auec iurement contre le propre tesmoignage de sa conscience, estant sain de corps & d'esprit : & toutesfois Iesus Christ ne le dedaigna pas tant qu'il ne le receust & ne le fist Apostre de son Eglise. Quelle chose y a-il auiourd'huy plus ordinaire & moins punie, nommément entre les Italiens, si quelquefois vne chose leur auient contre ce qu'ils demandent, principalement en iouant aux dez, que de renier Dieu & Iesus Christ par paroles horribles & pleines de blasphemes, en mettant le poulce entre le second & le tiers doigt, & leuant la face vers le ciel en despit de Dieu & de Iesus Christ mesmes?

Matt. 26.
Marh 14.
Luc 22.
Iean 18.

Il faloit dauantage s'enquerir plus exactement, asauoir si vn peu de raisine mise dedans la chaudiere auoit la vertu de gaster toute la ceruoise : car necessairement ceux qui recerchent & entendent par vn vray moyen les fondemens des causes naturelles, confesseront qu'il y faut vne autre chose pour la gaster & corrompre. Ni la femme du chartier n'a peu estre malade, ni le petit garçon mutilé par un charme seul : s'il n'y a eu quelque poison quant & quant, duquel toutesfois n'est faite aucune mention.

La troisieme confession est telle. L'on vit, principa-

lement en Hollande es villes maritimes, comme à
Roterdam & Scheidam, des pescheries que l'on y fait.
Or auint-il une fois, comme les habitans de ces deux
villes estoyent à la pesche pour prendre du harenc,
ceux de Roterdam raporterent leurs barques chargees
de poisson : mais ceux de Scheidam les raporterent
pleines de cailloux, ce qui fut cause qu'incontinent
ils attribuerent la raison de leur malheur à quelque

Troisieme
confession ridicule charme & sorcelerie. Parquoy soudainement vne
femme fut aprehendee, laquelle à l'heure confessa que
ceste chose estoit auenue par son art, en la maniere
qui s'ensuit. Premierement lors qu'ils peschoyent elle
estoit passee au trauers d'vn petit pertuis qui estoit
en vne vitre, lequel elle monstra si petit qu'à peine y
eust on sceu mettre le doigt, & qu'elle s'estoit mise sur
mer dedans l'escaille d'vne espece de moule nommee
par les Latins Mytulus & par les Alemans Mosself-
colp : & que sur icelle elle estoit arrivee iusque à
l'endroit ou estoyent les harencs, lesquels elle auoit
chassez par charmes & auoit mis des cailloux en leur
lieu. Sur ceste confession la sentence est donnee, &
fut condamnee au feu.

Refutation
de la
confession susdite. Il faloit s'enquerir soigneusement en ceste confession, si naturellement il se peut faire par l'operation
du diable, agissant selon son vouloir & vertu, en quelque maniere que ce soit, qu'vne personne desia grande
& puissante, faite non de vent ou d'vne substance
distillante & fondante, mais composee d'oz massifs,
de tendons tenans, de tendons secs, de liens, de nerfs
& de membranes, outre la chair des muscles, puisse
sortir par vne petite fente de voirre, au trauers de laquelle le doigt mesme ne pourroit passer. Car encores
que ce corps se peust muer en vent, si est-ce que pas-

fant à force par ce voirre il l'euft peu rompre. Il faloit
auffi confiderer s'il eft poffible qu'vne femme defia
aagee, puiffe auec vn fi grand amas de cailloux paffer
deffus la mer dangereufe & turbulente, dedans vne efcaille de moule. Toutesfois il n'eftoit neceffaire qu'elle
qui auoit paffé fi legerement par le pertuis du voirre
caffé, fuft portee auec vne efcaille. Certainement toute
cefte confeffion eft fi fotte, inutile, defacordante,
abfurde & menfongere, qu'il eftoit aifé de iuger à
tout homme de fain iugement, que cefte femme eftoit
ou folle ou melancholique, ou auoit la phantafie deprauee, ou bien eftoit poffedee du diable, lequel
conduifoit fi bien fa langue qu'il la faifoit parler en
cefte façon. Que ces iuges controuuent tant de glofes
qu'ils voudront, fi ne pourront-ils iamais prouuer
par raifon que cefte fanguinaire fentence ait efté par
eux legitimement prononcee, principalement d'vne
chofe qui leur eftoit inconuë, & qui eft du tout hors
de raifon & de nature. Car pourquoy ne croiray-ie
pluftoft cefte chofe eftre auenue par la permiffion de
Dieu, à caufe de l'incredulité des hommes, & afin
qu'ils fuffent punis, ou bien efprouuez, s'il y auoit
quelques fideles, & que le diable pour les tromper
auoit fait ceft amas de pierres & cailloux, ce qui luy
eft particulier : pourquoy di-ie ne le croiray-ie pluftoft que de confeffer que cefte femme ait peu faire ce
qu'elle ne pouuoit, encores qu'elle le confeffe ? Si lon
me dit qu'elle l'a fait à l'aide du diable, ie le nieray
affeurément. Car encores que le diable le vouluft
mille fois, & qu'il s'effayaft de le faire, fi eft-ce qu'il ne
le pourroit iamais faire paffer vne femme par vn petit
pertuis : ce que toutefois elle confeffa eftre auenu.
Si i'obtien que cefte confeffion eft vn vraye folie, vne

fable & vn vray menſonge, meſſieurs les Conſeilliers,
quelle foy doit-on aiouſter aux autres tromperies de
meſme farine?

Ie pourroy en ceſte maniere tranſcrire vne infinité
de telles confeſſions priſes es regiſtres des iugemens,
leſquelles eſtans exactement recerchees, on n'y trouuera
autre choſe qu'vne impoſſibilité, inconſtance, vanité,
menſonge, verité cachee & maſquee, varieté, & vn
labyrinthe : bref, on n'y trouuera qu'vne ſimple fallace & tromperie.

CHAPITRE XII

*Explication d'vne autre confeſſion. Item que per-
ſonne ne peut eſtre bleſſé par paroles & mau-
diſſons, & que les ſorcieres ont perdu leur eſprit
& entendement.*

EPVIS peu de temps vne autre priſonniere confeſſa qu'elle auoit tourmenté
pluſieurs religieuſes en vn monaſtere,
par diuers retiremens de nerfs & con-
uulſions au moyen d'vn meſlange & poiſon qu'elle
auoit mis parmy les herbes potageres, lequel eſtoit
compoſé d'vn aſpic, d'vn crapaut, et de ſang menſ-
trual meſlez enſemble. Nous en auons mis l'hiſtoire

tout au long au chapitre onzieme du quatrieme liure.
Il faloit premierement s'enquerir en ce proces, si par
le meslange de ces venins, tels effets ou maladies, ou
symptomes peuuent reussir. En fin estant condamnee
par iugement dernier d'estre bruslee, elle persista
iusques à la mort constamment en cecy, asauoir que
telle calamité estoit auenue aux religieuses par son
moyen & celuy de sa mere, & que pour ceste cause
elle vouloit mourir : toutesfois elle confessoit publiquement que iamais elle ne leur auoit rien baillé à
prendre par la bouche. Estant donques interroguee
par quel moyen ce malheur si estrange estoit auenu,
elle respondit que c'auoit esté par maudissons. Puis
derechef interroguee par quels moyens ces maux
prendroyent fin, elle respondit que ce seroit la faisant
mourir elle & sa mere.

Or ce que le diable demande & poursuit le plus,
n'est autre chose que faire tant que le sang de plusieurs soit espandu : car des le commencement du
monde il a esté homicide. Et encores que l'vne &
l'autre eust esté bruslee, si est-ce que ce mal ne desista
point : mais outre le premier prestre qui s'estoit mis
en peine de chasser le diable : il y vint derechef vn
second exorciseur aueugle, lequel on pensoit auoir
chassé du corps de chasque malade, les diables, & qui
faisoyent semblant de fuir, & qui auoyent parauant,
auec toute cruauté, trauaillé de tant d'especes de
conuulsions ces pauures nonnains : toutesfois ce mal
ne prit encores fin, ains il s'estendit plus loin iusques
aux villages prochains, tellement que les auteurs de
telles maladies, asauoir les diables, se manifesterent
apres que ces deux femmes eurent esté bruslees. Nous
auons monstré au quatrieme liure, que les diables

ne peuuent eftre enuoyez au corps d'aucun par maudiffons & fouhaits.

L'EMPEREVR Frederic premier, furnommé Barbe-
rouffe, conoiffoit parfaitement l'impuiffance des enchanteurs : car comme il menoit fon camp contre
les Milannois, il fe rencontra vn marchant Arabe,
lequel auoit efté enuoyé par les Milannois, & deuoit
empoifonner Frederic & le faire mourir : ce qu'ayant
efté defcouuert par l'Empereur, il le fit prendre &
punir. Et encores que ce magicien Arabe menaçaft
Frederic de le faire mourir par paroles, s'il ne le
laiffoit aller : fi eft-ce que l'Empereur ne s'en efmeut
aucunement, fachant bien qu'il n'y auoit pas fi grand
vertu aux paroles. Et ainfi le magicien fut cruellement puny comme il meritoit. Veritablement donc
à bon droit Ariftote efcrit que les enchantemens ne
font qu'inuentions de femmes.

*Liure 8.
de l'hiftoire
des
animaux,
chapitre 24.
De la varieté,
liure 16.
Nature
des forcieres
felon Cardan.*
L'HISTOIRE que Cardan a efcrite aura lieu en ce
paffage : il dit doncques, parlant des forcieres, Elles
font laides, pafles & de couleur plombee, monftrant
affez par leur vifage qu'elles font pleines d'vn humeur
melancholic. Elles font fongeardes, fottes, & peu
differentes de celles que lon dit eftre poffedees du
diable. Elles font arreftees en leurs opinions, & font
tellement opiniaftres, que fi vous auez feulement
efgard à leurs paroles, & de quelle affeurance & conftance elles racontent ce qui iamais ne fut & ne peut
eftre, vous eftimeriez incontinent qu'elles difent
vray. Il ne fe faut doncques efmerueiller fi elles
trompent facilement ceux qui n'ont aucune conoiffance de la philofophie. Or n'y a-il point de doute
qu'elles ne foyent malades de la maladie que nous
nommons Melancholie, ce qui fe conoit par leur

maniere de viure, par la qualité de l'air, par la figure
de leur vifage, & par leur port : par leurs paroles
pleines de folie & d'impoffibilité, par leur regard de
trauers en parlant, & principalement parce qui auint
du temps de Philippe Vicomte de Milan. L'hiftoire
eft telle, ainfi que mon pere m'a affeuré. Il y auoit
vn fermier nommé Bernard, homme au demeurant
fimple, bon mefnager, & pour cefte caufe bien aimé de
fon maiftre, lequel fut condamné à raifon de la forcellerie. Et pourautant que lon ne le pouuoit ni par
menaces, ni par perfuafion, diuertir tellement de fon
opinion, qu'il vouluft fe repentir, les iuges le con-
damnerent au feu. Mais fon maiftre, auquel il faifoit
fort mal de voir cefte calamité auenir à fon fermier,
& lequel eftoit fort aimé du Vicomte, obtint à fa
caution iuratoire, bien que les iuges y refiftaffent
fort, qu'il auroit fon fermier chez foy l'efpace de
vingt iours. L'ayant en fa maifon, il commença à le
traitter non pas en medecin, mais comme vn gentil
homme amy a acouftumé de traiter fon fuiet. Il luy
faifoit prendre tous les matins quatre œufs fraiz &
autant au foir : au demourant il luy faifoit boire de
bon vin & plaifant, & le nourriffoit de chair & de
bouillons bien gras. Peu de temps apres qu'il vid
fon homme eftre comme forty d'vn long fommeil,
il luy remonftra qu'il euft à quitter ces fauffes,
abfurdes & dangereufes perfuafions, & qu'il retournaft au giron de l'Eglife : en quoy il n'eut grand
peine. Car il fe reconut incontinent & deuint bon
Chreftien, tel que iufques à la mort il perfeuera fans
que lon en entendift aucune plainte. Ainfi fut fauué
celuy, lequel en fon innocence euft efté cruellement
mis à mort par la rigueur des iuges.

Bernard le forcier fe reconoit par le moyen d'vne meilleure maniere de viure, encores qu'il fuft condamné au feu.

CHAPITRE XIII

La confeſſion de ceux qui ont penſé eſtre transformez
en loups.

E tranſcriray icy la confeſſion de ceux
qui ont penſé auoir eſté autresfois transformez en loups, laquelle pluſieurs perſonnages gens de bien, & de grande
eſtime m'ont obiecté ſouuentesfois en parlant de ceſte
matiere, & l'obſeruent religieuſement & auec vne
ſinguliere croyance, comme ſi elle procedoit d'vn
oracle, auſquels parauenture il ſemblera que ie
n'auray du tout ſatisfaict. Afin donc que les yeux de
l'eſprit de telles gens & de tous autres ſoyent eſclaircis
pour mieux voir ces impoſtures, & que ſi temerairement ils ne ſe laiſſent tromper, & comme mettre des
nuees deuant les yeux, & qu'ils ne demeurent dauantage aueuglez comme taulpes par les ordures du
diable, mais au contraire qu'ils permettent que ces
nuees leur ſoyent oſtees de la prunelle des yeux, &
que le medecin les gueriſſe des ſuffuſions & tayes, lequel preſente gratuitement ce collyre à tous ceux qui
deſirent auoir les yeux nettoyez & eſclaircis de ceſt
eſprit impoſteur : i'ay voulu propoſer ceſte hiſtoire
rare, conue d'un chacun, & merueilleuſe, laquelle a
eſté aportee de Sauoye en Flandres, Brabant, Gueldres & autres regions, & que i'ay tranſcrite briefue-

ment & au meilleur ordre que i'ay peu, à ce que lon ne puiſſe deſirer en cecy aucune choſe que lon penſaſt eſtre d'importance : laquelle auſſi i'ay expliquee & eſprouuee contre la touche de verité.

Lᴀ confeſſion de Pierre Bourgot dit le grand Pierre, & de Michel Verdung priſonniers pour l'hereſie de ſorcellerie, faite en diuers iours au mois de Decembre, l'an mil cinq cens vingt & vn, & principalement repetee le dernier iour dudit mois es preſences de pluſieurs teſmoins, pour reſpondre aux interrogatoires de maiſtre Iean bon docteur en theologie, prieur des freres preſcheurs de Pouligny, & general inquiſiteur de la foy, ordonné au dioceſe de Beſançon.

Pɪᴇʀʀᴇ a confeſſé qu'il y a enuiron dixneuf ans, qu'au iour de la foire de Pouligny, il tomba vne ſi grande & tempeſtueuſe pluye, que non ſeulement la foire en fut troublee, mais auſſi le troupeau dont il eſtoit berger en fut tellement eſgaré, que lon ne ſauoit en quel endroit le retrouuer. Ainſi donc qu'il alloit auec les autres villageois cercher ſon beſtail çà & là adiré, & qu'il eſtoiſt ſeul en vn lieu eſloigné des autres, il rencontra trois cheuaucheurs tout noirs, & veſtus de veſtemens noirs, le dernier deſquels luy demanda : Mon amy où vas-tu ? il ſemble que tu ſois tout faſché & troublé. Il eſt vray luy reſpondit Pierre : c'eſt pource que mon beſtail eſt eſgaré & perdu par la tempeſte qu'il a fait, ſi bien que ie ſuis preſque en deſeſpoir, voyant que ie n'ay aucun moyen de le recouurer. Le cheuaucheur luy dit qu'il priſt courage, luy promettant que s'il vouloit donner la foy il luy bailleroit vn maiſtre, lequel l'enſeigneroit ſi bien que doreſnauant ſon troupeau ne ſeroit aſſailli ni des Loups, ni d'aucune autre beſte, qu'il ne receuroit au-

cun dommage, & que pas vne de ſes brebis ne peri-
roit. Il luy dit encores, pour le rendre plus aſſeuré,
qu'il recouureroit celles qu'il auoit perdues, & qu'il
ne s'en faudroit pas vne : meſmes il luy promit de
luy bailler argent. Pierre accepta ceſte offre & promit
de reuenir au meſme lieu dans quatre ou cinq iours
apres. De là il s'en alla auec les autres villageois pour
acheuer de cercher ſes brebis, & quatre iours apres il
reuint trouuer ſon cheuaucheur, lequel il reconut incontinent. Le cheuaucheur demanda à Pierre s'il
auoit deliberé de le ſeruir. Et Pierre l'interrogua
quel il eſtoit : Ie ſuis, dit-il, ſeruiteur du grand diable d'enfer : mais ne crain point. Ainſi Pierre promit de ſeruir le diable à telle condition que il luy
tiendroit promeſſe de luy garder ſon beſtail, & luy
faire du bien. Puis le diable luy commanda qu'il re-
nonçaſt Dieu, la vierge Marie, tous les ſainɛts de
paradis, ſon bapteſme & ſon chreſme : cela fait il luy
bailla ſa main ſeneſtre à baiſer, qui eſtoit noire comme
morte, & froide : puis ſe iettant à genoux il fit
honneur à Satan le nommant ſon maiſtre : lequel ˙
luy defendit ſur tout de ne plus dire ſon Credo, ou
Symbole des Apoſtres. Il demeura donc enuiron
deux ans au ſeruice du diable, ſans entrer aucunement dedans l'Egliſe, ſinon vers la fin de la Meſſe :
ou à tout le moins apres la conſecration de l'eau
benite : laquelle il luy defendit de receuoir. Voilà ce
que luy commanda ſon precepteur, le nom duquel
luy eſtoit encores inconu : toutesfois en fin il luy fit
entendre qu'il ſe nommoit Moyſet. Cependant il n'ap-
prenoit point à Pierre le moyen de garder ſon troupeau : ains ſeulement le diable ſembloit eſtre ſeul qui
le defendoit lors que quelques loups ſe preſentoyent,

qui auffi ne luy faifoyent aucun dommage. Quelque 2
temps apres s'eftant ainfi defchargé du foin qu'il
auoit à garder fon beftail, il oublia aifement le diable,
& commença frequenter l'Eglife & à reciter fon Credo.
Ce qu'il continua l'efpace de huiﬅ ou neuf ans, iufques à ce qu'eftant inuité derechef par Michel Verdung à rendre l'obeiﬀance à fon maiﬅre au mefme
lieu, il y confentit à telle condition que ce precepteur
luy bailleroit argent ainfi qu'il auoit promis.

Il auint apres qu'ils s'aﬀemblerent de foir en vn
bois pres Chaﬅel Charlou, là où il vid pluﬁeurs 3
eﬅrangers inconus lefquels fe trouuerent là & y dan-
cerent. Il voyoit en la main d'vn chacun vne chandelle verte, laquelle iettoit vne ﬂamme bleuë & perfe.
Il auint vne autrefois que Michel luy propofa que
s'il le vouloit croire, il le feroit aller tout auﬃ viﬅe
comme il voudroit. Pierre y confentit, pourueu qu'on
luy tinﬅ promeﬀe & qu'on luy baillaﬅ argent, autrement qu'il craignoit quelque tromperie. Michel luy 4
ayant promis qu'il auroit argent en abondance le ﬁt
defpouiller tout nud & luy oignit le corps auec vn
onguent qu'il portoit : cela fait Pierre penfa eﬅre
veritablement changé en vn Loup, tellement qu'il
euﬅ horreur en voyant fes quatre pieds de Loup &
fon poil : il aﬀeura toutesfois qu'il couroit auﬃ viﬅe
comme le vent, & que cela ne fe pouuoit faire fans le
moyen de fon maiﬅre, lequel le portoit, & luy aﬃ-
ﬅoit à chafque courfe qu'il faifoit, encores qu'il ne le
viﬅ point que premierement il ne fuﬅ retourné en fa
figure humaine. Michel eﬅant oinﬅ de ce mefme onguent, eﬅoit porté pareillement d'vne telle viteﬀe,
qu'il trompoit mefme la veuë. Apres qu'ils eurent 5
eﬅé enuiron vne heure ou deux en telle metamor-

6 rhofe, ils retournerent à leur premiere forme, ayans
esté de rechef oingts par Michel. Leurs maiftres leur
bailloyent l'onguent à chacun d'eux, afauoir Guille-
min à Michel, & Moyfet à Pierre.

12   On ainfi que Pierre fe plaignoit à fon maiftre de la
grande laffitude qu'il auoit, tellement qu'il ne fe
pouuoit leuer qu'à peine, fon maiftre luy refpondit
que ce n'eftoit rien, & qu'il en feroit incontinent
gueri.

   Il auint auffi que Pierre fut oingt felon que Michel
ordonna, & incontinent eftant conuerti en Loup il
voulut faire mourir à belles dents vn ieune garçon
aagé de fept ans, lequel toutesfois eftant contraint de
laiffer à raifon qu'il crioit trop haut, il fe mit en
fuite vers l'endroit où eftoyent fes habillemens, où
s'eftant frotté de quelques herbes que Michel luy
auoit enfeignees, il retourna en fa premiere figure. Il
confeffa auffi que telle chofe luy eftoit auenue en la
compagnie de Michel, & qu'eftans conuertis en Loups
ils firent mourir vne femme qui cueilloit des pois : &
qu'en ces entrefaites furuint monfieur de Chufnee,
auquel il s'eftoyent adreffez : toutesfois qu'ils ne luy
auoyent fceu faire mal.

   L'vn & l'autre a dauantage confeffé qu'eftans ainfi
7 transformez en loups, ils auoyent fait mourir vne
ieune fille aagee de quatre ans ou enuiron, & qu'ils
l'auoyent toute mangee excepté fon bras : que la chair
en auoit femblé merueilleufement bonne au gouft de
Michel, encores qu'il n'en euft gueres mangé, & toutesfois qu'elle n'auoit pas tant agreé à l'eftomach de
Pierre. Ils ont encores confeffé auoir eftranglé vne
ieune fille, de laquelle ils fuccerent le fang, & luy
8 mangerent la gorge. Item qu'ils en ont encores tué

vne troifieme, & en ont mangé l'emboucheure de l'eftomach, dautant que pour l'heure Pierre eftoit affamé. Item qu'vne autre fois ils tuerent en vn iardin vne fille aagee de huiƈt à neuf ans, de laquelle Pierre rompit le col auecque les dents, pour autant que quelquefois elle ne luy auoit pas voulu bailler l'aumofne, ce qu'ayant fait, il demanda incontinent l'aumofne en l'honneur de Dieu. Il a encores con- 9 feffé auoir tué vne chevre pres là ferme de maiftre Pierre Bongré, laquelle premierement il mordit, puis luy coupa la gorge auec vn coufteau.

Michel fe transformoit en Loup eftant veftu, & 10 Pierre eftant nud : lequel Pierre a dit qu'il ne 13 fauoit que deuenoit fon poil, lors qu'il defiftoit d'eftre Loup.

Ils ont encores adioufté à leur confeffion qu'ils 11 auoyent eu afaire à des Louues, auec auffi grand plaifir & volupté comme s'ils euffent embraffé leurs femmes.

Que le temps de leur transformation eftoit quelque- 6 fois pluftoft paffé qu'ils n'efperoyent & qu'ils ne defiroyent.

Ils ont encores dit qu'vne poudre de couleur cen- 14 dree leur auoit efté baillee, de laquelle ils frottoyent leurs bras & leur main feneftre, & faifoyent mourir tout animal qu'ils touchoyent.

Or eft il neceffaire de fe reffouuenir que ces deux 15 hommes eftans diuerfement interroguez fur vn mefme fait ont quelquefois refpondu des chofes contraires.

CHAPITRE XIIII

La confeſſion ſuſdite expliquee de poinĉt en poinĉt,
& refutee.

SSAYONS maintenant à refuter, ſelon la
petite portee de noſtre eſprit, ceſte confeſſion tant & tant eſtimee iuſqu'à
maintenant. La dificulté eſt aſauoir ſi
toute ceſte confeſſion eſt vraye. I'eſpere auec l'aide
de Dieu de monſtrer manifeſtement que les principaux points d'icelle contrarient clairement à la
verité : & que pour ceſte cauſe elle n'eſt pas ſeulement erronee, mais auſſi du tout fauſſe, & qu'en
icelle ſont ſeulement deduites les images des choſes
ſongees ou propoſees par impoſtures, au lieu de la
verité d'icelles. Ainſi ie confeſſe librement qu'elle ne
doit eſtre aucunement receuë en vn ſain conſeil, mais
pluſtoſt iettee hors comme vne fable d'vn endormi &
cataleptique.

PREMIEREMENT ie ne diray rien de la vanité de ce
compromis fait en touchant dedans la main, & ne
conteſteray trop ſoigneuſement de l'argent tant de
fois promis & iamais payé, ni de la maniere de contregarder le beſtail, laquelle ne luy fut point mon-
ſtree, encores que l'alliance euſt eſté faite ſous telles
conditions qu'il donneroit argent, & qu'il apren-
droit l'art de defendre & contregarder le beſtail. Or

comme le diable ne l'auoit qu'imaginaire, aussi ne la pouuoit-il & ne la vouloit donner, ains essayoit seulement de tromper & faire tenir Pierre sur ses gardes, lequel il estonnoit par des semblances de loups qu'il faisait passer par deuant ses yeux, ainsi que bon luy sembloit : si bien que par ces choses qui n'estoyent rien, s'esuanouïssoyent & ne faisoyent aucun mal, il se confioit que par l'estude & industrie du diable son troupeau estoit gardé.

Encores que i'aye parlé au 3. liure de cest œuure chap. 3. (où i'ay discouru plus au long l'histoire des sorcieres) du renoncement de la foy, & de l'alliance du figuier : si ne feray-ie doute d'en parler encores vn petit en cest endroit, pour monstrer que les liens de ceste paction ont esté si foibles & de si petite importance, qu'incontinent que Pierre desista de garder le bestail & ne tenir conte de ce qu'il auoit promis au diable, il vescut huict ou neuf ans continuels, & demeura en l'ancienne religion : dont ie conclus que le tout n'auoit esté qu'une sotte persuasion d'vn homme trompé & phantastique. Car pendant qu'il estoit berger, & demeuroit seul par les champs esloigné des autres, il estoit trauaillé de telles aparitions, non tant à raison du renoncement qu'il auoit fait, qu'à cause qu'il estoit seul : pour ce que la solitude est vne ouuerture propre aux impostures du diable.

Pour ceste mesme cause, le diable faisoit quelquesfois sortir des loups en aparence exterieure seulement, lesquels ne faisoyent aucun mal, car aussi ne pouuoyent ils, estans seulement figures simples & nues. Ou bien encor que nous confessions qu'ils ayent esté vrais loups, si est-ce qu'il est vray semblable que le diable les y auoit amenez, & que quant & quant il les faifoit retirer. Car cefte farce eftoit entreprife afin de fe rendre Pierre plus obligé par fes fottes tromperies. Ce que depuis il ne peut pas faire fi commodement, lors que Pierre laiffant l'eftat de berger, s'eftoit retiré de ces lieux folitaires.

2   AINSI dit-on que l'an 1542. il aparut à Conftantinople vn grand troupeau de loups, lefquels faifoyent fi grand dommage aux habitans, que maugré eux ils les contraignoyent de fortir des maifons. Le Turc donc ayant mis garde à l'entour des murs de la ville, alla par toutes les ruës les iours fuyuans, accompagné d'vn bon nombre de gens de cheual & de pied : enfin il rencontra enuiron cent cinquante loups en vn endroit de la muraille, lefquels incontinent fe ietterent par deffus, & oncques depuis n'en aparut aucun, ni en la ville ni es enuirons.

3   I'AY monftré en outre trefmanifeftement en mon troifieme liure & autres endroits, tant par les autoritez de fainct Augustin, des Decrets, que par plufieurs raifons, que toutes ces folles aparitions de danfes & de chandelles auiennent feulement en feinte deuant les yeux, ou bien en fonge. I'ay auffi en ces mefmes paffages prouué que toutes ces fables que l'on raconte des loups garoux, ne font que fonges & follies.

AV refte, ie ne me puis affez efmerueillé qu'il fe trouue gens fi peu entendus, que de tomber en telle folie de croire que l'homme qui a efté fait à l'image de Dieu, & formé de corps, d'ame & d'efprit : qui eft le temple de Dieu & du fainct Efprit : qui eft la retraitte de raifon, l'organe defireux des fciences, qui eft droit efleué, excité à regarder vers le ciel, comme à fon ancien domicile, qui eft mefmes vn petit monde, auquel Dieu a tout affuietti les ouailles, les bœufs,

Iob
fin 2. cel.
liu. des miracles.

Gen. 1.
1. Theff. 5.
1. Cor. 3. 6.
Lactance
iure 2. chap. 12
de
l'inft. diui.
& de l'opifi.
de Dieu.
chap. 2. 8.
Seneque à Luci.
epiftr. 77.
Ciceron
des loix,
& 1. des offic.
Arifto. 1.
de la Metaphy.
& liure 2.
de Phyf.
Pfeau. 8.
Chryfof.
fur
S. Matth.

les animaux des champs, les oyfeaux de l'air, & les
poiffons de la mer, lefquels il a faits à caufe de
l'homme feul : de croire que ceft homme puiffe eftre
ueritablement tranfmué en loup, befte irraifonnable,
gouffre & abyfme peftilentieux entre tous les animaux:
ou bien qu'il puiffe eftre fait vne autre creature,
par quelque faculté, ou vertu manifefte, occulte ou
fpeciale. La prouidence diuine ne le permet point,
les lettres fainctes en appellent, les Decrets y contre-
difent la nature & la raifon ne le peuuent endurer.
Si ie gaigne donc ce poinct que cefte metamorphofe
n'eft veritablement faite, ce que perfonne de fain iugement ne peut nier : i'obtiendray quant & quant
que cefte confeffion eft imaginaire, & fauffe en partie.
Ie vous demande maintenant, qu'elle foy doit-on adioufter au demeurant, comme aux homicides & meffaits qu'ils ont confeffé ? Il eft manifefte que ces chofes
ne font auenues finon en ce mafque & transformation
en loup, & qu'autrement elles n'euffent peu eftre
faites. Et certainement ce font toutes fotifes & plus
que fables, voire vrayes folies. Il fe faut douloir que
les yeux de quelques prudens perfonnages, ayent efté
iufques à maintenant ainfi efblouies, qu'ils ayent
aioufté foy à ces tromperies. Mais ç'a efté la faute &
l'aueuglement du fiecle paffé, lors que ce fin trompeur fe iouoit trop à l'aife des hommes, defquels il
fe moquoit en leur portant dommage. Pleuft à Dieu
qu'vn chafcun de ceux qui font ainfi charmez peuffent
par la trefgrande mifericorde de Dieu entendre cefte
parole, Ephphara (qui fignifie, ouure-toy) afin que   *Marc. 7.*
comme cefte parole eftant prononcee auec eficace, par
la bouche de Iefus Chrift ouurit les oreilles du fourd
pour eftre conuertis à la verité, & defnoua le fillet

de la langue pour en apres prefcher la verité : que par
mefme grace il forte vn rayon de la lumiere diuine,
par lequel les impuiffantes, mais ofufquantes tenebres du diable eftans enfin tout à vne fois diffipees,
chaffees, & furmontees, chafcun puiffe paruenir à la
conoiffance de la trefclaire verité, fans qu'il foit aucunement efbloui par les impoftures. Mais afin que
perfonne ne penfe que ie ne vueille euiter à refpondre
aux autres obiections, i'expliqueray en peu de paroles le refte de cefte fable.

4   Il n'y a point de doute que l'onguent par lequel ils
fe frottent tout le corps pour fe faire loups, ne fuft
en dormant, pareil à celuy que nous auons defcrit
au cha. 17. du 3. liure, lequel executoit fa force lors
qu'il eftoit apliqué aux parties nues du corps, afauoir
à l'heure que fon pouuoir agiffoit eftant excité par la
chaleur naturelle. Ce qu'ayant efté fait, le diable
cauteleux ouurier leur propofoit en ce fomme profond
les aparitions de leur transformation en loups vaga-
bonds, lefquels fe iettoyent fur les paffans, eftran-
gloyent & deuoroyent les filles, auoyent afaire auec
les louues, & faifoyent toutes telles chofes qui leur
eftoyent reprefentees en fonge. De là s'enfuyuoit cefte
foudaineté & viftetle telle que facilement on l'imagine en fongeant ou par penfees. Mais vne heure apres
que la vertu de ceft onguent en dormant fe diminuoit
& fe perdoit, alors comme eftans excitez d'vn grand fommeil ils fe voyoyent eftre hommes tels qu'ils eftoyent
auparauant. Vous pourrez lire le femblable en S. Auguftin du pere de Preftance, comme nous auons efcrit
aux chap. 22. & 23 du quatrieme liure de ceft œuure,
où par expres i'ay traitté cefte matiere plus au long,
& ay defcrit la maladie nommee Lycanthropie.

Qvant est de l'autre onguent, duquel ils se frotent pour redeuenir hommes, certainement ou il leur aparoissoit seulement en la phantasie lors qu'ils estoyent encores endormis : ou bien il estoit contraire aux inconueniens qui eussent peu avenir de l'vsage de l'onguent en dormant : ou bien il ne seruoit d'autre chose sinon que le diable les trompoit dauantage par le moyen d'iceluy, comme s'il eust peu quelque chose de particulier en ceste transformation.

Et quant à ce qu'ils ont confessé que quelquesfois 6 ils retournoyent en leur premiere figure d'homme plustost qu'ils ne vouloyent, & auant que le temps prefix fust passé, cela procedoit ou à cause qu'ils n'auoyent pris assez de cest onguent en dormant : ou bien à raison que ce mesme onguent n'estoit assez entré auant, tellement que sa vertu se perdoit plustost, & le somme n'en estoit si long.

Davantage, comment est-ce que ceci se peut acorder 7 qu'ayans esté loups vne heure ou deux au plus, ils ayent deuoré vne fille auec ses os (comme ils confessent) & qu'incontinent ils soyent redeuenus hommes ? Ie vous prie, en quelle capacité ceste chair & ces os de la fille se sont ils retirez lors qu'ils sont redeuenus hommes ? Au reste, s'il ont mangé ceste fille excepté le bras, pourquoy confessent ils au mesme article qu'ils en ont bien peu mangé ? Aussi eust-on parauenture trouué, si lon s'en fust enquesté, diligemment que ces filles qu'ils ont confessé auoir estranglees, estoyent encores viuantes : ou bien si elles estoyent mortes, on eust descouuert que ceste mort leur estoit auenue par quelque autre occasion naturelle.

Item comment est-ce que celuy qui estoit esclaue 8 du diable son maistre, ennemi iuré de Dieu, auquel

par concordat il s'eſtoit obligé, a demandé l'aumoſne
9 en l'honneur de Dieu? Item, ſi Pierre eſtoit veritablement conuerti en loup, auec quelles mains a-il
coupé d'vn couſteau la gorge de la cheure?

10   Et encores que Michel fut veſtu, ſi eſt-ce qu'il
pouuoit bien oindre les parties de ſon corps commodes à porter au cerueau la vertu du medicament
en dormant, comme en oignant les arteres des temples
& des mains tout ainſi comme faiſoit Pierre eſtant
nud. Mais s'il euſt eſté vrayement loup, comment
eſt-ce qu'eſtant veſtu comme il eſtoit, il euſt peu
mordre ceux qu'il rencontroit, & comment eſt-ce
qu'il les euſt peu faire mourir?

11   Qvant eſt de l'embraſſement venerien fait auec la
louue, ie diray ſeulement qu'il a eſté executé par quelques imaginaires apparences, ſuruenues es ſonges
qui ſuiuent les ſomnes proſonds procedans de ceſt
onguent endormant, comme nous voyons ordinairement auenir aux hommes bien ſains, leſquels quelquesfois par telles aparitions & ſemblances delectables
qui leur aparoiſſent en ſonges, reçoiuent vne telle
volupté que le plus ſouuent il en enſuit vne grande
Eſa. 29. effuſion de la ſemence naturelle. Ce qui peuſt auenir
beaucoup plus toſt & plus facilement à ceſte maniere
de gens, la phantaſie deſquels prompte & ſeruile a
eſté remplie par vn eſprit d'aſſopiſſement de telles
aparitions que bon luy ſemble.

12   Ie reſpon maintenant à la laſſitude qu'ils diſent
endurer apres ceſte transformation, que de là nous
pouuons facilement entendre combien vn ſomne
faſcheux & ſans repos laiſſe de laſſitude au corps,
principalement lors qu'il prouient violentement par
le moyen d'vn medicament acompagné de ſonges

fafcheux & efpouuantables, dont celuy peut bien
tefmoigner lequel en dormant a enduré l'Incube ou
la Cauchemare. Ceux qui en font tourmentez ont vn
mouuement dificile, vn fens engourdy pendant le
fomne, vne imagination d'eftouffement, comme s'ils
eftoyent pris par quelqu'vn qui les affaillift : leur
voix eft empefchee : ou bien ils la rendent incertaine
& mal à propos, & plufieurs font tellement tourmentez
par horribles aparitions, que mefmes ils penfent entendre ceux qui les opreffent & trauaillent. Ce grand
trauail de l'animale faculté les rend du tout las.

On conoit encores dauantage la verité de ces apa-   13
rences qui fe font en fongeant, par ce qu'ils confeffent
ne fauoir que deuiennent leurs poils apres qu'ils font
remis en leur premiere forme d'homme.

Or eft-ce vne doute afauoir fi le diable veritable-   14
ment leur bailla cefte poudre : ou bien fi elle eftoit
de telle vertu, dautant que lon ne pourroit prouuer
qu'ils en ayent vfé. Car Pierre n'a confeffé & ne fe
fouuient auoir efgorgé ou en mordant, ou auec vn
coufteau, autre animal que la cheure, cependant qu'il
eftoit transformé en loup. Dauantage fi cefte poudre
eftoit fi venimeufe qu'en fe frottant feulement la
main ils faifoyent foudainement mourir tout animal
encores qu'il euft efté bien garni de poils longs &
amaffez, & d'vne peau efpaiffe : comment ces pauures
ols ont ils peu euiter la malice de ce poifon fi dangereux, veu qu'ils en auoyent le bras & la main
feneftre toute pleine, en laquelle il y a des arteres qui
le peuuent porter foudainement au cœur?

Souuenez-vous auffi qu'il y a telle inconftance &   15
contrarieté en leur confeffion que ce que quelquefois
l'vn affeuroit, l'autre le nioit.

Si lon examinoit diligemment par telle methode
toutes les confeſſions tirees le plus ſouuent à force de
cruels tourmens, ou bien, ſi vous voulez, confeſſees
librement par les priſonniers : certainement ce diable
homicide mortel s'apperceuroit de iour en iour de la
prochaine ruine de ſa tyrannie : & au contraire la
gloire de Ieſus Chriſt, qui eſt la verité & la vie,
s'augmenteroit. Le Magiſtrat feroit mieux, & auec
plus grand auis ſon deuoir : le bois & les grands
morceaux de fagots, dont les innocens ſont bruſlez,
feroyent employez à meilleurs vſages, & les frais que
lon fait pour entretenir la bourrellerie diminueroyent
de beaucoup.

CHAPITRE XV

*Exemple de pluſieurs femmes innocentes que lon
a fait mourir pour eſtre ſoupçonnees de ſorcellerie.*

NTRE tous ces exemples, nous en auons
vn fort remarquable d'vn Preuoſt, lequel
au rapport d'vn deuin fit prendre pluſieurs femmes, leſquelles il fit bruſler.
En la fin ce deuin ou prediſeur Pythonique que le
Preuoſt auoit touſiours creu, le vint trouuer & luy
dit qu'il y auoit encores vne femme ſorciere, laquelle

il acuferoit, pourueu qu'il ne le trouuaft point mauuais. Incontinent qu'il luy euft acordé, le deuin luy
acufa la preuofte fa femme, luy promettant pour
l'affeurer, de la luy faire voir à veuë d'œil. Ainfi donc
il luy affigna heure en laquelle le Preuoft deuoit voir
fa femme en la fynagogue & en la dance des autres
forcieres. Le Preuoft y confentit, & à la mefme heure
que cela fe deuoit faire, il pria plufieurs fiens parens
& amis de venir difner en fon logis, fans toutesfois
leur defcouurir la caufe de cefte femonce. L'heure
eftant venuë, il fe leua de table & pria vn chacun de
demourer auec fa femme fans fe bouger, que premierement il ne fuft de retour. Eftant doncques
mené par ce deuin en vn certain lieu, il luy fembla
voir apertement vne affemblee de forcieres auec quelques plaifirs & allechemens de voluptez entre lefquelles fa femme eftoit, & fe mefloit de faire le mefme
que les autres. Puis eftant de retour incontinent en
fon logis, il trouua fes amis & parens en mefme
place qu'il les auoit laiffez auec fa femme : afauoir à
table où ils fe refiouiffoyent. Et s'enqueftant d'eux
foigneufement fi fa femme n'eftoit point fortie, chacun luy refpondit d'vn commun confentement qu'elle
n'auoit defplacé du lieu, auquel il l'auoit laiffee.
Ainfi le Preuoft leur declara tout, & fe repentant vn
peu bien tard d'auoir fait mourir des innocentes, il
fit punir de mort, fi bien il m'en fouuient, ceft acufa-
teur Pythonique.

Ainsi fit-on mourir quelques femmes acufees de
eftre forcieres en vn chafteau du reffort de Minden
nommé Raed, ce qui fut fait à la fufcitation d'vne
femme nommee Marguerite de Minden, laquelle
autresfois auoit efté empoifonnee au chafteau de

*La
femme du Preuoft
fauffement
accufee.*

Huisberg pres Visurge. Ceste mesme femme peu
apres estant en la cité de Verden, en accusa vne, à
telle condition que où elle ne confesseroit es prisons
qu'elle estoit sorciere, elle mesme se submettoit aux
pareilles peines que l'autre deuoit encourir : ce qui
auint. Car l'autre estant prisonniere nia constamment le crime qu'on luy mettoit sus, si bien qu'on
la fit mourir par les tourmens qu'on luy fit endurer,
& ainsi prise de corps fut decretee contre l'accusatrice, laquelle toute furieuse & comme pleine de
venin & de feu espouuanta si bien le bourreau &
tous autres qui en pensoyent aprocher qu'elle les
chassa : iusques à ce qu'vn maistre des Comptes, qui
conoissoit ses tromperies & finesses, luy mit la main sur
le colet, & la fit prendre par les autres. Et ainsi estant

La
peine
d'vne
fausse accusatrice.

sur la gehenne, elle confessa en fin sa meschanceté,
& fut punie de la mesme punition qu'eust souffert
l'autre, si elle eust esté conuaincue. Le bruit estoit
commun qu'elle auoit faussement accusé non seulement celle qui estoit morte en prison, mais aussi celles
qui à son raport auoyent esté bruslees auparauant.

Il est auenu de nostre temps à Duren, qū ne
pauure vieille fut accusee d'estre sorciere, & fut mise
en prison, pourautant qu'il estoit auenu que les
herbes de son iardin n'auoyent point esté offensees
par la tempeste, laquelle auoit ruiné toutes celles des
iardins circonuoisins : comme il auient souuentesfois que la nuee des tempestes & orages se conduit
diuersement. Or pourautant qu'il ne fut oncques
possible de luy faire rien confesser par diuerses
cruautez & tortures, soustenant auec grande prudence
tousiours au contraire qu'il n'estoit pas en sa puissance
de faire les tempestes, ou de trouoler l'air, ains que

c'eſtoit à vn ſeul Dieu que cela apartenoit : le Iuge luy fit bailler l'eſtrapade, où eſtant preſſe de mourir, il la laiſſa en ces tourmens & emmena le bourreau boire auec ſoy, diſant qu'auant que d'eſtre de retour elle confeſſeroit pluſieurs choſes. La miſerable cependant eſtant au milieu de ces angoiſſes, pria ce Iuge qu'il luy pleuſt auant que d'aller boire luy faire venir le confeſſeur, pour luy remonſtrer ſes fautes & la conſoler, dont il ſe mocqua & s'en alla. Eſtant reuenu il la trouua morte, & controuua que pendant ſon abſence elle s'eſtoit tuee. Peu de temps apres ce tyran tomba en vne telle manie, qu'après s'eſtre deſchiré ſes veſtemens & ſouillé ſa face de ſa propre fiente, il ſe tua.

La punition d'vn iuge inique.

Il y auoit encores vne femme aſſez pres de là en vne autre bourgade, laquelle eſtant priſe pour le meſme fait ne voulut onques rien confeſſer, encores qu'on la gehennaſt cruellement, iuſques à ce qu'vn petit preſtrereau la vint admoneſter par flateries à ce qu'elle n'enduraſt dauantage ſon corps eſtre ainſi crue'ement tourmenté, ains que doucement elle confeſſaſt ſon meffait, & qu'auec de l'eau benite il la purgeroit de toute ſorcellerie, en promettant de la rendre par ce moyen ſaine & ſauue à Dieu. Ceſte pauure femme eſtant ainſi ſeduite par ce preſtre confeſſa que de coup d'auenture elle auoit commis tel mal, penſant que par ce moyen elle eſchaperoit, comme le preſtre luy auoit promis. Toutesfois ſur ceſte confeſſion, tiree par fallace & dol, ſentence fut donnee, par laquelle elle fut condamnee à eſtre bruſlee : ce qui fut executé. Ayant entendu cela outre ſon eſperance, ceſte miſerable femme admoneſta les iuges ſourds qu'ils regardaſſent bien comment ils la faiſoyent mourir.

Confeſſion tiree par fineſſe & fallace.

Il y a enuiron quarante & deux ans, que pres du

village de Elten situé à vn quart de lieuë de Embrie en
la Duché de Cleues, il y auoit yn diable qui habitoit
fur le grand chemin, lequel tourmentoit diuerfement
les paffans, battant les vns, iettant les autres en bas de
leurs cheuaux, & faifant verfer les chariots des autres,
fans que lon vift autre chofe que la figure d'vne main.
On le nommoit vulgairement Eckerken. Les voifins
incredules ne pouuans affez difcerner cefte tromperie
& exercice du diable, attribuerent incontinent ce
meffait à vne forciere : parquoy ils prindre it prifon-
niere vne femme nommee Sibylle Duifcops, fuiette &
vaffale du Comte de Mont, laquelle apres auoir efté
bruflee, le tourment que faifoit ce diable, ceffa : non
qu'elle euft efté caufe de cefte impofture, encores que
le diable l'euft peu induire à confeffer, ou à raifon de
fon incredulité, ou bien pour dreffer vne cruelle bourrellerie : mais pour autant que de fon propre gré le
diable defifta trefuolontiers, afin qu'il enfondraft dauantage les hommes dedans le goufre d'incredulité,
& qu'il les rendit coupables d'auoir donné vne fentence fanguinaire, qu'il defire fort eftre executee
contre les innocens, comme ayant efté homicide de
tout temps. Car fi on euft obferué par induftrie, &
que lon fe fuft enquis diligemment de l'heure en
laquelle cefte main imaginaire fe monftroit, il n'y a
point de doute que lon n'euft trouué Sybille parauenture dormant en fon lict, ou faifant autre chofe.
Si vous m'alleguez qu'elle l'a confeffé, ie vous refpon
que cefte confeffion a efté tiree d'elle par le bourreau,
ou bien prononcee par elle qui auoit la phantafie
troublee. Nous auons au refte dit fi fouuent le moyen
par lequel le diable la corrompt, qu'il n'eft icy meftier
de le repeter.

Les iuges d'vne ville fur la Mofelle vouloyent en
ce temps donner la torture à vne femme accufee
d'auoir fait quelque forcelerie en du laict, dont
m'eftant informé d'elle & examiné le tout ie l'auois
declairee innocente, & depuis l'Euefque l'auoit fait
eflargir : d'vn commun auis : decretent prinfe de
corps contre vne autre femme fufpecte de forcellerie
des long temps, fans auoir efgard qu'elle eftoit hydropique, & tellement tourmentee, qu'elle n'atten-
doit que l'heure de mourir comme elle s'y eftoit
preparee ayant defia receu tous fes facremens, comme
on parle en l'Eglife Romaine. Neantmoins elle fut
aportee dans vne chaire en la cour du chafteau, où
elle rendit incontinent l'efprit. Ce nonobftant les
iuges continuent en leur rigueur, ne veulent permettre qu'elle foit enterree au cemitiere : mais en fin
ils le permirent à grande inftance, & cuidans auoir
fait vne grande grace au corps mort. Il auient de la
que Dieu iufte iuge punit quelquesfois les fentences
iniques des magiftrats, la folle croyance du peuple,
& la trop grande rigueur des grands, comme il auint
enuiron ce temps, afauoir le neufieme iour de fep-
tembre, de l'an mil cinq cens feptante quatre, affez
pres de cefte ville là : car enuiron quarante perfonnes qui venoyent de prendre leur paffetemps au
feu de quelques femmes que lon auoit bruflees, eftans
en vn batteau pour s'en retourner chez eux fe noyerent
dans le Rhin.

CHAPITRE XVI

La finguliere prudence, de laquelle ont vfé quelques
princes en l'accufation de forcellerie.

v refte, afin que d'vne plus grande prouidence on puiffe d'orenauant euiter
ces efcueils & perpetuels naufrages des
ames, i'ay bien voulu propofer à vn
chacun commeen vn miroir vnefentence memorable,
digne d'eftre enfuyuie : laquelle a efté donnee depuis
peu de temps enuiron le Carefme de l'annee 1563.
& prononcee par noftre trefilluftre Prince monfieur
Guillaume Duc de Cleues, de Iuliers, &c. Vn laboureur du Comté de la Marche, riche en beftail, fe retira
per deuers vn deuin pour fauoir la caufe pour laquelle fes vaches rendoyent moins de laiâ que de
couftume, lequel incontinent luy promit monftrer la
forciere qui eftoit caufe de cefte perte. Parquoy il fit
compagnie à ce laboureur iufques en fon logis, où
eftans venu il luy monftra vne fienne fille non encores
mariee, laquelle il auoit eu de fa premiere femme,
& luy dit que c'eftoit celle qui par fes charmes faifoit
diminuer le laiâ des vaches. Cefte fille incontinent
trompee, mal perfuadee, & induite par le diable, dit
qu'il eftoit vray : toutesfois qu'elle n'eftoit affez bien
exercitee en forcellerie comme eftoyent feize autres
femmes qu'elle acufa, & chargea d'eftre grandes cler-

geſſes en ceſt art. Noſtre tres illuſtre Prince fut incontinent aduerty par le Preuoſt, lequel conſeilloit
que elles fuſſent incontinent toutes conſtituees priſonnieres, toutesfois le Prince defendit d'en prendre
vne ſeule commandant au contraire que l'on fiſt tant
que le deuin fuſt pris par quelque moyen que ce fuſt
& mis en priſon eſtroite. Son Alteſſe voulut que la
fille fuſt enuoyee par deuers vn Miniſtre de l'Egliſe,
afin d'eſtre examinee des principaux poinɔts de la foy
Chreſtienne, remiſe en ſon bon ſens par vn enſeigne-
ment plus ſain, & ainſi retiree des illuſions diaboliques. Il commanda auſſi qu'eſtant ainſi endoɔtrinee
& rendue plus forte contre les folies & deceptions de
Satan, elle fuſt deliuree ſous caution ſi elle en pouuoit recouurer, afin qu'elle fuſt touſiours retenue en
ſon deuoir, ou bien à ſa caution iuratoire. Il ne fut
fait aucun tort aux autres femmes fauſſement accuſees
de ce crime par la fille, l'eſprit de laquelle auoit eſté
troublé. Et ainſi par ce prudent conſeil toute la fable
ceſſa, & les vaches rendirent autant de laiɔt que de
couſtume. Pleuſt à Dieu que les autres Princes, ad-
moneſtez par ceſt exemple ſalubre, allaſſent au deuant
de toutes ces ſemblables tragedies, eſtans mieux en-
doɔtrinez & aſſeurez par telles & legitimes raiſons
contraires à l'impieté : certainement les moins ruſez,
enlaſſez dedans vn labyrinthe inexplicable, ne t mbe-
royent pas ſi ſouuent d'vn ſimple erreur en vn
millier d'autres, es choſes eſquelles on ne peut rien
arreſter de certain, & dont à la parfin lon ne trouue
fin ni moyen de ſortir. Ce fin & cauteleux tiſſerant a
accouſtumé de tixtre ingenieuſement telles manieres
de toiles.

MAIS c'eſt vne choſe fort deplorable que les conſeil-

En
l'imperialeconſtit.
des
aɔt. criminelles.
art, 22.

lers des Princes, les Magiſtrats, & ceux qui gouuernent les republiques, ſont quelquefois deſtituez de
meure deliberation, de diſcretion & d'vne parfaite
conoiſſance des choſes : dont il auient que ſouuentes
fois les Princes ſont induits à eſpandre le ſang, tant
en ceſt afaire, comme en pluſieurs autres cauſes, leſquelles ne ſont encores aſſez conuës & arreſtees. Or
entre autres choſes par leſquelles on peut iuger que
tout eſt bien adminiſtré par Monſeigneur Frederic
electeur Palatin, Prince d'excellente ſageſſe, de memorable pieté (ce que ie dis ſans flaterie) & d'incomparable modeſtie, & qu'il ne veut point que l'on vſe de
cruautez contre les innocens en matiere des impoſtures de Satan & outre que la choſe eſt conuë à
chacun par les memorabies edits, qu'il a faits publier:
Nous auons encores cecy dauantage que Chriſtofle
Probus docteur en loix & chancelier treſvigilant,
homme de diuerſe erudition, de prudence rare, & de
grande vertu a depuis peu de temps propoſé en l'aſſemblee des Princes electeurs du Rhin qui fut faite à
Binge, où eſtant tombé d'auenture ſur le propos de
ce mien œuure, il declara publiquement & prudemment ce qu'il penſoit de ceſte controuerſe touchant
les tragedies & tromperies du diable.

La
prudence
de
Frederic
electeur Palatin.

Nous pourrons à bon droit mettre en ce meſme
catalogue le genereux & illuſtre Comte de Niuvenar
Monſieur Hermand, Seigneur docte es langues, d'vne
memoire aſſeuree, & d'vn rare eſprit, lequel depuis
peu de temps par vn ſingulier auis bannit ſeulement
vne pauure femme accuſee d'eſtre ſorciere, laquelle
auoit confeſſé toutes les choſes que ceſte ſotte maniere
de femmes a acouſtumé de faire, mais ſeulement en
imagination : ce qu'il fit pourautant qu'il voyoit ſes

voifines eftre encores fi ftupides & incredules, que
pour rien ils ne la vouloyent fouffrir. I'ay eu fa
confeffion, laquelle de fa grace il m'a communiquee.

Le genereux Seigneur Guillaume Comte de Mont
eft digne de louange en cecy, qu'ayant efté admonefté
par moy, & inftruit en la conoiffance de ces illufions
diaboliques, laiffa aller depuis peu de temps vne
vertueufe femme aagee de quatre vingts ans, laquelle
eftoit foupçonnee d'eftre forciere, & auoit efté defia
vne fois prife pour ce faict, & gehennee, & difoit on
que fa mere eftoit morte deffus la torture pour le
mefme fait de forcelerie. Ie l'allay trouuer, & m'enquis fort foigneufement de tout, encor que ie conuffe
bien qu'elle eftoit accufee à tort. On luy mit au deuant que lors qu'elle eftoit dans le chariot pour eftre
amenee en prifon, fon fils luy prefenta vne boule de
terre par la vertu de laquelle elle fe pouuoit fauuer
de prifon, & qu'il l'auoit admonneftee de fe fouuenir
de fa promeffe. Ses accufateurs interpretoyent cela
finiftrement, comme fi la mere euft promis de faire
par le moyen de cefte boule que on ne luy pourroit
ofter la vie. Ainfi donc ils infiftoyent fi viuement fur
ces articles, que fi ie ne m'y fuffe opofé auec la raifon
& verité, elle euft efté bruflee bien toft apres. En parlant à cefte femme il fembloit qu'elle tombaft de fois
à autre en eftafe : au moyen dequoy ie luy ouurois
la bouche, luy maniois les mains, taftois le pouls, &
regardois fa langue : puis apres ie luy donnois quelque piece d'argent, pource que le commun bruit eft
que les forcieres ont quelque puiffance de darder leur
venin fur ceux qui leur ont fait du bien. Au refte en
refpondant pertinemment à la premiere queftion, elle
nia que fon fils luy euft baillé vne boule de terre :

mais que c'estoyent des drapeaux entortillez de ceste
façon pour apliquer sur ses iambes toutes gastees par
les tortures qu'elle auoit souffertes autresfois pour
mesme soupçon : car alors on luy auoit uersé de
l'huile bouillante sur les iambes, afin de luy faire
confesser ce qui luy estoit mis sus. Quant à l'autre
point à sauoir que la mere se souuint de la promesse
faite à son fils, elle dit que se voyant ainsi continuellement calomniee de sorcelerie, elle auoit dit à ses
enfans, au cas qu'on la fist mourir pour tel soupçon,
elle aiournevoit l'auteur de sa mort à comparoir en
personne deuant le siege iudicial de Iesus Christ, le
trentieme iour apres le supplice d'elle, pour rendre
raison de sa sentence. Que si l'effect s'en ensuyuoit,
ce seroit vn manifeste argument de son innocence, &
que les enfans conoistroyent que leur mere auroit
esté executee à tort, veu que Dieu seul iuste vengeur
exauce les prieres des innocens, & ferme l'oreille aux
cris des hypocrites. Sur ce i'admonestay tellement le
comte, & luy descouuris si bien ces illusions diaboliques, qu'apres auoir fait soigneusement examiner le
proces, il relascha ceste miserable femme. Il ne faut
pas oublier Monseigneur Adolphe Comte de Nassau,
lequel prit beaucoup de peine en la guerre de ceux
de Dannemarc contre ceux de Suede, l'an 1564. à ce
que les grands Seigneurs ne fussent trompez par telles
impostures.

C'est auis louable & plein de pieté, lequel doit
estre receu par les Princes & grands Seigneurs, asauoir qu'il vaut beaucoup mieux pardonner à dix
coulpables que de faire mourir vn innocent.

CHAPITRE XVII

L'auis des peres anciens, par lequel il apert qu'il ne faut faire mourir ceux qui font feduits par erreur, ni les heretiques.

 R pour autant que la plus part de telles gens ont l'efprit troublé, & ont efté feduits d'erreur par Satan, comme nous l'auons affez montré, ellement qu'ils meritent pluftoft la peine deuë aux heretiques, que d'eftre ainfi bruflez, i'ay allegué ici en bref quelques auis des peres anciens, pour monftrer qu'eftans mieux inftruits, s'ils fe conuertiffent, ils ne meritent d'eftre punis corporellement. S. Auguft. efcriuant à Donat Proconful d'Afrique. Nous defirons, dit-il, que les ennemis foyent punis felon l'occafion des iuges & des loix terribles, de peur qu'ils ne tombent en la peine de l'eternel iugement : mais nous ne voulons pas qu'ils foyent tuez. Auffi ne voulons nous pas que la difcipline foit mefprifee en leur endroit, ne qu'ils foyent punis des fuplices qu'ils meritent. Reprenez doncques tellement leurs pechez, qu'apres ils fe repentent d'auoir peché. Nous vous prions donc lors que vous entendrez les caufes de l'Eglife, d'oublier la puiffance que vous auez de tuer, & de n'oublier noftre demande, quelque afligee & affaillie qu'elle foit d'iniures & de mesfaits malheureux. Gardez

L'auteur ne plaide point pour les heretiques obftinez ni pour leurs docteurs. ains feulement pour ceux qui ont efté feduits par autres, puis fe repentent & fe reioignent à l'Eglife.

vous de ne tenir conte (fils trefaimé) de ce dont nous vous prions, que ceux ne foyent occis pour lefquels nous prions Dieu qu'ils fe corrigent. Il efcrit encores à Marcellin. Nous vous prions que leurs punitions encores qu'ils confeffent leurs grandes mefchancetez, foyent fans mort : ce qui fera pour la recommandation de noftre confcience & de la douceur catholique.

Epiftre 138.

Il efcrit auffi au mefme en l'epiftre 159. Iuge Chreftien, acompliffez le deuoir d'vn pere doux & benin, courroucez vous tellement contre l'iniquité que quant & quant vous ayez fouuenance de ne faire tort à l'humanité. Gardez vous d'exercer l'enuie de vengeance contre la grandeur des pechez : mais ayez la volonté de guerir les playes des pechez. Ne perdez pas la diligence paternelle, que vous auez gardee en cefte iruifition, en laquelle vous auez defraciné la confeffion de tant & tant de mefchancetez non par vn efguillon pouffé, ni par les ongles efgratignans, non point par les flammes bruflantes, mais feulement par la correction des verges.

Il efcrit auffi contre l'Epiftre du Fondement, chapitre premier : le Seigneur, dit-il, fubuertit les regnes d'erreur par fes feruiteurs, & commande que les hommes, en tant qu'ils font hommes, foyent pluftoft amendez que perdus. Car s'il n'eftoit ainfi qu'ils ne peuffent eftre conuertis par la grace de Dieu, l'admonition de fainct Iaques ne feruiroit de rien. Sainct Auguftin fauoit cela, & pour cefte caufe il fe dedioit du tout à conuertir les heretiques, & ce fuyant les admoneftemens de l'Apoftre, auec grande douceur & manfuetude d'efprit, & non fans vn grand fruit d'vn labeur plein de pieté. Car il efcrit ainfi en l'Epiftre 48. à Vincent : Nous nous refiouïffons de la correction de plufieurs, qui maintenant maintienent fi fermement l'vnité catholique, fe refiouïffent de ce qu'ils font deliurez de l'erreur auquel ils eftoyent au parauant, fi bien que maintenant nous nous en efmerueillons auec grande ioye. Sur toute chofe auffi il eft bien feant à vn magiftrat Chreftien, d'eftre tellement moderé qu'il s'abftiene de toute cruauté & fureur. Et quant à moy ie ne diffimule point que ie ne fois du nombre de ceux aufquels il defplait beaucoup, que lors qu'il faut faire mourir les erreurs, on face mourir les hommes. Cela ne plait à aucun des gens de l'Eglife catholique, comme dit le mefme fainct Auguftin, quand on paffe iufques à la punition de mort, encores que l'exemple foit heretique.

Il efcrit encores contre les lettres de Petilian, chapitre vingtneufieme. Aimez les hommes, tuez les erreurs, combatez pour la verité fans aucune cruauté. Item contre l'Epiftre du Fondement : Que ceux-là, dit-il, exercent leur cruauté contre vous, qui ne fauent auec quelle peine la verité eft trouuee, & à combien grande difficulté on fe garde des erreurs. Ceux-là exercent leur cruauté contre vous, qui ne fauent auec combien de dificulté l'œil de l'homme interieur eft gueri, à ce qu'il puiffe voir fon foleil, non pas celuy que vous adorez qui a vn corps celefte, & qui enuoye fes rayons aux yeux charnels des hommes & des beftes : mais celuy duquel il eft efcrit par le Prophete : Le foleil de iuftice m'eft aparu : & dont il eft dit en l'Euangile, C'eftoit la vraye lumiere, laquelle illumine tout homme qui vit en ce monde. Ceux-là exercent leur cruauté enuers vous, qui ne fauent auec combien de foufpirs & gemiffemens on

fait que Dieu puiſſe eſtre entendu de tous coſtez : bref,
ceux-là exercent leur cruauté contre vous, qui ne
font deceus d'aucun pareil erreur dont ils vous
voyent eſtre deceus, &c. Ce n'eſt donc pas choſe apar-
tenante à homme qui fait profeſſion de pieté, que
d'exercer cruauté contre les heretiques voire bien
deteſtables, tels qu'eſtoyent les Manicheens, auſquels
ſainct Auguſtin eſcrit ce que deſſus. Car il ſait auec
combien de labeur & de peine on trouue la verité,
par combien de dificultez on ſe garde des erreurs, &
par combien de ſouſpirs & gemiſſemens on fait tant
que Dieu ſoit ouy & entendu de toutes parts.

　　Av liure des queſtions de l'Euangile ſelon S. Matthieu, chapitre trezieme. De là, dit-il, il auient que
Marc. 4.
Luc. 13.
les ſeruiteurs diſent, Voulez-vous que nous allions,
& que nous ramaſſions ces choſes? auſquels la verité
reſpond auſſi, que l'homme n'eſt pas tellement eſtabli
en ceſte vie qu'il puiſſe eſtre certain quel doit eſtre vn
chacun de ceux qu'il void preſentement eſtre en
erreur : ni auſſi combien l'erreur d'iceluy peut profiter à l'auancement du bien : & que pour ceſte raiſon ii ne faut tirer telles gens hors de ceſte vie, de
peur qu'en penſant tuer les mauuais, lon ne tue les
bons : dautant que parauenture ils doyuent eſtre tels :
ou bien de peur que par ce moyen on ne face tort aux
bons, auſquels parauenture maugré eux il ſeront
vtiles. Mais que lon le peut faire oportunément, lors
qu'en la fin il ne reſte aucun temps de conter la vie,
ou de profiter à la verité par l'ocaſion & comparaiſon de l'erreur d'autruy. Il dit encores là meſme, en
la queſtion ii. Auſſi ne s'enſuit-il pas que tous heretiques ou ſchifmatiques doyuent eſtre ſeparez corporellement de l'Egliſe. L'Egliſe en porte pluſieurs

femblables : car ils ne defendent pas tellement la
fauffeté de leur opinion qu'à icelle ils rendent la
multitude attentiue : que s'ils le font, qu'ils foyent
chaffez alors. Il dit auffi au liure de la vraye religion,
chapitre huictieme. Aidons-nous des heretiques, non
que nous aprouuions leurs erreurs, mais afin qu'en
defendant la difcipline ecclefiaftique contre les embufches de leurs erreurs, nous foyons plus vigilans
& plus auifez, encores que nous ne les puiffions re-
metre en la voye de falut. Il en dit encores autant
34. q. 3. L'Apoftre a dit. Euitez l'homme heretique
apres la premiere & feconde admonition : car il eft
fubuerti & peche eftant condamné en foy mefme.
Mais ceux qui defendent leur opinion fans aucune
opiniaftreté & animofité, ores qu'elle foit fauffe &
peruerfe, & principalement qui l'ont engendré en
eux non par audace ou prefumption, mais par vn
erreur qu'ils ont receu de leurs predeceffeurs, lequel
les a feduits : & ce pendant cerchent la verité auec
grande folicitude, prefts de fe corriger l'ayant trouuee,
ne doyuent eftre mis au rang d'obftinez heretiques.
Chrifoftome efcrit en l'Homelie 47 fur le treizieme
chapitre de fainct Matthieu : Voulez-vous doncques
qu'en nous en allant nous ramaffions ces chofes? Le
Seigneur, dit-il, le defend, de peur qu'ils n'arrachent
le bon blé d'auec l'iuroye : ce qu'il difoit pour defendre les guerres & l'effufion de fang. Car fi on tuoit
les heretiques, il faudroit faire la guerre au monde
fans paction de paix, ou des treues. Il l'a doncques
defendu pour deux raifons, l'vne pourautant qu'il
nuiroit au froment : l'autre que s'ils n'eftoyent gueris,
ils ne pourroyent euiter les extremes punitions. Parquoy fi vous les voulez punir fans faire mal au fro-

ment, il faut que vous attendiez la commodité &
oportunité du temps. Mais qu'est-ce à dire que vous
arracherez enfemble & auec iceux le froment? C'est
certainement, dit-il, dautant que fi vous prenez les
armes, il eft neceffaire que quand vous tuez les heretiques plufieurs des fainćts foyent occis quant &
quant : ou bien dautant qu'entre les yuroyes plufieurs chofes changees fe conuertiroyent en la condition du bon froment. Si doncques en preuenant vous
les arrachez, les froments periront, lefquels proce-
deroyent de ces yuroyes changees. Il ne defend pas
que lon n'empefche les conciliabules des heretiques,
que lon ne leur eftoupe la bouche & qu'on ne leur
ofte la liberté de parler : mais il ne veut pas qu'on les
tue. Il efcrit auffi en la huitieme homelie fur le fecond chapitre de Genefe: Les heretiques reffemblent
à ceux qui font malades de maladie, & qui font
aueugles des yeux corporels. Car ceux-là, à raifon de
l'infirmité de leurs yeux, fe tirent loin de la lumiere
du Soleil, & à caufe de la maladie de leurs corps ils
haïffent & ne veulent prendre les bonnes viandes :
ainfi ceux-ci qui ont l'ame malade, & font aueugles
des yeux de l'efprit, ne peuuent regarder vers la lumiere de verité. Parquoy faifant noftre deuoir, il
nous faut leur prefter la main & parler doucement à
eux. Car S. Paul nous en a ainfi admonneftez, difant :
Enfeignez auec douceur ceux qui ont autre fentiment,
pour effayer fi quelquefois Dieu leur donnera repentance pour conoiftre la verité, & qu'ils s'amendent
pour faire la volonté d'iceluy, eftans efchappez des
pieges du diable, duquel ils font pris. Voyez vous
comment il declare par parole que prefque ils font
enyurez? Et derechef quand il dit, Eftans pris par

Les conciliabules des heretiques doyuent eftre diffipez.

2. Tim. 1.

le diable comme enlaffez dedans fon piege. De là
doncques nous auons befoin d'vne double manfuetude & douceur, afin que nous les puiffions retirer
& fauuer des pieges du diable. Parquoy difons-leur,
Retirez vous, & prenez courage peu à peu : regardez
la lumiere de Iuftice, &c. Il dit auffi en l'Homelie du
nom d'Abraham, Il faut reprendre & anathematifer
les propofitions pleines d'impieté, lefquelles procedent des heretiques : mais il faut pardonner aux
hommes & prier pour leur falut.

A.THANASE efcrit à ceux d'Antioche Tome douzieme :
Retirez tous ceux, dit-il, qui veulent viure paifiblement auec vous, & principalement ceux qui ont efté
en la communion de l'ancienne Eglife, & puis ceux
qui fe font retirez des Arians, prenez-les comme peres,
receuez-les comme maiftres & tuteurs, vous adioi-
gnant cependant à noftre trefcher & bien-aimé
Paulin, & à fes compagnons. Auffi ne leur demandez
aucune chofe finon qu'ils deteftent l'herefie des
Arians, & qu'ils confeffent la foy des faints Peres af-
femblez à Nicee.

SEVERE Sulpice efcrit en la vie de S. Martin, liure
troifieme que fainct Martin ne vouloit pas que les
heretiques fuffent punis, difant : Maxime Empereur
auoit arrefté le iour de deuant felon l'auis des Euefques, que les Tribuns auec grande puiffance feroyent
enuoyez en Efpagne pour faire recerche des heretiques, & pour leur ofter les biens & la vie. Et n'y
auoit aucun doute que cefte tempefte ne gaftaft vne
grande partie des fainéts. Mais Martin prenoit grand
foin à ce que les Tribuns ne fuffent enuoyez en
Efpagne auec main armee. Car cefte folicitude eftoit
pleine de pieté, dautant que non feulement il vouloit

deliurer les Chreftiens qui deuoyent eftre trauaillez
fous ombre de cefte occafion, mais auffi les heretiques mefmes.

CHAPITRE XVIII

Auis d'Erafme, comment il faut traiter les heretiques.

ERASME en fon Apologie contre quelques
articles recueillis de fes liures par certains moines Efpagnols, efcrit ce qui
s'enfuit à Alfonfe Manrico archeuefque
de Seuille, fur le quatrieme article par eux diftingué,
& qu'ils maintenoyent eftre contre l'autorité de l'inquifition. Erafme, difent ils, en fa paraphrafe fur le
13. chap. de S. Matthieu, efcrit que les feruiteurs
qui veulent recueillir l'yuroye auant le temps, font
ceux qui eftiment que les faux prophetes & herefiar-
ques doyuent eftre mis à mort : combien que le pere
de famille ne vueille pas qu'on les extermine, ains
qu'ils foyent fuportez, pour voir s'ils fe repentiront,
& d'yuroye deuiendront bon froment. S'ils ne s'amendent, qu'on les laiffe en la main de leur iuge, qui les
faura bien chaftier. Ie penfe (replique Erafme) auoir
fufifamment refpondu à ceft article es fupputations
fur la 32. refponfe de Beda : i'en ay auffi refpondu à

Latomus, lequel, felon l'auis d'aucuns, fembloit me
taxer fur ce point, tellement que ce feroit chofe fu-
perflue de redire ici les mefmes mots. Toutes les fois
que ie confidere à part moy combien le fchifme &
l'herefie font execrables, ie ne peux condamner le
cautere de la loy tant afpre puiffe-il eftre. Derechef,
quand il me fouuient de quelle douceur Iefus Chrift
a planté, efleué, nourri & affermi fon Eglife l'efpace
de plufieurs fiecles, à peine voy-ie le moyen de prouuer
ce que font auiourd'hui plufieurs, qui fe fondent fur
des mots pour emprifonner & brufler incontinent
vne perfonne : comme on bruflera des preftres qui
auront vne femme en leur lict, pource qu'ils aimeront
mieux l'appeler leur femme que leur concubine.
Certainement ie voudrois eftre medecin & non pas
aduocat de tels iuges, non pas que ie die que tels
preftres demeurent impunis : feulement ie m'eftonne
comme lon pourroit accorder vne fi grande rigueur
auec la douceur Ecclefiaftique. Ce n'eft pas à moy
d'aprouuer ou condamner les loix des Princes terriens : ils ont leur droit, leur raifon, & leur iuge auquel ils rendront conte. En ma paraphrafe i'expofe le
fens de la parabole de l'Euangile. Si cefte expofition
eft vraye & Chreftienne : fi elle a pleu aux expofi-
teurs orthodoxes, fi elle a efté aprouuee par la pratique
obferuee en l'Eglife l'efpace de plufieurs centaines
d'ans, pourquoy la trouue on mauuaife? Ou fi on la
veut reprendre, que ne s'attache-on aux docteurs
anciens pluftoft qu'à moy?

Ivsqves au temps de fainct Auguftin, c'eft à dire
plus de quatre cens ans apres la natiuité de Iefus
Chrift, nous ne lifons point que les Orthodoxes
ayent imploré l'aide de l'Empereur contre les here-

tiques, qui de leur part faifoyent cela fort fouuent.
Mais les Orthodoxes ne furent onc d'auis d'enfuyure
ceft exemple, iufques à ce qu'ils y furent contraints
par l'obftinee, incurable & trop fupportee folie des
Douatiftes & Circuncellions. Car outre le fchifme
qu'ils faifoyent, & qui eftoit le plus dangereux de
tous les autres fchifmes, s'il n'euft efté efteind, ils
bleffoyent les Orthodoxes, leur creuoyent les yeux
auec de la chaux deftrempee en du vinaigre, en tuoyent
les vns & contraignoyent les autres à eftre meurtriers
pour fauuer leur vie. Ils n'eftoyent pas plus humains enuers eux mefmes, car où ils fe plantoyent
vn coufteau dans le corps, ou fe precipitoyent de leur
propre mouuement. Quoy plus? ils eftoyent fi enragez que les Princes Payens ne les deuoyent aucunement fuporter, ni les Chreftiens non plus, quand
mefmes ces furieux n'euffent efté heretiques ni fchifma-
tiques. Pourautant donc qu'ils ne laiffoyent perfonne
en paix, & qu'il n'y auoit ni fin ni mefure en leur
fait, finalement les Euefques delibererent d'implorer
le fecours de l'Empereur à l'encontre de cefte mefchanceté infuportable. Les plus paifibles, du nombre
defquels eftoit S. Auguftin, n'eftoyent pas d'auis
qu'en fait Ecclefiaftique lon recouruft à vne puiffance
profane, & que ce n'eftoit pas chofe feante aux Euefques de fe feruir d'autres armes que de la parole de
Dieu : & fi le mal eftoit incurable, de l'excommunication, qui eftoit lors le dernier fupplice de l'Eglife. Et
comme les Iurifconfultes difent que le banniffement
eft vne mort ciuile : ainfi entre les Apoftres & leurs
fucceffeurs l'excommunication eftoit vne peine capitale. Les exemples de Chrift, des Apoftres & des
martyrs, incitoyent ces perfonnages d'eftre de tels

auis : Item la crainte qu'ils auoyent que procedant
par violence contre les Donatiſtes, au lieu d'heretiques on n'euſt des Chreſtiens hypocrites, en quoy
l'Egliſe Chreſtienne ſeroit en plus grand danger.

Mais l'auis des autres fut ſuyui, & tout ſe porta
bien car par ceſte ſeuerité pluſieurs de ces eſtourdis
furent rangez à raiſon. Alors ſaint Auguſtin aprouua
par beaucoup d'argumens ce dont il n'auoit pas
eſté d'auis autrefois. Pour mon regard il me ſemble
que lon fit vne trop douce loy contre ces furieux
brigands & meurtriers pluſtoſt qu'heretiques : car
la loy ne touchoit au corps ni aux biens d'aucun
d'eux, ains ſeulement donnoit aux Egliſes Chreſtien-
nes les reuenus des Egliſes de ces ſchiſmatiques : &
ſi quelqu'vn d'eux ſe rangeoit aux Egliſes Chreſtien-
nes, il pouuoit iouir des biens qu'il auoit auparauant
& de ceux qu'il trouuoit lors, auec tel ſupport que
lon ne degradoit ni reiettoit du miniſtere les clercs &
Eueſques qui ſe reconcilioyent à l'Egliſe : & quant
aux autres qui eſtoyent en petit nombre, & ne ſe
vouloyent pas ranger, ils furent ſeulement condamnez
à vne legere amende. Tant s'en faut donc que lon
penſaſt à faire tuer ces cruelles beſtes, qu'au contraire
quand le gouuerneur Macedonius publia vn edit couché en termes ambigus, où il ſembloit menacer de
mort les heretiques, s'ils ne ſe repentoyent : S. Auguſtin l'admonneſta fort expreſſement de ne faire
mourir perſonne, veu qu'il auoit es conſtitutions
Imperiales la reigle qu'il deuoit ſuyure : puis il le
louë de ce que par ſon deuxieme edit il auoit eſclairci
l'ambiguité du premier. Le meſme dodeur admon-
neſte le Tribun Dulcitus entre autres de ne faire
mourir perſonne.

Il apert affez de ce que deffus, combien ces Euefques eftoyent effoignez & auoyent en horreur les
confifcations, prifons, fuplices, bruflements & autres
cruautez en quoy plufieurs fe baignent auiourd'hui,
fpecialement du nombre de ceux qui font profeffion
de perfection Chreftienne : au lieu que toute leur
eftude doit eftre de medeciner non pas meurtrir, &
par leur interceffion adoucir la rigueur des loix. Qui
pis eft maintenant ces dieux de pitié outredaffent les
edits des Princes, & font plus cruels qu'on ne
leur commande. L'ordonnance de l'Empereur porte
qu'on chaftie ceux qui feront legitimement conuaincus. Ie ne m'enquiers point fi cela s'execute toufiours
comme il faut : toutefois plufieurs fauent comme lon
s'y gouuerne. Car cefte forte de gens (afauoir les inquifiteurs) n'eft fuiette & n'obeit prefques à aucunes
loix Ecclefiaft. ou profanes : mais tout ce qui leur
plait, eft bon & fainct. Iamais herefie ne me plut, ie
n'ay point encor fauorifé, ie ne fauorife à prefent, &
ne fauoriferay iamais heretique, finon en efperance
de le guerir : afin que perfonne n'eftime que ie plaide
ici pour moy. Ie n'ay point retiré d'heretique en ma
maifon : ie fuis demeuré ferme au giron de l'Eglife,
& y ay retiré quelques vns qui s'en eftoyent feparez.
Seulement ie parle de la cruauté de quelques vns,
qui deuoyent eftre les plus paifibles du monde, encor
que les princes defgainaffent le glaiue, & que quelques Euefques à caufe de leur autorité employaffent
leurs moyens pour reprimer quelques efprits in-
corrigibles. Au contraire il auient maintenant que
les princes & prelats font contraints d'employer leur
puiffance pour brider la violence de ces inquifiteurs :
& pourtant la conduitte en eft commife aux princi-

paux d'entre les Ecclefiaftiques, de crainte que ceux
ci n'executent tout ce qui leur viendra en penfee. Au
refte lon void dequoy ont ferui enuers le menu peuple les feditieux fermons & la rage de quelques prefcheurs. Peut eftre qu'ils efcriuent par fois au Prince,
qui eft en vn lieu fort loin, tout ce qui leur plait :
luy refpond, S'il eft ainfi que vous efcriuez, qu'on
face iuftice : cefte refponce ne deliure pas leur confcience, ains les charge dauantage. Outre ce, quand
vn iuge feculier prononce fentence à leur rapport,
fans prendre conoiffance de caufe : tout le fardeau de
la condamnation tombe fur eux.

MAINTENANT faites moy comparaifon des Euefques de l'Eglife ancienne auec les moines de ce
temps : faites comparaifon des brigands Donatiftes
auec ceux qui (peut eftre) ont dit que les moineries
n'eftoyent point neceffaires en l'Eglife, ou qu'es fermons il eftoit mieux feant d'inuoquer le S. Efprit
que la vierge Marie, ou qui doutent fi la confeffion
auriculaire a efté inftituee par Iefus Chrift, & fi le
cœlibat des preftres eft de droit diuin : conferez auffi
la douceur de la conftitution imperiale (qu'à peine
on put obtenir de Theodofe) auec la rigueur des fupplices, qu'on fait auiourd'huy endurer à des pauures
fimples gens, en quelque erreur qu'ils foyent gliffez :
pour certain vous requerrez en plufieurs vne douceur digne de gens d'Eglife. Mais ils difent que depuis ce temps de Theodofe, ce n'eft pas fans raifon
que lon a fait vne plus rigoureufe loy. Ie ne condamne pas le cautere : feulement ie fuis marri que
les pechez des Chreftiens requierent fi afpre remede.
Ie gemis en voyant executer à mort des meurtriers :
toutesfois confiderons que de là prouient le repos

public, le me confole. Ainfi fuis ie affectionné enuers
ceux, qui ne pouuans eftre gueris font neceffairement oftez du monde, afin qu'ils ne corrompent &
n'infectent plus perfonne. Quelque chofe que face la
feuerité des loix (qui parauenture eft neceffaire) certainement le deuoir des moines eft de s'eftudier
pluftoft à guerir qu'à faire perir. Ie n'ay iamais condamné les ordonnances des Princes : combien qu'ils
doyuent, autant que faire fe peut, acommoder &
flefchir la rigueur de leurs loix, à la douceur d'vne
moderation Chreftienne. Auffi doit on remarquer vne
grande différence entre vn Prince Payen & vn Prince
Chreftien : de rechef il y a bien à dire entre vn prince
profane & vn qui eft Ecclefiaftique. Item, il y a
quelque diference entre un prelat qui a quelque
autorité publique & vn moine ou theologien,
qui ne doit faire autre chofe qu'enfeigner en toute
douceur. Quel ordre y a-il qu'anciennement lors
qu'il n'y auoit nulles efcoles en theologie, on ait
fi heureufement desfait les heretiques par la feule
parole de Dieu : & maintenant que le monde eft plain
de tant d'vniuerfitez floriffantes, on ne difpute que
par ergos & fagots?

Mais que peut on reprendre en ma paraphrafe,
finon que ie n'ay point parlé de la conftitution imperiale, dreffee es derniers fiecles : cela euft efté imper-
tinent, car ie fay parler l'Euangelifte, qui ne fauoit
rien de cefte conftitution : s'ils ne difent que ie le
deuois introduire parlant ainfi. D'icy à 800. ans,
Iefus Chrift ne veut point qu'on face mourir les
heretiques, mais apres ce temps là furuiendra vne
autre loy, qui commandera qu'on les brufle. Or ils
fe monftrent merueilleufement ineptes, en imaginant

que i'accommode ce propos à noftre temps, veu que l'Euangelifte le met en auant, du temps de l'Eglife primitiue. Et Chrift ne parle pas là du glaiue des Princes, veu que l'Eglife a efté fous la domination des Princes Payens beaucoup de centaines d'annees apres la mort de Iefus Chrift : mais il parle du deuoir des Apoftres d'attirer tout le monde à falut par douceur & amitié, à l'exemple de ce grand pafteur qui n'eftoit pas venu pour perdre les ames, ains pour les fauuer. Cela fait que mon interpretation ne porte point de preiudice aux edits des princes : car elle recommande la douceur Euangelique, & n'ofte point aux Princes l'autorité qu'ils ont de defgainer l'efpee : elle monftre ce qui conuenoit au temps d'alors, & non pas ce que la mefchanceté de quelques hommes deuoit foliciter en ces derniers temps. Il y a plufieurs loix humaines pluftoft dreffees pour effrayer que pour inftruire. Et comme c'eft le deuoir d'vn iuge feculier de defgainer quelques fois l'efpee, pour fauuer plufieurs par la mort d'vn feul : ainfi toutes & quantesfois que l'erreur, la mefgarde, l'aage excufe vn crime, & qu'il y a efperance d'amendement au criminel, il ne doit oublier la douceur Chreftienne.

Il faudroit auffi regarder, fi les Princes fouuerains ont ce droit de faire mourir vn homme, quel que foit fon forfait. Item, fi les princes veulent que pour quelconque erreur, où il pourra fembler qu'on peuft defcouurir herefie, il falle brufler vne perfonne. Car fi l'erreur eft certain, les theologiens n'y ont que voir, veu qu'il n'eft plus queftion que du fait. S'il y a de la doute, ce n'eft à faire au premier theologien, mais principalement au fiege Romain, de iuger des articles de foy qui font en controuerfe. C'eft bien pis faire,

ietter des personnes au feu pour quelques opinions,
dont on est non seulement en debat, mais aussi qui
ne sont pas de grande importance. Mais c'est passer
toute mesure d'equité de faire mourir vne personne
qui n'aura auoué quelques titres de ces gens, qui en
forgent de iour à autre de tous nouueaux, & leur
suffit de dire, cela est contre les docteurs Scholasti-
ques, cela est suspect, scandaleux, contre les bonnes
coustumes, cela sonne mal selon qu'il est couché, est
dit impertinemment, & autres telles allegations : tellement que la calomnie trouue tousiours où se fourrer,
si lon a quelque mauuaise affection. Cependant toutesfois ils disputent, asauoir si l'Eglise peut faire vn article de foy : & quand cela leur est commode, ils les
forgent eux-mesmes, & par fois apres que la sentence
est prononce. Le proces se fait par des moines rap-
porteurs, deputez iuges, qui ne procedent sincerement ne legitimement : les trois Prieurs prononcent
la sentence en prison, presens deux moines qui seruent
de tesmoins, cependant on apreste le feu. Le prince
(de la Loy duquel on se couure, & qui sert pour satisfaire à l'appetit de vengeance de quelque particulier,
encor qu'elle ait esté mise en auant pour le bien
public) ne sait rien de toutes ces procedures. Or puis
que lon sait cela estre pratiqué, les Princes en doyuent
estre auertis : toutesfois cest aduertissement ne peut
soulager les heretiques incurables, ni ne doit offenser
les inquisiteurs de bonne conscience.

La huitieme constitution au premier liure du
Code, au titre des heretiques, Manicheens, & Samaritains, commande qu'on brusle les liures & papiers
seulement : que les docteurs soyent punis de mort,
les disciples condamnez en l'amende de dix liures

d'or : & quant à ceux qui non feulement leur preftent
l'oreille, mais auffi, au mefpris des ordonnances des
Princes, gardent les liures des heretiques en leurs
maifons, & fe monftrent par là manifeftes fauteurs
de l'herefie, la Loy commande qu'ils foyent bannis.
Dauantage cefte loy ne condamne pas tous heretiques indifferemment, ains nommément les Manicheens, Apolinariftes & Samaritains, qui blafphe-
moyent tout ouuertement. Ce qui precede cefte loy
au mefme tiltre, ou il eft commandé que l'inquifition s'eftende iufques à fupplice de mort, eft prefques
de mefme argument : mais certaines herefies y font
exprimees. Semblablement au mefme liure, au tiltre
de la fouueraine Trinité, &c. Il eft nommement
parlé des Arians. Or ces heretiques-la defpouilloyent
le fils de Dieu & le S. Efprit de la verité de la nature
diuine. Comme les Apolinariftes nioyent que Iefus
Chrift fuft vray homme, en luy oftant la principale
partie de l'homme, afauoir l'ame humaine. Quant
aux Donatiftes, outre leur fchifme, c'eftoyent des
furieux brigands. En ces herefies fufmentionnees il
n'eftoit point queftion de fauoir fi Iefus Chrift a ordonné la confeffion auriculaire, fi vne pure tradition
humaine oblige la confcience, fi le Symbole a efté
publié article apres article par les Apoftres, fi les
Apoftres ont entendu la langue Grecque : mais on
difputoit de la maiefté de Chrift & de la fomme du
Chriftianifme.

Av refte, les decrets des Papes, au cinquieme liure
des decretales, au titre des Heretiques, & au fixieme,
au mefme titre, commandent feulement qu'on liure
au bras feculier les heretiques conuaincus & qui perfeuerent en erreur, ou qui font retombez en l'here-

fie qu'ils auoyent abiuree. Vray eſt que les Gloſa-
teurs y ont adiouſté du leur, Qu'ils ſoyent bruſlez,
veu que les edits des Empereurs condamnent à
l'amende les Pelagiens & Iouinians. Maintenant on
enuoye au feu celuy qui doute ſi le Pape a droit ſur
le Purgatoire. Anciennement les Eueſques remis à
comparoir en quelque Synode, y rendoyent raiſon
de leur doctrine : eſtans conuaincus on leur donnoit
le choix, ou de deteſter leur erreur, ou d'eſtre ana-
thematizez auec iceluy, c'eſt à dire, eſtre retranchez
de la communion de l'Egliſe : car lors l'excommunication eſtoit comme le dernier ſupplice de l'Egliſe.
Berengaire, qui n'eſtoit pas interrogué de l'origine de
la confeſſion, ni du purgatoire, mais de la verité
du corps de Chriſt, ne fut pas lors tourmenté en
corps, veu meſmes que pour la ſeconde fois il re-
tomba en ſa premiere opinion. Au temps preſent les
moines font par fois courir vn faux bruit, puis font
incontinent empriſonner celuy qu'ils diſent eſtre
ſuſpect : là ils diſputent à leur mode, c'eſt aſauoir,
auecques leurs ergots, tandis que lon apreſte les
fagots.

CHRIST n'a point eſtaind le lin ſumant, & n'a point
rompu le roſeau caſſé. Des le commencement la brebis
a eſté pourſuiuie du loup, mais elle eſt touſiours demeuree victorieuſe par patience.

CHAPITRE XIX

*Auis de quelques infignes Iurifconfultes touchant les
forcieres lefquelles euitent les peines corporelles
pouruꝛu qu'elles ſe repentent. Item, es cauſes
criminelles il ne ſe faut du tout arreſter à la confeſſion.*

 OVR la defenſe des pauures forcieres, i'a-
iouſteray l'auis de Paul Grilland, excellent Iurifconfulte, des fortileg. 10 volume des Traitez, queſt. 7. fol. 44.
pag. 235. Notez, dit-il, vne choſe fort finguliere,
ſauoir eſt, qu'il y a deux eſpeces de ces apoſtats.
L'vne eſt de ceux leſquels feulement ſe retirent de la
foy, & fuyuent l'adoration & obeiſſance du diable :
l'autre eſt de ceux qui apres auoir auoir renonçé Iefus
Chriſt & ietté hors de leur cœur, ſe baptifent derechef expreſſément au nom du diable, & ſe donnent
vn autre nom. Or encores que les vns & les autres
foyent damnez, les premiers toutesfois ſont receus à
penitence, pourueu qu'ils confeſſent leur peché, &
ainſi ils euitent les peines corporelles ainſi que font les
heretiques. *l. Manicheos. C. de hæretic.*

Les theologiens, auteurs du Maillet des forcieres,
en difent autant au commencement de la troifieme
partie, queſtion 35. Si ces apoſtats, difent-ils, ne ſe
veulent repentir de bon cœur non plus que les here-

*Les
forcieres
qui ſe repentent
euitent
les
peines corporelles.*

tiques obſtinez, ils doyuent eſtre liurez au bras ſeculier : mais s'ils le font, ils ſeront receus ainſi que
les heretiques penitens : ſelon ce qui eſt eſcrit au
chap. *ad. abolendam.* §. *pœnit. de hæret. ti. li. 6.*
Raymon s'y accorde *tit. de apoſtolica. C. reuerten-*
tes, où il dit, que ceux qui ſe retournent de la perfidie
apoſtatique, doyuent eſtre receus comme les heretiques qui reconoiſſent leur erreur, dautant qu'ils ont
eſté heretiques. Et en cecy on prend l'vn pour l'autre. En la ſeconde partie des Decrets *cauſ.* 26. *q.* 5.
Epiſcopi. Il s'enſuit par autoritez precedentes,
que les deuins, prognoſtiqueurs, enchanteurs, ſorcieres, & autres perſonnes de pareilles ſectes, doiuent
eſtre chaſſez de l'Egliſe & excommuniez perpetuelle-
ment : ſi ce n'eſt qu'ils reconoiſſent leur erreur.

Mais il ſemble que S. Auguſtin vueille dire au
liure de la cité de Dieu ce qui eſt eſcrit au dernier
chap. du Concile Aquirence : ſauoir que ce qui eſt
fait par les enchanteurs eſt fait non en corps, mais
ſeulement en eſprit : car il eſcrit, les choſes, dit-il,
qui ſont faites par les impoſtures des magiciens ſont
prouuees eſtre phantaſtiques & non vrayes. Parquoy
il n'y aura aucune action criminelle contr'eux.

Si lon m'allegue derechef leur propre confeſſion,
i'oſeray bien reſpondre auec M. Iean François Ponzi-
nibe au dixieme volume de ſes Traittez, où il parle
des ſorcieres : Comme ainſi ſoit, dit-il, que telles
perſonnes ſoyent trompees, comme nous auons monſtré, il faut auſſi dire que leur confeſſion eſt erron-
nee, & ne doit eſtre admiſe en iugement. *l. error, &*
l. cum poſt. C. de iuris & faQ. ignor. Not. in l. de
ætate. §. *fina. ff. de interroga. aQion.* Car vne confeſſion doit contenir verité & choſe poſſible : *vt per gloſſ.*

Bald. & alios in lege. 1. cap. de confeſſ. pergloſſ. in. C. fin. de confeſſ. in 6. ff. ad leg. Aquil. l. inde Neratius. §. fin. Mais ces choſes qu'elles confeſſent ſont contraires au droit & à la nature, parquoy il ne s'enſuit pas : Ces femmes l'ont ainſi confeſſé, il eſt doncques ainſi. Car la confeſſion eſt beaucoup diſſemblable de l'effe
ct, ou de la poſſibilité de l'effect. Et toute choſe qui eſt contre nature, defaut en ſes principes, parquoy elle eſt impoſſible naturellement. Dauantage ces choſes criminelles on ne s'arreſte pas du toutà la ſeule confeſſion, *vt per Bald. Et Angel. in l. 1. capit. de confeſſ. & dicam infra in 2. no.* A quoy n'eſt repugnant ce que dit *Bald. in d. l. ſi quis non dicam rapere :* pour autant que ſon dire s'entend de l'hereſie, entant qu'elle eſt parfaite en l'eſprit par la penſee. Et en ce cas on le peut bien, comme il dit : Car ïa penſee de l'eſprit laquelle eſt conuë à vn ſeul Dieu, ne peut eſtre autrement prouuee que par la confeſſion, & pour ceſte cauſe on s'arreſte à la confeſſion. Mais la confeſſion de laquelle nous parlons icy contient vn effect qui eſt hors l'eſprit, lequel eſt moins poſſible de droit & de nature, & eſt auſſi moins vrayſemblable. Et pour ceſte cauſe on peut dire qu'il eſt licite, entant que touche ce qu'elles croyent, de s'arreſter à leur confeſſion pour en arreſter iugement de punition : pour autant que ceſte credulité depend de l'eſprit & de la volonté : mais non pas pour aſſeoir iugement, ſi ce qu'elles diſent a eſté fait ou ainſi ainſi. Voila ce qu'il eſcrit. On n'a que faire de m'alleguer ici la loy Cornelie, qui eſt des meurtriers & empoiſonneurs : car nous la raporterons tantoſt en ſon endroit, lors que nous parlerons de la punition des empoiſonneurs.

On ne ſe doit arreſter à la ſeule confeſſion es choſes criminelles.

CHAPITRE XX

L'aduis d'Alciat excellent Iurifconfulte, touchant l'innocence des forcieres. Item vne hiftoire re-cueillie des efcrits de Grilland, touchant l'inno-cence de celles qu'o:1 eftime forcieres.

Liure 8.
pareg. iuris
chap. 22.

ᴀɴᴅʀᴇ́ Alciat efcrit que l'inquifiteur de la foy fit vne telle inquifition es vallees de Piemont contre des femmes hereti-ques, que nous apelons forcieres, qu'il en fit brufler plus de cent, & que de iour en iour il en offroit au feu comme nouuelles hofties, la plus part defquelles deuoyent eftre pluftoft purgees par hellebore que par le feu. Ce qu'il perfeuera de faire iufques à ce que les villageois eu˜ent pris les armes pour l'en empefeher, & pour fai˛ que toute la caufe fut renuoyee par deuers l'Euefque. Il dit en-cores apres, Et combien que quelques vns de leurs maris, dignes de foy, affeuraffent qu'au temps que lon difoit qu'elles auoyent efté au ieu & à la dance fous vn Til, ils fauoyent bien qu'elles eftoyent cou-chees pres d'eux en leurs licts : toutesfois on leur ref-pondoit que ce n'eftoyent pas elles, mais le diable, lequel les trompoit ainfi, ayant pris la figure de leur femme. Et moy au contraire ie leur repliquois : pour-quoy ne prefumez vous pluftoft que le diable ait efté là auec fes mauuais anges, & qu'elles eftoyent auec

leurs maris? Pourquoy aimez vous mieux dire qu'vn
corps ait efté en vn ieu feinct, & que vn corps phantaftique ait efté couché en vn vray lict? Que faut-il
icy tant augmenter les miracles, ne fe monftrer pas
tant theologien que conteur de merueilles, & cependant choifir la plus rigoureufe part es punitions? Il
aparoiffoit par les actes de ces proces que tout ceft
apareil & toutes ces danfereffes s'eftoyent efuanouïes
auec leurs amoureux à caufe d'vne femme, laquelle
nomma feulement le nom de Iefus : comment cela
fuft-il auenu, fi c'euffent efté des corps veritables &
non des phantofmes, & des iardins de Tantale?
Ce que mefme Apollone Tyanee a penfé, ainfi que dit
Philoftrate liu. 4. & C. Caffius, comme efcrit Plutarque en la vie de Brute. Car auffi les medecins
difent qu'il fort de grands effects de l'efprit troublé &
de l'imagination trompee : & que de là procedent les
maux qu'endurent ceux qui ont les incubes & cauche-
mares, les enthufiaftes, fuperftitieux, les furieux d'a-
mour, imaginateurs, loups-garoux, Cynanthropes
qui penfent eftre chiens, & autres qui toutesfois fe
gueriffent par medecines. Ces chofes femblent eftre
ce que Pline & les anciens nomment les tromperies
des Faunes, & qu'ils ont dit fe pouuoir guerir auec
de la Piuoyne, tout ainfi qu'il eft vray-femblable que
la plus part pourroit eftre guerie fi ce n'eftoit que
communément ce font pauures femmes, lefquelles
n'ont pas la puiffance de ce faire. Certainement
i'adioufterois pluftoft foy au droit Canon & à l'explication commune des docteurs de noftre nation, touchant cefte queftion, que non pas à tous ces theologiens, principalement en cefte chofe defia arreftee &
conuë au Concile d'Ancyre, chapitre 2. où il eft dit

que tels phantofmes font reprefentez aux efprits par le
malin efprit. Il dit encores apres : l'infidele penfe que
ces chofes luy auiennent en corps, & non en efprit :
car qui eft celuy qui n'eft pouffé hors de foy-mefme
pendant les fonges & aparitions nocturnes ? Ce qui
femble auoir efté ainfi efcrit par fainct Auguftin, au
chapitre 18. du 18. liure de la cité de Dieu. Nul
corps, dit-il, ne peut eftre conuerty par aucun art du
Diable : mais feulement c'eft vn phantofme lequel fe
diuerfifie par des efpeces infinies, ou en penfant ou
en fongeant. Et encores qu'il ne foit pas corps, fi
prend-il la forme des corps, cependant que les fens
du corps font endormis & opreffiez, fi bien que pendant que les fens font ainfi eftoupez, les veritables
corps font couchez ailleurs. Et n'y a nul intereft au
contraire que cependant on ne rende honneur à Hero-
diade ou à Diane, voila ce qu'efcrit Alciat.

PAVL Grilland au 10. volume de fes Traitez de forcelleries : Il y auoit vn mary, dit-il, en vn village du
terroir Sabin, lequel auoit vne femme forciere. Or
auoit-on feulement foupçon & non certaine affeurance
de ce crime. Car lors que fon mary l'interroguoit fi
elle eftoit de telle profeffion, elle le nioit fort & ferme.
Mais ainfi que le bruit croiffoit de iour en iour, &
que plufieurs gens dignes de foy l'euffent accufee de
ce meffait à fon mary, difans qu'elle habitoit ordinairement auec celles que lon fauoit bien eftre coulpables de forcellerie, & qu'auec icelles elle exerçoit des
mefchancetez & fe trouuoit es affemblees nocturnes,
le mary delibera de la guetter & la prendre fur le
fait : tellement qu'il commença à veiller par plufieurs nuicts attentiuement & diligemment. Il demeura enuiron douze nuicts fans dormir, obferuant

ſi ſa femme ſe leueroit point pour aller de nuiƈt au
ieu des diables, ou pour aller faire quelque auire
forcellerie : ce non obſtant il n'en trouua iamais
faute, ains il la ſentit touſiours dedans le liƈt aupres
de ſoy. Toutesfois il auint quelques iours apres
qu'elle fut conſtituee priſonniere auec quelques autres
femmes accuſees de ce meſſait : où eſtant interroguee
& queſtionnee, elle confeſſa enfin qu'elle auoit aſſiſté
à ce ieu auec les autres femmes priſonnieres & que
c'auoit eſté vn tel iour 11. du mois, &c. les autres en
confeſſerent autant. Mais le mary pour la defenſe de
ſa femme aſſeuroit par ſerment, qu'elle eſtoit couchee
pres de luy en vn meſme liƈt, en la nuiƈt & à l'heure
dont il eſtoit queſtion, & que non ſeulement il l'auoit
touchee diligemment vne fois ou deux, mais par
pluſieurs : & que meſmes il auoit deuiſé auec elle.

CHAPITRE XXI

La punition de laquelle les Boulognois ont acouſ-
tumé de punir les ſorcieres.

ᴇs Boulognois ont acouſtumé de punir
les ſorciers & ſorcieres, les enchante-
mens deſquels n'ont fait aucune nuiſance ni aux hommes ni aux beſtes, &
qu'ils nomment, en leur langue le ſtrige, en la maniere qui s'enſuit. Ils les deſpouillent nuds iuſques

au nombril, & les font fortir du vieil palais montez
à·reuers fur vn afne à la queuë duquel ils ont les
mains liees, & font ainfi menez doucement par le
feruiteur du bourreau. Ils leur mettent deffus la tefte
vne mittre de carte, où les diables horribles font de-
peints, attifans le feu d'enfer auec des crocs. Cependant qu'ils font ainfi folennellement pourmenez, le
bourreau qui les acompaigne leur baille du fouët fur
le dos, & fur la poictrine iufques à ce qu'eftans
paruenus au cemitiere des Iacopins, à l'endroit où eft
la fepulture renommee des Alemans, ils les defcend
de deffus leur afne, & font menez par le bourreau en
vne chambre en laquelle il y a vne gallerie barree
de larges treillis de fer par lefquels on regarde deffus
le cemitiere. Cefte chambre eft deftinee, comme on dit,
pour les heretiques, par les moynes de cefte Eglife,
lefquels font inquifiteurs de la foy. Il's font là dedans
pourmenez par trois fois le long de la galerie deffus vn
petit chariot à quatres rouës, auec leur tefte timbree,
& y demeurent par l'efpace d'vn quart d'heure,
cependant que le peuple qui les regarde fe moque,
crie apres, & leur iette des pierres, lefquelles ne leur
peuuent faire mal à caufe des treillis. Cela fait on
les met hors de prifon, & ayans efté ainfi punis felon
la qualité du forfait, on les enuoye en exil.

CERTAINEMENT cefte douceur du Magiftrat de Bou-
longne, laquelle retient encores quelque chofe de la
prudence de l'ancienneté Italique, doit eftre preferee
infiniement à la tyrannie de quelques vns, qui les
precipitent dedans le feu, de la fumee duquel ce diable
n'eft point moins refiouy que de la vapeur du fang
innocent refpandu.

O les aueugles cœurs ô les efprits aueugles!

CHAPITRE XXII

Que les femmes doiuent eſtre moins punies que les hommes.

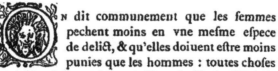N dit communement que les femmes pechent moins en vne meſme eſpece de deliƈt, & qu'elles doiuent eſtre moins punies que les hommes : toutes choſes toutesfois eſtans egales, à raiſon de l'imbecillité de leur eſprit, entendement & penſee. L. *Sacrilegii pœnam. in princ. D. ad legem & Iul. pecul & L. Si adulterium §. Stuprum & §. Fratres. & §. Inceſtam D. ad L. Iuliam de adul. & cap. Sicut dignum. in princ. extra de homicid. &c. Indignantur. 32. q. 6.* là où il eſt dit que dautant plus faut il punir les hommes que plus il leur apartient de vaincre par vertu, & de gouuerner la femme par bon exemple. Le texte y eſt. *In* L. *Quiſquis §. ad filias Cod. L. Iul. Maie. ibi.* Car la ſentence doit eſtre plus douce enuers celles, leſquelles à raiſon de l'infirmité de leur ſexe &c. Et c'eſt ce qu'a voulu *Bald. in L. Quicunque col. 3. verſi. Sed ponè ſtatuto & verſic. & in ſum. cod. de fer. fug.* Erricius homme de grande prudence eſt de ceſte opinion, comme eſcrit Saxon en l'hiſtoire de Dannemarc. liure 6. Qu'il faut par pluſieurs fois pardonner aux fautes des femmes, & qu'il ne les faut punir ſi ce n'eſt que la correƈtion n'ait peu

corriger la faute. Virgile efcrit auffi au 2. liure de
l'Eneide,

Qu'il n'y a point d'honneur à fraper vne femme.

PLINE efcrit au huitieme liure de fon hiftoire naturelle, que le lion fe met en plus grande fureur contre les hommes qu'il ne fait pas contre les femmes :
comme fi la nature luy auoit monftré qu'il faut traiter
les femmes plus doucement que les hommes. Ariftote
efcrit aux problemes 2. & 9, chap. II. Pourquoy, dit-
il, eft ce vne chofe plus inique de faire mourir vne
femme que non pas vn homme, veu que naturellement l'homme eft plus excellent que la femme? Eft-
ce pour ce que la femme eft plus imbecille, & peut
pour cefte caufe moins faire de dommage? Car ce
n'eft pas vne chofe honorable à vn homme de s'efforcer
contre ce qui eft plus infirme, mais c'eft vne chofe
fotte & trefmechanique. Voila ce qu'il efcrit & qui
peut eftre raporté tant à l'efprit qu'au corps, Vopifque
efcrit que l'Empereur Aurelian donna la vie à Zeno-
bie, lors que les gendarmes la menoyent à la mort,
pour autant qu'elle auoit vfurpé l'empire. Ce qu'il
fit à caufe qu'il eftimoit eftre vne chofe indigne de
faire mourir vne femme. Ce que mefme Euripide a
defcrit en fa Tragedie de Hecuba, Combien eft-ce
chofe odieufe que de faire mourir vne femme :
pourautant que les femmes font aucunement plus
.niferables que ne font les hommes, ainfi que luy
mefme efcrit en fa Tragedie de Hercule le furieux,

Que la femme eft bien plus miferable que l'homme.

A quoy s'acorde ce que Balde efcrit *Confi*. 96. Le
fait eft tel, Charles liure 2. que la femme eft plus

digne de compaſſion que l'homme. Maintenant il faut que ie monſtre de quel chaſtiment ie penſe telles gens eſtre dignes.

CHAPITRE XXIII

Comment les ſorcieres ayans l'eſprit troublé d'erreur par le diable, & ne faiſans aucun mal à autruy, doyuent eſtre reduites, & quel chaſtiement elles meritent. Item, que toute volonté ne doit eſtre punie : enſemble l'explication de la loy de Moyſe, & brieſue reſponſe à quelques obieĉtions.[1]

R comme ainſi ſoit que les ſorcieres ont la fantaſie trompee par erreur, & ſont ſeduites par vne peruerſe inſtitution de Satan, & que nous conoiſſons que veritablement elles ne ſont aucun mal à autruy, ains ſeulement par imagination : il faudra les reduire & enſeigner par vne plus ſaine doĉtrine, à ce que renonçans aux tromperies du diable, elles facent derechef hommage à Ieſus Chriſt : à ce que venans à repentance, les membres du corps de l'Egliſe, qui ont eſté deſioinĉts, ſoyent raſſemblez par vne commode liaiſon. Parquoy il faudroit en ce cas, que quelque fidele diſpenſateur des myſteres de Dieu s'efforçaſt

que la brebis perdue fuſt ramenee à la bergerie de
Ieſus Chriſt. Les communes & publiques prieres
ſeruiront auſſi de beaucoup en ce cas, pourueu qu'on

Iaques. 5.
les face de bon cœur & auec grande affeſtion. S. Iaques donne en ceſt endroit vn aduertiſſement fort
Chreſtien. Mes freres, dit-il, ſi quelcun d'entre vous
s'eſt deſtourné de la verité, & que quelcun l'ait
conuerty, qu'il ſache que celuy qui aura fait conuertir
vn pecheur de la voye d'erreur luy ſauuera ſon ame
de la mort, & luy couurira la multitude de ſes
pechez. Or l'hereſie n'eſt ſeulement apuyee en l'erreur par lequel quelcun adhere à la doſtrine des
diables : mais auſſi elle conſiſte en la confiance que
lon a en ſoy meſme, en la bombance & obſtination
pertinace, lors que lon ne veut receuoir aucune
admonition : car l'heretique, qui confeſſe ſon erreur
& la ſeduſtion de ſon eſprit, merite touſiours remiſſion & pardon, ſelon le conſentement des anciens
peres & ſelon la douceur Chreſtienne. Car comme

In Thyeſte.
dit Seneque, Celuy-la eſt innocent, lequel ſe repent
d'auoir péché. Nous liſons auſſi en l'Ecleſiaſtique :

Ecclef. 17.
Il a donné la voye de iuſtice à ceux qui ont fait penitence. Parquoy l'amende pecuniaire peut eſtre im-
poſee aux femmes ainſi trompees par le diable, leſquelles ſe reconoiſſent : pourueu qu'elles en ayent la
puiſſance, & quelles ſoyent confermees es fondemens
treſſaints de la foy Chreſtienne : pourueu auſſi que
ceſte amende ſoit apliquee aux pauures : ou bien
telle que de raiſon, & ſelon la grandeur & nature du
deliſt, & non pas vne punition de mort. ou bien ſi
vous voulez les condamner à l'amende telle que les
Papes l'ont ordonnee ſelon la taxe de leur peniten-
ciaire, ie ne m'y opoſeray pas. Nous liſons en ceſt en-

droit que la femme enchantereſſe, apres auoir renoncé
ſes ſuperſtitions, eſt taxee en chacun de ces cas ſuf-
dicts à ſix deniers d'or & deux Ducats. Et quant à
moy ie n'iray point au contraire, ſi ſelon la couſtume
obſeruee en la Republique, pour le repos d'icelle,
on les bannit pour quelque temps iuſques à ce qu'elles
ayent fait preuue de vraye conuerſion, & par innocence de vie, d'eſtre fideles, & de perſeuerer en ceſte
fidelité. Ie n'empeſche point auſſi qu'apres'cela on
ne leur donne liberté. Telle ſoit la peine de leur
temerité de ce qu'elles n'ont aſſez conſtamment reſiſté
aux perſuaſions & tromperies demoniaques : mais
qu'au contraire elles y ont conſenti.

Qve s'il y a quelqu'vn qui contentieuſement
vueille ſouſtenir que la volonté doit eſtre punie
plus ſeuerement, ie le prie qu'il diſtingue premierement la parfaite volonté de l'homme ſain, laquelle a
commencé d'agir auec le ſens de l'eſprit troublé, ou
bien, ſi vous voulez, d'auec la volonté corrompue d'vne
perſonne qui eſt hors du ſens, auec laquelle le diable
ſe iouë par ſon œuure, comme s'il eſtoit en la puiſſance d'autruy. Tel vice de volonté pourroit eſtre
auſſi imputé aux melancholiques, fols, & petis enfans, auſquels facilement on fait acroire qu'ils ont
fait cecy ou cela, & meſmes l'imaginent fauſſement
en eux : encores que Dieu qui conoit les reins & le
cœur ne permette qu'ils ſoyent punis egalement,
comme les autres qui ont l'eſprit libre : cela donques
ſe doit encores moins faire par les hommes. Mais ſi
on me demande quelle opinion i'ay de ceux que lon
dit eſmouuoir les elemens, troubler l'air, faire venir
vne grande pluye & calamité ſur les bleds & ſur les
vignes, & pour le degaſt des autres choſes : le reſ-

*Que
toute volonté
ne doit eſtre punie.*

pondray ce que i'en ay ia dit au troifiéme liure,
chapitre feizieme, où i'ay mieux aimé pourfuiure
cefte matiere d'vn droit fil, afin d'en auoir plus certaine affeurance & intelligence, que les feparant d'enfemble laiffer le lecteur en fufpens.

CHAPITRE XXIIII

*Refutation de quelques obiections mifes en auant
contre le chapitre precedent.*

*1. Obiection
prife
de
— la Loy
de Moyfe.*

ON opofe à ce que nous venons de dire la
loy de Moyfe au vingtdeuxiemechapitre
d'Exode, laquelle a efté ainfi traduite
par les feptante : tu ne lairras point
viure les empoifonneurs, ou empoifonnereffes, comme
auffi les Rabbins prennent ce mot au genre feminin,
& entendent celles qui tuent par poifon : & n'en
faut imaginer d'autres que celles que Moyfe & ceux
de fon temps ont conu. Quant aux femmes que lon
appelle communément forcieres, on n'en oyoit point
parler du temps de Iefus Chrift, encores moins du
temps de Moyfe : & pour le regard des enchanteurs
dont l'Efcriture fait mention, ce font magiciens infames que nous auons depaints de leurs couleurs par
ci deuant. Pource i'ay differé l'explication de cefte

loy de Moyſe au 26. chapitre ci apres, où ie parle de
la punition que meritent les empoiſonnereſſes. Or
dautant que pluſieurs ne ſe contentent de ceſte expoſition que nous donnons au paſſage de Moyſe, ains
taſchent par tous moyens de comprendre en icelle
loy les ſorcieres dont eſt queſtion : ie reſpon qu'on ne
ſait point de loy contre vne choſe qui ne ſe trouue
point en la nature des choſes. Dauantage, il n'eſt pas
ſeant que ie me laiſſe ſi inconſiderément arracher la
tranſlation des ſeptante, qui ſans doute ont bien entendu l'Hebrieu qui eſtoit leur langue maternelle,
& la Grecque ſemblablement. Le grand ſacrificateur
Eleazar en choiſit ſix de chaſque lignee, auec vne
grande deuotion & par l'adreſſe du S. Eſprit, leſquels
il enuoya en Alexand. au Roy Ptolemee Philadelphe,
pour traduire fidelement en Grec les liures de Moyſe.
Il ne faut pas ſi hardiment reuoquer en doute, &
accuſer d'erreur vn œuure ſainct, paracheué heureu-
ſement à l'aide de Dieu, & que les Peres anciens ont
grandement eſtimé, à cauſe du grand nombre des
interpretes & de leur mutuel conſentement : &
qui meritent qu'on leur aiouſte autant de foy qu'à
Elie Leuite, ou à quelques autres Rabbins de noſtre
temps.

S. Ieroſme
en la preface
ſur
le 2. des Chron.
Philo
en la vie
de
Moyſe.

Si la deſſus pour maintenir leur opinion, ils
s'arreſtent au mot Grec *Pharmakous* : qu'ils ſe ſou-
uiennent que toutesfois & quantes que *Pharmakos*
ſe prend en mauuaiſe part, touſiours il ſignifie venin
& medicament venimeux, & que ceux qui taſchent
de nuire par tels medicamens ſont appelez *Pharma-*
kous en Dioſcoride. Galien & en tous les auteurs
Grecs. S. Ieroſme traduit empoiſonnemens le mot
Pharmaka, que lon tourne ordinairement ſards,

Tertull.
en l'apol.
contre les Gentils

dont Iefabel fe para. 2. Rois. 9. Ce qui me fait
fuyure cefte opinion eft Iofephe Hebrieu de nation,
qui en l'aage de quatorze ans auoit ia acquis tel
renom à caufe de fon efprit & folide fauoir, que les
facrificateurs & principaux de l'Eglife de Ierufalem
luy demandoyent refolution des plus dificiles paffages de la loy : & n'eftoit pas feulement le premier
en la conoiffance de fa langue maternelle, mais
auffi auoit tellement profité, es autres langues &
fciences, fpecialement en l'eftude de la langue Grecque, qu'on le peut comparer à Philo. Iceluy donc
s'accorde auec les feptante interpretes, expliquant au
4. liure des Antiq. Iudaïq. l'intention de Moyfe &
des feptante, touchant les empoifonneurs, purement
& fimplement comme s'enfuit. Que perfonne des
Ifraelites n'ait aucun venin mortel, ni preparé pour
vfage nuifible : fi on trouue qu'il en ait, qu'il foit
puni de mort & fouffre ce qu'il euft fait à ceux aufquels il auoit preparé le venin. On lit le mefme en
ff. liu. 46. tit. 8. la loy Cornelia, de Sicariis & veneficis : Celuy qui
aura braffé, vendu ou gardé de la poifon pour tuer
vn autre, qu'il foit puni. Vous ne trouuerez entre les
loix de Moyfe autre loy contre les poifons & de la
punition des empoifonneurs, qu'en ce paffage de
Iofephe, qui eft conforme aux autres ordonnances de
Moyfe contenues es vingt vn & vingt deuxieme chapitres d'Exode. Dauantage, il ne faloit pas que ceux
qui veulent que lon traite fi rudement les forcieres
dont eft queftion confondiffent ces mots de magiciens infames, deuins & augures, fpecifiez en exode,
chap. 7. 8. 9. Leuit. 19. Deuteron. 18. & en d'autres
endroits, & que nous auons diftinguez au premier
chapitre du fecond liure.

Dauantage, si nous voulons ioindre le nouueau Teftament au vieil, nous trouuerons au 9. chapitre de l'Apoc. que le mot de meurtrier, comme general, est mis en premier lieu, puis les empoifonnemens : ce qui est repeté es 18. 21. & 22. chapitres. Item S. Paul au 5. chap. de l'epiftre aux Galates diftingue l'empoifonnement d'auec le meurtre. Les Allemans ont traduit le mot Grec *Pharmakia*, forceleries : mais les Italiens & les François l'ont mieux exprimé, car proprement il fignifie empoifonnemens : & fi l'Apoftre euft entendu parler des forcellerie, il euft mis vn autre, ou repeté le mot allegué par luy au commencement du troifieme chapitre de cefte mefme epiftre, ô Galates mal auifez, qui vous a enforcellez, que vous n'obeiffiez à la verité?

Ie n'ignore pas que le mot Hebrieu *Mechaffepha* & *Mechaffephim* : item les Grecs *Pharmakon* & *Pharmakia* fe prennent quelquesfois plus au large, & s'eftendent iufques aux arts magiques, comme ie l'ay monftré au fecond chapitre de noftre 2. liure, mais ce n'eft à autres arts magiques qu'à celles d'alors : car les actes des forcieres dont eft queftion font tout autres que ceux des magiciens dont Moyfe & l'Efcriture fainéte font mention. Quant aux vrayes hiftoires efcrites en ce temps là, vous n'en fauriez rien tirer de ferme. Ce que les Poëtes en ont efcrit depuis font autant de fables & menfonges : comme il a efté touiours permis à telles gens de difcourir à plaifir & dire ce qui n'eft ni ne fera : tefmoins Virgile en fa pharmaceutrie & au 4. liure de l'Eneide. Ouide au 7. de la metamorphofe, Horace au 5. liure des Epodes, Tibulle en la 2. Elegie du 1. liure, & autres qu'on peut voir au 1. chapitre de noftre troifieme liure :

comme auſſi au 16. chap. du meſme liure nous auons
reſpondu à la loy des douze tables touchant l'enchantement des bleds. Le mot *Mechaſſephim* contenu au
7. chap. d'Exode, verſet 7. monſtre que ſont entendus
ces impoſteurs qui par enchantemens & autres arts
illicites vſitees entre les Egyptiens, preſentoyent en
aparence quelques choſes deuant les yeux des incré-
dules, leſquelles n'eſtoyent rien. Mais les ſorcieres,
dont eſt queſtion, ne ſauroyent faire cela quand elles
le voudroyent faire : & ie ſuis content de m'en raporter à l'eſſay. En tous les autres endroits de l'Eſcriture, où ce mot ſe trouue (comme on le lit en
treize autres paſſages de la Bible) aſauoir en Exode
chapitre 22. verſet 17. en Deuteronome 18. 10. au
ſecond liure des Rois, 16. 22. au ſecond liure des
Chroniques 33. 6. 12. en Iſaïe 47. 9. 12. en Ierem.
27. 8. en Daniel 2. 2. en Michee 5. 12. en Nahum
3. 4. en Malachie 3. 5. Item les magiciens infames
& leurs actes. Quant au paſſage du 22. d'Exode,
nous n'en ſommes point en debat. Ce que S. Ieroſme
attribue des enchantemens à Ieſabel, & les autres
des ſorcelleries : on ne lit point qu'elle ait eſté magicienne, mais qu'elle a tué les Prophetes, fait lapider
l'innocent Naboth qui n'auoit point voulu vendre ſa
vigne, fait idolatrer ſon mari Achab Roy d'Iſrael,
manger des viandes ſacrifiees aux idoles, & paillardé
auec les dieux eſtranges. On void de la que le mot
Mechaſſephim ſignifie diuerſes meſchancetez en l'Eſcriture. Dauantage il aperra par les autres paſſages
ſus declarez qu'il eſt atribué pour la plupart aux deuins, expoſeurs de ſonges, augures & à telles gens,
les arts deſquels ſont du tout inconus aux ſorcieres
dont nous parlons. Si donc on ne veut entendre par

ce mot les empoifonneurs, ie fuis content qu'on le rapporte aux magiciens infames qui meritent d'eftre exterminez felon les loix.

Derechef on replique que les magiciens doyuent eftre mis à mort, & que les forcieres font de ce nombre : par confequent ne doyuent eftre efpargnees. I'accorde que les magiciens doyuent eftre executez à mort, & ie l'ay fuffifamment prouué en mes liures : mais ie nie que la confequence foit receuable, attendu qu'il y a grande difference entre les magiciens & les forcieres, comme ie l'ay monftré ci deuant. Outreplus les magiciens ont d'eux mefmes le commencement de l'aprentiffage de leur art, ayans cerché les precepteurs & les liures, eftans pouffez à cela par la curieufe inclination de leur propre nature : mais les forcieres ont leur commencement d'ailleurs, car elles ne cerchent pas cefte inftruction, elles n'ont ni ne pourchaffent d'auoir vn precepteur : & ci deffus il a efté fuffifamment monftré comment le diable s'infinue en elles comme inftrumens propres à fes impoftures.

Finalement, quant à ce que les aduerfaires alleguent qu'au temps prefent le Magiftrat doit faire mourir tous ceux dont les forfaits apartenans aux mœurs font iugez dignes de mort par Moyfe : combien que cefte queftion ne concerne le point de noftre different, toutesfois on ne me la fauroit perfuader par viues raifons. Car Moyfe condamne à mort celuy qui aura porté faux tefmoignage : que la fille fiancee foit lapidee fi elle eft trouuee corrompue : que celuy meure qui aura tué vn larron entrant de iour en fa maifon : & y a plufieurs autres exemples de mefme rigueur, qui font auiourd'hui moderez. Pour cefte caufe auffi quand les Scribes & Pharifiens vouloyent,

Deuter. 19. 22.
Exod. 22.

fuyuant la loy de Moyfe, lapider vne femme furprinfe
en adultere, quelle fentence entendirent ils de la
bouche de Iefus Chrift noftre Sauueur? Celuy de
vous qui eft fans peché, prenne la premiere pierre
pour lapider cefte femme. Il la garantit de la rigueur
de la loy (auffi n'eftoit-il pas iuge pour la condamner,
& n'aboliffoit les loix Mofayques en fermant ainfi la
bouche aux Pharifiens, & defcouurant à eux mefmes
leur hypocrifie) & mefmes luy fait mifericorde, &
laiffe vn exemple de compaffion à tous particuliers
qui n'ont le glaiue en main pour chaftier le peché.

2. obiection
que les forcieres
font alliance
auec
le diable.
& renoncent Dieu.

Le fecond argument fur lequel la partie aduerfe fe
fonde le plus, eft, que les forcieres font alliance auec
Satan & renoncent le vray Dieu. Combien que i'aye
amplement refpondu à cela ci deffus au troifieme
liure, chap. 3. 4. i'adioufteray encor quelque chofe :
& premierement ie demanderay, comment vous
fauez qu'elles ayent fait alliance auec le diable.
Vous m'accorderez que vous n'y eftiez pas prefent,
& que n'auez oui dire à gens de foy qui l'ayent veu.
On le fait donc par la confeffion de ces pauures
vieilles ftupides & troublees. Or cefte confeffion eft
faite par contrainte ou volontairement : fi c'eft par
contrainte, la confeffion eft imparfaite & de nul poids,
ayant efté arrachee par les infuportables tourmens
de la torture. Y a-il chofe plus dangereufe en tels &
fi enuelopez afaires, ou il n'y a point de tefmoins,
dependre feulement de la confeffion tiree de la bouche
d'vne vieille radotee. I'eftime que vous n'infifteriez
pas dauantage fi vous leur auiez veu verfer de l'huile
bouillante fur les iambes, les brufler fous les aifelles
auec des chandelles allumees, & tourmenter d'infinies autres fortes de tourmens barbares & cruels ces

pauures vieilles, comme nous l'auons veu en plufieurs, trouuees innocentes, & qui ont efté deliurees auffi, & leur innocence aueree par noftre moyen. Si elles confeffent volontairement, ou bien ce font chofes impoffibles, comme d'auoir fait tomber la grefle, volé par l'air, efté transformees en beftes, auoir eu la compagnie charnelle des diables, & autres chofes femblables : ou bien ce font chofes poffibles, comme d'auoir voulu empoifonner quelqu'vn, ce que toutesfois elles n'auront pas executé : ou bien elles confeffent ce qui a efté fait & qui eft auenu à la verité, comme qu'en tel endroit vn homme eft tombé malade, vn enfant eft mort, les bleds & vignes ont efté tempeftez. On ne les peut punir de ce qu'elles confeffent touchant les chofes impoffibles : car cefte confeffion eft fauffe. Vne confeffion legitime doit contenir verité & poffibilité. La feconde confeffion, afauoir donné de la poifon qui n'a point fait de mal, eft fauffe auffi : car elle n'a point eu d'efect. la troifieme eft imparfaite & debile, pource que par l'euenement de la chofe, il imprime quand & quand en la fantafie de ces miferables qu'elles ont commis ce que luy mefmes a fait ou qui eft auenu naturellement.

Voila l'efcueil auquel s'aheurtent plufieurs iuges trop haftifs & fanguinaires, ne pouuans aperceuoir la fophifterie du diable, qui fait croire vne chofe eftre caufe d'vn effect laquelle toutesfois ne l'eft pas. Certainement cela monftre affez que leur phantafie eft abruuee d'vne vaine perfuafion, que franchement & volontairement elles confeffent fouuentesfois auoir fait ces alliances & merueilles fufmentionnees : car fi elles auoyent quelque efprit raffis, elles ne confefferoyent pas quelque fois fi promptement, veu qu'il y

va de leur vie. Et ce qu'on allegue que les forcieres
couurent touiours foigneufement leurs fautes, & nient
fi obftinément ce que elles ont fait, que tant qu'elles
peuuent fouffrir de tortures elles ne confeffent rien :
cela ne fe trouuera pas. Car moy mefme ay fouuent
veu le contraire, & que fans leur donner aucune
torture elles confeffoyent de leur bon gré auoir fait des
chofes non faites, que la nature des chofes ne pouuoit
porter : brief qui eftoyent du tout impoffibles. Cela
me fait penfer que ceux qui difputent ainfi parlent
de chofes inconues, ou dont ils ont bien legere experience : dautant que fi les fens des forcieres n'auoyent
efté enforcellez, telle confeffion ne fortiroit pas de leur
bouche, elles fupprimeroyent telles mefchancetez &
ne s'en glorifieroyent pas. Quant à ce que par fois
elles endurent tant de tortures & queftions extraordinaires, cela vient de ce qu'on veut qu'elles confeffent des chofes à quoy elles n'ont iamais penfé.

Mais auant que paffer plus outre, ie veux rembarrer
par leurs propres armes ceux qui font d'auis contraire au mien, & faire qu'ils reconoiffent que cefte
alliance eft imaginaire & illufoire. Les forcieres confeffent que elles volent par l'air, font transformees en
beftes brutes, font venir la grefle, & par imprecations
attirent des maladies fur quelques vns. Elles afferment cela d'vn efprit fi pofé, ce femble, qu'à peine
en oferoit on douter. Toutesfois i'ay monftré, & vous
l'auouez auec moy, que tout cela eft vain & fardé
d'illufions diaboliques. Si ces chofes font fauffes,
pourquoy doit eftre vray le refte qu'elles confeffent,
comme d'auoir renoncé Dieu, fait alliance auec le
diable, commis des meurtres & autres tels crimes,
& tout plain de folies ? Car fi elles confeffent ceci de

fens raffis : pourquoy auront-elles l'efprit troublé en
la confeffion des autres chofes? ou fi en la premiere
confeffion la fantafie corrompue s'eft abufee : pourquoy en la feconde aura elle mieux rencontré? Elles
difent tout cela en vne mefme forte, conioinctement,
feparément, auec mefme contenance & façon de
faire. Ie fay bien en quoy fe trompent ici les gens de
bon efprit. Ils voyent en ces conceffions des chofes
impoffibles, & partant ils les eftiment fauffes & vaines,
comme ie fay : mais quant aux chofes poffibles, &
que les forcieres confeffent auoir faites, ils concluent
qu'elles ont efté faites. Mais ils ne confiderent pas la
fallace de Satan, qui d'vne chofe poffible en veut inferer vne impoffible. Or il n'eft pas befoin fe tra-
uailler beaucoup à refuter cela : car on fait que
l'argument du pouuoir à l'effect (*a poffe ad effe*) n'eft
pas ferme : & il faut qu'en refponfes pertinentes les
chofes fubfequentes foyent coniointes aux precedentes.

3. obiection
de la confeffion
des
forcieres.

Considerons encor quelque chofe dauantage fur ce
point. Quand on fait mourir les forcieres, ou elles
perfeuerent en l'alliance du diable, fans implorer la
mifericorde de Dieu : ce qu'auenant, ie dì qu'il ne
les faut pas faire mourir fi foudain, autrement les
iuges feront caufe de la perte de l'ame auec le corps.
Si elles demandent pardon à Dieu, & qu'elles n'ayent
ofté la vie à perfonne, i'eftime qu'elles font dignes de
compaffion & que le fuplice ne doit pas eftre fi rigoureux. Or la plufpart des forcieres, auant qu'eftre
bruflees, inuoquent le Dieu eternel, luy demandent
mifericorde, l'apellent fouuent à tefmoin de leur
innocence, & adiournent leurs iuges à comparoir en
perfonne deuant le fiege iudicial d'iceluy. Ie demande,
puifque, felon voftre auis, elles font rendues efclaues

de Satan, d'où vient ceſte repentance? ce n'eſt pas du
diable, car il n'eſt pas ſi peu ruſé que de repugner à
ſoy meſme. Elle vient donc de Dieu. ſi Dieu reconoit
& reçoit ceſte ame, pourquoy vos iuges, eſtes vous ſi
impiteux que de ruiner le corps, qui n'a fait mal à
perſonne : veu que ceſte creature n'a point delinqué
contre vous, & que vous n'auez aucunes aſſizes au
ſiege iudicial de Dieu. Mais ie vous propoſeray ici le
ſage auis d'vn Theologien de noſtre temps lequel ie
ne nommeray point, afin de n'irriter perſonne. Vn
ieuſne eſcolier afligé de poureté eſtoit tombé en deſeſpoir, & de volonté deliberee auoit donné ſon ame
au diable, pour en prendre poſſeſſion au iour con-
uenu entre eux. Ce iour venu le Theologien ſuſmen-
tionné mena ceſt eſcolier au temple, & pria Dieu
pour luy auec quelques autres gens de bien, & guerit
l'ame de ce pauure afligé. Ainſi, quand les ſorcieres
ſe ſeroyent reuoltees de la vraye foy, il ne les faut
pourtant faire mourir en ceſt eſtat, mais les ramener
au droit chemin par ſainctes exhortations : or eſtans
priſonnieres elles reconoiſſent & inuoquent le vray
Dieu eternel, encores plus lors qu'elles ſont en la
torture & au ſupplice. Il n'y a pas long temps qu'vne
d'entre elles recommandoit ſon ame à Dieu iuſte
iuge & miſericordieux, dautant qu'elle penſoit eſtre
noyee au Rhin, lors qu'on l'y iettoit pour eſſayer ſi
elle reuiendroit au deſſus de l'eau, ſans aller au fond :
qui eſt l'eſpreuue à laquelle lon penſe conoiſtre les
ſorcieres. Mais au 20. chapitre de ce liure, i'ay monſtré la vanité de telle experience.

Av ſurplus ie ne permettray pas à ceux qui ſont
d'auis contraire, de ſauter par deſſus les plus prei-
gnantes raiſons qu'on leur peuſt mettre au deuant,

pour s'atacher à quelques legeres obiections. Pourtant arreſtons nous ici pour conſiderer vn peu plus
amplement l'exemple de S. Pierre, qui ne renia pas
ſeulement, ains abiura Ieſus Chriſt ſon maiſtre, qui
l'en auoit aduerti peu au parauant. Car ce n'eſt pas
aſſez de dire que S. Pierre a fait ce mal par infirmité.
Quelle eſt ceſte infirmité? ie n'eſtime pas que ce ſoit
infirmité de la chair, attendu que c'eſt la tyrannie &
force d'icelle qui fait que nous pechons : c'eſt donc
infirmité d'eſprit. Ie me aideray de ceſte reſponſe pour
excuſer les femmes dont eſt queſtion. Mais afin que
vous ſachiez que le peché de S. Pierre n'a pas eſté
peti., vous m'acorderez que les pechez ne ſont pas
egaux, & que l'vn eſt plus grief que l'autre. Cela
preſupoſé, ie demande premierement, ſi le peché que
commet vn grand perſonnage & eſclairé de pluſieurs
dons du S. Eſprit n'eſt pas plus grief que le peché de
quelque ſimple homme & pauure pecheur? Car tant
plus haut quelcun eſt eſleué, plus perilleuſe & horrible eſt ſa cheute, que s'il eſtoit en degré plus bas.
Secondement ie demande, ſi celuy qui eſt pres d'vn
prince qui l'a honoré de grans eſtats, & enrichi de
pluſieurs biens, ne fait pas plus grand mal en le renonçant, qu'vn autre pauure qui en ſeroit loin?
N'eſt-ce pas choſe plus abominable que le lieutenant
d'vn prince ſe retire arriere de luy que ſi quelque
ſimple ſoldat l'abandonnoit? En troiſieme lieu ie
demande, ſi vn paſteur qui offenſera Dieu n'eſt pas
plus inexcuſable tant pour tant, à cauſe de la perſonne qu'il repreſente, & pour le ſcandale que quelque
particulier du troupeau? Pour le quatrieme, vn
peché ſera-il pas eſtimé plus indigne, ou ſe rencontrent plus d'alechemens, que là où il y en a moins.

Matt. 26.
Marc. 14.
Luc. 22.
Iean. 18.

En cinquieme lieu, la note de peché eft-elle pas plus
difforme en celuy qui ayant eflé auerti peu auparauant neantmoins ne fe donne point garde de mal
faire? finalement ie demande, fi c'eft moindre peché
renoncer auec execration & par trois fois Iefus Chrift,
à la fimple interrogation de quelques valets & fer-
uantes : que fi quelqu'vn fait le mefme eftant aueuglé par les diuerfes perfuafions de Satan? I'eftime
que vous m'accorderez ces propofitions : concluez
donc vous mefmes. Or ie prie le lecteur d'eftimer
que ie n'ay mis ces chofes en auant pour exagerer le
renoncement de l'Apoftre S. Pierre, ains pour reprimer ceux qui attribuent tant à leurs propres
forces, au lieu de fe fouuenir que c'eft la feule grace
de Dieu qui empefche qu'à tous momens nous ne
renonçons le nom de Iefus Chrift. Item, que comme
l'Apoftre par fa repentance a obtenu pardon & mifericorde de fon horrible forfait, ainfi que ceux qui
ont eflé feduits du diable & tous autres s'affeurent de
pouuoir obtenir mifericorde de Dieu, encores que
par plufieurs fois ils fe foyent deftournez de luy.

*4. obieƈion
de la marque
des
forcieres.*

Qvant à la marque, fur laquelle on infifte tant, il
feroit malaifé de prouuer que le diable l'ait emprainte.
Si les forcieres le confeffent, il faut ioindre cefte confeffion auec les autres precedentes de l'imagination
deceuë. Mais pofons que le diable les ait marquees
comment prouuerez vous que l'impreffion d'vne
telle marque merite le feu? Ce qui a eflé marqué
fans endommager autrui, peut eftre ofté de mefme.
Vous repliquez que par cefte marque le renoncement
de Dieu eft confermé. Ie vous demande d'où eft
venue cefte perfuafion de renoncement? Eft-ce de
l'inftinƈt du diable? Il y a bon remede : que par

bonne & Chreftienne inftruction la pauure abufee
foit amenee à ce point que de donner le libelle de
diuorfe à Satan, embraffer la vraye religion, retourner
humblement au giron de l'Eglife : & s'il y a quelque
trace de cefte marque Satanique qu'on l'arrache, &
qu'on marque vne croix au lieu, ou qu'on l'imprime
mefmes auec vn fer chaud, s'il eft befoin, en luy
enioignant de faire & monftrer vne penitence publique, & le condamnant à quelque amende arbitraire ou autre fatisfaction, felon la qualité du delict.
Eftant remife fus, qu'on prie Dieu continuellement
pour elle, & qu'on ne l'enuoye pas ainfi foudainement au feu, finon qu'elle euft commis quelque
autre infigne forfait, & touché à la fanté & vie de
quelques vns, à l'occafion de quoy elle euft merité
ce fuplice. Car ce contract paffé entre Dieu & les
hommes, & depuis violé par l'homme, ne doit pas
eftre eftimé fi toft crime deuant les iuges du monde,
fi le prochain n'y a efté endommagé. Car quiconque
fait peché, il eft du diable, dit fainct Iean, & pourtant il fe deftourne de l'alliance contractee auec la
maiefté diuine.

Av demeurant, il a efté monftré tant de fois & par
tant d'argumens, & par plufieurs paffages de S. Auguftin, du Decret, & d'autres auteurs, es 8. 9. 10.
11. 14. 15. 16. 22. 26. 27. 30. 34. du 3. liure, &
par ci par la es autres liures l'imagination des forcieres
eftre corrompue, que celui qui n'en iuge, femble
aimer mieux demeurer aueugle en plein midi, que
de receuoir la pure & fimple verité.

DERECHEF, afin de ne rien laiffer qui puiffe tirer
les forcieres au fuplice, on amaffe ça & la ie ne fay
quels argumens pour conclure qu'elles meritent la

*5. obiection
que les forcieres
font
idolatres.*

punition deuë aux idolatres. Mais il seroit malaisé de
me prouuer qu'elles soyent idolatres. Car ie ne re-
conoi autre idolatre sinon celuy qui en son esprit reçoit asseurément & aprouue quelque chose autre que
Dieu, de laquelle il espere & s'asseure obtenir salut :
comme il y a vne infinité d'idoles entre les Payens &
faux Chrestiens, ausquelles on se fie en delaissant le
vray Dieu, item si quelqu'vn attache tellement son
cœur à l'argent ou à quelqu'autre creature, qu'il ne
se soucie plus de la protection de Dieu, ou le mes-
prise, & qu'il mette la creature au lieu du createur.
Mais ces miserables femmes ne cerchent ni n'attendent salut du diable : seulement il a corrompu les
organes de leur imagination, & les a tellement en-
sorcelees qu'elles estiment faire par son moyen de
grands maux ou des folies estranges, qui sont impossibles en l'ordre de nature, ou qu'elles ne sauroyent
executer pour la foiblesse de leurs corps & esprits :
encores qu'elles maintiennent & confessent les auoir
faites, tant le diable les a abesties. S'il faut appeler
idolatrie telle illusion ie ne say pas à quelles enseignes.
Et si vous insistez, que les idolatres doyuent estre mis
à mort, pourrez vous exempter du suplice du feu ceux
qui d'entendement sain, en temps de necessité, ont
recours à l'or, à l'argent, au bois, à la pierre, & à ie
ne say quelles autres idoles & choses abominables &
defendues, desquelles ils attendent & demandent
secours & salut temporel & eternel.

6. obiection
que les sorcieres
sont
apostates.

Afin aussi que ceste action criminelle poise dauantage ils adioustent que la sorcellerie est vne apostasie.
Mais lon ne peut accuser d'Apostasie sinon celuy qui
s'est entierement reuolté de la doctrine & religion
Chrestienne, & qui non seulement maintient obsti-

nément l'impieté, ains aussi combat orgueilleusement
la verité. Mais les pauures sorcieres raffottees, que
i'estime deuoir esté traittees plus doucement, au lieu
de vouloir maintenir l'impieté, estans admonestees
de se repentir & en faire protestation publique,
souffrent d'estre instruites & retirees de leur erreur.
L'eglise ne leur ferme point la porte, veu qu'à elle
apartient de censurer ceux qui se sont retirez pour
vn temps arriere d'elle.

DAVANTAGE lon acuse les sorcieres d'estre homicides.
Ie suis d'auis si elles sont conuaincues d'auoir fait
mourir quelqu'vn, qu'il les faut mettre à mort
comme la loy de Dieu & le droit de Moyse le requierent. Or vous confessez qu'elles presentent des
choses qui ne sont point nuisibles : puis donc que ces
choses ne nuisent aucunement, encores moins tueront
elles : & partant ces femmes dont il est question ne
sont point homicides. Par consequent aussi ne peut-
on les faire mourir en cest esgard. Si vous dites
qu'elles ont eu la volonté & resolution de tuer, combien que l'effect ne s'en soit pas ensuyui : encor que
i'estime auoir suffisamment respondu à cela sur la fin
du chapitre precedent, toutesfois ie vous repliqueray
que le peché de la volonté est voirement puni de
Dieu, non pas du magistrat, qui n'a que voir sur les
affections cachees, & qui ne se font manifestees par
circonstances sur lesquelles vn proces puisse estre
fondé : autrement il faudroit tous les iours trainer
au suplice vn millier de personnes qui en leurs cœurs
ont voulu & veulent mal de mort à leurs prochains.

ON maintient aussi que les diables ont compagnie
charnelle auec les sorcieres, & que durant ces vilains
comportemens elles demandent familierement aux

7. obiection
que les sorcieres
sont
homicides.

8. obiection.
que les sorcieres
ont la compagnie
des diables.

diables ce que bon leur femble, & en tirent refponfe.
Combien que cela ait efté fi fufifamment refuté ci
deffus que ie ne m'eftonne pas tant de la vaine confeffion de ces enforcelees, que de la folle opinion des
aduerfaires : toutesfois ie leur refpon derechef en
trois mots, que le diable eft vn efprit qui n'a chair ni
os, requis en l'œuure venerien, enfemble les inftrumens de generation & la matiere, engendree des
efprits vitaux & du fang humain. A ce propos S. Auguftin nie que le diable puiffe quelque chofe qui ne
fe puiffe faire par inftrumens naturels. I'ay monftré
que cefte acte eftoit vne illufion, encor que quelques
vns maintiennent qu'il ait efté vrayement & realement acompli : comme les danfes & banquets auec
les diables, & ie ne fay quelles autres folies & impoftures refutees par plufieurs argumens au 3. liure,
pourtant c'eft peine perdue, à mon auis, de difputer
plus long temps & difcourir fur des chimeres &
chafteaux en l'air. Toutesfois, afin d'exagerer le
crime de ce qui eft auenu en fonge & par imagination & pour en agrauer la punition, ils font vne
conference d'iceluy auec vne mefchanceté execrable
& executee de fait : afauoir que fi celuy qui aura eu
afaire auec vne befte, merite d'eftre mis à mort, felon
la loy de Moyfe, combien pluftoft doit eftre cruellement exterminé celuy qui aura eu la compagnie du
diable? C'eft vn argument prins du moindre au plus
grand : mais ie le renuerfe & tourne au contraire, à
bon droit, afauoir d'vn crime imaginaire & frauduleufement imprimé en fonge par l'artifice du diable,
à vne vilenie horrible executee de fait. Quant à ce
que quelques vns difent que fouuentesfois le diable
a prins la forme d'vn chien, d'vn bouc, ou d'autre

femblable befte brute, ou s'eft fourré dans le corps de ces beftes, & qu'il vient auffi trouuer les forcieres & a leur compagnie : i'eftime que cela doit eftre tenu auffi veritable que les hiftoires ou vrayes narrations de Lucian. De fonder vn proces criminel & dreffer vne fentence de mort fur tels abfurdes raports ce n'eft point à faire à gens bien auifez : car il faut auoir des preuues plus claires que ie iour.

OVTRE ce que deffus, quand ces vieilles edentees confeffent franchement que par la vertu d'vn onguent, ou (fi vous voulez) par l'art du diable, elles ont efté foudainement & veritablement changees en louues, puis ont reprins leur premiere forme par le moyen d'vn autre onguent : qui fera l'homme fi peu honteux de vouloir fouftenir qu'il y a de la transformation par effect ? fi ie monftre qu'vn profond fommeil a efté attiré par la force & proprieté de quelque onguent, & que durant iceluy le diable a imprimé en l'imagination telles femblances, qui pourra nier que l'imagination foit demeuree lors en fon entier? La refutation de tels argumens fe trouue en diuers endroits de ceft œuure mien : & fi ce n'eft refuer que de maintenir telles opinions, ie confeffe que ie ne fay que c'eft de iugement & de raifon. Pourquoy confefferay-ie eftre veritable ce que nature ne peut fouffrir, ce qui n'a onc efté, & qui ne peut iamais eftre?

IL ne faut oublier vne autre obiection, que les forcieres attirent d'autres gens à leur cordelle. Veu que leur imagination eft trompee, comment peuuent-elles tromper les autres? finon que vous difiez qu'elles trompent en contant & tenant pour chofes vrayes les fonges que le diable a imprimez en leur fantafie. Et

9. obiection de la transformation des forcieres.

10. obiection que les forcieres en attirent de autres à leur fecte.

encores ces fonges là n'auiennent pas fouuent, encores qu'elles confeffent le contraire : comme auffi
elles maintiennent pour veritables plufieurs chofes
qui leur font aparues en fonges feulement. Or toutes
celles qui font ainfi enforcelees ne reconoiffent autre
maiftre de toute cefte illufion que le diable, qui fe
iouë ainfi d'elles par fes impoftures. Au refte leur
leurdife & aage ftupide monftre quelle dexterité &
verité lon peut eftimer que elles ayent pour en feduire d'autres. Si auffi lon regarde de pres les chofes
que les maiftreffes & difciples confeffent s'eftre paffees
en leurs conferences, on y trouuera tant de folies,
repugnances & pieces defcoufues, qu'il fera aifé de
iuger qu'elles foyent folles, agitees & poffedees de
l'efprit malin, voire que Satan parle en elles, fi fans
preiugé, fans paffion, fans arreft à opinion contraire,
lon veut fimplement pefer la verité des chofes. Mais
vous repliquerez, qu'en faifant l'alliance elles ont
promis de procurer que d'autres fe mettent de la fecte.
I'ay dit & redit, prouué & approuué par plufieurs
tefmoignages, que cefte alliance eft imaginaire, & que
là font meflees diuerfes conditions du voler des
vieilles, de la compagnie charnelle du diable auec
elles, de leur transformation en beftes bruftes, &
d'autres chofes repetees tant de fois, lefquelles vous
mefmes confefferez eftre fauffes & imaginaires.

11. obiection
que les forcieres
font
magiciennes.

C'est merueille auffi que pour rendre le proces
criminel, on adioufte que les forcieres aprennent des
arts illicites & monftrueux, ce qui ne fe trouuera
pas : car ce font vieilles radotees, ignorantes iufques
au bout, folles & abruties, & apres auoir efté pipees
de Satan par quelques aparitions, ombres illufions &
vaines imaginations, elles s'apuyent là deffus, puis

elles eſtiment veritable tout ce qu'elles ont ſongé. On preſſe fort ceſt argument, afin que ces miſerables enſorcelees puiſſent eſtre plus aiſement prinſes au filé & condamnees par la ſentence contenue en la loy *Multi. C. de maleficis & Mathematicis.* Pour reſponſe, i'ay monſtré ci deuant, au 34. chapitre du 3. liure & le monſtreray encore ci apres que cela ne les concerne point. Ceux qui ſe ſont meſlez de la magie, & de telles ſciences profanes & curieuſes ont eſté magiciens infames, qui en auoyent des liures condamnez à bon droit d'eſtre mis au feu, ſelon ce que S. Paul a pratiqué, Act. 19. Moyſe & les loix imperiales condamnent à mort tels magiciens.

A ce que deſſus apartient ce qu'on allegue que les ſorcieres peuuent tuer vn homme par imprecations, execrations charmees, inuocations de diables, exorciſmes auec beaucoup de ceremonies, ce que ie nie tout à plat, & que telles femmes s'en aident iamais en choſe qui vienne à effect. Ce ſont les magiciens infames : & ie maintien qu'vne grande part de ceux qui ſont telle obiection ſont es lieux où ces deuins ſont en credit & reputation ſans aucune reprimende du magiſtrat, encor'qu'ils embabouynent les autres de ſauſſes opinions ſoyent cauſe de faire naiſtre les debats & les meurtres.

12. obiection que les ſorcieres tuent par paroles & ceremonies magiques.

Cevx qui procurent les plus cruelles morts qu'il eſt poſſible de penſer aux ſorcieres dont nous parlons, maintenant qu'elles font entrer les diables en tels corps qu'elles veulent. Mais ie penſe auoir ſufiſamment prouué au dixhuitieme chapitre du quatrieme liure, que cela eſt du tout impoſſible. Et quant à ce que lon obiecte des choſes enchantees, ie diray librement que ces femmes ne font aucun dommage, ſi les

13. obiection que les ſorcieres mettent les diables es corps.

poifons ne font naturels, & ne peuuent rien faire
hors & outre la vertu que Dieu a donnee aux chofes
des le commencement de leur creation.

14. obiection
que les forcieres
font faire
aux diables
des mefchancetez
dont
ils ne fe fuffent
pas auifez.

Povr mettre tant plus la rage fur ces enforcellees,
on adioufte que bien fouuent les diables ne penfe-
royent point à des chofes qu'ils s'effayent de faire à
la follicitation & prieres des forcieres, & les font puis
apres par la permiffion de Dieu. Comme fi ces malins efprits n'eftoyent pas toufiours au guet par leur
propre malice indicible, tournoyans autour de nous
iour & nuict comme lions rugiffans, cerchans à mal
faire & à deuorer quelqu'vn. Mais au refte, tant s'en
faut que ces efprits malins puiffent executer le defir
de ces vieilles radotees que mefmes ils ne peuuent
faire ce qu'ils voudroyent bien, à caufe de leur naturelle impuiffance & inhabilité : comme creer des
chofes nouuelles, ou changer ces creatures, ou auoir
compagnie charnelle auec vne perfonne, & autres
telles chofes : & quant à ce qu'ils peuuent Dieu ne leur
permet pas toufiours de l'executer. Dauantage, ce
fubtil & cauteleux efprit fuggere à l'imagination de
ces femmes stupides, qu'elles ne l'ont point attiré
pour faire cela, mais que c'eft du fait d'elles : ce que
toutesfois il a fait, ou eft venu d'ailleurs : au moyen
de quoy il les faudroit pluftoft appeler enforcellees
que forcieres. Au refte, il n'eft pas croyable que Dieu
permette que quelque chofe auienne felon la folle
fantaifie & volonté d'vne vieille abrutie, au lieu que
cela procede de fon iufte iugement, & de fon ordonnance arreftee au confeil de la S. Trinité. Pourtant
l'on n'a point encores prouué que les forcieres ici
mentionnees foyent caufe ou inftrumens des calamitez & degats que fait le diable. Et fur ceci ne faut

point alleguer ce qui eſt dit que celuy n'eſt pas innocent, qui tue vn homme par le commandement d'vn autre.

Eɴ ce chapitre, i'ay briefuement reſpondu à quelques obiections, ſelon qu'elles me ſont venues au deuant. Si l'on en veut ſauoir dauantage, il ſe trouuera reſolu en diuers endroits de ceſt œuure ci, enſemble ce qui ſera requis pour refuter les ſophiſteries de Paracelſe & de Campanus ſur ce point.

Loɴ dit que i'eſtime que les ſorcieres ne meritent autre ni plus grief chaſtiment que les malades troublees de melancholie, ou qui ont le cerueau bleſſé de quelque autre tel mal, mais on me fait tort, & le commencement de ce chapitre reſpond pour moy à vne telle calomnie : car ie monſtre là comment celles qui ont eſté troublees par le diable, & qui n'ont fait dommage à perſonne, doyuent eſtre ramenees au bon chemin, & quel chaſtiment elles meritent. Quant à celles que lon trouuera auoir fait tort aux biens & perſonnes de qui que ce ſoit, mon auis a touſiours eſté qu'elles doyuent eſtre punies par ſentence du magiſtrat, & ſelon la teneur des loix, comme la qualité & enormité du crime le requerra. Si cependant quelque eſprit ſanguinaire aplique toute ſa dexterité à cercher toutes les raiſons qu'il pourra hors des limites de ſa vocation, pour inſiſter & maintenir obſtinément que les ſorcières enſorcellees du diable, corrompues en l'imagination, & qui au reſte ne nuiſent à perſonne, ſont indignes de compaſſion, & que non ſeulement on les doit punir ſelon les loix Moſayques & Imperiales, mais auſſi qu'on les doit torturer & faire mourir des plus cruels ſuplices du monde, & qu'outre plus il preſente des fagots ardans

aux iuges affez & trop inhumains quelquesfois en
telz afaires : ie luy accorde qu'il ait telle opinion que
bon luy femblera, qu'il fe defaltere du fang, à quel
propos debattrois-ie tant auec gens fi refolus? Ie me contente d'auoir fimplement & rondement propofé mon
uasi : ou i'ay tafché (comme Dieu m'en eft tefmoin) de
monftrer quelque expedient pour s'abftenir des fuplices acouftumez dont iufqu'à prefent ont efté exterminez indifferemment ceux du fait defquels on ne
iugeoit point auec vne vraye enquefte & exacte confideration des circonftances. Si i'ay fait chofe qui
puiffe feruir, que les bons & doctes le lifent & en
iugent : fi ie n'ay pas touché au but, qu'ils excufent
celui qui a voulu bien faire. Ie fuis medecin voirement, & non pas iuge ni efplucheur de proces. Pourtant ie ne puis ni ne veux empefcher que plufieurs
foyent de contraire auis au mien. Mais de mon naturel ie hay les debats & proces, & les laiffe trefvo-
lontiers à ceux qui y prennent plaifir. Doncques fi
quelques cerueaux chatouilleux entreprennent ci
apres d'efcrire contre moy, qu'ils ne s'attendent pas
que ie leur refponde, afin qu'ils ne fe perfuadent pas
d'emporter le deffus, à caufe que ie me feray impofé
filence à moy mefme.

CHAPITRE XXV

Refutation de l'auis de George Pictorius, par lequel
il maintient que les forcieres doyuent estre pu-
nies de cruelle mort.

ES raifons que George Pictorius medecin a deduictes en fon liure des diables fub-lunaires, pour prouuer que les forcieres doyuent eftre punies de mort cruelle-ment par feu ou par autres tourmens : ont efté refu-tees en plufieurs endroits de noftre liure par refponces fi pertinentes, que ce me femble eftre vne chofe fu-perflue de luy refpondre derechef ou en bref ou par plufieurs paroles. Car nous auons affez monftré que la phantafie eft corrompue par le diable, & qu'elles ne bleffent perfonne fi ce n'eft par opinion, tout ainfi comme i'ay monftré manifeftement que le diable eftant efprit qui n'a ni os ni chair requis en l'acte venerien, ne peut aucunement auoir afaire auec vne femme. Pictorius toutesfois le nie difant qu'il a plus d'efgard au tefmoignage d'vn certain Marc, qu'à l'auis de fainct Auguftin & du Conciliateur. Ce Marc fut vn vray feruiteur de Satan, viuant folitairement en la Cherfonefe & fort familier de Michel Pfelle, lequel enfeigna que les diables auoyent des parties propres à la generation, & qu'eftans paillards par le defir qu'ils ont d'engendrer, ils empliffent les amaris

de ces vieilles beftes (car ainfi apelle il les forcieres)
& engendrent des enfans, toutesfois fort diffemblables aux noftres, comme nains, qui reffemblent des
Singes ou Guenons. Mais ie luy demanderois volontiers par quel moyen Marc a conu ces chofes, fi ce
n'eft qu'il fuft fort familier de ces diables, lefquels
luy font aparus en la forme qu'il defcrit, luy trom-
pant les yeux & luy mettant au deuant, par le
moyen des charmes, l'ombre au lieu de la chofe
mefme : fi bien que par telle impofture ils luy trou-
bloyent la phantafie, tout ainfi qu'ils font celles des
forcieres.

Il deuoit dauantage, comme Philofophe, confiderer que toute femence conceuoit fon femblable.
Par quel moyen doncques fe fait-il que les nains
foyent engendrez de la femence des diables qui font
efprits? qu'elle femblance ont-ils entre eux? En quoy
s'accordent-ils? Eft-ce en qualité ou fimilitude? Les
diables aparoiffent-ils guenons ou finges lors qu'ils
engendrent, eux qui fe fauent transformer en toute
figure, voire en anges de lumiere? Si vous voulez
qu'ils ayent la vertu d'engendrer ils engendreront
des diables & des efprits. Car il faut en ceci eftablir
vne analogie ou concordance des chofes. Il faudra
encores confeffer leur immortalité, tellement qu'il ne
fe faut point efmerueiller fi nous auons maintenant vne
fi grande abondance de tels efpouuantails à l'entour
de nous, & fi iamais l'homme ne fera du tout deliuré
des milliers infinis de tels efprits, puis que des le
commencement de la creation iufques à maintenant
ils font multipliez en fi grand nombre. Celuy qui
voudra aller au contraire de ce que ie dis, qu'il
ameine des raifons par lefquelles ie fois contraint de

croire à ces folies : mais pluftoft à ces menfonges manifeftes. Ie m'efmerueille au refte comment vn homme
s'eft ainfi laiffé tromper & charmer le fens.

L'AVTRE raifon qu'il allegue, pour laquelle elles
doyuent eftre punies, eft encores pius friuole, quand
il dit que fi on ne les brufloit, le nombre en croiftroit,
tellement qu'il n'y auroit celui qui fe peuft affeurer
de leurs enchantemens. Mais au contraire il n'y a
endroit au monde, auquel on viue plus affeuré de
toutes ces chofes que là où ces victimes & facrifices
n'ont plus de lieu, là où on ne les brufle plus, là où
les rufes, les fineffes & impoftures des diables font
defcouuertes, par lefquelles ils tafchent nuict & iour
à attirer les hommes incredules & de peu de foy en
leurs naffes, là où en toutes afflictions on reconoit &
implore l'aide de Dieu tout puiffant iufte & mifericordieux : là où on ne mefprife point les moyens ordonnez de Dieu : bref là où on n'attribue point à
Satan ou à vne vieille de mauuaife volonté ce qui
apartient à la feule maiefté diuine.

Novs auons tellement refpondu en tout ce liure
à l'auis de Loys Millicheus touchant la punition des
forcieres, & au iugement qu'en a donné Iaques
feigneur de Lichtenburch qu'il n'eft meftier de plus
longue repetition.

CHAPITRE XXVI

La punition des empoiſonneurs & empoiſonnereſſes.

L ne faut alleguer la loy Cornelie, que contre les empc iſonnereſſes. Car toutes les femmes qui ont excité des maladies, ou des mortalitez & pertes contre quelqu'vn par la puiſſance des venins, doyuent auoir & meritent la punition qui eſt deuë aux empoiſonneuſes, auſquelles, ſelon la qualité du mefait, les loix augmentent & diminuent la peine, comme il eſt treſiuſte d'ordonner vne grande ou moindre punition, ſelon la grandeur du dommage, & ſelon l'eſtude de la volonté comme à celles qui penſent acquerir l'amour des ieunes hommes ou autres par boiſſons amoureuſes, & ce temps pendant les font deuenir fols, ou leur excitent des maladies, ſans toutesfois les faire mourir. Ce que i'entens auſſi deuoir eſtre fait en tous autres cas ſemblables, lorſ qu'il en auient quelque perte ou dommage. En ces cas doncques la loy Cornelie, qui eſt des meurtriers & empoiſonneurs doit eſtre pratiquee. Celuy doit eſtre puni qui aura fait ou vendu, ou aura recelé du poiſon pour faire mourir vn homme. De telle punition doit eſtre puni celuy qui aura vendu publiquement, ou aura chez ſoy du poiſon pour faire mourir vn homme. Celle-la auſſi doit eſtre bannie ſelon l'arreſt du Senat, laquelle

La loy Cornelie.
ff. li. 46. ti. 8.

aura baillé quelque medicament pour faire conceuoir celle qui en fera morte : car encore qu'elle ne
l'ait baillé à mauuaife intention, fi eft-ce que cela
fert de mauuais exemple. Il a efté dit auffi par vn
autre arreft du Senat que les faifeurs de fards feroyent
punis de la peine impofee par la mefme loy à ceux
qui temerairement donneroyent de la ciguë, de la
falamandre, de l'accnite, des pityocampes, de la men-
dragore, des cantharides, ou quelque autre chofe
propre à farder.

Av refte, il y a plufieurs auteurs dignes de foy, qui
tefmoignent que les femmes font plus addonnees aux
poifont que ne font les hommes. Diodore efcrit en fon
5. liure des geftes des anciens qu'vne femme nommee
Hecaté fut la premiere qui trouua l'aconite, & prit
grand peine à compofer venins mortels. Mefmes Tite
Liue, & Valere en fon fecond liure des inftitutions
des anciens, tefmoignent que les femmes furent les
premieres à Rome qui firent des poifons : fainct
Auguftin le touche auffi au 2. liure de la cité de
Dieu, chapitre dixfeptieme. Et Pline efcrit au chapitre fecond du vingt-cinquieme liure, que la fcience
des femmes excelle merueilleufement en poifons : car
comme il dit, qu'eft-ce que Medee Colchique &
autres n'ont rempli de fables? au premier rang defquelles on doit mettre Circé Italienne, laquelle on a
depuis enrollee au rang des dieux? Outre cefte cy
vous verrez ordinairement en Homere des magiciennes & empoifonneufes, defquelles il fait mention,
afauoir Gratidie que lon nomme auffi Canidie, Sa
gane & Veie toutes Neapolitaines : Folia de Rimini
& autres : mais vous n'y lirez aucun homme. Vous
en trouuerez plufieurs es autres efcriuans, comme

Les femmes ont de tout temps efte adonnees aux poifons.
Exod. 7.
Leuit. 19. 20.
Deut. 18.
Bfa 8. 29. 47.
Pfalm. 57.
2. Par. 33.
Eccle. 12.

Mycalé, Erichtho, Dypfade, Eriphie, Guthrune,
Gyges chambriere de Paryfatis mere de Cyrus : vne
certaine Martine, de laquelle Tacitus a efcrit au
liure fecond des Annales, & vne Locufte auffi dont
il s'eft fouuenu enuiron la fin du douzieme liure bref,
vous en trouuerez vne infinité d'autres. C'eft vn
prouerbe ancien dont Suidas s'eft refouuenu, lors
que lon parle des forcelleries des femmes, de dire,
c'eft vne Theffalienne. Nous vfons de ce prouerbe
contre les forcieres, pourautant que les Theffaliens
& principalement les femmes font fort adonnees &
notees de ce crime. Quintilian efcrit au cinquieme
liure de fes inftitutions oratoires, au tiltre des argumens : Il eft plus aifé de croire que le larcin procede
de l'homme, comme auffi la forcellerie de la femme.

On dit que les empoifonneurs & forcieres eftoyent
punis en Perfe en cefte façon : fauoir eft, qu'on leur
mettoit vne grande pierre deffous la tefte, laquelle on
leur rompoit deffus auec vne autre. Il m'a femblé
bon de laiffer à l'equité & iugement du Magiftrat
prudent, la punition qui doit eftre impofee à ceux
qui font des venins pour faire mourir les hommes,
ou le beftail, foyent femmes ou hommes. Ce que ie
fais plus volontiers, afin que celui qui eft ordonné de
Dieu, felon que nous le trouuons efcrit es fainctes
lettres, ne fe plaigne qu'en cecy ie vueille vfer d'vn
preiugé. Toutesfois i'ay bien voulu tranfcrire vn
Liu. 13. c. 7. paffage d'Aule Gelle, lequel contient la fentence prononcee treffagement par les Aeropagites Atheniens
contre l'empoifonneufe : car elle feruira d'exemple
pour vn iugement bien examiné. Voici donc ce qu'il
efcrit : Il y eut vne femme de Smyrne, laquelle fut
menee à Cn. Dolabella Proconful d'Afie. Cefte

femme auoit empoifonné & fait mourir en vn mefme temps fon mary & fon fils. Mefme elle le confeffoit, difant, qu'elle en auoit eu occafion, pourautant que fon mari & fon fils auoyent en trahifon fait mourir vn fien ieune fils enfant de bonne nature & innocent, lequel elle auoit eu de fon premier mary. Or ne doutoit-on point de ce fait, parquoy Dolabella le raporta au confeil, là où perfonne n'ofoit donner fon auis en vne caufe fi douteufe : dautant qu'il leur fembloit bien que l'empoifonnement confeffé par lequel le mary & le fils auoyent efté tuez, ne deuoit demeurer impuni : & que toutesfois par cefte digne punition elle auoit pris vengeance de deux mefchans hommes. Dolabella enuoya ce proces à Athenes par deuers les Areopagites, comme eftans iuges d'autorité & fort exercitez. Les Areopagites ayans entendu la caufe, ordonnerent par leur fentence que l'accufateur de la femme, & celle qui eftoit accufee, euffent à comparoir cent ans apres. Ainfi l'empoifonnement que fit cefte femme ne fut abfouls, dautant qu'il n'eftoit licite par les loix, ni cefte femme coulpable condamnee & punie, pourautant qu'elle fembloit digne de pardon. Cefte hiftoire eft prife de Valere le grand, liu. 8. chap. 23.

CHAPITRE XXVII

Recapitulation touchant les sorcieres.

 R il me semble que i'ay affez prouué que
les forcieres ne font caufe de toutes les
chofes qui leur font imputees, par raifon naturelle ni par effeɛt. Car fi elles
en font quelques vnes d'icelles, il faut conclure quand
& quand qu'elles le peuuent, dautant que l'effet
prefupofe le pouuoir. Si doncques nous difons qu'elles
le peuuent, il faudra arrefter premierement comment,
& par quel moyen. Or eft-il ainfi qu'elles ne le peuuent ni d'elles mefmes, ni par enchantemens, ni par
le moyen du diable, ni mefmes le diable par leur
moyen. Nous auons monftré par trois raifons que
d'elles mefmes elles ne le peuuent. Car elles n'ont pas
les trois chofes requifes en toutes aɛtions fimples ou
faites pour vne certaine fin : fauoir eft le pouuoir de
celuy en qui befongne l'habitude du fuieɛt, ou de
celuy qui patit, auec la conuenable aplication.
Quant à ce qui touche à elles, premierement elles
font mortelles, leur faculté, & puiffance depend de
l'analogie ou acordance du corps & de l'efprit &
ne peut finon entendre & vouloir par le moyen de
l'efprit, & par le moyen du corps ne peut paffer
outre les bornes des fens terriens & naturels. Parquoy elles ne peuuent attenter par leur pouuoir aux
chofes qui font par deffus elles, & ne peuuent encores rien faire qui ne foit correfpondant au fens.

Car comme nous auons dit, la vertu & puiſſance de
la cauſe agiſſante eſt neceſſaire pour faire quelque
choſe. Et n'eſt pas moins neceſſaire qu'vne choſe
faite ſelon quelque regard & à cauſe d'vne autre.

QVANT eſt de ce en quoy on penſe qu'elles agiſſent,
il ne ſe peut faire par aucune raiſon qu'elles esbran-
lent la terre, qu'elles facent diſſoudre les nues,
amaſſer les greſles, eſuanouir les vents, tomber les
pluyes, venir les foudres & les tonnerres. Car nous
ne pouuons auoir aucune action ſortant de nous, ou
procedant d'vn autre agiſſant, ſi elle n'eſt raportee à
vn patient apte & bien diſpoſé. Or n'eſt-ce pas la
vertu vniuerſelle, ni la condition des elemens que
les hommes puiſſent agir en ces choſes, ou les puiſſent
faire par le moyen que lon penſe que les ſorcieres les
font, ainſi que nous l'auons monſtré plus au long es
liures precedens. Encores moins le pourront-elles par
enchantement. Auſſi ne peut-il auoir plus grande
vertu en la choſe cauſee ou qui eſt faite que celle qui
procede par le moyen de ſa cauſe. Or les ſorcieres
ſont les cauſes des enchantemens & des charmes. Et
n'y a celui qui ne ſache bien qu'elles ſont celles qui
en vſent : & qui s'aident des paroles, l'effect deſquelles
eſt monſtré tres-ſubtilement par Ariſtote au ſecond
liure de l'ame. Mais nous auons deſia monſtré que
les ſorcieres n'ont aucune puiſſance ou faculté de ce
faire. Parquoy les enchantemens ne ſont point cauſe
de tels effects : & ceſte reigle ne fait rien pour la
puiſſance des ſorcieres, laquelle dit : Que toute choſe
qui eſt cauſe d'vne cauſe, l'eſt auſſi de ce que lon
apelle la choſe cauſee. Car encores que les deux premieres choſes requiſes en toute action ne leur défail-
liſſent point, ſi eſt-ce que la tierce leur defaudroit :

L. ſi. ad rogat
D. dé adopt.
   iuriſſ.
§ cu orindus.
D. de excuſ. tut.
   l. pupill.
D. de tut. & cur.
   Alex.
conſi 128. vol 1.
l. in omnibus 2.

D. de oblig.
& act. l. 1.
C. de hære. inſtit.
l. ſi ego. 1.
D. ſi. cert. petat.
c. 1 ff. hoc
autem qui feud.
   Jarpoſſ.

L. & ſi amicis,
D. ad l. Iul.
de adult.

Do3.

dautant que nous auons monftré en plufieurs endroits
que les enchantemens ne font pas moins aptes &
commodes entre les hommes que les corps celeftes.
Parquoy pour cefte feule caufe tout feroit non feulement empefché, mais auffi ne pourroit eftre encom-
mencé. Car le moyen inhabile & mal conuenable
empefche la conionction des deux extremes, & fait
qu'ils ne peuuent confentir en l'action, fi ce n'eft
que nous eftabliffions auec les Platoniques ce monde
eftre vn animant, lequel ait fentiment des oreilles &
des yeux : & que nous difons auec Pythagore qu'il
fe delecte & s'efmeut par des chanfons. Toutesfois
nous monftrons qu'elles ne peuuent faire ces chofes
par le moyen du diable. Car encores que ie confeffe
que par leurs enchantemens elles puiffent contraindre
le diable, ou que le diable face ces chofes de fon bon
gré, eftant inuoqué par icelles : toutesfois fi ne dirai-
ie pas qu'elles le puiffent contraindre de ce faire, ou
que par le moyen d'iceluy elles puiffent faire ce qui
n'eft pas en fa puiffance. Car encores qu'il puiffe
toutes les chofes que nous auons dites, & plufieurs
autres, lefquelles maintenant font miraculeufes à
noftre regard, & maintenant femblent eftre telles :
toutesfois fi ne peut-il faire ce qu'il veut, ou ce que
l'homme voudroit, ni en mefme temps qu'il voudroit, ou que fes vaffaux le voudroyent bien & luy
commanderoyent : mais il fait ce que le grand Dieu
veut, & lors qu'il luy femble bon. Parquoy s'il auient
quelquefois apres les enchantemens qu'il face ce que
les forcieres veulent : cela ne procede point de leur
volonté ou commandement, ou de celuy du diable,
mais de la volonté de Dieu qui le commande & le
permet ainfi : & tant s'en faut qu'elle foit en la puif

fance d'aucun efprit ou d'aucun homme, que mefmes
elle eft du tout inconnuë, & femble eftre chofe fortuite aux hommes & aux diables. Parquoy ils ne font
point dauantage caufe de ces chofes que de toutes
autres, lefquelles ne font point faites par noftre
moyen, mais nous auiennent fortuitement, quand
nous les defirons : bref, la force de la nature diabolique ne nous fubminiftre point cefte obiection : fauoir que c'eft tout vn, ou qu'il face de luy mefme ce
qu'on attribue aux forcieres, ou bien qu'elles le
facent par le moyen d'iceluy : Et qu'il n'y a point
de difference s'ils produifent tels effects, ou s'ils en
baillent la caufe fans aucun moyen. Ce que lon
pourroit en outre nous alleguer, eft que le diable fait
toutes ces chofes que nous auons dites par le moyen
de ces vieilles, tellement que ces miferables forcieres
foyent leurs organes & inftrumens, comme fi ce fubtil ouurier auoit afaire de leur aide? Mais qui eft-ce
qui ne void que ces vieilles edentees font organes du
tout ineptes à efmouuoir le Ciel, l'air, les nuages &
les vents. Ne penfons donques que ces efprits malins
foyent fi fots & de fi petit pouuoir qu'il falle qu'il fe
retirent par deuers elles, ou que la nature foit tombee en tel inconuenient qu'il foit neceffaire qu'elle
foit efmeuë par leur moyen. Car auffi eft-il requis en
toute action que l'organe foit conuenable & apte.
Mais encores que les forcieres fuffent inftrumens
commodes & neceffaires pour executer ce que le Dieu
tresgrand permet aux diables de faire, ie vous demande quelle punition en meritent ces pauures miferables! Premierement, fi ainfi eftoit elles endure-
royent ces chofes, & par confequent elles ne les
feroyent pas : car l'vn & l'autre n'acordent point

L. 1. §. cæterum.
D. de acquir.
poffeff.
l. V rani'.
D. de fideiuff.

enfemble. Dauantage il eft tout certain que les actions
ne font point raportees aux caufes inftrumentales, &
que la fin pretendue des chofes que lon fait, ne depend point de l'inftrument felon l'argument de la L.
Quod mihi donatum D. de donat. Or en toute forcellerie la fin eft feulement punie. *1. Dinus d. ad L.
Cornel. de fic.* Par ces raifons doncques expliquees
bien au long & apuyees fur des argumens fermes &
affeurez, nous auons monftré que par la nature des
chofes, laquelle eft tefmoin certain de la verité, il ne
fe peut faire que les forcieres veritablement facent
les chofes que nous auons dites. Le premier argument defquels eft que les diables mefmes ne peuuent
rien de ces chofes.

LE fecond eftoit pris du fait, qui eft vn vray fondement de la verité : pourautant que la verité eft vne
conoiffance d'vne chofe certaine, tirée principalement
par le moyen de la veuë. Or l'vfage nous monftre
que tous ces effects font fauffement attribuez aux
forcieres : car non feulement les calamitez, defquelles
on les dit eftre caufes, perfeuerent & rengregent
apres qu'on les a fait mourir & qu'elles font reduites
en cendres : mais elles font quelquesfois plus ordinaires & beaucoup plus grandes es lieux efquels on
n'a aucune conoiffance de leur nom. Or ne doit on
pas raporter vn effect à vne caufe, laquelle eftant hors,
ne laiffe toutesfois de perfeuerer. *L. Condit. Pupill.
in prin. D. de condict. & demonft. argumento. L.
antep. D. ex quibus caufis maior.* Car la caufe cef-
fante neceffairement l'effect doit ceffer. Comme ainfi
foit doncques que par le fait nous ayons ce point,
fauoir eft que les forcieres ne font point les chofes ni
d'elles mefmes, ni par le moyen d'autruy : mais que

*l. teftium.
C. de teft.
Bald. 7. col.*

*Du fait Glof.
in auth. de inft.
catel. in princ.*

c'eſt Dieu qui les fait immediatement, le diable lequel ſans elles les fait par la permiſſion de Dieu tout puiſſant, certainement il n'eſt pas raiſonnable qu'elles ſoyent chargees du fait d'autruy : ou qu'il y ait punition là où il n'y a point de meſfait. L. *Sancimus.* *C. de pœnit.* Car c'eſt aſſez que chacun reſponde de ſon faiĉt. Et comme ainſi ſoit que naturellement il eſt impoſſible que non ſeulement ces ſorcieres, mais auſſi les autres hommes ſoyent cauſes agiſſantes des choſes que nous auons dites : certainement il ne nous apartient pas de dire au contraire, au preiudice d'autruy, qu'elles ſe puiſſent faire. Auſſi n'y a il rien de poſſible en droit qui naturellement ſoit impoſſible. L. 1. *gloſ. L. fil. D. de condit. inſtit.* Et n'y a rien plus certain que le defaut de pouuoir empeſcher, non ſeulement empeſche la preſomption que lon pourroit auoir de l'effeĉt, mais auſſi il empeſche le meſme effeĉt. Pour ceſte cauſe les iuges ne prennent garde à ce que lon dit que quelqu'vn a voulu, où à ce que lon prouue qu'il a peu : mais ils regardent à ce que lon prouue que quelcun a commis ou fait, & qui naturellement tombe en la puiſſance & volonté de l'homme. Ce qui eſt tellement vray, que ſi quelqu'vn de ſon propre gré ou autrement auoit confeſſé vn meſfaiĉt, lequel ou ſimplement ou pour certaines raiſons & cauſes naturelles il n'auroit peu commettre, il n'en feroit puny. Car vne confeſſion doit eſtre vraye & poſſible, comme nous auons monſtré cy deuant. L. *Inde Neratius. D. ad L. Aquil. c. fin. de confeſſ. ibi Bart. & Aug. conſi.* 160. *vol.* 4. eſcrit qu'vne femme laquelle confeſſa auoir baillé du poiſon à ſon mary, dont il eſtoit mort, ne doit eſtre condamnee ſuyuant telle confeſſion, dautant que ſelon

*L. adigeré
§. quanuis D.
de iur. patrona.
c. cum
ceſſante ext.
de appell.*

*L. in cauſa D.
de procur.*

*L. crimen. pater.
D. de pœn.*

*L. multum
l. ſi quis alter
vel ſibi.*

le iugement des medecins les medicamens qu'elle confeſſoit luy auoir baillez, n'eſtoyent pas venimeux. L'an 1562, mes enfans virent à Pauïe vn petit garçon lequel auoit d'auanture defrobé quelques pommes à vne reuendereſſe au marché, laquelle luy donna d'vne petite vergette ſur le dos, dont il tomba mort ſoudainement. Et toutefois il n'eſtoit pas vray ſemblable qu'il fuſt mort de ce coup : car cela ſemble tres dificile aux Medecins. Or y a il preſque vn pareil iugement en droit des choſes impoſſibles & de celles leſquelles ſont tresdificiles. *L. apud. Iulianum.* § *Conſtat. D. de Leg. 1.* Ce qui fait beaucoup pour la defence des ſorcieres : car encores que nous confeſſions qu'elles facent ce que lon leur impoſe, & ce que lon penſe qu'elles ſont toutesfois qu'y a-il plus dificile à l'homme que ces meſmes choſes? A peine donc ſeront-elles vrayſemblables. Or ne peut on faire fondement ſur ce qui n'eſt pas vrayſemblable. *c. Quia veriſimile de præſump. l. fin. in prin. D. Quod met. cauſa.*

DAVANTAGE encores qu'il n'aparoiſſe certainement de la cauſe des calamitez impoſees aux ſorcieres : ſi eſt-ce qu'icelles meſmes les peuuent bien ſoulager par ce qu'elles en peuuent auoir de diuerſes & diſſemblables : dautant que l'efet lequel ſe peut retirer de diuerſes cauſes doit eſtre touſiours attribué à la plus iuſte *c. eſtote de re. iur. in antiq.* Auſſi ne preſumeton point en tout & par tout d'vn delict lequel eſt en doute. *L. 1. C. ad l. Cor. de ſic.* Maintenant doncques qu'il apert de la cauſe prochaine & de celle que lon nomme eſlongnee : non ſeulement les innocens ſeroyent afligez au regard des coulpables : ce qui eſt tresperilleux (*l. fi. inf. l. de his qui latr. l. præ·*

gnatis. de pæ. Mais auffi nous ferions vne grande iniure à Dieu fi nous ne reconoiffions fa main, c'eft à dire, fi nous penfions que les chofes lefquelles nous font enuoyees ou pour punition, ou pour nous ef-prouuer, ou pour nous feruir d'admoneftement nous furuinffent d'ailleurs que de luy, ou par le moyen d'autres caufes, ou par autres moyens que par ceux defquels il a vfé des le commencement du monde.

C. ext. ro. de homicid. gl. 1. & Pau.

Ces loix fuiuantes donc ne nous font contraires : *l. Eorum Nec l. multi. de maleficis & mathematicis.* Auffi ne fait on aucune iniure à ceux qui les ont or-donnees, afauoir à Conftantin & Conftance : encores que nous ne nions pas que vouloir corriger les loix ne foit vne chofe que il faut euiter. L. *Præcipimus infra C. de appel.* Car ceffant la raifon de la loy, la loy ceffe L. *quod dictum* D. *de pact.* L. *Adigere.* §. *quamuis.* D. *de iur. patro.* Car la raifon eft l'ame de la loy. *l. cum ration.* D. *de bon. dam. acratio nulla infr. ext. de preben.* Toute la loy reçoit fon interpretation de la raifon *l. cum pater.* §. *dulcif-fimis* D. *de Leg.* 2. Les docteurs efcriuent fur la loy *Multi,* On dit qu'il y en a plufieurs qui par art ma-gique troublent les elemens, intereffent la vie des innocens, & font reuenir les efprits. En la loy *Eo-rum :* on dit que les forcieres peuuent guerir & faire ceffer les pluyes, les grefles & les vents : & qu'il ne faut point punir ceux qui vfent d'enchantemens à bonne fin. *Bartol. & Salyc. in fum.* Or auons nous defia montré, tant par raifons & experiences que par autorité, que veritablement les hommes ne font rien de toutes ces chofes. Par quoy il me femble que puis que la raifon de la loy eft corrigee, par con-fequent la loy eft auffi corrigee *glof. ordin. in l. 1.*

Bart. confi 6.

in verb. prouident. D. *de legit. tut. & in l. qua ratione.* §. *literæ verb. directum* D. *de acqui. rer dom.* Nous auons monſtré au 3. liure, chap. 16. que les ſorcieres ne peuuent troubler l'air ni eſmouuoir les tempeſtes.

L'experience.

Novs en auons ci deuant touché l'experience, & n'en pouuons auoir de plus certaine, que celle que nous auons propoſee au quatrieme liure, lequel ne comprend autre choſe que des exemples de ceux, qu'on diſoit eſtre enſorcelez par les ſorcieres, encores qu'il fuſſent tourmentez par les diables, ou par maladies ou vices naturels. Mais le plus clair exemple de tous eſt qu'elles ne peuuent euiter ou chaſſer par aucune force ou puiſſance ce que lon dit qu'elles peuuent attirer & eſmouuoir. Les magiciens infames ne le ſauroyent faire non plus comme nous en auons

Li. 2. ch. 8.

remarqué es magiciens de Pharaon leſquels ne peurent chaſſer les mouches, & ne ſe peurent ſi bien garder, eſtant affligez par les vlceres, que la vanité de leur art ne fuſt deſcouuerte. Car comme lon penſe que celuy fait, lequel n'empeſche point quand il le peut : *adigere in princip.* D. *de iur. patrona. vbi gloſſ.* Ainſi penſe on que celuy ne fait pas, lequel ne peut faire quand bon luy ſemble. Ils ne le pouuoyent pas par l'Eſprit de Dieu. Mais s'il n'euſt tenu qu'à eux qu'ils ne les euſſent chaſſez : nous confeſ-

L. ſi bone fidei. D. de nox.

ſerions qu'ils l'auroyent peu. Autrement ce ſeroit vne meſme choſe que quelqu'vn peuſt & toutesfois qu'il tinſt à lui qu'il ne peuſt.

Il reſte maintenant vn teſmoignage de grand poids que nous auons tiré du Concile d'Ancyre 26. *q. 5. cap. Epiſcopi.* Nous en auons vn autre tiré des ſainds Peres & de leurs Canons 26. *queſt. 2. cap. illos. cap.*

ex tuarum. cap. fin extr. de fort. là où les glofes &
les docteurs expreffément teftifient celuy là eftre heretique, qui croit que ces chofes peuuent eftre faites
par les magiciens & forciers. *26. quæft. 4. cap. Igitur & cap. accufatus. P §. lanè. de hæred. in 6.*
Dautantqu'on attribue à la creature ce qui apartient
à vn feul Dieu. *26. queft. 2. cap. qui fine faluatore.
Ioannes And. in rub. extr. de fort. & capit. 1. eod.
Panor. And. fic. in confil. 55. Oldr. in confil. 210.*
Ces chofes eftans telles, il ne faut plus eftimer que
l'Empereur Chreftien ait penfé autrement. Ce qui
apert fort bien par la L. *Nullus. eodem tit.* & par
plufieurs autres loix. Car nous deuons par tous
moyens accorder les loix auec les loix. *l. 1. C. de
inoffi. dot.* Si nous auons efgard auffi à l'autorité,
qui eft ce qui doute qu'en ceft afaire il ne fale attribuer toute foy & reuerence au droit Diuin? Car en
l'arreft des caufes, principalement de celles qui touchent l'ame, telle qu'eft cefte-ci, les auis des Peres &
des Canons doyùent eftre preferez aux loix, *Panor.
in ca. fuper illa. de fect. nup.* Auffi les loix mefmes
ne defdaignent pas d'enfuyure les faincts Canons.
Ant. vt cler. apud proprium Epif. in fin.

Paravantvre toutesfois que pour la defenfe de ces
deux loix, Molitor & quelques autres s'oppoferont
contre ce que nous auons dit, & refpondront encores
que l'on confeffe que les forcieres ne font & ne peuuent
faire aucune des chofes fpecifiees en ces deux loix,
toutesfois elles defirent & veulent les faire : & que
la volonté du mesfait doit eftre punie par mefme
rigueur que l'effect mefme. *l. fi quis in princi. D.
ad. L. Iul. maieft. l. Si quis non dicam. C. de
Epifc. & cler.* Ie leur pourrois premierement faire

cefte exception tres-manifefte, qu'il faut qu'ils me
confeffent que ces miferables & innocentes vieilles ne
font prifes ou punies pour autre raifon que pour autant que lon penfe qu'elles ont fait ou procuré telles
chofes : autrement elles fe couperoyent la gorge de
leur propre coufteau. Car elles ne pourroyent eftre
legitimement condamnees, ni pas mefmes tourmentees. En fecond lieu ie refpon que cefte reigle du
droit fauoir eft qu'es forcelleries il faut auoir efgard
feulement à la volonté & non à l'effect. *l. Diuus. D.*
ad L. Cor. defic. Que cefte loy, di-ie, outre les diuerfes limitations qu'elle a, ne peut eftre alleguee en
ceft endroit. Car la volonté eft celle qui eft prochaine
du pouuoir : & le malefice n'eft autre chofe qu'vn
mal faict à vn homme. Or celuy fait lequel peut faire,
& fait ce qu'il peut faire : dont il enfuit que cefte definition ne declare autre chofe finon que mesfaire, &
auoir volonté de mesfaire font chofes pareilles par les
deux loix fufdites & par la loy, *Is qui cum telo, C.*
de ficariis. Mais nous auons affez monftré, ce
me femble, que nos forcieres ne peuuent faire ces
chofes. Parquoy il faut conclure qu'elles ne les font
& qu'elles ne les veulent faire : car le defaut de
pouuoir empefche l'effect. On ne dit pas auffi que
celuy vueille cela qu'il ne peut. *L. Lucius. §. Imp.*
D. ad Muuicip. l. Si tibi. §. vnius. D. de opt. Leg.
c. Cum à nobis. de fenten. excom.

PARQVOY la volonté de mesfaire qui peut tomber en
l'efprit des forcieres, ne peuft eftre que vaine, s'il eft
ainfi qu'on la doyue iuger volonté, car la volonté eft
vaine & friuole fi le pouuoir n'y eft quand & quand.
L. Nolle adire. in prin. D. de ac. hœre. & ibi notat
Alex. l. pater Seuerinam. in princ. D. de condit.

*Di multum C. fi
quis alt. verf.*

La volonté.

& demonſtrat. Auſſi n'eſt-ce autre choſe qu'vne pue-
rile perſuaſion de l'eſprit, ou vne fauſſe opinion, ou
vn ſimple deſſein, lequel ſeul ne peut rien faire es
actions des viuans. l. *Si nondum. C. de furt.* Ou
bien c'eſt vne ſeule penſee, pour laquelle, comme
eſtant libre entre toutes autres choſes, perſonne ne doit
endurer punition, l. *cogitationis* D. *de pœnis c. co
gitationis diſt. 1. de pœnit. l. ſi fugitiuus. l. Sæpe
in fine de verb. ſig. de dic, leg. inficiando in prin.
de furt.* Car ce que lon a propoſé & qui demeure en
l'eſprit ne fait aucun dommage ni en public, ni en
priué : tellement que les penſees de meſfaits quels
qu'ils ſoyent, & qui peuuent eſtre entrepris & executez par quelcun, demeurent impunis, *Bart. m. l.
Non ideo minus C. de accuſa.* pouruen qu'elles
n'outrepaſſent ces limites l. *cogitatio non meretur
diſt. 1. de pœnit.* Combien donc moins doyuent elles
eſtre punies pour les choſes leſquelles ne peuuent
eſtre en la puiſſance d'aucun homme? Auſſi telles
penſees & deſirs ne peuuent eſtre d'vn homme raſſis
d'entendement, mais d'vn qui veritablement a l'eſprit troublé. La volonté d'vn eſprit ſain & entier eſt
vne volonté d'vne choſe poſſible : ſi bien qu'en icelle
ne vouloir & ne pouuoir, ſont choſes eſgales. l. *3. C.
de her. inſt. l. 1. §. vſus.* D. *de procur.* Mais vn
homme fol n'a ni raiſon ni volonté : dont il s'enſuit
que lon ne doit preſumer auoir aucun dol ou fraude
en icelui & ne doit-on ainſi imputer aucune coulpe
à celuy, lequel n'eſt raſſis de ſon entendement. l. *Sed
& ſi §. 1.* D. *ad le. Aquil.* Or auons nous monſtré
que nos ſorcieres ont en tout & par tout perdu leur
eſprit par le moyen de leur aage deſia decrepit, du
deſeſpoir, de leurs miſeres, du vice de leur fantaſie,

des medicamens qui les induisent à fureur, & bref par le moyen du diable : tellement qu'elles confessent ce qu'elles n'ont pas fait & n'ont peu faire, si bien que de leur propre volonté elles se precipitent en vne mort manifeste. Ce que iamais vn personnage de sain entendement ne feroit, tant magnanime & cons tant fut-il : car sa volonté est telle qu'elle doit estre. Or entre toutes les choses terribles & espouuantables, il n'y en a point de plus que la mort. *l. vltimum* D. *de pænis.* C'est donc afaire aux furieux, aux fols & aux enfans, d'ainsi se precipiter, & on n'a point acoustumé d'imputer à telles gens aucun delict ou mesfait, *l. infans* D. *ad l. Cor. de sic.* Voire & eussent-ils commis ce que les coulpables de lese ma- ieste commettent *l. famosi* D. *ad l. Iul. maiest.* Pour- quoy cela? pourautant qu'ils n'ont aucun iugement, c'est à dire qu'ils n'ont aucune telle volonté, à la- quelle on a esgard, & laquelle on punit es empoison- nemens *l. qui iniuriæ l. f. l. verum est.* D. *de furt.* Et pour ceste cause encores que nos sorcieres peussent faire ce que lon pense qu'elles font, & encores qu'elles fissent ce que lon dit qu'elles peuuent faire, si est-ce qu'elles ne pourroyent pas estre d'auantage punies que sont les furieux, les fols & les enfans, Car elles ne sont pas moins destituees de ceste volonté de mes- faire, laquelle merite punition es empoisonnemens seulement, par les loix susdites, & *l. si seruus §. Et si puerum* D. *ad l. aquil. l. Si quis testamentum in fine* D. *de iur.* Car en cest endroit ceste reigle de- uroit auoir lieu.

Toutesfois pour autant qu'il faut auoir tousiours esgard au commencement de chasque chose, comme il est escrit *l. Pomponius* D. *de reg. gest. & causa*

Bal d. in l.
1. col. 5.
de sac. eccl.

lon nous pourra obiecter ici, & demander la premiere
caufe de cefte volonté intereffee ou de cefte folie. Car
encores qu'il femble qu'elle auienne par neceffité, fi
eft-ce que le commencement eft procedé de la volonté,
pourautant que ayans delaiffé Dieu elles ont con-
tracté auec le diable, lequel elles ont fuyui, & fe font
deftournees du chemin de la religion Catholique :
ce qui eft non feulement heretique *l. 2. in fine C. de
hæret. & Manich.* mais auffi Apoftatique. *l. 3. in
princ. C. de Apoft.* Bref il y a toufiours es delits vne
obligation naturelle par le taifible confentement du
deliquant : car en mesfaifant il femble que de fait il
confente à la punition qui s'en doit enfuyure, & que
mefmes il s'oblige à icelle, *gloff. in l. 1. §. fin. D. de
poftul & in l. Si feruus D. qui not. in fin. l. Impp.
De iure fifci verf. tu huic pæne te fubdidifti.* Et certainement lon ne fauroit imputer autre coulpe à ces
pauures miferables ni autres plus iuftes caufes de
les punir : auffi n'y en a-il point d'autre affignee par
Grilland, ou par Molitor, ou par les autres Iurifconfultes. Or ie pourrois monftrer par vne infinité de
raifons que ce contract ou alliance qu'elles font eft
nul, & qu'ainfi il ne peut rien faire en l'vne des deux
parties : tellement que la reigle ne fait rien contre,
par laquelle il eft dit qu'il faut auoir efgard au commencement & à la caufe de chafque contract, *l. Si
procurator. in princ. ff. Mandati l. 1. §. Non folum
depof. l. Si tamen ad Maced.* Ce qui eft au regard
des perfonnes : car entre celles qui n'ont aucune
communication enfemble, il n'y peut auoir aucun
droit, ni naturellement aucun contract. Et quant
aux chofes, la raifon y eft manifefte : car il n'y
peut aucunement auoir obligation es chofes, lef-

*L. non folum
de act. & oblig.*

quelles ne peuuent eſtre monſtrees ne faites naturellement ni de droit. Autant en peut-on dire au regard de la condition adiouſtee au compromis ou au
concordat : car elle n'eſt pas en la puiſſance des com-
promettans, ni tellement poſee que naturellement elle
ſe puiſſe faire. Autant auſſi s'en peut-il dire au regard
de la forme & eſſence laquelle donne l'eſtre à la choſe,
& l'omiſſion de laquelle empeſche l'action. Et quant
à la diſſenſion, la raiſon eſt en ce que le diable penſe
touſiours d'autruy tout autrement que ne fait pas
l'homme, bref tout ce contract & tout ce qui s'en enſuit eſt ſimplement imaginaire & phantaſtique. Or ne
pouuons nous tirer la verité par teſmoins veritables,
certains & oculaires, des choſes qui ſe font ſeulement
en l'eſprit. Parquoy nous ne pouuons conceuoir par
experience & par effet la conoiſſance de ce compromis
& de ceſte paction. Car il n'y a nulle qualité es choſes
leſquelles n'aparoiſſent & ne font point *l. eius qui in
prouincia infra. D. ſi certa pe. l. ſin. D. pro ſoc.*

Av reſte, dautant que ceſte choſe a eſté non ſeulement aſſez declaree en noſtre troiſieme liure, mais
auſſi pour ce que nous auons monſtré que ces pauures vieilles, ſouuenteſfois nommees ſorcieres, ſont
tombees temerairement en ceſte incredulité, eſtans
circonuenues par dol & fraude, contraintes par force,
pouſſees par crainte, induites par erreur, & deceuës
par ignorance : certainement on ne pourra obiecter
à ces pauures miſerables ce qui eſt contenu en tels
contracts, aſauoir que les choſes qui du commencement ſont volontaires, ſont faites par apres neceſſaires
en effect, *l. ſicut C. de act. & obli.* Auſſi ne leur
pourra-on obiecter, comme en l'hereſie que le delict
eſt ſeul   t compris en la ſeule volonté & en l'eſ-

*L. cum. hi.
§. ſi prætor D.
de tranſ.*

*L. 1. de hæ. inſt.
l. 4. §. ſin.
de act.
empt. l. ſin.
de col. bon.*

*L. in commodato
§. ſicut.
D. commodati.
l. ſi quis
argentum §.
cum empt.
C. de dona.*

prit, *c. ex communicamus* §. *Credentes. de hæret.*
Bal. in l. ſi quis non dicam. C. de epiſco. & cler.
Et les autres doĉteurs auſſi. Car là où il n'y a point
de contraĉt, il n'y a point auſſi de commencement de
contraĉt. Et là où il y a dol, contrainte, crainte, erreur, & ignorance, là il n'y a point de volonté, comme
i'ay dit ci deuant, & n'y peut auoir aucun conſentement. Par conſequent il n'y peut auoir aucun ſoupçon d'hereſie, ni d'autre deliĉt dependant du ſeul
eſprit, ni meſmes aucune punition : car toutes ces
choſes ſont contraire à la volonté & au conſentement
aſauoir en premier lieu le dol & la contrainte *l. Et*
eleganter D. de dolo. l. in cauſæ §. 1. *de minor :*
l. 4. de reg. iuris. l. 1. quod metus cauſa ibi :
Propter neceſſitatem contrariam voluntati. Car Labeo donne vne telle definition de dol, diſant que c'eſt
vne fineſſe, fallace, & machination pour circonuenir,
tromper & deceuoir autruy. 1. §. 1. *D. de dolo.*
Mais que peut il auenir aux forcieres, ſimples de
leur nature, plus grief & de plus grande eſicace auec
ces trois choſes ſuſdites, que la tentation du diable ?
Auquel, comme nous auons dit au premier liure, la
volonté ne defaut point pour ſeduire tout le monde,
ni auſſi la diligence, comme celuy qui n'a autre
choſe à faire, ni les ruſes & fineſſes pour circonuenir,
tromper & deceuoir non ſeulement vne femme, mais
auſſi le plus conſtant & plus prudent homme que lon
ſauroit rencontrer 3. *ſentent. diſt. 19. q. 3. num. 23.*
verba ſanĉti Bonauenture. Or les canons & noſtre troiſieme liure, monſtreat que le diable par ces moyens ſe-
duit les femmes & gaigne leur eſprit : & ce en partie
interieurement, lorsqu'il leur propoſe des choſes mauuaiſes pour des bonnes & des bonnes pour des mau-

Apc. 12.
1. Pet. 3
Chyſoſt.
ſuper Mat.
lib. 1.

Geneſ. 3. 26.
q. epiſ.
Lib. de diui.
dæmo. 3. & 5.
De Spirit. & ani.
c. 28. 36. q. 4. c.
ſciendum.

Ad Simpli.
libr. 2. quest. 3.
q. c. episcopi.
2. Cor. 11.

uaifes : & les leur perfuade par des efmerueillables
& inuifibles moyens, comme dit fainct Auguftin, lors
qu'ils paffent la fubftance de leur corps, lefquels ne
fentent point les corps de ces miferables, & lors qu'ils
fe meflent parmi leur penfee : & en partie auffi exterieurement lors qu'il fe transforme en ange de lumiere, & leur fait acroire qu'il eft Dieu par le moyen
du cauteleux ouurage des images & reprefentations
qu'il doit faire paroiftre, comme dit le mefme fainct

Au traité
des sorcieres
q. 5. nomb. 5.

Auguftin. Parquoy tout ainfi, dit Grilland, qu'il
auient fouuentesfois qu'vn homme induit vn autre
par fraude à faire ce que iamais il ne voudroit penfer,
auffi n'eft-ce point vne chofe efmerueillable fi vne
femme pudique tombe quelquesfois, par les tentations des diables, en telle impudicité laquelle autrement elle abhorre ? Car ils luy reprefentent en dehors
& luy fourniffent au dedans tous les amorcemens &
allechemens qu'ils peuuent, comme nous auons
monftré en noftre premier liure.

La contrainte.

Venons maintenant à la contrainte, qui eft vne
impetuofité d'vne plus grande chofe, laquelle ne fe
peut euiter *l. 2. D. quod metus caufa.* Mais qui a-il
plus violent que l'impetuofité du diable, par laquelle
il aflige l'ame d'excez foudains & extraordinaires,
comme dit Tertullian : il dompte tellement en premier lieu ces pauures femmelettes & les meine cap-

d. q. 26.
de la
Cité de Dieu,
liu. 2. chap. 10.

tiues comme tefmoigne le Concile d'Ancyre : & fainct
Auguftin auffi, que mefmes elles croyent à ce qui
n'eft point & ne peut eftre. Puis il afliege tellement
le corps qu'il fait incontinent des mouuemens contre
la nature du corps : puis il feigneurie leurs langues
fi bien, qu'elles ne peuuent parler finon quand bon
luy femble, ni proferer que ce qu'il veut. Et ce qui

le fait plus apte & idoine à bleſſer l'vne & l'autre
ſubſtance de l'homme, eſt ſa ſubtilité & tenureté, &
qu'il a de grandes vertus ſpirituellement, auſquelles
nous deuons auoir plus d'eſgard en ceſte queſtion,
dautant qu'ils ſont pluſtoſt inuiſibles & inſenſibles
en effect, qu'ils n'aparoiſſent pas en l'action, comme
dit le meſme Tertullian en ſon Apologetique contre
les gentils, chapitre 22. Parquoy tout ce que commettent ces femmes, ſoit en eſprit, ſoit par l'aide du
corps, ou ſoit par la langue, ne procede pas de leur
faute & n'auient pas ſelon leur vouloir. Car premierement, à qui eſt-ce que lon fait force & iniure de
ſon propre conſentement? Puis, qui eſt-ce qui peut
reſiſter à la force? *l. ex conducto* §. 1. v. *Seruius D.
lati.* Dauantage par quel empeſchement pourroit
tant faire vn homme que dommage ne ſoit fait à
autruy contre tout droit. *l. Sed de damno D. tit. l.
ſi ea de act. empti.*

*L. 1. §.
filii de iniuriis
l. cum donationis.
C. de tranſact.*

Le troiſieme eſtoit la crainte, laquelle n'eſt autre
choſe qu'vn tremblement de l'eſprit ſuruenant à
raiſon d'vn peril preſent ou futur. *l. 1. D. quod metus.* Or nous auons monſtré au ſecond liure toutes
les choſes par leſquelles la crainte ſuruient à bon
droict, voire à l'homme le plus conſtant *l. 6. D. tit.*
ſauoir eſt par les perils, par le tourment du corps,
par la mort violente ou naturelle *l. interpoſitam de
tranſact.* Et qu'en partie le diable menace & attente
contre ces miſerables vieilles : & en partie leur a pris
& captiué l'eſprit, comme eſcrit Tertullian : il les
eſtonne ſi bien de terreur effroyable, que leur faiſant
acroire qu'il a la puiſſance de faire toute choſe, il
les contraint facilement de penſer qu'elles peuuent
faire & endurer toutes choſes. Car par la preſence

La crainte

mauuaise par laquelle il les tourmente & trauaille, il
leur fait acroire qu'il efmeut des pauuretez, des
haines entre les hommes, des calamitez : ou bien il
le fait ainfi par la permiffion de Dieu : ou il l'imprime
tellement en leurs efprits trompez, que encores qu'elles
n'endurent rien de ces chofes, toutesfois elles fe
plaignent comme fi elles enduroyent : fi bien que fe
vantant de pouuoir ofter ces maux, ou bien leur
donnant efperance de meilleur fucces, il tire à force
la foy & l'obeiffance de ces miferables. Voila la crainte
de laquelle il les trauaille. *l. Metum autem d. tit.*
Car tous ceux que le diable dompte, il les dompte
par fafcherie, comme tefmoigne fainct Chryfoftome,
au liure 3. de la prouidence. Et la crainte eft vne
trifteffe, dautant qu'vn chacun efgalement craint le
mal, s'il eft eminent, de peur qu'il n'auienne, & en
prend trifteffe, s'il eft prefent, & qu'il face douleur.
Car ce qui bleffe & fait douleur, eft contraire à la
nature & à la volonté. Et tout ce qui eft fait à l'occafion d'vne chofe non volontaire eft nommé, & eft de
foy-mefme non volontaire *l. qui leuandæ* D. *ad l.*
Rhod. De là vient que nous ne voulons pas imputer
à la parfaite volonté des forcieres, la temeraire credulité.

L'erreur.   Il refte maintenant à parler de l'erreur & de l'ignorance. Or eft-il tout manifefte qu'il n'y a aucune volonté en ceiuy qui erre, & que celuy qui eft ignorant
n'a aucun confentement *l. fi per errorem de iurifd.*
omnium iud. l. fed hoc D. *de pulic & rect.* Mefmes
il eft femblable à vn qui eft contraint *l. qui poteft.*
§. *1. de reg. iur.* Et auffi à vn furieux D. *fi cert.*
per. auquel on doit pardonner en toutes chofes
comme nous auons dit ci deuant. Or l'erreur de

l'efprit & l'aueuglement de la volonté depend en nos
forcieres de leur maladie naturelle, les effeĉts de la-
quelles doyuent eftre fuportez patiemment. *l. in.fumma*
§. *apud De aqua plu. arc.* Car nous auons mouftré
au troifieme liure auffi a fait Alciat ci deffus en vn
ch. fingulier, qu'elles font toutes tellement trauaillees
de maladies melancholiques, qu'elles ne peuuent
comprendre ni iuger droitement d'aucune chofe, &
encores moins en faire eleĉtion, d'autant que l'election enfuit la volonté, ce qui defcouure du tout le
franc arbitre. *l. fidei commiffa* §. *quanquam de leg.*
3. Et ce mal qu'elles endurent eft beaucoup plus
grand que n'eft pas la fureur d'amour, laquelle toutesfois eft plus grande que toute autre, comme il eft
eſcrit en *l'authen. quid. mod. eff. leg.* §. *Illud quo-
que.* Et par confequent il doit eftre moins puni.
Secondement elles tombent en vn tel trouble de leur
efprit par les tromperies du diable, dont nous auons
dit leurs efprits eftre poffedez, qu'elles ne fauent
ce qu'elles font. Elles ont auffi les yeux tellement
troublez qu'elles voyent & penfent voir ce qui
n'eft point & mefmes elles font ignorantes, non feulement du fait d'autruy, mais auffi du leur propre :
ce qui eft efmerueillable, comme il eft probable & eft
tres certain dont ie fuis d'auis que lon doit prefumer
dauantage & excufer l'ignorance qu'elles ont du droit
diuin. Car fi elles ont le fens qui eft commun à tous
animaux, corrompu, fi elles ont la fantafie & l'aprehenfion deprauee : fi par les tromperies du diable
tant interieures qu'exterieures, il leur auient qu'elles
ne fauent ce qu'elles font & ce qu'il femble qu'elles
veulent : par quel moyen entendront elles quelle eft
cefte chofe à laquelle elles confentent? ou bien com-

ment pourront-elles difcerner fi elles le doyuent faire
ou non? Et encores qu'vne telle maladie de la raifon
n'y entreuienne, ni autant de fraudes que le diable
en fournit : fi eft-ce qu'il auient quelquesfois par la
negligence de l'interpretation du droit & de la parole
de Dieu : & par la faute de ceux aufquels la charge
en apartient, qu'elles tombent en cefte credulité temeraire, quelquefois par l'infirmité de leur aage, &
toufiours par l'imprudence&imbecilité de leur fexe.

Au 3. liu. Or nous auons monftré ci deuant que toufiours on
c. 5. & 6.
& en ce 6. ch. 20. doit pardonner & donner faueur à ce fexe imprudent
& imbecile, outre ce que lon doit fubuenir en gene-
ral à ceux qui font deceus & trompez, *l. &. primo §.*
verba ad Vell. & impotentib. l. Non enim D. Ex
quib. caufa maior.

Ie penfe donc qu'il apert maintenant affez : que
par aucun moyen le delict ne peut tomber en l'efprit
de ces femmes, lequel de foy eft en la feule penfee &
volonté. Et aufli que ce n'eft pas vne mefme raifon
que de leur foy & de celles des heretiques & Apoftats :
car nous auons monftré par cy deuant que le fchime
& la volonté opiniaftre fait l'heretique tout ainfi
comme la volontaire malice de l'efprit fait l'apoftat.
Aufli tout ce que nous auons dit fommairement par
cy deuant retombe à ce point, afauoir que ces
femmes endurent pluftoft en leur efprit qu'elles ne
font les chofes que Grilland & Molitor difent qu'elles
commettent en l'efprit & font de volonté, car rien
n'agift contre foy-mefme *l. ille a quo §. Tempeftium.*
D. *ad Trebell.* Or n'y a-il rien plus diferent que
l'agent & patient *l. Vranius* D. *defideiuff. argu-*
mento. l. prætor de tut. & cur. Parquoy on doit
pluftoft auoir pitié d'elles que de les punir, & les

doit-on pluſtoſt ſoulager de l'aide que de droit &
ſelon que la raiſon le preſume, on a acouſtumé de
donner aide à ceux qui endurent fraude, violence,
crainte, & aux furieux, aux trompez & de ceux aux
ignorans & impuiſſans. Dauantage la peine ne doit
eſtre adiouſtee à la peine : ni l'afliction donnee à
l'afligé, *l. V. anis* D. *ad l. Rhod. de ia&*. Et certainement c'eſt la raiſon naturelle, par laquelle on ne
doit punir ni les furieux, ni frenetiques, pour quelque meſſai& qu'ils facent, pour autant qu'ils ſont
aſſez tourmentez & punis par leur fureur & calamité
l. Diuus D. *de off. præf. l. pæna,* §. *Sanè,* D. *ad l.
Pomp. de part.* Parquoy tout ainſi que l'infelicité
les excuſe aſſez, ainſi doit elle excuſer celles deſquelles
nous parlons. Car elles ſont deſtituees d'eſprit de
force & de raiſon, & n'ont aucun conſentement ni de
l'eſprit, ni de la volonté, comme nous auons aſſez
monſtré ci deſſus *l. 2. C. de contrabend emptis.* Or
eſt-il ainſi que nul deli& ne peut eſtre commis ſans
conſentement & ſans deliberation *l. 1. ff. Si qua-
drupes pauperi. fec. dic.* Nulle iniure auſſi ne peuſt
eſtre faite ſans l'enuie d'iniurier. *Illud* §. *Sanè* D. *de
iniur.* Parquoy ils ne peuuent eſtre aucunement punis pour deli&, ni meſmes les canons ne les puniſ-
ſent d'irregularité *Clem. vn. de homicid.* ni les loix
de leurs punitions. *l. infans. ff. ad l. Cornel. de fic.*
On ne les enferme auſſi dedans le ſac à raiſon de leur
parricide *d. leg. pæna* §. *fin.* Ils ne ſont aucune iniure, mais ils endurent *d.* §. *Sanè.* Ils ne ſont aucunement tenus à la loy Aquilienne, pour auoir fait
dommage *l. Sed etſi quemcunque* §. *igitur iniuriam
ff. ad l. aquil.* Les loix ne propoſent à leurs fai&s ni
recompenſe ni punition : mais elles les eſtiment

comme chofe fortuite, aufquelles on ne doit auoir
regard, ni à la deliberation de l'homme, ni à l'action,
ni à la confcience *l. in fin. ff. de adminift. tut.* Mais
nous n'auons que trop monftré que ceux defquels
nous parlons, n'ont ni efprit, ni volonté, ni raifon,
ni confentement, ni deliberation, ni confeil & que
mefmes ils en font du tout deftituez. Que font-ils
donc de plus grief que les furieux, les phrenetiques,
& ceux qui dorment, aufquels on les compare? *c.
maiores §. fin. ext. de baptif.* Et certainement les
actions ou pluft toft les paffions de ces pauures
femmes ne font pas diffemblables à celles de ceux qui
dorment, lefquelles font deduites par *Bartol. in. l.
ext. vim. ff. de iuft. & iure.* & par le Cardinal Za-
bar. in. *d. Clem. vn.* de ceux lefquels fe leuant de
nuict commettent homicides. Et toutefois ce grand
docteur en loix excufe telles fautes comme procedantes
de l'action d'vn homme qui n'a ni fens ni volonté.
D. d. l. pœna. ff. ad l. Pom. de parric. comme elles
auoyent efté commifes par des furieux & par des fols
*l. fluminum §. vitium ff. de dam. infect. l. qui oc-
cidit. ff. ad l. Aquil.* Pourquoy eft-ce doncques que
les noftres, defquels il y a vne mefme raifon, pefchent
dauantage que ceux ci que lon dit ne pecher point?
Gl. in c. teftamentum. 6. dift. Pourquoy eft-ce que
l'on s'arrefte pluftoft à leur confeffion qu'à celle des
furieux, aufquels elles ne font pas non feulement femblables en calamité, mais auffi fuperieures? Et toutefois, comme nous auons monftré, leur confeffion eft
nulle. *L. in negotiis* D. *de reg. iur. l.* 2. §. *fu-
riofus.* D. *de iur. codicil. c. fin. ext. de fucce. ab
inteft.*

Si ce n'eft que lon me replique que felon le deme-

rite de leurs volontez elles font liurees par vn iugement de Dieu pour eftre deceuës & trompees par les
anges preuaricateurs, deceueurs & trompeurs, comme
dit S. Augu. au liure 2. de la doctrine Chreftienne
chap. 23. Or ie confeffe en general, que le demerite
des hommes prefupofe la iuftice de Dieu, toutefois
pour diuerfes raifons : car les afflictions font des
combats & exercices aux faincts apres la remiffion de
leurs pechez, par lefquels ils font prouuez. Et au
contraire, elles font punition fans remiffion, & pleines
d'impieté aux mefchans : parquoy non feulement les
mefchans font afligez en corps & en ame, mais auffi
les bons, lefquels Dieu aime. Auffi ne doit-on prefumer quand quelqu'vn eft afligé de la verge de Dieu,
que ce foit pour vn meffait, lequel doit eftre puni par
les hommes. Car s'il eftoit ainfi, nous dirions que les
demoniaques deuroyent eftre punis par plus grieue
peine des Magiftrats. Toutesfois Dieu monftre bien
qu'il veut qu'on luy en laiffe la punition, dautant
que luy mefme les punit & execre. Et ce qu'il veut
eftre puni par le Magiftrat, luy mefme le defcouure
& luy laiffe, les œuures duquel font mifericorde &
iugement. Car comme ainfi foit que nous puiffions
pecher par trois moyens, le premier d'iceux comprend
tout mouuement & conception interieure en l'intelligence & es affections, encores que la volonté ni confente. Le fecond auient toutesfois & quantes que la
volonté s'accorde auec les mouuemens & affections.
Le troifieme, alors que nous tafchons d'executer par
effect ce que nous penfons & ce que nous voulons.
Comme ainfi foit, di-ie, le Magiftrat ne paffe outre
pour punir l'efprit ou la volonté, fi ce n'eft qu'elle ait
forti effect, ou qu'il luy en aparoiffe. Mais Dieu

Aug. li. 2.
de pecc. mort.
& remiff. c. 33.
Iob. 23.

chaſtie ces choſes ſecrettes, aſauoir l'eſprit & la penſee. Car vn ſeul Dieu les conoit. *in Clem. exiui.* §.
quamuis. de verbo. ſign. Dautant que Dieu eſt ſcru-
tateur des cœurs & des choſes, & veut eſtre aimé de
nous de toute noſtre intelligence, de toute noſtre ame,
& de tout noſtre cœur : Et nous de noſtre part nous
prouuons quel eſt noſtre eſprit par la preſomption
que lon en peut auoir par nos paroles & par nos faits.
Car auſſi n'y a-il autres indices de noſtre eſprit. L.
1 ſ. *quis* §. *diuus. C. de tut. & cur. dat. L. Labeo.*
C. de ſup. leg. l. reprehendenda. C. de inſtit. &
ſubſt. Ainſi le iuge ne peut punir ni la volonté ni la
ſorcellerie, ſi ce n'eſt qu'il conſidere auparauant &
qu'il ait le fait lequel il meſure en ſon eſprit. *Alber.*
in l. aut faĉta. verſ. qualitate. de pœni. Bref, il n'y
a ſeulement que les choſes exterieures qui ſont punies entre les hommes : ar leſquelles les choſes interieures aparoiſſent. *l. ſi. infra. C. de ſicar. &.*
paſſim. D. d.

Mais il ne nous faut pas auſſi laiſſer derriere qu'encores qu'elles endurent ceſte force & crainte, à raiſon
de leur faute precedente, toutes-fois elles ne peuuent
faire ce que nous voyons ces miſerables endurer. Et
ne doyuent eſtre punies de ce qu'elles ne le ſont point
de leur volonté, ou par iugement de leur eſprit, mais
ſeulement à raiſon de leur faute precedente, *l. nec*
timorem. D. *quod metus cauſa.* Et qu'il ſoit ainſi, on
les deuroit pluſtoſt ſecourir en ce que le diable ne peut
les chaſtier d'aucune de ces choſes comme le Magiſtrat. *l. 3. de tit. verſ.* Car les ſainĉts Peres aſſemblez
au Concile d'Ancyre ont requis l'office des preſtres
contre les tromperies du diable, à ce qu'ils euſſent à
prouuer que tout ce qu'ils perſuadent à ces miſerables,

26. q. 5. c.
Epiſcopi.

Coloſſ. 3.

eſt plain de vanité. Ils ont auſſi requis l'aide de tous
Chreſtiens, à ce qu'ils s'entredemonneſtaſſent des fraudes, puiſſances & profonditez de tel ennemy, ainſi
ſont elles nommees en l'Apocalypſe chap. deuxieme.
Contre ceſte force & contrainte nous auons premierement l'armure complette, laquelle nous auons descrite
ci deſſus au cinquieme liure chapitre 18. puis nous
auons les prieres tant publiques que particulieres,
par leſquelles Dieu nous aſſeure qu'il eſt eſmeu à
nous bien vouloir. Car l'oraiſon du iuſte eſt d'eficace,
& la priere de l'humble paſſe outre les cieux. Nous
auons l'art des medecins contre la maladie, leſquels
apres auoir oinɛt les afligez, c'eſt à dire, apres auoir
appliqué les choſes qui y ſont commodes, les remettent en la garde de Dieu, comme nous commande
S. Auguſtin l'oraiſon de foy ſauuera le malade. Tel
eſt le conſeil de S. Iaques. Le diligent admoneſte-
ment contre la crainte par la tolerance & conſtance,
eſt de reſiſter au diable : ainſi que nous auons ordonné
au cinquieme liure chapitre 26. Il faudra contre
l'erreur preſcher la parole, pourſuyure en temps &
hors temps, corriger auec toute douceur & doɛtrine.
Il faudra touſiours prier Dieu, qu'il luy plaiſe leur
ouurir l'eſprit lors qu'elles vont en Emaus, c'eſt à
dire, lors qu'elles tombent en erreur d'eſprit & de
iugement. Et quant à l'ignorance, ce ſera l'ofice du
magiſtrat de reueiller l'endormiſſement des paſ-
teurs des Egliſes : que dautant que ces ouailles ſont
debiles & mal aduiſees à raiſon de leur aage radoté
& ſexe feminin, dautant ayent ils à ſe mieux garder
des loups & plus diligemment, & qu'ils les inſtruiſent
à ſe donner garde des embuſches d'iceux. Voila les
moyens par leſquels on les doit remettre en bon eſtat.

Epheſ. 9.
1 . Timo. 2.
Mat. 18.
Iaq. 5.
Eccleſ. 35.

De nat. & grat.
liure 26.
Iaq. 5.

Oʀ encore que l'affiduelle tentation des fineffes
fpirituelles, la iufte & raifonnable crainte, l'ineuitable
impetuofité d'vn tel aduerfaire, & le grand vice tant
de leur corps que de l'efprit, ne defcharge ces pauures miferables de toute faute de la volonté : encores
que ie confeffaffe qu'elles fuffent conuaincues du vice
d'herefie ou d'apoftafie, fi eft-ce que la feule infirmité
de l'aage ou la fimplicité de leur fexe le feroit, ou
pour le moins leur diminueroit les punitions. Car
ainfi iuge lon de tout crime & de la volonté du deliquant en quelque crime que ce foit, pour diftinguer
s'il peche ou par ignorance, ou imprudemment, ou
par fimplicité : ou bien par fraude ou malice, ou par
opiniaftreté : à celle fin que ces chofes eftans bien
confiderees, le iuge felon le deu de fon ofice, puiffe
temperer les punitions. *l. Refpiciendum. l. aut
faƀa. D. de pœn. l. quid erg. de his qui not. infam.
DD. in l. 1. §. Diuus. l. in lege. Corn. D. ad l.
Corn. du ficar. l. pœn. D. ad. l. Pomp. de parr.* Et
celles defquelles nous plaidons la caufe, font ordinairement en tel degré de vieilleffe, & ont attaint
cefte partie, laquelle eft apellee decrepite. Et eft telle.
*l. 3. §. ignofcitur. D. ad Sylon. &c. vlt. dift. 80.
&c.* Et eft de foy-mefme vne maladie, comme dit
Menandre, ordinairement conioinƀe & naturellement
auec vne folie d'efprit & diminution de iugement.
Parquoy on retire ceux qui font en tel aage, du gou-
uernement de la chofe publique : toutesfois on les
honore *tit. C. qui fe extat. excu. l. Maiores. l.
Semper. in prin. de iur. immum l. Non tamen in
princi. de mum. & honor.* Ils meritent es crimes
relafche de peine & pardon, dautant que c'eft la raifon
que ce qui les contraint, les deliure auffi de tout

foupçon de coulpe. *d.* §. *ignoſcitur.* Et les ſauue des
tourmens. *Bart. in d. l. & in l. de minor, in princ.
de queſt. Angel. in traɗatu maleſic., gl. fama publ.
quæro quæ. Hippol. in l. ediɗum, 3. col. de quæſt.*
Or nos vieilles non ſeulement deuiennent folles,
comme les hommes, lorsqu'il ſont au ſecond & dernier degré de vieilleſſe : mais auſſi dautant qu'elles
ſont femmes, elles retombent dauantage en enfance :
ou certainement elles n'y ſont pas moins au premier
degré que ſont les hommes au ſecond & dernier. Premierement donc à peine ſe fait-il qu'en l'eſprit & en
la volonté elles commettent crime dauantage que les
petis enf. ns, leſquels ſont deſtituez de tout iugement
d'eſprit. En outre, encores que le dechet de l'aage ne
leur donne tant de faueur & tant d'excuſe comme il
fait aux enfans ſi eſt-ce qu'elles ne doyuent pas eſtre
punies en la maniere que lon a acouſtumé de punir
les plus meſchans.

ET quant au ſexe, auquel nous auons diɗ, au tiers
liure, y auoit vne grande ſimplicité & inconſtance :
il n'y a point de doute que l'homme n'y peche dauantage que la femme. *l. in multis de ſtat. homm. 32.
quæſt. 6. c. indignantur, &c. ſeqc. forus. de verb.
ſig.* Parquoy elles ne meritent pas d'eſtre punies ſi
grieuement comme es adulteres, & comme l'homme
ſacrilege eſt puni. *l. quamuis adulterij. C. ad l. Iul.
de adult.* La femme ayant eſté chaſtiee doit eſtre
baillee aux femmes pour eſtre empriſonnee, ou bien
elle eſt condamnee en vn monaſtere pour deux ans.
*Extrauag. de teſt. c. Raimutius. & aut. ſed hodie
quæ eſt. C. de off. ciuil. iud. & non. vt nulli iudi §.
Adulterum vero §. Neceſſarium. Aut. ſed nouo iure.
quæ eſt. l. quanuis. C. ad l. Iul. de adult.* Mais

auſſi elle eſt moins punie en crime de leſe maieſté, car on aide touſiours à la ſimplicité & ignorance. *l. 3. de iur. & iuris ignorantia. C. qui ad-
mitit.* Dd. *& Bartol. in l. Si quis id quod. d. iuriſ-
diction. omnium iudic.* Ils monſtrent bien au long
comment la preſumption de dol ceſſe à raiſon de
l'aage & du ſexe feminin encores qu'elles errent en
droict ciuil. *Alexan. conſi. 103. vol. 1. Cepol. conſil. 21. col. 6. & conſil. 24. Bald. in l. Error. C.
de iur, & fact. ignor.*

Er rien ne ſert de dire contre les faueurs de l'aage
& du ſexe, qu'il eſt premierement beaucoup plus
grief d'offencer la Maieſté eternelle que l'humaine &
temporelle. *L. hi qui ſanctam. C. d. hær. Aut. gaʒa-
ros. cap. ubicumque de pæn.* Secondement que pour
ceſte cauſe on ne doit auoir aucun eſgard au ſexe ou
à l'aage, en matiere d'hereſie. DD. *in l. quiſquis. c.
ad leg. Iul. maieſt. Canoniſtæ in capit. vergentis.
de hær. in antiq. & cap. cum ſecundum leges. eodem titu. lib. 6.* Tiercement que par eſpecial on les
exempte aux crimes d'empoiſonnemens & de ſorcelleries. *l. & ſi excepta. C. de maleficiis & mathematicis.* Car en ces cas ils doyuent eſtre punis ſans
exception comme a notté *Hippol. in lege edictum.
tertia colum. Digeſt. de queſt.* Et pour reſpondre à
ce dernier poinct, ie ne ſuis pas l'aduocat des Magiciens & des empoiſonneurs : mais des pauures ſorcieres trompees, leſquelles au commencement de mon
tiers liure i'ay declaré eſtre toutes autres que les
magiciens infames & empoiſonneurs. Ie reſpons premierement à l'autre poinct, que ces textes alleguez
limitent ſeulement vne ſpeciale prerogatiue du ſexe,
& de l'aage, en ce qui concerne la torture, comme au

crime de leze Maiefté. L. *quifquis*. C. *ad leg. Iul. maieft.* Et non pas en ce qui concerne la caufe des crimes. Car ceci demeure toufiours, que celuy ne peut faire mal, lequel n'a point de iugement d'efprit. Secondement ie refpons qu'il y a vne affez grande difference entre les forcieres & les heretiques : ce que nous auons monftré en vn chapitre fait particuliere-ment pour cela. Dauantage, ie dis auec Oldrade que felon la loy *in his quæ formaliter*, & felon les loix & Canons, elles ne font point heretiques, & encores qu'elles reffentent ie ne fay quoy d'herefie, fi ne faut-il denigrer, pour la caufe que nous auons dite, à la fimplicité & fragilité des femmes. *L. 1. C. de iur. & faɕ. ign. l. vlt. §. fin. de iure de lib. l. pen. de his quæ fibi afcrib.* Et ce point auffi, encores qu'elles errent en vn article de la foy, comme les idiots & villageois & ruftiques : car il fufit qu'elles ayent vne foy, comme on dit, implicite ou enuelopee, & qu'elles ne defendent point leur erreur auec opi-niaftreté & coutumace, *Bald. in l. error. C. de iur. & faɕ. ign.* Par ce moyen doncques la premiere obieɕtion eft refutee. Et encores que ie ne vueille aller au contraire que ce ne foit vne chofe plus griefue de pecher contre la maiefté Diuine, fi faut-il fauoir que plus facilement & plus aifément les hommes tombent en ceft erreur. Car cefte eternelle, infinie & fpirituelle maiefté & volonté eft incomprehenfible, & eft fort efloignee de nos fens. Parquoy nous qui fommes comme enforcelez es chofes terreftres, fommes faits incontinent taulpes es chofes fpirituelles qui apartiennent à Dieu, ne plus ne moins que ceux qui voyent en terre les chofes qui fe peuuent conoiftre par le fens de la veuë, penfans auoir les yeux fort

bons & aigus : mais s'ils regardent le Soleil ils aper-
çoiuent incontinent que toute cefte bonté de la veuë
n'eft qu'vne tenebre extreme au regard de cefte
grande fplendeur. Pour deux raifons doncques les
hommes peuuent plus facilement pecher es chofes
fpirituelles : premierement à raifon de la nature des
chofes diuines, laquelle eft fuperieure & par deffus
toute penfee humaine, puis tant à raifon de l'aueuglement de noftre intelligence que par la deprauâ-
tion de noftre volonté. Parquoy fi quelqu'vn fait
faute & erre en cefte partie, la punition en doit eftre
plus douce & le pardon plus iufte : encores plus fi
c'eft vne femme, & dauantage fi vne vieille radotee
fait faute.

CHAPITRE XXVIII

Determination faite à Paris par la faculté de Theo-
logie, l'an mil trois cens nonante huiĉt, touchant
certaines fuperftitions furuenues de nouueau.

ᴛᴏᴠs zelateurs de la foy Catholique, le
chancelier de l'Eglife de Paris, & la
faculté de Theologie en l'vniuerfité de
Paris noftre mere, efperance au Sei-
gneur auec entier honneur à fon feruice, mefpris de
vanitez & de refueries menfongeres. Vne vilaine

puantife fortie de nouueau hors des cachettes an-
ciennes nous a ramentu que fouuentefois la verité
Catholique manifefte aux ftudieux es mefchantes
efcritures eft cachee aux autres : dautant que toute
fcience a cela de propre qu'elle eft conue de ceux qui
l'exercent, tellement que de là s'enfuit cette maxime.
Qu'il faut croire celuy qui fe mefle d'vn meftier quand
il eft queftion de refcudre quelque different furuenu
fur les afaires de ce meftier. De là eft venu ce que
dit Horace, & ramentu par S. Ierofme efcriuant à
Paulin, Que les medecins promettent ce qui eft de
leur art, & les forgerons s'entremettent de forger. Il
y a dauantage cela defpecial es fainctes lettres qu'elles
ne dependent point de l'experience ni des fens comme
les autres fciences : & ne peuuent eftre aifement defcouuertes par les yeux voilez d'vn nuage de vices,
car leur propre malice les a aueuglez. Et l'apoftre dit
que l'auarice en a fait reuolter plufieurs de la foÿ :
à caufe de cela elle eft à bon droit appelee idolatrie
par luy mefme. Il y en d'autres, qui à caufe de leur
ingratitude, ayans conu Dieu ne l'ayans point glorifié comme Dieu, font tombez en toute impieté, ce
dit le mefme Apoftre. La vilaine conuoitife a rendu
Salomon idolatre & Didon magicienne. Finalement
les autres ont efté pouffez par vne miferable crainte,
ne faifant autre chofe que dependre du lendemain,
en des obferuations fuperftitieufes & mefchantes,
comme il apert en Lucain touchant le fils de Pompee
le grand, & es hiftoires, de plufieurs autres. Par
ainfi il auient que le pecheur reculant de Dieu fe
deftourne apres des vanitez & refueries menfongeres,
tellement qu'en fin tout couuertement & effrontément
il fe reuolte, & prend parti auec le pere de menfonge.

Ainſi Saül abandonné du Seigneur, demanda conſeil
à la deuinereſſe, laquelle auparauant il auoit en de-
teſtation. Ainſi Ochoſias au meſpris du vray & ſeul
Dieu d'Iſrael enuoya demander conſeil au dieu
d'Accaron. Conclusion il faut que le diable deçoyue
par ces illuſions, tous ceux qui n'ont la conoiſſance
du vray Dieu.

Aɪɴsɪ donc conoiſſans, que ceſte meſchanceté, peſti-
lente & mortelle abomination de reſueries menſongeres auec ſes hereſies s'eſt gliſſee plus auant de noſtre
temps qu'elle n'auoit fait : & craignans que ce
monſtre d'horrible impieté & contagion pernicieuſe
n'infecte le Royaume Chreſtien qui iadis n'a point
nourri de monſtres & n'en aura point ci apres, Dieu
aidant : à quoy nous deſirons auſſi obuier de tout
noſtre pouuoir ayans ſouuenance de noſtre profeſſion,
& enflammez du zele de la loy, auons deliberé de
remarquer ſur ce propos quelques articles cenſurez
& condamnez, de peur que les ignorans n'y ſoyent
trompez ci apres. Surquoy il nous ſouuient entre
auires choſes de ce que le treſſage docteur S. Auguſtin
dit touchant les ſupertitieuſes obſeruations : Que
ceux qui adiouſtent foy à telles gens, ou qui vont en
leurs maiſons, ou qui les apellent & interroguent es
leurs doyuent ſauoir qu'ils ont preuariqué contre la
foy Chreſtienne & contre le Bapteſme, & ſont tombez au crime des Payens, & Apoſtats, & ont encouru
l'ire de Dieu, s'ils ne ſe reconcilient à Dieu par confeſſion de leur faute deuant toute l'Egliſe. Touteſfois
noſtre intention n'eſt pas de deroger en rien aux li-
cites & vrayes doctrines, ſciences & arts : mais nous
voulons procurer, autant qu'il nous eſt poſſible,
d'extirper les furieux & ſacrileges erreurs & les mau-

dites ceremonies des infenfez, entant qu'ils bleſſent, fouillent & infectent la foy catholique & religion Chreſtienne. Item nous voulons que la verité ſoit honoree & demeure en ſon entier.

1. Or le premier article de ces malheureux porte que d'acquerir des familiaritez & amitiez, & l'aide des diables par les arts magiques malefices & maudites inuocations, n'eſt point idolatrie. *Erreur*. Car le diable eſt tenu pour aduerſaire, obſtiné & perpetuel ennemi de Dieu & de l'homme, & n'eſt capable veritablement, ni par participation, ou par aptitude, d'auoir honneur & domination diuine, comme les autres creatures raiſonnables qui ne ſont point damnees : & Dieu n'eſt point adoré es ſignes eſtablis à plaiſir, comme ſont les images & les temples.

2. Le ſecond article porte, que donner, ou offrir, ou promettre quelque choſe aux diables, afin qu'ils acompliſſent le deſir d'vne perſonne : ou porter ou baiſer quelque choſe en l'honneur d'eux, n'eſt point en idolatrie. *Erreur*.

3. Que faire alliance taiſible ou expreſſe auec les diables, n'eſt point idolatrie, ni eſpece d'idolatrie ou apoſtaſie. *Erreur*. Nous entendons qu'il y a alliance implicite en toute alliance ſuperſtitieuſe, dont il ne faut point par raiſon attendre aucun effect de Dieu ni de nature.

4. Que vouloir par arts magiques enfermer les diables en des pierres, anneaux, miroirs, ou images conſacrees en leur nom, n'eſt point idolatrie. *Erreur*.

5. Qu'il eſt loiſible d'vſer d'arts magiques, ou d'autres ſuperſtitions defendues de Dieu & de ſon Egliſe, pour quelque bonne fin. *Erreur*. Car, comme dit l'Apoſtre, il ne faut point faire mal, afin que bien auienne.

6. Qu'il est loisible & doit estre permis de chasser les sorcelleries par autres sorcelleries. *Erreur.*

7. Que quelqu'vn puisse dispenser vn autre en quelque cas que ce soit de pouuoir pratiquer tels arts en bonne conscience. *Erreur.*

8. Que les arts magiques & autres telles superstitions & les obseruations d'icelles ont esté sans raison interdites par l'Eglise. *Erreur.*

9. Que par les arts magiques & enchantemens Dieu soit induit de commander aux diables d'obeir aux inuocations des magiciens. *Erreur.*

10. Que les encensemens & parfums, qui se font en l'exercice de tels enchantemens, sont à l'honneur de Dieu & luy plaisent : *Erreur & blaspheme.* autrement Dieu ne les interdiroit & puniroit.

11. Que pratiquer telles choses ce n'est point sacrifier aux diables, ni par consequent idolatrer damnablement. *Erreur.*

12. Que les sainctes paroles, deuotes oraisons, iusnes, bains, continence corporelle es enfans & autres, la celebration de la messe, & autres œuures de bonne sorte faites pour exercer telles sciences magiques couurent le mal qui y peut estre. *Erreur.* Car par tels artifices on veut offrir au diable les choses sainctes, voire Dieu mesme au sacrifice de la messe : & le diable demande cela, ou pource qu'il veut s'esleuer & esgaler au souuerain, ou pour cacher ses impostures, ou pour cacher ses impostures, ou pour enlasser plus aisément les simples & les perdre entierement.

13. Que les saincts Prophetes & autres saincts ont en leurs reuelations, fait miracles, & chassé les diables par telles sciences. *Erreur & blaspheme.*

14. Que Dieu immediatement par foy, ou par les bons anges a reuelé ces fciences aux faincts perfonnages. *Erreur & blafpheme.*

15. Qu'il eft poffible par telles fciences contraindre le franc arbitre d'vne perfonne à vouloir & defirer d'auoir iouiffance d'vne autre. *Erreur.* & s'efforcer de faire cela eft vne chofe deteftable & mefchante.

16. Que ces arts font bonnes & de Dieu, & qu'on s'en peut aider : ou pource qu'il auient quelquesfois ou fouuent que ceux qui en vfent predifent l'auenir : ou pource qu'il en vient quelque bien. *Erreur.*

17. Que par tels arts les diables font vrayement contrains, & ne faignent pas de l'auoir efté pour feduire les hommes. *Erreur.*

18. Que par telles fciences, execrables ceremonies, forceleries, charmes, inuocations de diables, & autres malefices, il ne s'en enfuit iamais aucun effect par le miniftere des diables. *Erreur.* Car Dieu permet quelquesfois que telles chofes aduiennent, comme il appert es magiciens de Pharaon & en plufieurs autres : ou pource que s'aidans & fe confeillans, à caufe de leur mauuaife foy & autres pechez deteftables ils font liurez en fens reprouué, & meritent d'eftre ainfi trompez.

19. Que les bons Anges font enclos en des pierres, qu'ils confacrent des images & veftemens, ou font les autres chofes contenues en tels arts magiques. *Erreur & blafpheme.*

20. Que le fang d'vne huppe, d'vn cheureau ou d'vn autre animal, du parchemin vierge, du cuir de Lion, & chofes femblables ont la vertu d'attirer ou chaffer les diables par le moyen de ces arts. *Erreur.*

21. Que les images d'airin, de plomb, d'or, de cire

blanche ou rouge, ou d'autre matiere, ayant efté
baptifees, exorcifees & confacrees, ou pluftoft exe-
crequees, felon ces arts magiques, par certains iours,
ont des vertus admirables recitees es liures de telles
fciences, *Erreur en la foy, & en la philofophie naturelle, & en la vraye aftronomie.*

22. Que s'aider de tels liures & y adioufter foy
n'eft point idolatrie & infidelité. *Erreur.*

23. Que d'entre les diables il y en a quelques vns
bons, autres benins & familiers, autres qui fauent
toutes chofes, autres qui ne font fauuez ni damnez.
Erreur.

24. Que les perfums qui fe font es inuocations diaboliques, font conuertus en efprit, ou que cela leur
apartient. *Erreur.*

25. Qu'il y a ın diable roy d'Orient, & ce par fon
merite : l'autre d'Occident, vn autre de Septentrion
& vn autre de Midi. *Erreur.*

26. Que l'intelligence qui meut le ciel fe coule en
l'ame raifonnable, comme le corps du ciel, coule
dans le corps humain. *Erreur.*

27. Que nos penfees intelleĉtuelles, & nos vouloirs
interieurs, font immediatement caufez par le ciel : &
que par vne cabale magique lon peut conoiftre les
penfees, & que d'icelles il eft loifible de iuger certainement par cefte cabale. *Erreur.*

28. Que par les arts magiques nous pouuons paruenir à la vifion de la diuihe effence ou des efprits
bienheureux.

CES chofes ont efté faites & conclues apres meur &
long examen entre nous & nos deputez, en noftre congregation generale tenue à Paris à fainĉt Mathurin vn
iour exprcs & de matin, l'an mil trois cens nonante

huit, le dixneufieme iour de Septembre. En foy de
quoy nous auons fait apofer à ces prefentes le feau de
ladite faculté : L'original de cefte determination eft
fellé du grand feau de la faculté de Theologie à
Paris. l'ay trouué ce que deffus adioufté à la fin du
liure du maiftre des fentences.

CONCLVSION DE TOVT L'ŒVVRE

ECTEVR debonnaire, ie ne doute point que
ie n'acquiere la mauuaife grace de plufieurs, qui pour recompenfe de la peine
que i'ay prife, felon mon petit pouuoir,
me calomnieront & reprendront ce qu'ils n'entendront point : car tel eft le iugement des iniques. Les
autres voudront par quelque moyen que ce foit, defendre l'opinion enracinee depuis longues annees
dedans l'efprit des hommes, & la confermer comme
par vn droit de couftume. Il y en aura auffi quelques
vns, qui trouueront ocafion de mordre plus afpre-
ment. Les Peripateticiens afpres au combat raporte-
ront incontinent aux caufes naturelles tous les miracles & les prodiges qui furuiennent es chofes : ils
s'eforceront auffi opiniaftrement de prefcrire des raifons tant de Platon que d'Ariftote à la religion de
la treffainte Efcriture. On aura incontinent recours
pour m'impugner & me vaincre au liure plein de

philofophie plus cachee, lequel a efté compofé par
Pierre Pomponat Mantuan, grand & infigne philofophe de fon temps, & lequel il a intitulé des caufes
des effeéts naturels ou des enchantemens : fi n'eft-ce
qu'eftant apuié & fortifié deffus les fondemens inuincibles de la philofophie Chreftienne, ie mefprife
la probabilité de leur parole, felon le confeil de fainét
Paul vaiffeau d'eleétion, lequel nous admonefte
foigneufement que nous auifions que perfonne ne
nous furprenne par le moyen de la philofophie &
fole deception, fuyuant les conftitutions des hommes
& les elemens du monde, & non fuyuant Iefus
Chrift. Car en icelui, habite corporellement toute
plenitude de Deité. Auffi penfe-ie que Pomponat
auant mourir & rendre l'efprit, s'eft reconu, felon la
finguliere mifericorde de Dieu : & qu'il n'eft pas
mort Athee. Car fouuentesfois on a entendu de
M. Helidee de Forli, iadis fon difciple qu'il eftoit
decedé en Chreftien.

Il y aura quelques theologiens renfrongnez, qui
crieront & diront iniure leur eftre faite par vn medecin, lequel explíque des paffages de la fainéte Efcriture, & paffe les limites de fa vocation. Et ne feront
faute d'alleguer & de m'obieéter par enuie ce que
lon dit communement, que chacun fe doit mefler de
fon eftat. Pour toute reponfe ie ne leur diray autre
chofe, finon que fainét Luc Euangelifte a efté medecin d'Antioche, & que ie fuis du nombre de ceux qui
s'eftudient par tous moyens, par l'immenfe mifericorde de Dieu & grace ineffable de Iefus Chrift, à ce
que ie puiffe tant faire qu'en fin ie paruienne à cefte
1. Pier. 2.   royale preftrife, de laquelle fainét Pierre & Ifaïe fe
Efaïe. 62.   font fouuenus.

S'ils ne trouuent pas bon que i'aye marqué quelques ecclefiaftiques, hommes adonnez à toute ordure, & que ie les aye accufé d'eftre forciers : ie leur refpondray que ie ne deuois moins faire, à caufe de la matiere que ie traittois. Ce que i'euffe peu faire plus ouuertement en les nommant, fi eftant enfeigné par la theologie ie n'euffe deliberé d'auertir ces renuerfeurs de la foy Chreftienne, & perturbateurs de la republique, à ce qu'ils ayent à defifter de telles entreprifes. I'ay feulement entrepris le combat contre les magiciens coulpables des mefchancetez magiciennes, & non contre les gens de bien, lefquels ie reuere & honore vniquement, autant pour le moins que nul autre. S'ils fe pleignent d'auoir efté affaillis iniuftement ie ne refufe point qu'ils comparoiffent publiquement pour defendre leur caufe contre moy.

Si ie n'ay affez fatisfait à quelques gens doctes & delicats de noftre eftat (ce que certainement ie confeffe librement, conoiffant ma portee) pour le moins leur ay-ie baillé occafion felon ma petite capacité, de pefer & efplucher cefte chofe plus exactement, par vne plus docte methode, par vn ordre mieux lié, par vn fil de propos plus efclairci, par paroles mieux acommodees & par argumens de verité plus forts & puiffants : fi ie fuis admonefté & conuaincu de quelque faute, ie les remercieray grandement, comme auffi ie feray tous ceux, qui me voudront faire ce plaifir : car iamais ie n'auray honte de retracter mes fautes, dautant que ie ne fuis point tant amy de moy mefme. Et me fufit d'auoir attaint iufques à ce poinct, s'il ne m'eft permis de paffer outre.

Si les Iurifconfultes prennent en mauuaife part que contre l'autorité des loix de douze Tables ie ne

m'accorde auec la vulgaire opinion & auec les inuentions controuuees par les poëtes touchant ceux qui
enchantent les bleds : certainement ils me fauront
mauuais gré pour auoir bien fait dautant que i'ay
voulu bailler quelque occafion aux autres de cercher
la verité en cefte matiere traitee, Et de tirer & prononcer par bon ordre vne fentence criminefle non
point felon les Decrets du fiecle aueuglé en la religion
Chreftienne : ains pluftoft felon les mefmes myfteres
de la verité. Auffi vrayement ne recufe-ie point d'eftre
eftimé homme temeraire, s'il aparoit que i'aye voulu
preiudicier à la legitime vocation de quelqu'vn. Au
refte, fi les hommes mordants & enuieux, non cou-
tens de cefte mienne excufe, ne laiffent point de
m'iniurier, de me reprendre de beftife, de m'accufer
de mesfaict, & d'efcrire petulamment contre moy :
ie m'affeure que Dieu tout puiffant me confermera
de telle conftance, que par patience ie dompteray
toutes les poinctures & affauts de mes anuerfaires.

Si les mefchans & facrileges magiciens voyent que
ie ne tien conte de toutes leurs machinations, & que
ie ne m'efmeu aucunement de leurs impoftures &
efpouuentails, encores qu'ils prennent peine de me
transformer auec leurs maudiffons & Diaboliques
exorcifmes : & encores que ces forcieres & charmeurs
faifeurs de monftres me vouluffent condamner au
gibet, Ie mefprife entierement les Oracles Delphiques,
par lefquels ces hommes perdus prophetiferont contre
moy quelque malheur à l'aduenir, pour auoir ainfi
fouillé & honny le temple Pythien, & me diront eftre
digne d'endurer la peine ordonnee pour cefte caufe
par le tyran Pififtrate. Le Necromancien tenebreux
m'eftonnera en vain auec fes aparitions nocturnes,

auec les esprits des morts, & auec ses larues. Quant
à moy ie ne chasse point les esprits des Goëtiens auec
l'eau benite, ou en allumant des torches à l'entour des
sepulchres. Ils ne me lasseront iamais par toutes ces
vaines aparitions. Ie ne me soucie pas aussi, si le
meschant exorciste me pense faire mal par ses paroles
barbares, ou par les tromperies de ses barbotemens.
Ie n'estime pas vn niquet & me moque de toutes ces
liaisons, par lesquelles ils disent qu'ils chassent les
maladies prodigieuses, qu'ils empeschent la compagnie naturelle des femmes, si qu'on pense qu'ils
coupent & font reuenir quand bon leur semble les
instruments & organes de la generation. Si les folles
sorcieres me peuuent faire quelque chose par leurs
maudissons, ou par l'affection de leur volonté corrompue, ie leur pardonne. Bref, comme dit Horace.

> Ie me moque & me ris de ces frayeurs magiques.
> De ces songes trompeurs & sorcieres iniques,
> De ces esprits de nuict, des merueilles aussi
> Qui font en Thessalie.

Il y a vne seule science des sorciers, laquelle ie
crains asauoir celle qui par venins ou poisons donnez
en bruuage, ou apliquez, ou bien tirez auec l'air que
nous respirons, ont le pouuoir de faire plusieurs nui-
sances & dommages, veritablement & non phantasti-
quement : ie n'ay pas entrepris ici la defense de leur
cause ains ie la laisse à estre espluchee & decidee par
le iuste iugement du Magistrat.

Maintenant donc estant comme sorti & retiré du
labyrinthe de ces enchantemens & impostures demoniaques, ie feray fin & ne parleray plus de ces
monstrueuses tromperies, inuentees certainement

pour obſcurcir le gloire de Dieu, & la verité de l'vne
& l'autre doctrine, aſauoir de la ſacree & de la naturelle : & pour couurir & reueſtir les arts des diables,
qui ſont abomination au Seigneur Dieu. Retirons-
nous donques d'icelles, fuyons-les, & les ayons en
horreur : encores qu'elles nous ſoyent propoſees ſous
des eſpeces artificielles & deceuantes. Opoſons-nous
à leurs allechemens qui de prime face ſemblent flater
& fauoriſer. Ne faiſons point noz corps eſclaues &
domiciles de Satan : mais fermons-lui toutes les
auenues par leſquelles ils nous peut aſſaillir bien qu'il
ſoit fin & ruſé & plein de fraude : & ce par le moyen
d'vne vraye foy, & ſaincteté de vie, demandans aſſi-
duellement & implorans par prieres ardentes l'aide
du fils de Dieu, & nous muniſſant tellement de la
viue parole de Dieu, & auec telle vigilance nous forti-
fiant du ſoulagement du ſainct Eſprit, comme ſi nous
eſtions en garde, qu'encores que ceſt ennemy iuré
nous vienne aſſaillir de plus grande audace, en nous
aſſiegeant de tous coſtez, toutesfois il ne puiſſe rompre
& gaigner ces puiſſans rempars.

PORTONS auſſi patiemment & conſtamment auec
Iob toutes les aflictions qui nous ſuruiendront. Ne
murmurons iamais contre Dieu, ainſi que les Gentils, & ne cerchons vn ſecours illicite, comme fit
Saul. Ne recerchons point trop curieuſement auec
les Epheſiens, & ne ſoyons point ſemillans apres les
choſes, la conoiſſance deſquelles ne nous importe en
rien, ou nous eſt defendue, ou bien ne nous proufite de rien. Ne demandons point conſeil à ceux deſquels Dieu nous a tres-expreſſément defendu de nous
enquerir : mais demeurons & nous arreſtons en la
voye que la verité de l'Euangile nous a enſeignee.

Deſtournons-nous de ces furieuſes impoſtures du diable, & de ces carrefours gliſſans : de peur que comme Iamnes & Mambres reſiſtoyent à la verité, ainſi nous ne regimbions contre le commandement de Dieu, & que nous n'oyons quelque iour la ſentence de Iᴇsᴠs Cʜʀɪsᴛ, pleine d'horreur auec ceux qui ſeront au côté ſeneſtre : Departez vous de moy, maudits, & allez au feu eternel qui eſt preparé au diable & à ſes Anges.

Oʀ ie ne pretens auoir tellement aſſeuré ce que ie propoſe en ce liure, que ie ne le ſubmette en tout & par tout au plus equitable iugement de l'Egliſe catholique de Ieſus Chriſt, eſtant preſt de le corriger & me deſdire ſi en quelque endroit ie ſuis conuaincu d'erreur.

Fin du ſixieme liure.

AVTEVRS ALLEGVEZ

A

Abdias Euefque.
Aben Efra.
Accurfe.
Ælian.
Ætius Spartian.
Ætius.
Æneas Syluius.
Agrippa.
Aias.
Albert de Rofat.
Albert le grand.
Alchinde Arabe.
Alciat.
Alcinus.
Alexandre 1.
Alexandre d'Alexandrie.
Alexandre Benoiſt.
Alexandre Trallian.
Alois Cadamotte.

Almanfor.
Amat Portugais.
S. Ambroife.
André Mafius.
André Theuet.
André Vefal.
Angelon.
Ange Politian.
Anfelm- de Parme.
Antiphon.
Antoine Beniuenius.
Apollonius.
Apollonius Molon.
Apollonius Tynæus.
Appion grammairien.
Apulee.
Archelaus.
Ariſtophane.
Ariſtote.
Arnould de Villeneufue.
Artemon.

Artephie.
Athanafe.
Athenee.
Athenagoras.
Auerroes.
Auger Ferrier.
S. Auguftin.
Auguftin Steuche.
Auicenne.
Azarauius.

B

Balde.
Barthole.
Barthelemi l'Anglois.
Barthelemi de Pife.
S. Bafile le grand.
Baffian Laude.
Benno Cardinal.
S. Bernard.
Berofe.
Bocace.
Boece.
Bonauenture.
Boniface dévital.

C

Cæfar Conftantin.
Cæfar Scaliger.
Cardan.
Charles de Bouuelles.

Carpocrates.
Caffian.
Caffiodore.
Caton.
Celfus.
Chrifippus.
S. Chrifoftome.
Ciccho Florentin.
Ciceron.
S. Cyprian.
S. Cyrille.
Claudian.
Clement.
Cleopatra.
Cœlius Rhodoginus.
Columelle.
Conftantin Empereur.
Cornelius Nepos.
Cofta benluc.

D

Damafcene.
Damon.
Dauid Kinchi.
Decretales.
Democrite.
Diodore Sicilien.
Dion de Nicee.
Dionyfius.
Diofcoride.
Duris.

E

Edouard.
Empedocles.
Epiphanes.
Erafme.
Euchere.
Euricles.
Euripide.
Eufebe.
Euftache.

F

Fallope.
Fernand Corteze.
Fernel.
François Morand.
Fulgentus Placiades.
Fulgofe.
Furius Crefinus.

G

Galien.
Gaudence Merula.
Gaudefroy d'Auxerre.
Gellius.
George Agricola.
George Piêtorius.
George Sabin.
Gerfon.
Gefner.

Giraldus.
Gifelbert.
Gordonius.
Godefroy Reinier.
Gratian.
S. Gregoire.
S. Gregoire Nafianzene.
Grilland.
Guillaume de brabant.
Guillaume Mulmes.
Guillaume Turner.

H

Harpocration.
Haymo.
Heêtor Boece.
Helinand.
Heliodore.
Henri Iuftitor.
Helmold.
Hermes.
Hermogene.
Herodote.
Hefiode.
S. Hierofme.
S. Hilaire.
Hildebert.
Hincmarus.
Hildegarde.
Hipocrates.
Hipolite Marcile.
Homere.

Honorius.

Horace.

Hugues de Clugny.

Hugues de S. Victor.

Hugues Eterian.

I

Iaques de Chufe.

Iaquesde Leichtenbourg.

Iaques Meyer.

Iaques Roux.

Iacques Sprenger.

Iamblique.

Iafon.

Idiota.

Iean Andre.

Iean anglois.

Iean Baptifte Porte

Iean François Pic.

Iean François Ponziuibe.

Iean Gennade.

Iean Guntier.

Iean Herold.

Iean Kentman.

Iean Langius.

Iean Leon Africain.

Iean Nider.

Iean de Salsbery.

Iean Sleidan.

Iean Waffer.

Ioffe Damhoudere.

Iofephe.

S. Irenee.

Ifidore.

Ifogone.

Ifychius.

Iulian l'Apoftat.

Iulian Philofophe.

Iules Cefar.

Iules Obfequens.

Iuftin.

Iuuenal.

L

Labeo.

Lactance.

Latius.

Laerce.

Leon.

Leui Gerfon.

Lilius Gyraldus.

Liuius.

Louys Millich.

Lucain.

Lucian.

Lucrece.

Ludouic Vartoman.

Lyfimachus.

M

Manilius.

Marcellus.

Marc l'hermite.

Marcus Marius.
Martian.
Marcile ficin.
Martin D'Arles.
Matthieu le Court.
Matthieu de Afliĉt.
Matthiol.
Maximus abbé.
Maximus Thyrien.
Melanĉton.
Memphodorus.
Menander.
Mercure Trifmegifte.
Mefue.
Methodius.
Moyfe Egiptien.
Moyfe fils de Cepha.

N

Nauclere.
Nicolas.
Nouius.

O

Oĉtauian.
Oenomaus.
Olaus le grand.
Oldrad.
Olympiodore.
Origene.
Ouide.

P

Pamphile.
Paulin.
Paul Arginete.
Paul venerien.
Paufanias
Peucer,
Pherecydes.
Philarchus.
Philo.
Philochorus.
Philoftratus.
Picatrix.
Pierre argelas.
Pierre Alfonfe.
Pierre Bellon
Pierre Damian.
Pierre d'Apone.
Pierre de Blois.
Pierre de Clugni.
Pierre de Premonftré.
Pierre le chantre.
Pierre Lombard.
Pierre Pomponat.
Platine.
Platon.
Pline.
Pline le ieune.
Plotin.
Plutarque.
Pontanus.
Porphire.

Poſſedonius.
Primaſe.
Priſcian.
Proclus.
Properce.
Profper.
Pſellus.
Pytagoras.

Q

Quintilian.

R

Rabanus.
Rabi Iſmael.
Rabi Moiſe.
Rabi Simon.
Radulphe.
Raimond.
S. Remy.
Reuchlin.
Rhaſes.
Robert L'anglois.
Roger Bachon.
Rondelet.
Rufin.
Ruffus Epheſius.
Rupert.

S

Saadias.

Sabellic.
Salonius.
Saxon Grammairien.
Sedulius.
Seneque.
Serapion.
Serenus.
Seuerus Sulpitius.
Sigebert.
Simon fontaines.
Syluius.
Sylueſtre Prieras.
Syueſius.
Smaragdus.
Socrates.
Solin.
Sophronius.
Speculator.
Strabon.
Suetone.
Suidas.

T

Tacitus.
Tatianus Aſſyrien.
Tertulian.
Thebis.
Themiſon.
Theocrite.
Theodoret.
Theodore Byzant.
Theophraſte.

Theophrafte Paracelfe.
Theophilacte.
Thomas d'Aquin.
Thibulle.
Tritheme.

V

Valerius. Maximus.
Varignana
Varro.
Vegece.
Vincent de Beauuais.
Virgile.
Vlpian.

Vlric molitor.
Volaterran.
Vopifque.

X

Xanthus.
Xenocrates.
Xiphilin.

Z

Zonare.
Zoroaftre.
Zozime.

DEVX

DIALOGVES

DE

THOMAS ERASTVS

Docteur en medecine a Heidelberg

TOVCHANT LE POVVOIR DES SORCIERES : ET DE
LA PVNITION QV'ELLES MERITENT

---

*Traitez dignes d'estre leus de toutes personnes,
specialement des Iuges & Magistrats*

NOVVELLEMENT TRADVITS DE LATIN EN FRANÇOIS

L'IMPRIMEVR AV LECTEVR

SALVT,

E qui m'a efmeu d'adiouſter ces deux Dialogues de Thomas Eraſtus Profeſſeur & en Medecine à Heidelberg, touchant le pouuoir des Sorcieres & la punition qu'elles meritent, aux fix liures de Iean Wier Medecin du Duc de Cleues : a eſté deduite en la preface adiouſtee au commencement, qu'il n'eſt befoin de repeter. Seulement ce mot feruira pour vous aduertir, que l'argumeut de ce premier Dialogue, ou Furnius & Eraſtus ſont introduits difputans fans aucun auant propos, eſt declaré en l'Epiſtre mife au commencement du fecond Dialogue, à laquelle vous pourrez auoir recours. Car dauïant que ce premier ici a eſté tiré des difputes d'Eraſtus contre la nouuelle medecine de Paracelſe : le tranſlateur s'eſt contenté de prendre ce qui auoit eſté eſcrit contre les forcieres ne voulant donner autre aduertiſſement que celuy que l'auteur mefmes a fait. Car au fecond il repete & reprend fon propos en telle forte, que tout ce qui eſt requis au proces des Sorcieres, pour leur iuſtification & condamnation, eſt allegué par ces deux medecins, & contenu

en ceſt œuure. Pour la fin, ie vous prie de coñferer
ſi bien les ſix liures precedens auec ces deux Dialogues, que vous ne prenieȝ un preiugé des vns
pour meſpriſer les autres, ains peſeȝ ſoigneuſemeut
les raiſons de ces deux aduocats plaidans l'vn
contre l'autre, afin de iuger tant plus dextrement
des diſcours que nous vous preſentons : deſirans que
ravortieȝ le tout au vray but, aſauoir à la gloire
de Dieu, à voſtre confirmation en ſa conoiſſance &
crainte, & à voſtre ſalut.

PREMIER DIALOGVE

De THOMAS ERASTVS, medecin a Heidelberg

Touchant le pouuoir des Sorcieres : & de la punition qu'elles meritent.

FVR.

ısons quelque chofe des forcieres. ER. Ie les mets au nombre des magiciens qui ont alliance toute manifefte auec le diable. FVR. Si eft-ce qu'il y a difference entre les vns & les autres. Car les magiciens vfent de l'art qu'ils apprennent par les liures : au contraire, il femble que les forcieres facent merueilles fans fcience & fans liures. Dauantage, les magiciens ne cuident pas toufiours fi mal faire, pourautant qu'ils fe font fait à croire que Satan eft contraint de leur obeir en vertu de quelques paroles facrees, voire de Dieu mefmes, mais les forcieres fe donnent à pur & à plain au diable, & font tout ce qu'il veut, fous certaines conditions. Ioint que les magiciens ne font rien fans certaines paroles & coniurations : mais les forcieres n'en vfent point du tout, ou fi elles en prononcent quelques vnes, elles font fort differentes

*De la puiſſance
des
Sorcieres,
& iuſques ou
elle s'eſtend.*

des autres. ER. La reſponce eſt aiſee, aſauoir qu'elles ne peuuent rien faire de ce dont elles ſe vantent. Car toutes les fois que Dieu leur laiſſe faire quelque choſe, ce ne ſont pas elles qui le peuuent ou font, ains le diable à qui elles ſe ſont liurees. Tous confeſſent que la puiſſance des eſprits malins eſt limitee. Leur maiſtre donc leur commande de ſe ſeruir de quelques choſes qui n'ont pas la vertu qu'il leur perſuade eſtre encloſe en icelles : non qu'il ait beſoin de ces choſes, mais il le fait pour les tromper plus aiſément, & pour auoir ſon excuſe plus prompte, ſi l'execution n'en eſt à ſon ſouhait.

Voici donc ce qu'il m'en ſemble. Les ſorcieres ne peuuent nullement faire ces merueilles qu'on eſtime, communement qu'elles font. Car il apert qu'elles n'ont ce pouuoir par les forces & facultez de nature. Elles ne le peuuent receuoir de choſe corporelle quelle qu'elle ſoit, veu que les choſes corporelles ne peuuent changer les entendemens des hommes, & abolir les facultez dont nature a doué les choſes ſpirituelles par deſſus les corporelles. Partant les ſorcieres ne peuuent nuire ni par attouchement, ni de la voix, ni de paroles, ni de contenance ou ſouhait, ni d'autres inſtrumens corporels qui n'ont en eux la propriété de nature, ſi tu conſideres les facultez naturelles de tels inſtrumens. Dautant que l'inſtrument n'a d'adreſſe pour beſongner que celle que l'ouurier luy donne : & pourtant les paroles (ceci ſoit pour exemple) n'ont point plus de vertu que l'entendement duquel elles procedent. Reſte donc, que ceſte grande puiſſance des ſorcieres vienne d'ailleurs. Dieu ne la leur donne pas, ni les bons anges non plus : car elles ont quitté Dieu pour adherer au diable, & ſe bandent directement

alencontre de Dieu, de ſes enfans & de toute pieté,
pour en abolir la memoire. Ioint qu'elles n'atendent
aucun ſecours de Dieu, ni des ſainĉts Anges. Parquoy il s'enſuit qu'elles ſont leurs meſchancetez par
la puiſſance de Satan. Mais nous auons dit que le diable meſmes ne peut rien par deſſus les forces de nature. Et par conſequent ce ſont preſque toutes fables
& contes ſuperſtitieux de ce que lon recite de la puiſſance des ſorcieres : aſauoir que par la vertu d'vn
certain onguent elles courent en poſte en l'air aſſizes
ſur des baſtons, qu'elles entrent es lieux les portes
cloſes, qu'elles ſe transforment en beſtes, qu'elles eſ-
meuuent les tonnerres, qu'elles baillent des maladies
& tuent qui elles veulent, par leurs geſtes, paroles, &
preſens de choſes qui ne ſont pernicieuſes.

FVR. Tv me contes merueilles, & ne crois pas
tout ce que tu me viens de dire. Nous confeſſons que
la puiſſance du diable eſt limitee. Mais quand tu
maintiens qu'il ne peut eſmouuoir des tempeſtes en
l'air, & faire choſes ſemblables, tu t'eſloignes par trop
de la verité. L'hiſtoire de Iob en parle autrement.
S. Paul enſeigne le contraire à ton dire, au ſixieme
chapitre de l'Epiſtre aux Epheſiens. Le liure de
l'Apocalypſe de meſme, comme auſſi fait l'experience.
I'ay ſouuent ouï dire aux Theologiens que la puiſſance de Satan eſt ſi grande, qu'il pourroit, par
maniere de dire, renuerſer tout le monde, ſi Dieu ne
le tenoit en bride. ER. L'Eſcriture ſainĉte parle
diuerſement de la puiſſance & impuiſſance des eſprits : moy auſſi ſemblablement : qui fait qu'il faut
diſtinguer premierement ce qui en eſt dit, ſi on ne
veut eſtre deceu. Si tu regardes la nature des eſprits,
& ſi nous conſiderons de combien grandes puiſſances

leur Createur les a douez & enrichis, elles font plus
grandes que nous ne penferions pas aifément. Auffi
tous les Theologiens font d'accord en ce point que les
efprits malins font demeurez efprits nonobftant leur
cheute, & n'ont perdu finon la lumiere de la grace
& faueur de Dieu : que par confequent ils font demeurez pourueus de forces extremement grandes.
Quant à ce qu'ils ne les defployent point à leur plaifir
pour nous confondre & ruiner du tout, la puiffance
& bonté de Dieu en eft caufe, qui ne leur laiffe point
accomplir ce qu'ils defirent & peuuent. Il leur permet lors qu'il a refolu fe feruir d'eux comme d'inftrumens pour fa gloire & le falut des fiens. Cela fe
void en toute l'efcriture, laquelle declaire en tous
endroits que Dieu eft auteur de la pluye, roufee, fe-
chereffe, & beau temps, & veut qu'on demande à ce
Dieu feul la bonne temperature de l'air. Mais que
fauroit on alleguer mieux à propos en ce different,
que ce que nous lifons au 14. chapitre . . Ieremie,
Y a-il, dit le Prophete, entre les vanitez ou dieux
vains des gentils, quelqu'vn qui face plouuoir, & que
les cieux rendent groffes gouttes? n'eft ce point toy,
ô Seigneur noftre Dieu? Or t'auons nous attendu, car
tu as fait toutes chofes. Nous lifons donc que l'efprit
malin peut beaucoup, ayant efgard à la nobleffe,
excellence & puiffance de la nature qu'il a receuë.
Mais nous nions cefte puiffance, quand on confidere
qu'elle eft limitee & retenue en bride.

    FVR. Cefte refponfe ne refould pas la dificulté, veu
que nous auffi ne pouuons rien fans la permiffion de
Dieu, ce neantmoins nous faifons beaucoup de chofes
outre & contre la volonté de Dieu. ER. La refrena-
tion ou reprimende dont ie parle eft double, afauoir

generale & particuliere. Quant à la generale, l'homme
a plus de puissance en ces choses externes apartenantes à l'vsage de la vie exterieure, que n'ont les malins
esprits. Car l'homme peut desrober & emporter des
deniers de tel lieu qu'on voudra, pourueu qu'il ne
soit empesché par quelque chose corporelle. Au contraire tant s'en faut que les diables puissent emporter
quelque chose, que mesmes ils ne la peuuent pas prendre de ceux qui la leur offrent. En quoy reluit specialement l'incomprehensible sagesse de Dieu. Car si les
malins esprits pouuoyent emporter les thresors des
Rois, ils corromproyent presque tout le monde à
force de presens, puis qu'ils peuuent arracher les
barreaux & treillis, ouurir ce qui est clos, remuer les
choses plus pesantes, & mettre en autre place ce qui
se peut remuer. Mais ceste puissance ne leur a pas
esté ottoyee combien qu'en general elle ait esté donnee
à l'homme : lequel aussi d'autre costé est empesché
par les barres, murailles, & portes, & lors il ne peut
rien, mais il peut prendre de chacun, & tousiours,
les choses qu'on luy presentera, si Dieu ne l'en empesche particulièrement. Et tout ainsi que le larron
aguette les biens d'autruy par vne permission generale, le diable fait le semblable en matiere de nostre
salut. Mais comme le larron est empesché par les
choses corporelles, aussi l'esprit malin l'est par la
puissance de Dieu, & par le ministere des bons Anges.
Et pourtant permet aux vns & aux autres, quelques
choses en general, & quelques autres specialement.

Cela estant soigneusement distingué, il sera aisé de
se desueloper de ceste question. Car en quelques choses l'homme a plus de pouuoir generalement, &
Satan en certains autres. Le diable se peut glisser en

en cachette dans la fantafie, fi Dieu par vne vertu fpeciale ne l'empefche, mais il ne peut emporter l'or ni l'argent. L'homme au contraire ne fe peut pas fourrer en l'imaginatiue d'autruy, mais il peut par fraude, artifice, larcin & rapine emporter l'or & l'argent. Toutesfois Dieu tient l'vn & l'autre tellement en bride, non feulement en general, mais auffi fpecialement, qu'ils ne fauroyent outrepaffer les bornes generales & particulieres qu'il leur a affignees. Les anciens Theologiens ont efté de bon aduis quand ils ont dit que les diables, auec les forces de leur nature & par la permiffion de Dieu, peuuent faire les chofes qui peuuent eftre faites par vn mouuement local & conionction conuenable des chofes agentes & patientes mais qu'ils ne peuuent changer aucunement la nature des chofes, contre l'habileté naturelle que le Createur leur a departie. Ie penfe que perfonne n'ignore combien les hommes ont de puiffance, quand on les laiffe faire.

FVR. I'enten affez ce point, & beaucoup mieux que ci deuant : mais il en refte vn autre de plus grande importance, comme i'eftime. Tu dis que les forcieres ne peuuent rien effectuer de par elles, ni nuire par les inftrumens, dont elles fe feruent couftumierement, ni bleffer aucun par l'aide mefme du malin efprit. Si ainfi eft (ce que ie ne puis nier maintenant), il faudra confeffer que ceux là font trefiniquement, qui font brufler ces poures miferables comme peftes fort nuifibles, veu qu'elles font innocentes des crimes dont elles mefmes fouuentesfois confeffent eftre coulpables. ER. De quels crimes dis-tu innocente? FVR. De meurtres, de degaft de bleds, d'enforcelemens, de malefices, d'entree par les portes

Sauoir fi c'eft bien fait de faire mourir les forcieres.

fermees, de maladies donnees, & d'autres femblables
forfaicts lefquels, comme tu difois, ne peuuent eftre
commis ni par les forciers, ni par les diables, fans
vne fpeciale permiffion de Dieu. ER. Tu ne conclus
pas bien. Car il ne s'enfuit pas qu'on les doiue ab-
fouldre, encor que à la verité elles ne puiffent rien
effectuer de ces chofes : pource qu'il y a d'autres
caufes pour lefquelles il me femble qu'on les doit
punir.

FVR. Quelles? ER. Cefte difpute ne conuient à
noftre propos, où nous nous enquerons feulement,
afauoir fi ces remedes ont quelque efficace, & fi en
bonne confcience nous en pouuons vfer. FVR. Ie le
fay bien. Mais pource qu'on debat de ce point auiourd'huy, & qu'en ceft endroit tu maintiens les forcieres eftre innocentes, ie voudroy bien fauoir pourquoy c'eft à bon droit qu'on les fait mourir. ER. La
loy de Dieu commandant qu'on mette à mort les forcieres (Exod. 22.) en ceft caufe principalement.
FVR. C'eft bien dit : mais les forcieres ne font pas
du rang des empoifonnereffes, comme il apert par les
difcours precedens. Car la loy de Dieu ne fe doit pas
entendre de ces pauures melancholiques qui penfent
eftre bien fauantes en l'art d'empoifonner, & cependant n'y entendent rien : ains des vrais Magiciens
& empoifonneurs. Or il appert que les forcieres de
noftre temps font vieilles raffotees, qui ne fauent
rien, n'ont liure quelconque, & ne fauroyent lire,
brief font pures beftes. Il eft certain auffi qu'elles
n'obferuent forme aucune de coniurations & exorcifmes, ni n'en recitent pas vn mot, ains bleffent feulement par imagination ceux qu'elles ne fauroyent
toutesfois bleffer realement & de fait. Elles ont l'ima-

*Pourquoy
Dieu
a commandé
que on fift mourir
les forcieres.*

gination corrompue, & bigarree de diuerfes aprchen-
fions, au moyen de leurs refueries : fe trompent &
les autres femblablement. Pour preuue de cela, il
n'eſt fait nulle mention de telles gens en l'Eſcriture
ſainɛte, ni que Ieſus Chriſt ou les Apoſtres ayent
gueri quelcun qui euſt eſté enforcelé & bleſſé par
telles forcieres. Tels & ſemblables argumens me font
penſer qu'on fait grand tort à ces poures miſerables.

ER. De ma part i'eſtime tes raiſons fi foibles que
perſonne n'en doit eſtre fort esbranlé. Ce que nous
auons dit qu'elles ne peuuent faire miracle eſt vray :
mais quand pour cela tu eſtimes qu'on ne les doyue
chaſtier, tu t'abuſes, car Dieu veut qu'on puniſſe les
deuins, enchanteurs & toutes ſortes de Magiciens, non
ſeulement pource qu'ils ont bleſſé ou offenſé ceſtuy-ci
ou ceſtuy-là, mais pource qu'ils ont aprins & font profeſſion d'vn art diabolique contre le commandement
de Dieu. Y a-il homme fi peu verſé en ces afaires qui
ne ſache bien que pluſieurs Aſtrologues, pronoſtiqueurs & deuins, ſont condamnez à mort par le
Seigneur, pource qu'ils ſe ſont adonnez à telles impietez, encores que de fait ils n'ayent iamais fait mal
à perſonne? Certainement tous ceux qui font profeſſion de deuiner ſimplement comme les Augures,
Pronoſtiqueurs & autres deuins ne font mal à perſonne : ains prediſent ſeulement ce que les oiſeaux &
les aſtres ſignifient. Or Dieu declare que non ſeulement tels doɛteurs mais, auſſi ceux qui s'enquierent
d'eux font execrables & dignes de punition : combien
qu'ils n'ayent point fait alliance manifeſte auec le
diable, & n'ayent eu en penſee de ſe reuolter de la
verité & obeiſſance de Dieu. Maintenant ie ne veux
pas donner reſolution de noſtre diſpute : ie me con-

*La
Loy de Dieu
condamne
à grief chaſtiment
ceux
qui ont recours
aux deuins.*

tente feulement de mettre en auant ce qui conuient
le mieux à ce point.

Mais ie te veux preffer de plus pres. Eftimes-tu pas
que Dieu a condamné à mort tous ceux que Moyfe
(parlant du propos fur lequel nous fommes) appele
Malefiques. FVR. Ie l'eftime ainfi. ERA. Accordes
tu qu'en ce mot foyent comprins les Necromantiens,
Sciomantiens & Enchanteurs? Si tu le confeffes,
nous fommes d'accord : fi tu le nies, il me fera aifé
de te refuter par le tefmoignage de Moyfe. FVR. Ie
l'acorde. ERA. Or Dieu n'a pas commandé qu'on
mift à mort ces gens là pour mal qu'ils euffent fait
ou executé leurs defirs, ains d'autant qu'ils ont
aprins des arts illicites & fe font affociez auec le diable. Certainement la curiofité, pluftoft que nulle autre chofe, leur fait vfer de leurs inuocations, afin de
fauoir des ombres qui leur aparoiffent les chofes futures & cachees, ou pour faire voir ceci & cela aux
affiftans, & en fomme fe feruir de telles fciences folles,
pour donner du paffetemps & de l'esbahiffement à
d'autres. Ils ne les attirent gueres fouuent pour nuire.
Il y a plufieurs raifons de cela entr'autres, qu'ils s'affeurent de pouuoir plus aifément obtenir du diable,
ce que nous auons dit que de faire dommage à qu'
& quand ils voudront. Car Dieu ne leur a pas permis ce dernier point, comme il a fait l'autre, afauoir
de faire des illufions. De là auient que lon n'eftime
pas tant execrables ces ioueurs de paffe paffe, pourtant que s'ils font du mal c'eft rarement : au contraire
ils femblent feruir de quelque chofe en reuelant les
chofes cachees & predifant l'auenir. Tels impofteurs
cuident à prefent & l'ont eftimé autrefois (comme on
le peut recueillir de Iofephe & du dernier chapitre

Exod. 7.
& ailleurs.

des actes des Apoftres) d'eftre moins mefchans que
plufieurs autres, en ce que par l'adreffe de leur art,
c'eft à dire par la vertu & efficace de quelques paroles
diuines & autres ceremonies, ils peuuent contraindre
les diables.

ADIOVSTONS vn autre argument, lequel tu ne faurois
refuter afauoir que le Seigneur menace de mort celuy
qui en chofes douteufes demandera confeil aux deuins,
enchanteurs & magiciens. Leu. 19. & 20. Deut. 18.
Or fi quelcun interrogue vn autre de ce qui doit
auenir de tel ou tel cas (comme vn malade s'enquerra
de l'euenement de fa maladie) il n'endommage aucunement fon prochain. Neantmoins le Seigneur
veut que on puniffe telles gens : & fi le Magiftrat
n'en fait iuftice, luy mefmes dit qu'il la fera & les exterminera, comme il appert es paffages fus alleguez,
& es exemples notables de Saül, 1. Sam. 28. &
d'Ochozias, 2. Rois. 1. Tu vois bien maintenant que
i'ay fufifamment prouué que ie ne contredis point à
ce que nous auons traité ci deuant, & qu'il ne s'enfuit pas que les forcieres doyuent demeurer impunies,
pource qu'elles ne peuuent faire ce que le diable leur
fait croire qu'elles peuuent. FVR. Mais il femble que
Moyfe parle des empoifonneurs, ou de ceux qui prefentent des poifons vrayes & naturelles. ER. Nous
conoiftrons par plufieurs raifons que Moyfe ne parle
point là des empoifonneurs, car telles gens font compris fous la loy de Talion & des Homicides. Pource
que fous ce nom d'homicide nous ne comprenons pas
feulement celuy qui a tué vn autre auec vne pierre,
vn bafton, vne efpee ou coignee : mais auffi qui a fu-
foqué quelcun auecques les mains, ou d'vn cordeau,
ou par le moyen d'vn oreiller : ou qui l'a fait tomber

Ceux
qui recourent
aux deuins
doyuent
eftre chaftiez.

Expofition
du
paffage de Moyfe
de la punition
des forcieres.

d'vn lieu haut en bas, ou qui l'a fait mourir de faim,
ou l'a contraint de fe tuer foy mefme : brief qui luy
a ofté la vie par quelque moyen que ce foit. Perfonne
ne doute que celuy là ne foit homicide qui a tué vn
autre de fait d'auis, ou par poifon qu'il fauoit eftre
poifon, ou par autre moyen, & pourtant il n'eftoit
pas tant befoin de faire vne loy à part des vrais empoifonneurs, qu'il eftoit neceffaire de fpecifier les
punitions des autres fortes d'homicides que i'ay recitees. C'eft vn fait à part que celuy de ceux qui tafchent de tuer quelcun par charmes, imprecations,
inuocations de diables, exorcifmes, enuoy d'efprits
immondes es corps, & par reprefentation de chofes
enchantees. Dautant le moyen de tels homicides
ne fembloit pas eftre comprins fous la loy, à bon droit
a-il efté defendu par vne loy à part. Pourtant Moyfe
ne parle point là des vrais empoifonneurs, ains des
autres, & ne peut faire mention d'autres, que de ceux
qui s'efforcent nuire ou faire merueilles par charmes,
imprecations horribles, fuperftitieufes figures, noms
barbares, characteres monftrueux, mefchantes ceremonies, onguents acouftrez par les diables, ou compofez par arts illicites. Le mot dont a vfé le S. Efprit
en ce paffage, prouue cela : auffi eft-il repeté en d'autres endroits : comme au feptieme chapitre d'Exode,
au dixhuitieme du Deuteronome, au fecond de
Daniel, au cinquieme de Michee, & autres lieux, où
il fe prend pour les enchanteurs qui veulent & s'efforcent faire chofes eftranges, ou de nuire aux bleds,
aux beftes, aux perfonnes, par paroles, fignes, images,
characteres, & par le moyen d'autres chofes preparees
par l'artifice des diables. Ce mot fignifie en tous les
paffages de l'Efcriture fainéte ceux qui ont acoin-

tance auec les efprits malins & damnez, à l'aide defquels ils penfent pouuoir faire miracle ou endommager leur prochain. Certainement ceux qui font les
mieux entendus en la langue Hebraïque s'acordent
tous en ce point, combien que les vns eftiment que le
mot comprend plus, les autres moinʃ

FVR. Encores que lon t'acorde que Moyfe parle
d'autres empoifonnereffes que de celles qui font
couftumieres de tuer par poifon, ou ofenfer quelqu'vn
par vne chofe qui ait vertu nuifible en foy : il ne s'enfuit pas pourtant qu'il parle de toutes celles qui
femblent faire ceci ou cela, pour monftrer le malefice
caché en leur efprit, par des moyens tant ineptes &
hors de raifon & fondement, qu'il n'eft pas poffible
d'en trouuer de plus ridicules. ER. Quant à moy, ie
ne penfe auffi que Moyfe parle de toutes perfonnes
qui defirent nuire en quelque forte que ce fcʼt : mais
ie maintien que les forcieres font comprifes en cefte
loy. Car de ce que nous auons dit ci deffus, il appert
ceux-là eftre malefiques, qui en vertu de l'alliance
qu'ils ont auec les diables, & par le fecours d'iceux
fe feruent de quelques chofes pour executer ce qu'ils
rɔ pourroyent faire d'eux-mefmes & de leur nature.
Or les forcieres dependent de l'aide des malins efprits,
pour commettre tels & tels cas, en faueur de l'acord
paffé entr'eux : & pour ceft effect fe feruent d'inftrumens lefquels ils fauent n'auoir pas telle proprieté de
leur naturel. Elles ont cefte opinion, comme leur
confeffion le porte, que Satan leur donne nouuelles
forces. Partant elles doyuent eftre mifes au catalogue
de ceux dont parle Moyfe.

Mais, ie te prie, di moy toy-mefmes, de qui tu
penfes que Moyfe parle. De ma part ie tien pour cer-

tain, que Dieu a comprins là en general tous ceux qui ont esté denombrez par le menu au dixhuitieme chapitre du Deuteronome. FVR. I'estime qu'il parle des Necromantiens, Sciomantiens, iouëurs de passe-passe, magiciens infames, Exorcistes. ER. C'est bien dit. Mais pourquoy Dieu condamne il telles gens à mort? FVR. Pource qu'ils se meslent de sciences fausses, illicites, pernicieuses. ER. Dieu n'a pas commandé que pour la fausseté lon chastiast si rudement vne personne. Car presuppose, ce qui est vray, qu'il y a gens qui se vantent de pouuoir preparer vn medicament, seruant de souuerain remede à toutes maladies, & qui rend le corps immortel. Diras tu qu'il les faut faire mourir? vn autre promettra de monstrer vn secret pour changer le plomb, l'estain, le cuiure (du bois, si tu veux) en or pur & fin, qui surpasse en valeur l'or naturel : seras tu d'auis qu'on l'extermine, pource qu'il songe & pratique vn mestier de fausseté ? Ie ne le pense pas. Mais pource que tu doutes si ces arts sont fausses, prenons vn autre exemple. Quelqu'vn maintiendra pouuoir faire des nauires telles qu'on les void, lesquelles vogueront en l'air comme elles font sur mer : (& i'ay entendu qu'vn quidam s'en est vanté & l'a voulu entreprendre) penses tu qu'il ait merité le gibet, pource qu'il a tasché de faire des choses fausses & impossibles? Au contraire tu t'esmerueilleras de son esprit & effort, s'il discourt de son inuention auec quelque apparence de raison.

FVR. I'accorde qu'il ne faut condamner à mort vn homme qui fera simplement profession d'vne science non science : mais si ce sont arts prohibez & pernicieux? ER. Maintenant il faut prouuer que la punition capitale n'est point ordonnee à cause du dommage

que feront quelques vns de ces ouuriers : ce qui
apert euidemment, en ce que les Augures, Arufpices
& autres deuins ne nuifent d'eux mefmes à perfonne,
ains feulement auouënt ce qu'ils penfent auoir efté
predit par les oifeaux, entrailles de befles & autres
chofes. Quand donc la loy condamne à mort tels deuins, elle monftre que leurs arts font crimes capitaux
pour vne autre raifon. Ioint qu'elle menace de mort
ceux qui demandent confeil feulement, encor que
quelquesfois il ne leur foit pas mefme venu en la
penfee de faire dommage. Pourquoy donc ces arts &
fciences font elles capitales? Dautant qu'elles font
illicites, refpondras-tu. Ouy voirement. Mais tout
œuure illicite n'eft pas capital. Certaine aꞔion fera
illicite, à caufe de la forte de l'œuure, comme
l'adultere, l'homicide. Vne autre à caufe de la
fin d'icelle, comme fi on fait vne bonne œuure à
mauuaife fin. D'autres, à caufe que le moyen de les
parfaire ne fera pas legitime. Ici toutes chofes con-
uienent car c'eft vne chofe damnable d'aprendre &
exercer arts illicites. La fin auffi eft mauuaife, foit
qu'on les aprenne pour deuiner, ou pour nuire à fon
prochain. La maniere de les aprendre & pratiquer eft
mefchante, attendu que lon n'en peut venir à bout
qu'en ayant alliance occulte ou manifefte auec les efprits malins. Car cela a contraint Pierre Pomponat
Philofophe Italien, de condamner la maniere d'a-
prendre la magie & Necromance, quoy qu'il fuft fi
execrable de maintenir que c'eftoyent bonnes fciences, & qu'elles rendoyent noftre entendement parfait
& acompli. Dieu donc a condamné à mort ceux qui
fe mefleroyent de telles chofes, pource qu'on ne les
fauroit aprendre ni exercer fans auoir alliance auec

les diables, qui est vn crime capital & digne de mort.
Car en vsant d'instruments qui n'ont point de leur
nature la force que tels ouuriers desirent, ils en attendent l'effect des diables mesmes auec lesquels ils
s'allient, combien que cela ne leur viene pas souuent
en la pensee. Tu vois clerement, pourquoy les sorcieres sont si dignes de mort, lors mesmes qu'elles ne
font rien au dommage d'autruy, asauoir à cause de
l'alliance secrette ou expresse traitee auec le malin esprit. Si outre cela elles empoisonnent, les voila doublement coulpables de mort. Or les plus nuisibles
arts sont celles des sorcieres.

FVR. Comment apelles-tu nuisibles les arts que
maintenant tu apellois vaines? ER. Ie les apelle nuisibles, non pas qu'elles ayent eficace d'elles mesmes :
mais pource qu'à ceste occasion les sorcieres incitent,
poussent & enflamment les diables à mal faire. Et
combien que d'eux mesmes ils soyent tousiours au
guet pour nuire : toutesfois il est vraysemblable que
souuentesfois ils n'eussent pas pensé, ce que puis
apres ils s'efforcent de faire à la persuasion des sorcieres, & par la permission de Dieu. Ce sont les
diables qui font les maux secrettement : & toutesfois
à bon droit les sorcieres sont appelez Malefiques,
dautant que ils ont incité les diables, & eux mesmes
pensent auoir commis ces maux à l'aide de Satan.
FVR. Ils sont donc instrumens des diables : partant
on ne deuroit pas les traiter si rudement. ER. Ce
sont instrumens, mais qui ont vsage de raison. Celuy
la n'est pas innocent qui tue vn homme par le commandement d'vn particulier. Dauantage ils ne sont
pas seulement instruments, mais auteurs & instiga-
teurs. FVR. Ie ne voy pas toutesfois que les Sorcieres

Les arts des sorcieres plus nuisibles que les autres.

facent plus de mal que les enchanteurs, magiciens,
deuins & autres tels. ER. Premierement, nous
fommes d'accord que les paroles, exorcifmes, charmes,
& figures n'ont aucune eficace. Si donc il a femblé
que quelque mal s'en foit enfuyui, le diable l'a fait,
comme ie l'ay prouué fufifamment. Penfes tu que
Satan nuife dauantage eftant apelé par quelque
charme qui contient vne paction fecrette, que quand
il eft fupplié en vertu d'vne alliance manifefte? Les
necromantiens & autres tels s'affocient en termes
ambigus auec les malins efprits, & fe perfuadent
d'eftre preudhommes & gens de bien, & que par la
vertu occulte de quelques paroles facrees les diables
font contrains de faire ce qu'ils leur commandent.
Si quelquesfois ils font quelque hommage ou offrande
aux diables, ils eftiment faire cela pour les contraindre pluftoft que pour les apaifer ou auoir fauorables.
Brief, comme i'ay dit, ils abufent du fecours des
diables en chofes ridicules pour la plufpart. Mais les
forcieres font alliance manifefte & execrable auec
Satan, iurent de luy eftre fideles, fe donnent corps
& ame à luy, banquettent, danfent, fe couplent
horriblement auec luy, promettent d'eftre ennemies
de Dieu & de toute pieté, reçoyuent fa marque : &
font tout cela afin qu'il leur aprenne de nuire aux
biens de la terre, au beftail & aux perfonnes, à quoy
ils raportent & dreffent prefque toutes leurs forcelleries. Elles ne font point venir les diables par contrainte comme font les magiciens, ains les reçoyuent
volontairement & comme amis : elles ne les atirent
point par ceremonies magiques, ains par vilenie
eftrange, renoncement de Dieu & donation de leurs
corps & ames : elles ne tirent point de refponce d'eux

par force, mais les interroguent familierement &
ayant par trop eftroite acointance auec eux. Ce n'eft
point pour des illufions ni pour faire reuenir les
morts qu'elles les apellent, mais elles les pouffent fans
ceffe à faire mal en vertu de leur alliance. Peut on
donc apeler fage celui qui eftime les arts des forcieres
moins nuifibles que les arts magiques?

FVR. Mais les Sorcieres n'ont aucune fcience, ni
ne font iamais forties de la maifon pour l'aprendre,
elles n'ont point de liures, & pour la plufpart ne
fauent lire : auffi ne font elles point leurs forcelleries
auec certaines paroles ni auec formulaire de confe-
cration, comme font les magiciens infames. ER.
Voire, comme fi la loy de Dieu commandoit de punir
feulement ceux qui ont aprins ceft art à grand trauail,
& apres auoir tracaffé par beaucoup de pays. Ne te
fouuiens tu point de la punition que Dieu ordonne à
ceux qui auront demandé confeil aux deuins? A-il
falu qu'ils ayent eftudié long temps en quelques
liures ce qu'ils vouloyent demander, auant que me-
riter la mort. Au contraire ie di que les forcieres
font encore plus execrables en ce qu'elles aprenent
de la bouche de Satan mefme ce que les magiciens
aprennent en des liures. Item, de ce qu'elles voyent
toufiours leur precepteur, & qui leur fait tous les
iours quelque leçon. Ioint qu'elles n'obmettent rien
de ce que les enchanteurs font pour paruenir à leur
fcience : qui pis eft elles commettent des mefchancetez
fi horribles, que les magiciens mefmes ne voudroyent
pas les auoir penfees. La Loy de Dieu ne condamne
pas feulement ceux qui vfent de certaines paroles, mais
en general elle punit les malefiques. Or nous apellons
Malefiques, comme il a efté clairement prouué, tous

Afauoir
fi l'ignorance
excufe
les forcieres.

Malefiques qui. ceux qui veulent faire des chofes qui paffent la force de nature, moyennant l'aide & fecours du diable, par le moyen d'vne paction, ou cachee ou taifible, foit qu'ils fuyuent vne maniere de faire certaine ou incertaine. Perfonne ne nie que les forcieres effayent de faire des chofes qui ne peuuent eftre faites naturellement par cela dont elles s'aident. C'eft auffi vne chofe certaine qu'elles fe font acroire, par vne tres-fauffe perfuafion que les chofes non nuifibles reçoiuent vne nouuelle vertu, par quelque blasphematoire ou inepte barbottement de paroles, ou par l'inuocation des diables. Elles mefmes confeffent que leur alliance auec le diable eft manifefte, & beaucoup plus deteftable que celle des magiciens. Comment donc doyuent elles eftre rayees du catalogue des malefiques, encores qu'elles n'ayent rien aprins de leur art par liures?

Du pouuoir des magiciens & forcieres. FVR. Nous voyons que les magiciens font des chofes que ne peuuent les forcieres. Car au feptieme chapitre d'Exode, les magiciens de Pharaon font des ferpens, des grenouilles & du fang. La Pythoniffe fait reuenir Samuel. 1. Sam. 28. Il y en auoit d'autres qui enchantoyent les ferpens. Pfal. 58. Ie ne m'arrefte point pour le prefent à ce que lon a veu de noftre temps. ER. Tu ne prouues rien par cela. Car c'eft vn point cler de foy mefme, & verifié ci deuant, que les magiciens ne font rien de tout cela en vertu de leur art, mais que ce font autant de iouëts de Satan, qui par fes illufions fe ioue ainfi de fes efclaues. Or puis qu'à l'endroit des forcieres, auffi bien que des magiciens, Satan fait ce qui auient à la verité ou par illufion : il faut que la confideration foit pareille d'vne part comme de l'autre. Ie di mefme que la

puiſſance de Satan a dautant plus d'eficace des ſorcieres, qu'elles luy obeiſſent promptement, & ſont
plus à ſon commandement. Se trouuera-il homme
ſi hardi d'oſer dire que les ſorcieres facent choſes
moindres ou moins que les magiciens? S'il faut croire
les hiſtoires, les magiciens n'auront pas l'auantage.
FVR. Ce qu'elles exhibent n'eſt pas nuiſible : partant elles ne nuiſent point.

ER. Ie nie la conſequence. Et quoy? les paroles
ont-elles plus d'efficace que les choſes? Ie ne le penſe
pas. Car les paroles ne ſont que marques & images
de nos penſees, & n'ont d'elles meſmes autre vertu
que ce qu'elles ſignifient du conſentement & ſelon
l'intention des perſonnes. Or les magiciens par le
moyen de certains mots non entendus & barbares
font reuenir les morts, font apparoir choſes eſtranges,
endorment les ſerpens, arreſtent tout court les animaux, aſſemblent les rats, & font telles autres impoſtures. Pourquoy les ſorcieres ne pourront elles
faire le meſme en ſe propoſant telle ou telle choſe?

FVR. Ce ſont illuſions & tromperies de Satan,
tout ce que font les magiciens. ER. Ie le confeſſe. Et
ie di auſſi que ce que font les ſorcieres eſt illuſoire &
plain d'impoſture. Les magiciens s'aident de paroles,
charaſteres, figures, &c. Les ſorcieres s'aident de
meſmes choſes, & d'autres qui ne ſont pas mauuaiſes
de leur nature. Les vns & les autres croyent qu'il y
ait quelque vertu es inſtrumens, combien que cela
ſoit faux. Les vns & les autres font ſeulement ce que
Satan fait par la permiſſion de Dieu. Les vns & les
autres s'aident de quelques paroles ou autres choſes,
dont Satan leur a commandé d'vſer afin que par tels
ſignes chacuu ſe ſouuienne de l'alliance iuree. Satan

*Quelle contenance
il y a entre
les magiciens
& les ſorcieres.*

besoigne meschamment de part & d'autre, quand Dieu lui lasche la bride : mais en cachette, il fait acroire à ses seruiteurs qu'eux ont fait ce dont il est l'ouurier. De là vient que les magiciens estiment auoir la puissance de contraindre les esprits malins : les sorcieres cuident les attirer par douceur. Cependant, cela demeure vray que les sorcieres font plus de mal que les autres enchanteurs, si tu consideres leur volonté & effort. Car elles ne pensent ni ne machinent & executent que nuisance. Quant aux magiciens, le plus souuent, ils ne demandent sinon d'estre estimez & louez du monde comme s'ils estoyent quelques habiles gens. FVR. Au contraire, les magiciens semblent estre plus pernicieux que les sorcieres, en ce que par leurs illusions ils destournent aisément plusieurs personnes de la vraye pieté : ce que les sorcieres ne font pas. ER. Cela n'est pas moins faux que le precedent. Car ie vien de dire, que tout ce que les vns & les autres font, procede de la puissance de Satan, voire que c'est Satan qui le fait. Prouue moy maintenant que le diable fait quelque chose davantage pour l'amour du magicien que de la sorciere auec laquelle il est presque tousiours, deuisant ensemble, elle l'incitant à nouuelles meschancetez, & lui la retenant par tous moyens en son seruice ? A la mienne volonté que les sorcieres ne fissent point pecher d'autres gens, ni reculer plus loin de Dieu, que les autres enchanteurs.

Asauoir si ce que font les sorcieres procede de sueste.

FVR. Si les sorcieres faisoyent d'esprit rassis ce qu'elles font, ton dire auroit quelque poids. Mais elles ont l'imagination corrompue, & sont folles en tout & par tout. Qui fait qu'on les doit punir ne plus ne moins que lon feroit des demoniaques, melancholiques, & autres telles personnes priuees de leur bon sens. Car elles sont possedees du diable : pourtant sont elles par contrainte & insciemment ce qu'elles sont. Dauantage, i'estime que lon ne sauoit que c'estoit de telles gens du temps de Moyse. Et mesmes il semble qu'on n'en auoit point encor oui parler du temps de Iesus Christ : car nous lisons que Iesus Christ & ses Apostres ont ietté les diables hors des corps de plusieurs demoniaques : mais il ne se trouue point qu'ils ayent gueri des ensorcelez. ER. l'auoüe ce que tu dis de l'imagination corrompue : autrement comment renonceroyent elles Dieu pour adherer au diable, si elles auoyent l'imagination pure? Personne n'est meschant de volonté & deliberation resolue, ains ceux qui commettent les plus lourdes fautes errent en leurs discours. Mais ie te nie que les sorcieres ayent le cerueau tellement blessé, & le iugement si foible, qu'elles ne doiuent estre non plus chastiees, que des demoniaques, melancholiques, ou insensez. Car elles sont toutes autres choses de sain entendement : & en leur sorceleries elles sauent bien quel est cest ouurage, asauoir meschant deuant & apres le coup. Elles sauent qu'il ne faut point renoncer & abandonner Dieu : que c'est le diable à qui elles se donnent : que si lon fait leur forfait, la mort s'en ensuit : qu'il ne faut point brasser de mal à autrui, ni inciter le diable à cela : & que si le crime est descouuert, il y va de leur vie. Voila pourquoy elles couurent soigneusement leurs mechancetez, & les nient si effrontément, que mesmes la torture ne peut tirer aucun mot de verité de leur bouche, tandis qu'elles ont quelque force pour endurer la question. Ioint qu'elles ne s'entremettent pas de nuire à tous ceux qu'elles rencontrent, ains feulement à ceux qui leur ont dit ou fait outrage, ou qui leur ont refufé quelque chofe. Elles n'ont donc pas moins d'efprit que les enchanteurs & autres tels mefchans, qui fouffrent que Satan les induife & perfuade de faire ce que Dieu a defendu. Iceux ont l'imagination corrompue iufques là, qu'ils n'obeiffent pas au iugement de la raifon. Les eftime-tu pourtant excufables? Ie ne le penfe pas. Ceft argument donc ne fert de rien pour la iuftification des forcieres : car fi elles eftoyent folles & raffottees, on ne leur verroit pas cacher leurs mesfaits, ains en les interrogant elles s'en vanteroyent. Pourtant font-elles infenfees en vn point principalement, comme auffi tous les magiciens, qu'elles eftiment faire ce que fait le diable refueillé par leur follicitation.

Si les forcieres font demoniaques.

FVR. Entre les demoniaques il s'en trouue qui ont bon iugement & des iours francs. Quand telles gens prononcent des blafphemes & propos eftranges contre Dieu, qui dira pourtant qu'on les doyue mettre à mort? Car ils font tellement aueuglez, que ce qu'ils ont dit leur eft du tout inconu. ER. Ie te nie que les forcieres foyent toufiours ainfi poffedees du diable. Au contraire il n'eft prefque point auenu qu'on ait veu forciere demoniaque : & femble que le iufte iugement de Dieu empefche que Satan ne les poffede comme demoniaques : afin qu'elles n'efchapent la punition à laquelle Dieu les a condamnees. Les demoniaques ne font pas toufiours mauuais, & quand par interualles ils reuiennent en quelque conualefcence, on les void crier merci à Dieu, & affermer conftumment qu'ils n'ont iamais confenti au paffé, & que maugré eux le diable a abufé de leur langue. Il

y a bien à dire en cela au fait des forcieres. FVR. Si
eſt-ce que le diable les tient de ſi pres, & les a tellement eſtourdies, qu'elles ne peuuent deplorer leur
miſere, ni deteſter leurs pechez, ni deſirer ſalut. ER.
Ie voudrois que tu prouuaſſes cela : car ie ne croy
pas ainſi de leger. Si elles eſtoyent quelquefois agitees
du diable, comme ſont les demoniaques, il y auroit
quelque ſoupçon. Mais puisqu'elles ſont touſiours en
vn meſme eſtat, on ne les peut appeler demoniaques.
Quel argument deſires-tu plus ferme & veritable que
ceſtuy-ci, aſauoir que par certains interuales nous
voyons les vrais demoniaques eſtre miſerablement
afligez & cruellement deſchirez, ſans ſe vanter de
ſauoir faire merueilles, ny s'efforcer d'en faire acte
quelconque, au contraire les ſorcieres ſe glorifient de
choſes grandes, entreprennent beaucoup, & ſe portent
bien cependant. Elles ſont en auſſi bonne ſanté apres
auoir traité alliance auec le diable, qu'auparauant.

Si tu penſes qu'on ne ſauoit que c'eſtoit de ſorcieres
du temps de Moyſe : à ton commandement. Il ne
s'enſuit pas qu'elles n'ayent eſté, encor que l'Eſcriture ſainſte n'en face pas mention. Sufit qu'elles ſont
comprinſes au roolle des Malefiques contenu au dixhuitieme chapitre du Deuteronome. Combien y a il
de crimes dont l'Eſcriture ſainſte ne fait point de
mention ſpeciale, leſquels neantmoins ſont condamnez de chaſcun ? Ieſus Chriſt & les Apoſtres n'ont
point gueri de ſorcieres, pource que telles miſerables
ne peuuent faire ce qu'elles s'attribuent, & penſent
ſeulement pouuoir executer. Or il apert par les teſmoignages de tous les Poëtes & hiſtoriens, & par les
loix des douze tables, que des lors il auoit des ſorcieres.

Aſauoir
s'il y a eu
des ſorcieres
du
temps de Moyſe
& de Ieſus Chriſt

Iᴇ penfe auoir monftré fufifamment, que les forcieres doyuent eftre punies, non pas tant pour les
chofes qu'elles font, ou qu'elles veulent faire : que
pour leur apoftafie & reuolte de l'obeiffance de Dieu.
Item pour l'alliance contractee auec le diable. FVR.
Cela n'eft pas criminel deuant le fiege iudicial des
hommes : car qui eft celuy de nous qui ne fe deftourne fouuent de Dieu? ER. Celuy fe deftourne de
Dieu qui tranfgreffe les commandemens d'iceluy :
mais il y a bien grande difference entre ceux qui
faillent par imprudence, ou qui mefmes commettent vne faute tout à leur efcient, & ceux qui de
leur bon gré, fans aprehenfion d'aucun danger,
n'eftans en erreur ni en maladie, renoncent & fou-
lent aux pieds le vray Dieu & la religion Chreftienne,
c'eft à dire qui deuiennent apoftats de malice deliberee, & puis apres font la guerre à Dieu & à toute
la religion. S. Pierre a griefuement peché, mais il eft
tombé par infirmité. Dauid a grandement offenfé
Dieu, en plufieurs fortes, & eft demeuré enueloppé
en fes forfaits l'efpace de quelques mois : mais pour
cela il n' a pas renoncé Dieu ni le feruice d'iceluy. Si
par le fiege iudicial des hommes tu entens celuy de
Moyfe ie te nie cela. Si tu prens par ce mo: la iuftice
de maintenant, ou lon n'oit ni ne voit que chiqua-
neries, par le moyen dequoy les vns veulent vaincre
les autres, foit à droit, foit à tort, cela ne nous attouche point : car nous ne difputons point du deuoir
des hommes, mais de la volonté de Dieu. FVR. Tu
veux donc remettre fus la republique de Moyfe. ER.
Nullement : car cefte police a beaucoup de chofes
qui ne conuiennent à noftre temps, ni es lieux où
nous habitons. Cependant, ie maintien que les cri-

mes, concernans les mœurs, declairez dignes de mort par Moyſe, peuuent eſtre reprimez par ſupplice de mort. Item, que le magiſtrat doit chaſtier les crimes, que Dieu commande que lon reprime, Matth. 5. Ie ne nie pas qu'il ne fale adoucir les chaſtimens, ſi quelque faute peut eſtre abolie par vne douce reprimende.

FVR. Mais l'alliance des forcieres auec le diable eſt nulle & vaine : car tout ceſt afaire eſt imaginaire, & fait en eſprit ſeulement : à raiſon dequoy on n'en ſauroit iamais rien conoiſtre par depoſition de teſmoins. Dauantage, ceux qui n'ont aucune communion ne peuuent contracter enſemble. Item, ceux qui ſont de contraire auis ne contractent point. Finalement il n'y a point de conſentement là où fraude, violence, cruauté, erreur & ignorance entreuiennent. ER. Il ne faut vſer de long propos ſur cela: car les inuentions des hommes n'ont aucune autorité quand il eſt queſtion de la parole de Dieu, ains il faut mettre en auant des teſmoignages de l'Ecriture. Car Dieu iuge ſelon ſa parole, non pas ſelon la fantaiſie de l'homme. Ie nie que l'alliance ſoit imaginaire. Car il eſt impoſſible qu'vn homme qui a l'vſage de ſes ſens croye les choſes imaginees eſtre vrayes, ſi les ſens ne s'y accordent. Imagine que quelcun te donne mil eſcus : tu ne le croiras pas, ſi tes yeux ne le voyent, ſi tes mains ne le touchent, & ſi tes autres ſens te diſent que cela eſt faux. Et pourtant nous apellons les ſonges imaginations, pource que les ſens ſont liez : ou ce que voyent les malades à cauſe de leur accident. Les forcieres contractent en veillant, en voyant & oyant le diable. Ce n'eſt donc point ſeulement vne choſe imaginaire, comme de ce qu'en dormant elles eſtiment banquet-

De l'alliance des forcieres auec le diable.

ter, danfer, enforceller quelques vns, & voir ceux
qu'elles ne voyent pas. Cela eſt imaginaire, non pas
ce qu'elles font en veillant & de fain entendement.
Car quelquesfois elles s'aſſemblent de iour, danſent,
iouënt avec leurs maiſtres, & banquetteut des viandes
qu'elles ont aportees. On ſait que ces choſes ont eſté
faites quelquesfois à la verité : & ceux qui de leurs
yeux ont veu ces ombres de malins eſprits auoyent les
ſens entiers. Lon peut donc ſouuentesfois auoir des
teſmoins de la verité de ce fait.

Mais qu'eſt il beſoin de teſmoins, quand celuy qui
eſt coulpable confeſſe ſon crime, lequel il monſtre
eſtre veritable par pluſieurs choſes auenues auparauant. Il n'eſt pas beſoin de diſputer de la diuerſité &
communion des naturels. Chaſcun ſait que l'alliance
entre Dieu & les hommes eſt vallable, encores qu'il
n'y ait telle communion entre eux que les Iuriſconſultes la deſirent. Aussi ceux qui contraĉtent ne ſont pas
touſiours d'vn auis. Car on parle ainſi, Si tu fais ceci,
ie feray cela. Le meſme ſe fait en l'alliance dont nous
parlons : Si tu renonces Dieu, ie te donneray de l'or
& de l'argent dit le diable, & t'aprendray merueilles,
&c. FVR. Mais le diable eſt trompeur & menteur.
ER. Pourtant l'Apoſtre nous commande de nous
equipper d'armes ſpirituelles, afin de pouuoir reſiſter
à ſa puiſſance & à ſes fineſſes. C'eſt la meſme raiſon
pourquoy le Seigneur nous a commandé de prier non
ſeulement à toutes heures, mais auſſi à tous momens,
Ne nous indui point en tentation. Pourtant l'excuſe
de la tromperie n'eſt pas valable. Meſmes ſi quelqu'vn
taſche par miracles nous deſtourner de la verité il ne
le faut pas croire Deuteron. 13. Ie te prie, excuſerois
tu ta femme & tes filles, quoy qu'autrement elles

fuſſent honneſtes & chaſtes, ſi elles commettoyent
paillardiſe & adultere, ayans eſté ſeduites & trompees
par quelques vns? A peine ſerois tu ſi patient & debonnaire, ce penſe-ie. Pourquoy donc veux tu que
le Magiſtrat pardonne à celles que le diable a ſeduites, veu meſmes qu'elles ſauent qu'il ne peut leur
bailler choſe qui ſoit belle ou bonne? Ie diray dauantage, que Dieu n'a pas meſme eſpargné les pauures
payens, ains à cauſe de tels crimes les a exterminez,
encores qu'ils ne penſaſſent pas faire mal, comme les
ſorcieres le ſauent auiourd'hui. Penſes tu donc qu'il
les vueille traiter plus doucement qu'il n'a fait ceux
là? C'eſt vne impieté (dit Athalaric Roy des Gots) eſtre
doux enuers ceux que la loy de Dieu condamne. Penſes
tu que Dieu ait ignoré les fraudes & efforts du diable?
S'il l'a ſceu, & neantmoins il a commandé que les
tranſgreſſeurs de ſon commandement fuſſent punis,
en vain voulons nous courir & excuſer la tromperie.
La force, la crainte, l'erreur n'ont pas plus de poids
en ces malfaicteurs qu'es autres criminels, & toutefois vn homme ſage ne voudroit pas qu'ils demeuraſ-
ſent impunis. Dieu excuſe-il celui qui ſe ſera laiſſé
ſeduire par vn faux Prophete quoy qu'il euſt fait
miracle? Deuter. 13. A quel propos donc veux tu
excuſer les ſorcieres par l'autorité des Iuriſconſultes?
On ne peut pretendre cauſe d'ignorance, veu qu'elles
font cela de leur mouuement. Dieu meſme veut qu'on
face mourir celle auec laquelle l'homme ſe ſera
ſouillé. Comment diras tu que l'ignorance ne veut
pas qu'on puniſſe les pechez?

FVR. Si eſt ce qu'il faut eſpargner le ſexe plus fra-
gile. ER. Dieu n'a pas commandé cela : au contraire,
il a fait expreſſe mention des femmes au vingt

*S'il faut
pardonner
au ſexe.*

deuxieme chapitre de l'exode, pour nous aprendre
qu'en ceſt afaire il ne veut point auoir eſgard au ſexe.
Car combien que i'eſtime que les femmes ont eſté
nommees en la loy pluſtoſt que les hommes, pource
qu'elles ſont plus ſuiettes à gliſſer en ce precipice,
toutesfois l'autre point eſt veritable. Ce meſme paſſage conferme l'autre que nous auons expoſé ci-deſſus,
que Moyſe n'apelle pas ſeulement Malefiques ceux
qui ont aprins l'art auec grand peine & longs voyages. Car quand il fait expreſſe mention des femmes,
c'eſt pour monſtrer qu'il parle auſſi des autres.

Les ſorcieres
ſont
idolatres.

Ovtre ceſt argument il n'en faut pas oublier vn
autre, qui monſtre que le crime des ſorcieres eſt capital, aſauoir que ce ſont les plus meſchantes idolatres
qu'on ſauroit trouuer. Car elles n'adorent pas ſeulement des idoles, mais ſe proſternent deuant les diables meſmes leur ſeruent, les prient, & font les autres
ceremonies ſuſmentionnees. Les Idolatres Iuifs que
Dieu condamne à mort Exod. 22. Deuter. 13. & 17.
& que nous liſons auoir eſté tuez, 3. Mach. dernier
chap. n'adoroyent pas tellement les idoles qu'ils niaſ-
ſent que le vray Dieu leur fiſt du bien : mais ils
eſtimoyent eſtre aidez de Dieu & de leurs idoles. Or
les ſorcieres promettent d'eſtre à l'auenir ennemies
de Dieu. Le Seigneur Dieu commande qu'en ce fait
on n'eſpargne ni pere ni mere, ni femme ni enfans.
Ie conclu donc que le magiſtrat ne doit pardonner
aux ſorcieres. FVR. Qui eſt l'idolatre, qui ſachant
qu'il y a vn vray Dieu, bon & miſericordieux, l'ait
voulu quitter, pour recourir à vn faux Dieu, pernicieux & cruel? ER. Vne perſonne qui aime ſon ſalut
ne penſera iamais à cela. Et toutesfois l'Eſcriture
ſainɛ̃te teſmoigne que pluſieurs Iuifs ont fait cela. Et

quand perfonne ne l'auroit fait, de tant plus grande punition feroyent coulpables les forcieres, pour auoir ofé entreprendre vn fi horrible forfait.

Oɴ pourroit auffi les executer à mort comme homicides. Car encores qu'elles prefentent des chofes non nuifibles, elles ne les monftrent finon afin qu'on ne les puiffe defcouurir & accufer. Elles croyent cependant que ces chofes ont receu telle vertu de Satan que elles font propres à faire ce à quoy elles les apliquent. Dauantage, elles tafchent fouuent d'en atirer d'autres à leur fecte, & eft auenu maintesfois qu'elles ont marié leurs filles au diable. Or Dieu a fait vne loy expreffe par laquelle il condamne telles gens à mort. Qui plus eft, cefte vilenie & fouilleure horrible auec les efprits immondes, merite la mort. Car la loy de Dieu commande que celuy qui fe meflera auec vne befte foit bruflé. Doit on pas, à plus forte raifon, brufler celles qui ont eu la compagnie de Satan. Ie ne dis rien de ce que ce vilain efprit aproche d'elles fouuent en forme de chien ou de bouc, foit qu'il en ait prins feulement l'aparence, ou qu'il foit entré es corps de ces beftes. Puis donc qu'elles ne pechent point par refuerie, ni par melancholie ou fureur, ni eftans demoniaques, ains de leur mouuement & pleine volonté renoncent & deteftent le vray Dieu & tout fon feruice, & fe donnent au diable, ennemi du genre humain, & s'obligent de faire mal aux perfonnes, & commettre des infametez horribles : il me femble que ceux qui les fuportent fauorifent à des monftres ennemis de Dieu & de nature.

FVR. Toutes les forcieres ne commettent pas telles mefchancetez : & y en a plufieurs feduites par l'impofture des autres : on en acufe plufieurs d'auoir

Les forcieres homicides.

Seduifent les autres.

Ont la compagnie des efprits immondes

Il faut eftre bien auifé en la punition des forcieres.

fait des chofes qui ont efté perpetrees par le diable,
lequel veut par ce moyen dreffer vne boucherie de
chair humaine, qui eft vn de fes principaux efbats.
ER. Ie ne doute pas qu'on ne face tort à plufieurs
femmes, & pourtant il'y faut proceder fagement. Lon
ne doit pas croire legerement les delateurs, veu que
les forcieres voyent plufieurs chofes, en dormant,
dont puis apres elles font des contes, comme fi le
tout eftoit trefueritable. Auffi ne faut-il croire aucunement qu'elles ayent fait ce qu'elles fe vantent
auoir peu faire, ni les chaftier principalement pour
cela. Il faut voir comment elles ont efté induites de
fe ranger là, combien de temps elles en ont efté, de
quel courage, & ce qu'elles ont fait. Celles qui n'ont
commis vilenie énorme, & donnent bons tefmoignages de repentance doyuent eftre traitees plus doucement & auec plus grande moderation. Brief on doit
procurer que le royaume de Satan foit deftruit, &
que la volonté de Dieu s'acompliffe. FVR. Si les
magiftrats tenoyent cefte mefure, on n'euft pas tant
difputé de ces matieres, & ie ne t'en euffe pas tant
importuné. I'ay dit librement & vn peu au long ce
que il m'en fembloit, afin de monftrer & prouuer que
les magiciens, & tous autres qui ont alliance auec
les diables meritent d'eftre deftournez de cefte impieté par fuplice de mort.

FIN DV PREMIER DIALOGVE

SECOND DIALOGVE

DE THOMAS ERASTVS

CONTENANT VNE PLVS AMPLE REPETITION DE LA
DISPVTE TOVCHANT LE POVVOIR DES
SORCIERES ; ET DE LA PVNITION QV'ELLES MERITENT

---

*Au deuant d'iceluy eſt adiouſtee vne briefue reſponſe aux
argumens du premier : afin que les repliques d'Eraſtus
en ce ſecond ſoyent tant mieux comprinſſes.*

AVX TRESHONOREZ SEIGNEVRS

Henri Pierre, Lvc Gobhard, Balthasard Han,

Conseillers de la ville de Basle, &c.

THOMAS ERASTVS, salvt.

L y a ia sept ans passez, Magnifiques Seigneurs, qu'vn personnage docte & de grande pieté, me demanda quelle punition meritoyent les sorcieres. Il auint tost apres que quelques autres m'inciterent d'escrire contre les absurdes, profanes, & pernicieux enseignemens de Paracelse : ce que faisant, il me faloit discourir en la premiere partie de mes disputes de la science & du pouuoir des sorcieres. Pource aussi que certains Theologiens fort doctes m'exhorterent que i'y adioustasse ce que i'auois autresfois escrit de la punition des sorcieres, dequoy ils auoyent eu communication, & le trouuoyent bon, ie me laissay gouuerner par leur auis. Et fis cela dautant plus volontiers, que i'estimois auoir prouué la question par tels argumens, que personne n'oseroit repliquer au contraire. Car tout est puisé de l'Escriture saincte, & n'y a rien du mien. Mais ie me suis mespris : car il s'est trouué vn homme docte, qui touché de compassion enuers ces miserables femmes, a entreprins

de defendre lour caufe, & maintenir qu'elles font
innocentes : ce que i'eftime qu'il a fait pluftoft
d'affection bonne que droite. Or ne s'eft-il pas employé à cela fans m'en aduertir, ains m'efcriuit fon
intention il y a quelques annees. Ie luy fis refponfe,
que cela ne me fafcheroit point, au contraire que i'y
prendrois plaifir. Mefmes ie le priay bien fort de nous
refpondre & refuter hardiment, s'il nous voyoit en
erreur. Car il n'eft point ici queftion de ieux de petis
enfans, mais du falut de ceux pour qui Iefus Chrift
a voulu fouffrir la mort cruelle : & pourtant ie ferois
mefchant, voire me deuroit-on eftimer enragé, fi ie
preferois vne fauffe & cruelle opinion à vn auis veritable & humain. Certainement, i'aimerois mieux
mourir de la plus cruelle mort qu'on fauroit imaginer, que de m'abufer fciemment & volontairement
en chofe de fi grande importance : veu principalement
que l'erreur en tel cas n'eft pas vne fimple cheute,
mais perilleufe, & tirant quelques autres en ruine
apres foy. Pourtant ie priay inftamment ce perfonnage, que pour le falut commun de tous il me com-
muniquaft priuément les argumens qu'il voudroit
oppofer à mon opinion, ou qu'il les mift en lumiere
aux yeux de chafcun. Et s'il m'enfeignoit mieux, ie
l'en remercierois deuant tous. Cela eft demeuré en
fufpens quelques annees, & comme ie ne m'y atten-
dois plus, finalement, enuiron le commencement de
cefte annee mil cinq cens feptante huit, fa refutation
entreprinfe de fi long temps a efté imprimee & publiee. Apres l'auoir leuë attentiuement, & voyant
que ce n'eftoit pas ce que ie penfois, ie fus merueilleufement eftonné. Car ie ne trouuay rien la qui fuft
d'importance, à quoy ie n'euffe folidement refpondu

par mon premier dialogue. Parquoy ie commençay
à difcourir ainfi en moy-mefme : fi vn perfonnage fi
docte, & qui a tant efpluché cefte queftion depuis
quelques annees, n'a peu rien inuenter pour refuter
tes argumens & confermer les fiens : il apert affez
que la caufe que tu maintiens eft trefbonne. Et
afin que les autres puiffent voir ce que ie di, i'ay
voulu repeter toute cefte difpute, & refpondre plus
amplement & cathegoriquement à toutes fes obiections : afin que ci apres perfonne ne difpute à la
volee de cefte queftion, ou condamne noftre auis
comme s'il eftoit contraire à la parole de Dieu. Si
quelqu'vn propofe plus fermes raifons tirees d'icelle
(car autresfois i'ay dit, & ledis encore, que ie ne veux
difputer que par l'Efcriture fainéte touchant ce point :
& ne me foucie de fauoir ce que le droit ciuil en ordonne) il m'obligera pour iamais à foy, fera chofe
agreable à Dieu, trefutile & neceffaire à la republique.

Or, magnifiques Seigneurs, ie vous ay voulu de-
dier ce liuret, pour plufieurs raifons. En premier
lieu, on ne fauroit offrir mieux l'explication de telles
difputes, qu'aux iuges & gouuerneurs des eftats
publics. Car qui doute que la conoiffance de ces
matieres appartient principalement aux Magiftrats.
Secondement, puis que voftre fageffe & experience a
fait que le Senat de voftre noble ville vous a eftimez
dignes & propres de vous faire furintendans de l'vni-
uersité, il faut eftimer que vous ferez iuges equitables
de tels differens. Pour le dernier, me fouuenant des
biens que i'ay receus de vous il y a plus de trente
ans, i'ay penfé vous eftre redeuable pour le moins de
quelque grand merci, &c. De Heidelberg, ce premier iour d'Auril, l'an M.D.LXXVIII.

ADVERTISSEMENT AV LECTEVR

POVRCE que M. *Thomas Eraſtus* dit en ſa preface ſur ce deuxieme dialogue, qu'vn certain docte perſonnage, auec qui il auoit communiqué par lettres du fait des ſorcieres, a reſpondu aux argumens du premier dialogue : & que ceſte reſponce ou refutation luy a fait repeter toute la diſpute, & ou ce dernier dialogue repliquer à ſon aduerſaire : l'ay penſé, auant que venir à ceſte replique, qu'il ne ſeroit pas mauuais d'adiouſter ici la reſponce de ce perſonnage, qu'Eraſtus, homme paiſible & modeſte, n'a voulu nommer. Ie l'ay donc extraite du liure des ſorcieres, compoſé par ce perſonnage, lequel auſſi ie ne nommeray point, & l'ay miſe ici comme en ſon endroit propre, afin que conſiderant ce qui eſt dit de part & d'autre, la verité ſoit tant mieux conuë, & qu'en vous deſtournant de menſonge & de l'auteur d'icelui, vous puiſſiez iuger de ce qui vous eſt ici propoſé auec vn eſprit raſſis. Au demeurant ie n'ay point voulu traduire ce liure des ſorcieres, dautant qu'il eſt tiré mot à mot des ſix liures de M. Iean Vvier. C'euſt donc eſté vous faire acheter vn liure deux fois, & vous charger de double lecture. Partant ie me ſuis contenté de ioindre entre les deux dialogues la reſponce aux argumens du premier, qui eſt telle que s'enſuit.

RESPONCE AVX ARGVMENS

DV PREMIER DIALOGVE DE THOMAS ERASTVS

CONTRE LES SORCIERES

---

*Six argumens
par lefquels
Eraftus
a prouué qu'il faut
brufler
les forcieres.*

 L y a des hommes doctes qui ne font pas de l'auis de Iean Vvier touchant la punition des forcieres, lequel il a amplement propofé en fon fixieme liure. Car ils eftiment qu'il faut brufler les forcieres, & pour preuue de leur opinion mettent en auant fix argumens.

1. Que les Sorcieres font comprinfes fous la Loy de Dieu exprimee au 22. chapitre d'Exode, où il dit en termes expres, Tu ne lairras point viure la forciere.

2. Que les forcieres renoncent Dieu, font alliance auec le diable, & l'adorent.

3. Que les forcieres font homicides.

4. Qu'elles ont la compagnie des efprits immondes, & banquetent auec eux.

5. Qu'elles attirent d'autres perfonnes à leur fecte damnable.

6. Qu'elles font profeffion d'arts monftrueufes & du tout illicites.

Response au premier argument.

Il a esté amplement monstré es liures de I. Vvier tant par l'etymologie de la langue Hebraique, que par le tesmoignage des septante Interpretes, des Rabins, & de Iosephe, que la loy de Dieu contenue au vingt deuxieme chapitre d'Exode, verset dix huitieme, doit estre entendue des empoisonneurs. On obiecte à cela, que les empoisonnemens sont comprins sous la loy de Talion & d'homicide. Que cestuy-là n'est pas seulement homicide qui r tué vn autre à coups de pierre, de baston, de poing, d'espee, de hache, ains aussi qui a estouffé auec vn oreiller, auec vn cordeau, ou auec les mains, ou qui a precipité ou empoisonné : partant n'estoit pas besoin de faire vne loy à part touchant les empoisonneurs, & redire vne mesme chose en diuers endroits.

Celvy qui aura vn peu feuilleté les liures de Moyse, fait que cest argument est du tout friuole. Car combien de fois les loix de Talion sont elles repetees au liure du Leuit. chap. 24. Au 19. chap. du Deuter. sont mises diuerses sortes d'homicides, & la punition qui en doit estre faite : toutesfois derechef au 27. chap. malediction est prononcee contre celuy qui frapera son prochain en cachette. Aussi est-il dit au 22. chap. d'Exode, Tu ne contristeras ni affligeras l'estranger : car vous auez esté estrangers en la terre d'Egypte. Ceste mesme defense est reiteree au chapitre suyuant. Semblablement au 19. du Leuitique il est dit, Vous ne rongnerez point vos cheueux, ni ne raserez point vos barbes : ce qui est repeté au 21. Il est aussi de-

fendu au 27. chapitre du Deuteronome, à vn homme
d'efpoufer fa belle mere, ce qui auoit efté declaré au
22. chap. precedent. Et n'y a rien plus ordinaire à
Moyfe, que de repeter par fois plufieurs chofes. Nous
en auons vn ample tefmoignage fur le point dont
eft maintenant queftion : car les arts & fciences magiques font condamnees par trois fois au liure du
Leuitique : & neantmoins il femble qu'vne fois
pouuoit fuffire. Car au 19. chapitre il eft dit, Ne
vous addreffez point aux magiciens, & ne vous en-
querez point des deuins. Et au chap. 20. la perfonne
qui fe fera adreffee aux magiciens & deuins, & qui
aura eu acointance auec eux : ie mettray ma face
contre icelle, & l'extermineray du milieu de fon peuple. Puis fur la fin de ce mefme chapitre, L'homme
ou la femme, efquels fera l'efprit de deuination
mourront de mort. Ie ne veux pas me tourmenter
beaucoup pour fcauoir qui a efmeu Moyfe de faire
ces repetitions : ce m'eft affez de croire qu'il a pleu
ainfi au Sainct Efprit. Pourtant combien que Moyfe
ait parlé de la loy de Talion & d'homicide au 21. chap.
d'Exode, cela n'empefche point que par vne loy fpeciale il condamnaft ce moyen de nuire & de tuer par
poifon : veu mefme que cefte forte de meurtre differe
en plufieurs circonftances & confiderations d'auec les
autres fortes d'homicides. Car cefte mefchanceté eft
commife fecrettement, tellement que le plus fort
homme du monde ne fe fauroit donner garde des
embufches d'vne femme ou d'vn valet : fous pretexte
de breuuage falutaire : fouuentesfois contre ceux
qu'on eftoit tenu d'aimer particulierement : & par
les inferieurs contre les fuperieurs. Puis donc qu'vne
telle mefchanceté eft beaucoup plus indigne &

cruelle qu'vn fimple homicidé, pourquoy vn article
à part fera-il fuperflu? Auffi tout empoifonneur &
malefique pourra eftre tel fans eftre homicide pourtant : attendu qu'il peut nuire au beftail & biens de
la terre fans toucher aux perfonnes.

Qvand ceux qui font d'auis con*raire voyent que
leur argument prins du 22. chap. d'Exode n'eft pas
concluant, ils recourent à vn autre argument : que
les magiciens font dignes de mort, & dautant que les
efforts des forcieres font comprins fous les arts magiques, qu'auffi elles doyuent eftre mifes à mort. Ie
confeffe que c'eft vn crime capital que d'exercer l'a*t
magique, mais ie nie que les forcieres foyent magiciennes : car il y a grande difference entre les magiciens & les forcieres, comme il a efté monftré au
fecond & troifieme liure de Vvier. Dauantage, les
magiciens ont d'eux-mefmes le commencement de
leur fcience prohibee, dont ils cerchent les precepteurs
& les liures, & font pouffez à cela par la curieufe inclination de leur propre naturel : mais les forcieres
non. Car elles ne demandent pas d'eftre inftruites,
elles n'ont ni ne cerchent point de precepteur : mais
le diable s'infinue en celles qu'il foupçonne deuoir
eftre inftrumens propres & difpofez à fes illufions,
afin qu'il puiffe troubler leur fantafie par diuerfes
vifions : comme celles qui radottent, ou qui font
ftupides, melancholiques, chagrignes, defefperees à
caufe de leur pauureté, ou pour auoir perdu quelque
chofe. Or afin que vous apperceuiez encore mieux
cefte difference, ie vous propofe deux exemples
de meurtres : l'vn procedant de propos & deliberation
de mal faire, l'autre, de quelques allechemens prefen-
tez par quelqu'vn. Ie m'affeure que vous iugerez à

*Afauoir
fi les forcieres
font
magiciennes.*

mort le premier homicide : quant au fecond, ie
n'eftime pas que vous difiez qu'il le fale traiter fi
rudement. Pourquoy? Dautant que le premier a vne
caufe interieure, & procede du cœur : mais le fecond
part d'vne induction au dehors. Dieu ne regarde pas
toufiours tant le fait que le cœur & la volonté, Qui
voudra donc maintenir que ces pauures vieilles
doyuent eftre plus griefuement punies que les magiciens?

*Si les forcieres
ont
cfté du temps
de Moyfe.*

DAVANTAGE, puis que du temps de Moyfe on n'a
fceu que c'eftoit des forcieres dont nous parlons
maintenant : ie ne voy comment on les puiffe comprendre en la loy faite contre les magiciens. Ains
pluftoft, veu que Satan ne fe laffe iamais de cercher
les occafions de mal faire, ayant iadis liuré diuers
combats au miferable monde, il femble auoir referué
cefte impofture, comme vn renfort d'apaft en ce dernier aage du monde radotant. Car il ne lui fuffifoit
pas d'attirer le monde en erreur par fauffe religion,
concupifcences deprauees, & autres tromperies : mais
il a voulu encore par cefte illufion ci charmer les
vieilles refueufes par imagination de merueilles eftranges qu'elles confeffent auoir veuës, fouiller les mains
des magiftrats de l'effufion du fang innocent, & es-
blouir le iugement des plus doctes & fages Theologiens pour ne point apperceuoir & reietter ces impoftures.

*De la punition
des
crimes.*

CE qu'ils adiouftent auffi que les crimes concernans
les mœurs, & declairez dignes de mort, par Moyfe
doyuent auffi eftre eftimez capitaux par les magiftrats d'auiourd'hui : combien que cela ne touche pas
le point de noftre different, toutesfois on ne le me
fauroit aifément perfuader. Car Moyfe condamne le

faux teſmoin à mort : l'eſpouſe qui ne ſera point trouuee vierge à eſtre lapidee : celui qui aura tué vn
larron entrant de iour en ſa maiſon à mourir, &
pluſieurs tels autres exemples de ſeuerité que lon
adoucit maintenant. Il y auoit lors quelque plus
grande rigueur : maintenant quelque peu plus de
douceur. Pourtant lors que les Scribes & Phariſiens
eurent ſurprins vne femme en adultere, & vouloyent
qu'elle fuſt lapidee, ſuyuant la loy de Moyſe, que
leur en dit Ieſus Chriſt noſtre Sauueur? Celuy d'entre vous qui eſt ſans peché iette la premiere pierre
contre elle. Il la defend non ſeulement deuant le
ſiege de Moyſe : mais auſſi luy fait miſericorde, laiſſant exemple de compaſſion. Item, Vous auez oui
dit-il, qu'il a eſté commandé, Œil pour œil, dent
pour dent. Mais moy ie vous di, ne reſiſtez point au
mal. Et pourtant, veu qu'es iugemens criminels nous
ne ſuyuons pas la ſeuerité de Moyſe, comme nous ne
le deuons pas faire auſſi : pourquoy voudriez vous
deſgainer le glaiue en vn fait de conſcience, & qui eſt
Eccleſiaſtique? Voulez vous ramener ſous le ioug
Iſraelitique ceux qui viuent ſous la liberté de l'Euangile? Ie nie donc qu'il ſale indifferemment executer
à mort ces vieilles que vous expoſez à la haine de tous
par vos crieries, bruſlemens, & outrages. Vous re-
cuſez les loix & la iuſtice ciuile, où vous dites qu'il
n'y a que chiquanerie. I'ay monſtré que les loix de
Moyſe ne ſont receuables en ceſte diſpute ci. Le gou-
uernement Eccleſiaſtique ne doit auoir autre glaiue
que le ſpirituel. Gaillon Proconſul d'Achaïe denioit
iuſtice aux Iuifs qui acuſoyent ſainct Paul d'auoir
enſeigné contre la loy de Dieu : & leur reſpond. S'il
auoit delinqué en quelque ſorte, ie vous preſterois

audience : mais puis qu'il eſt queſtion de doctrine &
de votre loy, auiſez-y : car ie n'en veux eſtre iuge. Et
ainſi il les chaſſa hors du parquet. Ie veux donc conclure auec S. Auguſtin. Que l'excommunication fait
auiourd'hui en l'Egliſe, ce que le ſuplice de mort faiſoit en la republique de Moyſe.

Reſponce au ſecond argument.

*Aſauoir
ſi les ſorcieres
font
alliance
auec les diables.*

Le ſecond argument des aduerſaires eſt, que les ſorcieres font alliance auec les diables, & renoncent le
vray Dieu. Combien que cela ait eſté refuté es liures
de Vvier, toutesfois, pour y reſpondre derechef, ie
demande, comment vous ſauez quelles ayent fait
alliance auec le diable? Ie ſay que vous m'acorderez
que vous ny eſtiez pas preſent, & que ne l'auez entendu de teſmoins dignes de fay. C'eſt donc de la propre confeſſion de ces vieilles raſſottees & ſtupides.
Or leur confeſſion eſt volontaire ou contrainte. Si
ceſte confeſſion eſt contrainte, c'eſt vne confeſſion imparfaite & de nul poids, ayant eſté tiree de leur
bouche par les inſuportables tourmens de la torture.
Mais y a-il choſe plus dangereuſe en tels afaires, que
dependre de la confeſſion extorquee par force de la
bouche d'vne femme eſtourdie, ſans aucuns teſmoins
de ſon malefice? Vous ne diriez pas cela, ſi vous leur
auiez veu verſer de l'huile bouillant ſur les iambes,
bruſler les aiſelles auec des chandelles ardentes, &
exercer infinis barbares & cruels tourmens ſur des
femmes qui ſont ſur le bord de la foſſe, comme i'ay
veu qu'il a eſté pratiqué ſur des innocentes, aucunes

desquelle mesmes ont esté deliurees à ma solicitation.
Si elles confessent volontairement, ou ce sont choses
impossibles, comme d'auoir fait tomber la gresle,
volé en l'air, esté transformees en bestes brutes, eu la
compagnie charnelle du diable, & fait autres choses
semblables : Ou bien ce sont choses possibles, qui
toutesfois n'ont pas esté faites : ou bien elles confessent ce qui a esté fait & est vrayement auenu,
comme qu'en tel lieu quelqu'vn est tombé malade,
qu'vn enfant est mort, que les bleds ont esté tempestez.
La premiere confession ne les peut enuoyer au supplice : car elles parlent de choses impossibles : la seconde encores moins, dautant qu'elle n'a point eu d'effect : la tierce est imparfaite, pource que par l'euenement il imprime en la fantasie de ces miserables vieilles
qu'elles ont fait ce que lui a fait, ou qui est aduenu
naturellement. Voilà la pierre à laquelle plusieurs iuges
sanguinaires s'aheurtent, tellement qu'ils ne peuuent
apperceuoir la sophisterie du malin esprit, qui fait vne
chose cause de ce dont elle n'est aucunement cause.
Pour certain ceci monstre assez que leur imagination
est abruuee de vaine opinion, en ce que volontairement
& de leur bon gré elles auouënt auoir fait merueilles &
ceste alliance dont est maintenant question : car si
elles estoyent auisees, elles ne seroyent pas quelquesfois
si promptes à confesser, attendu qu'il y va de leur
vie.

CE que lon obiecte qu'elles desguisent & cachent
leur meschanceté sans vouloir rien confesser, ne se
trouuera pas ainsi : ni qu'elles nient si obstinément
leurs malefices, qu'on ne peut rien tirer de leur bouche à la torture, tandis qu'elles ont quelque force
pour porter le tourment. I'ay souuentefois veu le

Si les sorcieres desguisent leur meschanceté.

contraire, que fans aucune torture elles confeffent de
franche volonté auoir fait ce qu'elles n'ont pas fait,
& que la nature des chofes ne pourroit aucunement
porter : pourtant font-elles impoffibles. Ce qui me
fait eftimer que les aduerfaires parlent de chofes inconuës, ou dont ils ont fort petite experience. Car fi
les fens de ces femmes n'eftoyent enforcellez, certainement elles ne feroyent pas ces confeffions : au
contraire elles fupprimeroyent telles mefchancetez,
& ne s'en glorifieroyent pas. Et quant à ce qu'elles
fouftiennent quelquesfois des tortures fi violentes,
cela vient de ce qu'on leur veut faire confeffer des
chofes qui ne font iamais venues en leur penfee.

*De
l'alliance
des forcieres
auec le diable.*

Mais auant que conclure ce point-ci, ie veux battre l'aduerfaire de fes propres armes, & luy faire
confeffer que cefte alliance eft imaginaire & illufoire.
Les forcieres confeffent qu'elles volent par l'air, font
transformees en beftes brutes, font tomber la foudre,
frapent de maladies par imprecations : & femblent
affermer cela d'vn fens fi raffis, qu'à peine en vou-
droit-on douter. Toutesfois il appert, & vous confefferez franchement auec moy, que tout cela eft vain,
& rempli d'illufionsdiaboliques. Si cela eft faux, pourquoy le refte qu'elles confeffent deura-il eftre vray,
afauoir qu'elles ont renoncé Dieu, fait alliance auec le
diable, des meurtres & autres crimes & impoftures?
Car fi elles confeffent ces derniers actes de fens raffis,
pourquoy leurs fens feront ils troublez quand ilsmain-
tiennent la confeffion des premiers cas eftre veritable?
Ou bien fi l'imagination corrompue s'eft abufee en
la confeffion des premiers d'où vient que elle ne
s'eft point abufee en confeffion des derniers? Car
elles difent & auouënt tout cela en vne mefme heure,

feparément, auec mefme vifage & contenance. Ie fay bien ce qui trompe le philofophe en ceſt endroit. Il void bien que ces premieres chofes font impoſſi- bles, pourtant accorde-il auec moy que tout eſt faux & vain : mais dautant qu'il y en a d'autres qui font faifables, & que les forcieres confeſſent auoir faites, il eſtime qu'elles difent vray. Or il ne confidere pas la nouuelle fallace de Satan, qui d'vne chofe poſſible en veut conclure vne impoſſible. Mais il n'eſt pas befoin que i'ufe de plus longue refutation, car vous fauez que l'argument de pouuoir a eſtre (à *poſſe ad eſſe*) n'eſt pas valable : & qu'il faut en toutes defenfes que les chofes fuyuantes foyent iointes aux prece- dentes. Confiderons vn autre argument. Quand on meine les forcieres au fupplice, ou elles perfeuerent en l'alliance du diable, fans implorer la mifericorde de Dieu : ce qu'auenant, ie di qu'il ne les faut pas faire mourir fi promptement, autrement vous faites perir l'ame & le corps : ou bien elles demandent par- don à Dieu, & n'ont tué perfonne : en ce cas doyuent elles eſtre traitees moins rigoureufement. Or la pluf- part des forcieres, auant qu'eſtre bruſlees, inuoquent le Dieu eternel, recourent à fa mifericorde, & fou- uent auſſi l'appelent à tefmoin de leur innocence, adiournans leurs iuges à comparoir deuant le throne celeſte. Ie demande maintenant, puifque felon voſtre dire elles font efclaues du diable, d'où vient ceſte repentance? elle ne vient pas de Satan, car il n'eſt pas fi peu rufé que de contrarier à foy-mefme : elle vient donc de Dieu. Et fi Dieu reconoit & reçoit ceſte ame, pourquoy, vous iuges, eſtes vous fi rigoureux contre les corps de celles qui n'ont pas ainfi tourmentez les autres, & n'ont fait faute dont la conoiſſance vous

appartienne, ains en la iuſtice de Dieu, en laquelle
vous n'auez rien à commander? L'auteur de la reſponſe adiouſte encor à ceſt argument & de mot à mot
ce qui eſt contenu au dernier liure de Wier, chap. 24.
tome II, page 328, de puis ces mots, Mais ie vous propoferay ici leſage a uis d'vn Theologien, &c. iuſques à ces
mots, Quant à la marque, &c. page 330, ou le lecteur
pourra auoir recours ſans qu'il ſoit beſoin le repeter
ici.

Reſponce au troiſieme argument.

Si les ſorcieres
ſont
homicides.

ON allegue en troiſieme lieu que les ſorcieres ſont
homicides. Si elles en ſont conuaincues, à moy ne
tienne qu'on ne les face mourir iouxte la loy de
Moyſe & le droit ciuil. Le reſte de ceſte reſponſe eſt
contenu auſſi mot à mot au 24. chap. du dernier
liure de Vvier, page 332. 333.

Reſponce au quatrieme argument.

ON allegue auſſi que les Sorcieres ont la compagnie
charnelle des eſprits immondes, quelquesfois ſous
forme de chiens, de boucs, & d'autres vilaines beſtes.
La reſponſe eſt en la page 707, à quoy i'adiouſteray
encor ce que s'enſuit. Puis que le contentement de la
compagnie de l'homme & de la femme procede, d'vn
deſir naturel qui a vertu, ie di que cela n'eſt point en
ces vieilles ſtupides, ridees, & ſeiches. Dauantage (ex-
cuſez moy ſi ie parle ſi auant de telles matieres) la compagnie du diable aporte vn grand refroidiſſement,

comme le confeſſent ces miſerables enſorcellees, & en
cela n'y a plaiſir quelconque, veu au contraire que celles
qui ont leurs maris en peuuent vſer. Ie conclus donc
que ceſte pretendue cohabitation eſt imaginaire, procedante d'vne impreſſion illuſoire de Satan. Car les
diables peuuent par leur ſubtile eſſence eſmouuoir
les humeurs & eſprits vitaux, & par iceux exciter
diuerſes formes es ſens, comme ſi lon voyoit au dehors, non point en dormant, mais en veillant : &
ſurce on eſtime des choſes eſtre & auoir eſté faites
exterieurement qui ne ſont ni ne ſe ſont. Ainſi certaines femmes ſeduites par l'impoſture des diables
croyoyent auoir couru en l'air ſur des cheuaux auec
les malins eſprits. *Voyez S. Auguſtin au traité de
l'eſprit & de l'ame, chap. 28. Et le decret, 26. q.
5. epiſcopi ex concilio.* Et pour eſclaircir cela par
autre fait qui en aproche, ie conoy des gens de ſain
entendement, & qui auoyent tous leurs ſens entiers,
ſans qu'il y euſt aucun ſoupçon de melancholie en
eux, qui toutesfois ne penſoyent auoir la compagnie
de leurs femmes ni d'autres, pource qu'ils penſoyent
auoir perdu le membre viril par ſorcellerie & enchantement dreſſé par vne putain de laquelle ils auoyent
eu la compagnie. Or vous m'accorderez qu'ils n'a-
uoyent pas perdu cela, puis qu'il ſe retrouua en eux
puis apres. Neantmoins ils faiſoyent tous les ſermens
du monde qu'il eſtoit ainſi, quoy qu'on leur peuſt
dire au contraire. Et pourtant ſi l'imagination d'vn
homme vigoureux peut eſtre abruuee d'vne ſi vaine
perſuaſion, pourquoy n'en auiendra il pas dauantage
aux miſerables ſorcieres? Si ce qui ſemble moins eſt :
ce qui eſt plus doit eſtre auſſi.

Mais, afin que vous voyez tant mieux, combien

l'imagination a d'eficace en ce fait, efcoutez ce que
dit quelqu'vn en vne epiftre imprimee touchant les
enchantemens & adiurations. I'ay fouuenance, dit-
il, d'auoir oui iurer à vn gentilhomme qu'il eftoit
lié & enforcellé tellement qu'il ne pourroit plus auoir
compagnie de femme : enquoy ie le voulus aider,
tafchant par diuers argumens de luy arracher cefte
imagination. Or voyant que ie ne gaignois rien, ie
fis femblant d'eftre de fon auis & le confermer, en
monftrant le liure de Cleopatra de la beauté des
femmes, & y lifois vne recepte contenant que
l'homme lié feroit gueri s'il faifoit vn onguent d'œuf
de corbeau . meflé auec de l'huile de nauette, &
qu'il s'en frotaft tout le corps. Luy oyant cela, fe
confiant es paroles du liure, fit l'experience de l'onguent, & recouura l'enuie d'habiter auec les femmes.
Cefte recepte n'auoit pas telle vertu : mais pource que
l'imagination eftoit preoccupee de fauffe opinion, il
faloit la guerir par vn remede qu'elle trouuaft bon.
Et pourtant ie defire que les aduerfaires torchent de
leurs yeux cefte brouee de fuperftitieufe credulité qui
leur offufque le iugement.

A fauoir
fi les forcieres
ont
la compagnie
des diables.

Av refte, quant à ce que lon obiecte que Moyfe
condamne à mort celuy qui aura eu à faire à vne
befte : & qu'vne perfonne merite vn fupplice encor
plus grief qui fe couple auec l'efprit immonde : ie
vous acorderay voftre dire, pourueu que vous prou-
uiez qu'il peut y auoir cohabitation requife en tel
cas. Or il a efté fufifamment prouué que cefte conionction eft vne pure imagination, au contraire nous
fauons que celuy qui a afaire à vne befte. commet
vn crime tout manifefte. Et pourtant cefte oppofi-
tion n'a point de lieu.

Responce au cinquieme argument.

Le cinquieme argument est que les sorcieres seduisent & attirent d'autres gens à leurs secte. Veu que leur imagination est troublee. Comment en peuuent-elles seduire d'autres? sinon que vous apelliez seduire, faire des contes touchant les songes & visions imprimees si viuement par Satan, qu'on les estime choses vrayes & executees de fait : encores ces visions sont rares : & ne faut prendre pied à ce qu'elles confessent le contraire, comme elles font beaucoup d'autres choses qui leurs sont aparues en dormant, & neantmoins maintiennent que tout est vray. Toutes celles qui sont ainsi enforcellees, ne reconoissent autre maistre de ceste illusion que le diable, qui les pique ainsi par ses impostures. Dauantage leur vieillesse pesante & stupide monstre combien on leur doit attribuer d'eficace & d'adresse pour tromper les autres. Si aussi lon considere diligemment ce que les seductrices & seduites confessent sur ce propos, vous entendez tant de folies, de propos esgarez, & tellement hors de toute raison, que vous conoistrez du premier coup que les maistresses & les escholieres ont resué en cest endroit, voire que Satan mesme a parlé en elles, si vous balancez iustement les choses, sans affection ni preiugé. Mais vous repliquerez que les sorcieres, en faisant ceste alliance ont promis au diable qu'elles en attireroyent d'autres à leur secte. Or i'ay prouué diligemment que ceste paction est imaginaire, & qu'il est là question de diuerses choses, que vous serez contraint de confesser estre fausses & ima-

Si les sorcieres en seduisent d'autres.

ginaires, comme du voler des forcieres, de leur transformation en beftes, de leur copulation avec le diable,
& autres chofes ia dites & redites tant de fois.

Refponce au fixieme argument.

Si
les forcieres
font profeffion
d'arts
illicites.

ON allegue finalement que les forcieres font profeffion d'arts illicites & prohibees. Ie voudrois qu'on
me dift que c'eft : car elles n'en fauent point, leur
vieilleffe & ftupidité ne le permet pas : au contraire
eftans deceuës de Satan par quelques apparitions,
ombres, illufions & vaines imaginations, elles tiennent
cela pour tout vray. Lon preffe viuement ceft argument, afin que les forcieres puiffent eftre condamnees
par la loy. *Multi. Cod. de Maleficiis & Mathematicis.* Mais il a efté amplement monftré es liures de
Vvier, fpecialement au troifieme, que les forcieres,
indoctes, infenfees, radotees, ne fauroyent faire profeffion d'aucun art, ne troubler des elemens, comme
auffi nul homme ne le fauroit : item que elles ne peuuent contraindre les diables de nuire à ceftuy-ci ou
à ceftuy-là. Partant cefte loy qui condamne à mort
les enchanteurs & empoifonneurs ne les concerne
point. S'il y en a qui tuent les gens, cela fe fait par
poifon : partant elles font empoifonnereffes, & meritent d'eftre chaftiees felon la teneur de la loy. Ie ne
veux pas fouftenir telles mefchancetez. Dauantage,
comme les forcieres, dont eft queftion, ne voyagent,
ne trauaillent, n'eftudient point pour aprendre vne
fcience deteftable comme font les magiciens : auffi
n'ont elles point de liures pour eftre enfeignees par
iceux, ni certains formulaires de coniurations : elles

n'ont point de diable familier enfermé en vn morceau de chryſtal ou enchaſſé dans vn anneau, comme pluſieurs Magiciens. Seulement elles ont leur imagination corrompuë d'eſtranges viſions par le diable : & tant plus elles ſe confient en ceſte imagination, plus ſe trompent elles miſerablement. Elles ne peuuent rien d'extraordinaire à cauſe de leur lourdiſe & de la peſanteur de leurs eſprits : mais le diable eſt ſubtil, agile, prompt & experimenté. Il ne faut donc accuſer les ſorcieres d'eſtre magiciennes. Ceux qui ont fait profeſſion des ſciences magiques, ont eſté des gens profanes qui auoyent des liures bruſlez à bon droit puis apres, ſuyuant la doctrine de ſainct Paul. Actes 19. La Loy de Moyſe & les loix imperiales, condamnent tels malheureux & leurs adherans.

SECOND

SECOND DIALOGVE

De THOMAS ERASTVS,

*Contenant vne plus ample repetition de la difpute
touchant le pouuoir des forcieres & de la
punition qu'elles meritent.*

FVRNIVS, ERASTVS
FVRNIVS.

E penfoy que ce qui fut traité entre nous il y a quelques annees touchant les forcieres, auoit efté confermé par fi bons argumens que perfonne n'y pourroit plus contredire. Car ie fcay que tu ne dis pas ton auis à la volee en queftions de telle importance, ains tu as acouftumé de confiderer & efplucher tout foigneufement, auant que rien arrefter. Mais i'ay aprins le contraire par effect : car hier me trouuant d'auenture en la boutique d'vn libraire, ie vis vn liure intitulé DES SORCIERES, lequel i'achetay, & le tins depuis entre mes mains, iufques à ce que i'euffe leu ce qu'il contenoit de bout à autre : & lors, auec grand eftonnement, i'aperceu que l'auteur refutoit tes argumens. Ie fuis donc venu te trouuer, pour t'en faire entendre les premieres nouuelles.

ER. Ie l'ay veu, leu, & examiné de point en

point : Il te fouuient, comme ie penſe, que l'auteur
de ce liure, nous declara ce que tu vois qu'il a
maintenant fait, incontinent apres que noſtre diſpute
fut mife en lumiere : & nous pria de ſa part, que
s'il auoit quelque choſe de meilleur & de plus cer
tain que nous, il le peuſt auec noſtre congé mettre
en auant librement, pour l'vtilité publique & pour
recerche de la verité.

FVR. Tu m'as fait fouuenir par meſme moyen de
certaines lettres leſquelles i'ay leuës, adreſſantes à vn
perſonnage craignant Dieu & de grand ſçauoir,
eſquelles il eſcrit, que tant s'en faut que tu ſois diferent d'auec luy quant au ſommaire de ſes liures,
que au contraire il n'y a preſque perſonne qui ait
plus doctement & ſeurement confermé ſon opinion
que toy. Car quand tu conclus que les ſorcieres qui
de leur propre volonté (ſans eſtre atteintes d'aucune
folie, rage, ou bleſſure de leur fantaſie, & ſans eſtre
aſſaillies du diable) renoncent Dieu & ſon ſeruice,
& ſe donnent au diable, il dit qu'il conſent en cela
auec toy : car ayant comprins telles gens ſous le
nom des magiciens, tant en ſa preface, qu'au 2.
liure, chap. 2. Ie penſoye en cela qu'il ne ſeroit point de
queſtion, de demander aſauoir mon auis ſi on pouuoit
à bon droit faire mourir les ſorcieres. Mais que tant
ſeulement on debatroit ſi nos ſorcieres ſont comprinſes ſous les magiciens, & ſi ayant abandonné
Dieu elles font alliance auec le Diable.

ER. Tu as raiſon. Car maintenant ce treſdocte
perſonnage-là ne fait autre choſe, ſinon monſtrer que
tout cela ſe faict ſeulement par imagination. FVR.
Pour certain il amene pluſieurs choſes qui ſont
vray-ſemblables, & qui ſemblent auoir grand poids

pour prouuer que tes argumens n'ont pas affez declaré ton propos.

ER. Que dis tu? penfes tu qu'il y ait pas vn de
nos argumens, qui ait efté ou refuté ou affoibli? Si
tu en penfes quelque chofe tu te trompes grandement. Si tu veux relire noftre liure, & le conferer
auec le fien, tu trouueras & affermeras que ce que
ie di eft vray, fans en douter aucunement. Qu'ainfi
ne foit, quelqu'vn de mes amis me raconta derniere-
ment, que certains eftudians en Droit l'auoyent con-
feré & en auoient iugé de mefme. Beaucoup moins
en douteront les Theologiens. Car nous auons traité
la matiere par les fainctes efcritures, & non point
par les decrets des Iurifconfultes lefquels ie n'aprins
onques : & pourtant perfonne ne doit combattre
mon opinion par argumens tirez d'ailleurs. FVR.
Auffi le faict bien à point l'auteur de ce liure, en
prouuant que tes argumens font imparfaits, & non
valables, & monftrant que tu n'entens pas bien
l'intention de Dieu. ER. Il a bien tafché de le faire :
mais tu connoiftras combien il a auancé, quand tu
auras raporté enfemble les raifons de l'vn & de
l'autre.

FVR. Ie te prie, fi ce ne t'eft deplaifir, donne
moy à entendre plus au long toute cefte difpute.
ER. Il n'eft pas de befoin. Car nous auons dit le
tout, ou pour le moins affez, en forte que tu n'y
faurois rien defirer, fi tu veux diligemment & auec
attention relire ce que nous en auons dit.

*Les
principaux
points de cefte
difpute.* FVR. Toutesfois il y a plufieurs chofes, que ie
defire m'eftre plus ouuertement expofees, partie defquelles tu n'as point touchees, partie auffi que tu as
paffees trop legerement. ER. Puis qu'ainfi te plaift,

Interrogue moy. FVR. En premier lieu, ie voudroye
que tu comprinffes les forcieres ou par une definition. ou par vne briefue defcription. En fecond lieu,
que tu m'enfeignaffes comment, & en quoy elles
font diftinguees d'auec les magiciens infames. Apres
cela ie defire d'entendre encor vne fois pourquoy à
bon droit on les peut faire mourir. Et pour la fin
i'ay enuie que tu donnes la folution des argumens que ie te mettray au deuant. Et de peur que
ie ne me trompe en quelque endroit, ie defire que
les noms defquels nous voulons vfer foyent diftinguez, par ce que les forcieres defquelles nous traitons femblent auoir diuers noms tant au langage des
Grecs qu'en celuy des Latins. Car les Grecs les ont
nommees *Pharmakides & Pharmakeutriæ*, qui viennent du mot *Pharmakia* par lequel eft exprimé leur
art : Quant aux Latins, ils les ont nommees indifferemment & confufément magiciennes, *Lamiæ*, *Sagæ*,
Striges, Empoifonnereffes, Enchantereffes, Ma-
léfiques. Or ie fay combien eft l'vfage de ces mots
incertain aux bons auteurs, & comment ils s'en feruent confufement. Car en chofes diuerfes ils ufent
d'vn mefme mot, & en d'autres qui font femblables
ils ufent de diuers mots, en forte que quelquefois
à peine peut-on aperceuoir que c'eft qu'il en faut
arrefter.

　　ER. Tu dis vray : car il n'y a chofe feule qui foit
ı.　ıee par tant de noms & encores fi diuers : la
dif nction defquels nous en monftrera la caufe. Il
nous faut donc fcauoir en premier lieu que *Magia*,
Mangania, *Goetia*, & *Pharmakia* mots Grecs, quelquesfois fignifient certains arts, ou manieres d'operer : quelquesfois aufli on en vfe fi confufément, qu'vn

chacun d'iceux fignifie tous les autres, ou, à tout le
moins, plufieurs : & que fouuent ils font tous prins
pour preftiges, impofture, fineffe, tromperie. Car les
Anciens (i'enten des doctes) n'ont iamais efté fi rudes
& abeftis, qu'ils ne conuffent bien toutes les promeffes des Magiciens, & de leurs femblables pour la
plufpart eftre fauffes & n'eftre que mafques, preftiges, & contes de vieilles. La condition des latins eft
quafi pareille, foit qu'ils ayent emprunté les mots
des Grecs foit qu'eux mefmes les ayent inuentez.
Car ces mots, Magicien, Deuin, Enchanteur, Prefti-
giateur, Empoifonneur, & malefique ne fignifient
pas toufiours diftinctement vne mefme chofe, mais
quelquefois l'vn fe met pour l'autre, & treffouuent
tous fe prennent pour impofteur.

FVR. Pourquoy eftimes tu que nos forcieres
ayent efté appelees Pharmaceutriæ? ER. Le mot
Pharmakon (duquel defcendent *Pharmakia* & *Phar-
maceutria*) fe prend par les Grecs à la bonne & à la
mauuaife part, tout ainfi comme les Latins en ont
de mefme ufé des mots de medicament & de venin.
Mais pource qu'en ceft endroit nous ne difputons
point des bonnes medecines defquelles les medecins
fe feruent à l'encontre des maladies, laiffans ce mot,
il nous faudra confiderer l'autre.

Nous trouuons donc es bons auteurs, que ces
mots fufdicts ont trois fignifications quand ils font
prins à la mauuaife part. Car quelquefois ils fignifient poifon mortel, & quelquefois Philtre, c'eft à
dire boiffon amoureufe : lequel auffi eft de deux
fortes. Car d'iceux les vns fe prennent dedans le
corps, qui font quafi tous poifons, ou à vray dire
empoifonnez : les autres pour la plupart confiftent

ax forcieres
de
philtres.

en paroles, characteres, images, ceremonies, actions, cacher en terre certaines choses & autres semblables manieres de faire. Celles qui s'occupoyent à ceux ci, où à ceux la s'apelloyent *Pharmakeutriæ & Pharmakedes* : comme on le peu connoistre par le second Eidylle de Theocrite, lequel est intitulé *Pharmakeutria*, & par les scholies sur iceluy. La troisieme signification de *Pharmakia* est vn peu plus generale, & se prent pour toute sorte d'enchantement, par quelque moyen, ou par quelque sorte d'instrumens qu'il se face & à quelque fin qu'il s'exerce sinon qu'il ne comprent pas la Necromantie, & autres sortes de deuinemens. Il n'y a quasi que ceste seule diference entre ceste signification ci & la seconde asauoir qu'en la boisson d'amour, le tout se fait tant seulement pour faire aimer, soit qu'il se face par charme, ou par quelque autre moyen. En la troisieme on se sert de toutes les mesmes choses quelquesfois, mais les fins en sont diuerses. Combien que souuent les enchantemens d'amours (i'enten de ceux qui ne se beuuent pas, & qui ne touchent point les corps) se font afin que l'amoureux meure s'il ne vouloit retourner. Dont il auient qu'il y a bien petite diference entre l'vne et l'autre signification : & que ce qui se dit de la seconde, se peut aussi bien dire de la troisieme. FVR. Me pourrois tu prouuer cela par sufisans tesmoins? ER. Ouy. Les mots de Plato en l'onsieme des loix sont tels.

Il y a deux sortes de poisons qui nuisent au genre humain. L'vn est celuy duquel nous auons maintenant parlé, lequel est nuisible au corps selon nature, par le moyen des corps. L'autre est celuy qui enlace les esprits des hommes par certains prestiges, enchan-

temens, & liaifons (qu'on apelle) & perfuade à ceux
qui en ofent faire mal, qu'il a telle eficace : & aux
autres qu'ils peuuent facilement eftre bleffez par
iceluy. Et vn peu apres auertiffant qu'il faut faire
deux loix pour ce fait, dit. La loy des empoifonnemens eftant diftinguee en deux parties, en quelque
maniere qu'aucun tafche d'exercer les empoifonnemens, &c. Puis apres ayant mis vne loy pour ceux
qui nuifent en baillant du poifon, il en met vne
autre pour les enchantemens en ces mots. Que s'il
femble en vfer ou par quelques liaifons, ou allechemens, ou enchantemens, ou par quelque autre empoifonnement eftant en volonté de nuire : S'il eft
deuin, ou Interpretateur des prodiges, qu'il foit mis
à mort. Que s'il n'eft ou deuin ou interpretateur, &
qu'il foit conuaincu d'empoifonnement, Qu'il foit
puni de mefme.

PLATO monftre trefclairement en ceft endroit que
les Anciens en ce vieil temps là, appeloyent *Pharmakia* non feulement les empoifonnemens, mais
auffi toute forte d'enchantemens, par laquelle quelqu'vn tafchoit de nuire aux hommes, aux beftes, &
aux biens de la terre (car Plato a auffi douté fi par
ce moyen on pouuoit nuire.) Et mefmes afin qu'il
ne femblaft parler feulement des liaifons, allechemens, & charmes (auffi auoit il vn peu auparauant
fait mention des images de cire enterrees ou en la
voye publique, ou fous le fueil de la porte) il a
aioufté cefte claufe generale, ou autre enchantement quel qu'il foit. Il faut auffi en ceft endroit noter ceci en paffant que pour fignifier vne mefme
chofe il vfe de ces verbes Grecs *mageuo, goeteuo,
pharmatto, & pharmakeuo.* Semblablement auffi en

ceſt endroit *pharmakia, mangania, manganeuma, epagoge, Katadeſmos, epode* ſignifient vne meſme choſe. FVR. N'as tu point d'autres teſmoins? ER. Ariſt. au 6. liure de l'hiſt. des anim. chap. 18. a vſé en ceſte ſigniſication du mot *Pharmakia*, quand, parlant de l'hippomanes, il dit : Les magiciens ou enchanteurs le recerchent treſſoigneuſement, & au liure 9. chap. 17. parlant d'vn oiſeau, il dit, Et dit-on que ceſt oiſeau là a vne certaine force de magie occulte. Pourtant auſſi Ariſtot. appelle les ſorcieres *pharmakides.* au 6. liure de l'hiſt. des anim. chap 22. Quand il dit : Pourtant les ſorcieres viuent, & ont l'vſage de raiſon. Nous liſons en Ariſtophane, qui eſt beaucoup plus ancien que Ariſtote, ce mot *pharmakides thettalæ.* Or qu'il y ait eu en Theſſalie des femmes enchantereſſes ou magiciennes, c'eſt choſe toute aſſeuree. Auſſi l'interprete de Pindarus dit que les femmes qu'il appelle *pharmakides,* atta-choient l'oiſeau nommé *Iunga* à vne rouë & chan-toyent tout autour certains charmes, afin de faire reuenir les amoureux qui eſtoyent abſens. C'eſt choſe par trop conue que le verbe *pharmakeuo* eſt ſouuent prins par les auteurs pour enchanter, faire des preſ-tiges & impoſtures. I'aiouſteray encor pour la fin que en l'Apocalypſe chap. 18. ce mot de *pharmakia* eſt prins pour ſuperſtition, ou impoſture : quand il eſt dit, parlant de la paillarde de Babylone, pource que par tes empoiſonnemens toutes gens ont eſté ſeduites. Et qui eſt celui qui ne ſait, que les Ro-mains ont oſté l'entendement aux peuples non pas par vraye poiſon, mais par ſuperſtitions & impoſ-tures? I'ay auſſi admonneſté des le commencement, que tous les mots deſquels ils expriment quelque

efpece que ce foit d'enchantement, ou de magie, font
fouuent prins par les auteurs, pour preftiges, idoles,
impofture., &c. parce qu'ils tenoyent tout ce que
telles gens font ou s'entremettent de faire pour
chofes vaines, fauffes, & de nulle efficace. FVR.
I'enten maintenant pourquoy ils les ont appellees
pharmakides : maintenant monftre moy pourquoy
ils les ont appellees magiciennes. ER. La caufe de
ce mot n'eft pas difficile. Car de ce que nous auons
dit, il apert, que ordinairement les deuins font
apellez magiciens. Pour le faire court, le mot Ma-
gus fe prend quafi toufiours pour un homme infame
& deteftable. Car il n'y a que les feuls mages qui
vindrent adorer Iefus Chrift, defquels ie ne veux
parler ne fachant s'ils ont efté bons ou mauuais. Car
il y en a qui affeurent qu'ils ont efté gens de bien,
& d'autres qui afferment qu'ils ont exercé cefte deteftable forte de magie, mais toutesfois qu'ils n'y ont
pas perfeueré. I'ay monftré affez euidemment,
comme ie penfe, en la difpute contre Paracelfe, qu'il
ne fe trouue aucune efpece de magie qui foit licite.
Car celle qu'ils apellent *Theourgia*, laquelle fait
venir les anges bons ou mauuais, voire mefme pour
le proufit, & non pour le dommage d'aucun, ne fe
peut exercer fans auoir afaire aux diables. Et ne faut
pas dire que les magiciens de Perfe lefquels aucuns
apellent fages ou philofophes, n'ayent adoré les
diables, & n'ayent fait des merueilles excedantes la
force de nature. Car pourquoy euffent ils efté plus
recommandables que les autres s'ils n'euffent femblé
eftre plus fcauans, & faire plus de miracles que les
autres? Les autres nations ont eu des preftres auffi
bien lefquels s'ils n'euffent efté autre chofe n'en

*Pourquoy
les
forcieres
font nommees
magiciennes.*

fuſſent iamais venus là que d'eſtre en ſi grande admiration de tout le monde. Auſſi les Saintes eſcritures nous aprennent que les magiciens des Egyptiens, des Perſes, des Medes, & des Caldeens,
n'eſtoyent pas ſeulement preſtres, mais auſſi deuins,
& faiſeurs de faux miracles. Voila donc : on a touſiours & en tous lieux tenu pour magiciens ceux qui
ont ſemblé ſauoir, ou pouuoir faire des choſes qui
ne ſe peuuent faire par les cauſes naturelles : parce
qu'elles ſont trop grandes & trop eſmerueillables
pour eſtre faites par moyens naturels. Or eſt il ainſi
que ce qui ne ſe peut raporter ni à la force de nature
conue ni a l'inconue, n'eſt point fait par cauſes naturelles. Et pourtant il eſt neceſſaire qu'il ſoit fait
par le moyen d'vne cauſe plus puiſſante. Or il n'y a
que Dieu, & les Anges bons & mauuais qui ſurpaſſent le pouuoir de nature. Il s'enſuit donc qu'il
faut attribuer à leur vertu ce qui eſt de plus que la
nature. Qui plus eſt, que les magiciens en leurs
actions ne ſe ſeruent point de Dieu ni de l'aide des bons
Anges. Il apert par ce que ce qu'ils s'entremettent de
faire eſt du tout repugnant à l'ordre ordonné de
Dieu. il faut bien donc qu'ils ſe ſeruent de l'aide des
diables. Mais il y a dauantage, que les diables ne
font pas ſeruice à chacun, mais à ceux ſeulement
auſquels ils ſe ſont obligez par pache manifeſte ou
occulte. Car ils ne s'apparoiſſent pas touſiours à tous
ceux qui prononcent meſmes paroles on qui ſont
meſmes choſes. Car il y faut vn certain homme, vn
certain temps, vne certaine façon de faire, certains
characteres, &c. dont ſe voit que ceſte puiſſance ne
vient pas des paroles ni des actions. Car ſi elle venoit
des paroles & des actions quiconque les prononce-

roit & feroit en quelque lieu, en quelque maniere, & en quelque temps que ce fuſt, viendroit à bout de ce qu'il pretend. Et qu'eſt-il beſoin d'en dire dauantage veu qu'il eſt tout cler que les diables ne s'apparoiſſent qu'à ceux qui leur font en quelque maniere obligez?

Il nous faut maintenant declarer que la pluſpart de ce qu'ils font, qui ſemble aux ignorans eſtre par deſſus l'ordre de nature, n'eſt autre choſe que preſtige & tromperie. Car les choſes qui ſurpaſſent le pouuoir de nature & qui n'ont point Dieu pour auteur, ont ſeulement aparence d'eſtre, & ne font pas à la verité ce qu'on penſe qu'elles ſoyent. FVR. Faut-il donc dire que ce ne ſoyent pas vrais eſprits ceux que telles gens font quelquefois venir? Pour certain la Pitoniſſe fit veoir à Saul en Endor vn eſprit qui repreſentoit Samuel. Lequel combien qu'il n'aſt pas eſté Samuel luy meſme, toutesfois ſi ne peut-on dire que ce n'ait rien eſté du tout. Car comment pourroit parler ce qui n'eſt rien du tout? ER. Ie ne di pas qu'ils ne facent rien du tout, mais ie di que ce qu'ils font n'eſt pas ce qu'il ſemble. Ceſt eſprit là n'eſtoit pas rien du tout, mais toutesfois ce n'eſtoit pas Samuel, mais ſous ceſte figure eſtoit caché le diable. Ie ne nie pas cependant que le diable ne puiſſe quelquesfois monſtrer quelque choſe de vray toutesfois & quantes qu'il beſongne par le commandement de Dieu : ou par les cauſes naturelles. Il ſuffit d'auoir monſtré en ceſt endroit, que celuy s'apelle magicien qui ſe vante de pouuoir ou ſauoir faire par le moyen des diables, tant ouuertement qu'à cachette, des choſes qui ne ſe peuuent faire par le pouuoir de nature. Outreplus il eſt tout certain

Aſauoir ſi les magiciens font quelque choſe de vray.

que les Sorcieres croyent qu'elles font par le moyen
du diable des merueilles, & n'y a point de doute
qu'en leurs paches elles ne luy demandent telle puiffance. Partant ceci eft auffi tout certain qu'à bon
droit elles font apellees magiciennes.

*Efpeces
de la magie
deteftable.*

FVR. Dis tu qu'il y ait plufieurs efpeces de la
magie infame? ER. Cefte queftion ne conuient point
en ceft endroit. Et pourtant ie m'en depefcheray en
vn mot. Les vns la diuifent en plus de parties, les
autres en moins. Quant à moy ie l'ay autre part,
comme tu fais, diuifee en deux, afauoir, celle qui
deuine, & celle qui fait des operations. Et combien
que la plufpart des magiciens fe vantent d'auoir la
conoiffance de l'vne & de l'autre partie, toutesfois
les vns s'adonnent plus à l'vne, les autres plus à
l'autre. Et comme ainfi foit que les forcieres s'adonnent pluftoft à faire, qu'à deuiner, nous les met-
trons pluftoft au nombre des magiciens operateurs :
non toutesfois que nous les voulions du tout priuer
de la conoiffance de l'autre partie. Or la difference
qui eft entre la magie operatrice & l'autre, fe trouue
aux inftrumens & manieres de faire. Mais en ceft
endroit il y a fi grande confufion, qu'il eft impoffible d'en rien arrefter de certain. Et auffi à dire
vray, la neceffité ne nous contraint pas à préfent de
nous enquefter ainfi fuperftitieufement de cefte
chofe. FVR. Ie ne requier plus rien en ceft endroit :
Mais pluftoft ie defire fauoir, pourquoy tu les apelles
Lamiæ.

ERA. On les apelle *Lamiæ* à caufe qu'elles ont
ont quelque femblance auec les *Lamiæ* des Anciens.
Car leur *Lamiæ* eftoyent des efprits & phantofmes,
qui s'aparoiffent en forme de belles femmes & bien

acoutrees qui faifoyent à croire qu'elles eftoyent amoureufes des ieunes hommes, & hantoyent auec eux, afin de les tuer & deuorer. Cœlius Rodiginus & Philoftratus difent que les Anciens les apelloyent *Empufæ* & *Marmoliciæ*. Vn femblable fantofme à ceux ci fut veu du temps de l'Empereur Maximilian premier, au pres d'Augsbourg enuiron l'an 1503, en la forme de Marguerite de Roth Abbeffe d'Etteften ten, lequel non feulement on voyoit & touchoit, mais auffi parloit bien intelligiblement. Pourtant doncques nos forcieres ne font pas fantofmes ou ef prits, mais banquettent, iouent, pratiquent, & pail lardent auec iceux, & quelquesfois defirent de man ger les petis enfans, elles ont efté apellees *Lamiæ*.

FVR. Et d'où leur vient ce mot de *Striges*? ER. On les apelle ainfi pour femblable caufe, afauoir à raifon d'vn oifeau ainfi nommé : lequel les anciens croyoyent venir la nuict trouuer les enfans & leur fuccer les mammelles. Ouide eftime que les *Striges* emportoyent les enfans qu'ils trouuoyent tous feuls fans garde & fucçoyent tout leur fang. Les forcieres donc font appellees *Striges*, pource qu'elles recer chent le fang des enfans, & leur graiffe pour faire leurs enchanteries.

FVR. Pourquoy les apelle on empoifonnereffes veu qu'elles ne nuifent pas fouuent, ni poffible ia mais, par le moyen de la poifon ni des chofes empoi fonnees? ER. Elles ont efté nommees empoifonne reffes tout de mefme enuers les Latins qu'enuers les Grecs *Pharmakeutriæ*, ou *Pharmakides*. Car le mot *venenum* fe prend auffi bien en la bonne & mau uaife part, comme *pharmakon*. Il y a dauantage, que ce qu'elles donnent, encor que de foy mefme il ne

foit point poifon, toutesfois elles penfent qu'il le
foit : & le baillent à boire tout ainfi comme s'il l'eftoit. Et pourtant c'eft à bon droit qu'elles font apellees & tenues pour malefiques, dautant que peu
fouuent il auient qu'elles facent aucune chofe pour
aider & faire plaifir à aucun. Car tout leur eftude,
tous leurs efforts, & penfees tendent là, qu'elles puiffent nuire, & non pas aider : & auffi celui lequel les
pouffe à tout faire a efté menteur & homicide des le
commencement, & pourtant ce n'eft pas de merueille
s'il inftruit & endoctrine ces efcoliers felon fa mefchante volonté.

FVR. Il refte maintenant que tu me dies, pourquoy on les apelle communement enchantereffes.

ERA. Ce que les Latins apellent *Incantare* vaut
autant à dire que ce que les Grecs dient *epadein*,
c'eft afauoir chanter, ou barboter aupres de quelque
chofe, car ceux qui fe feruent de cefte forte de malefice, ont acouftumé de barboter certaines paroles
qu'ils ont en l'entendement, l'efquelles les auteurs
ont apellees charmes : Par la force & moyen defquelles ils difent & penfent pouuoir faire de grandes
chofes & efmerueillables. Cefte maniere d'empoifonnement qui en Grec s'appele *epode*, & en latin
incantatio, eft la plus ancienne de toutes : veu notamment que les plus anciens auteurs Grecs en font
mention. L'auteur du liure *De morbo facro*, lequel
on tient eftre d'Hippocrates, monftre ouuertement
que defia de fon temps il y en auoit, lefquels il
nomme magiciens, enchanteurs ou iouëurs de tours
de paffe paffe, & gens fe vantans à fauffes enfeignes.
Platon leur fait le mefme honnneur, quand au fecond liure de la republique il les apelle femblable-

ment enchanteurs ou ioüeurs de paſſe paſſe, & deuins. Il y en a bien peu d'entr'eux qui ayent eſté ſi
beſtes & ſi hors du ſens, que de croire que ce qu'ils
ſe vantoyent de faire, fuſt fait par vne certaine vertu
qui fuſt en leurs mots, ou en leurs charmes : mais
aſſeuroyent que ceſte puiſſance leur auoit eſté octroyee
par les dieux : laquelle choſe eſt manifeſtement prouuee par les parolles de Platon qui dit, parlant d'i-
ceux, Ils font à croire aux hommes qu'ils ont vne
puiſſance, prouenante neantmoins des dieux, par la ∶
quelle ils peuuent au moyen de quelques charmes &
ſacrifices effacer le mal qui a eſté commis par eux ou
par leurs anceſtres auec vn grand plaiſir : & en outre
de nuire ſans grande couſtange à vn ennemi, s'il
leur vient en fantaiſie de s'en venger autant à tort
qu'à droit. Parce diſent ils qu'ils peuuent auec certains alechemens & liaiſons, perſuader aux dieux,
qu'ils les ayent pour agreables. L'auteur du liure
De morbo ſacro dit choſes acordantes à celles ci.
Xenophon auſſi au 2. liure des faits & dits memorables de Socrates, en diſputant des moyens par leſquels il faut aquerir des amis, dit : I'enten qu'il y a
certains charmes par leſquels ceux qui les ſauent
peuuent enchanter, & faire deuenir leurs amis ceux
qu'ils veulent. Et c'eſt, comme luy meſme le teſmoigne, le chant de Serenes, par lequel les poëtes
feignent qu'elles attirent & retiennent ceux qui
voguent en mer. Et ceſt pourquoy Suidas apelle
vne certaine femme *epodos* laquelle gueriſſoit
les enfans qui auoyent eſté enchantez ou enforcellez en chantant & prononçant aupres d'eux vn
charme.

A ceci ſe doyuent raporter tous ceux qui ſe meſlent

Quelles
font les fortes
d'enchantemens
defquels
on fe fert.

d'eftancher le fang, guerir les playes, & chaffer toutes fortes de maladies par le moyen des charmes, ou du foleil ou de quelque autre femblable chofe y apliquee. Ceux la auffi ne font pas à excufer, qui barbottent certains mots en cueillant les herbes, ou preparant les medecines, afin de les rendre plus falutaires. Car il y a deux fortes d'enchantemens, l'vne, de laquelle ils vfoyent pour nuire, & l'autre de laquelle ils fe feruoyent pour aider : de laquelle chofe auffi eft fait mention au Code *de Malefic. & Mathem.* Toutesfois cefte premiere efpece, afauoir de nuire a efté plus vfitee. Les Poëtes font mention par tout en leurs efcrits de Circe, de Medee, des empoifonnereffes de Theffalie, des Serenes, & autres femblables : chafcun fait ce que dit Horace de Canidia.

EN cefte mefme bande nous faut renuoyer les exorciftes qui en prononçant certaines paroles ou adiurations, & faifans certaines figures, ont opinion qu'ils enferment le diable dans vn rondeau, dans vn anneau, ou autres chofes, bref qui par tels moyens les cuident contraindre, & faire aller ᶜᵇ bon leur femble. Il apert de ce que deffus, qu'il · a deux fortes d'enchanteurs : car les vns font leurs enchantemens apres auoir fait accord manifefte auec le diable. Les autres, ignorans que la valeur de leurs paroles & charmes procede de la paction qu'ils ont auec le diable, les difent, comme fi la force procedoit des mots ou figures mefmes. Ceux ci (encor que ce foit vne grand lourdife & beftife à eux) femblent toutesfois aucunement eftre excufables, s'il fe trouue qu'il n'y ait point de malice : bien eft vray que les vns & les autres font en volonté, & mefmes s'eftudient de faire mal, mais beaucoup plus ceux qui

font alliance auec ces efprits maudits. Que fi par
fois il auient qu'ils foyent en voloucé de bien faire,
toutesfois le plus fouuent leur defir eft de gafter, ou
les hommes, ou les beftes, ou les champs, & autres
chofes femblablcs. Quant aux derniers, combien que
bien fouuent ils fe mettent en deuoir de mal faire,
pour la plufpart, toutesfois, ils ne demandent autre
chofe finon d'aider, ou donner du paffe temps à ceux
qui les regardent, ou bien de fe faire auoir en eftime
d'eux. Or il fe void affez de ce que nous auons dit
que c'eft à bon droit que les forcieres font apellees
enchantereffes. Car elles vfent de leurs ceremonies,
imprecations, & autres chofes (qu'elles fe font à
croire auoir vertu par le moyen du diable) à ces fins
à fauoir d'efmouuoir des tempeftes, de faire que
ceux qui leur font ennemis leur foyent amis, de
iouir de leurs fales amours, gafter les hommes, les
beftes, & les biens de la terre, enuoyer des maladies,
faire defplaifir à ceux qu'elles haiffent. Et ne font
pas feulement ces chofes par le moyen de leurs charmes & damnables imprecations, mais qui plus eft, à
cefte fin font elles alliance ouuertement, banquettent, & hantent plus familierement qu'elles ne deuroyent auec le diable. Voilà pourquoy c'eft à bon
droit qu'elles font mifes au rang des enchanteurs
malefiques.

FVR. Ie n'ay rien plus que ie puiffe te demander
quand à cefte afaire. Parquoy di-moy d'où vient
qu'elles font nommees *Sagæ*. ER. Elles font dites
Sagæ, non feulement pource qu'elles font affez, &
qu'elles font par trop diligentes en leur mefchant
deuoir, comme a eftimé Acron, mais femblent auoir
prins leur nom du mot *Sagire*, comme l'a dit Cice-

D'où vient qu'elles font apellees Sagæ.

ron : afauoir pource que elles veulent fauoir beaucoup de chofes. Car elles fe font acroire, qu'elles
fauent & peuuent faire des chofes que nul ne peut
ni ne fait faire naturellement. FVR. Ce mot leur
conuient fort bien, & eft bien à propos, car elles
s'atribuent plus qu'elles ne fauent, & qu'elles n'ont
aprins, & mefmes qu'elles ne peuuent faire. ERA.
Apres que nous aurons expofé les mots, le refte de
l'œuure nous fera plus aifé : eu efgard principalement à ce qu'il y a grande confufion aux mots. Or
la caufe de ceci entr'autres eft qu'à grand peine fe
trouuera-il aucune partie de la magie operatrice, laquelle fe tienne dedans fes propres & particulieres
fins & limites, & laquelle n'emprunte quelque
chofe des autres. Et pour certain il ne fe peut pas
faire autrement là où il n'y a rien de veritable, mais
que tout eft imaginaire, feinct, & controuué, ou au
moins pour la plufpart, tant les preceptes, que les
œuures. FVR. Di moy donc à ce coup, que c'eft
proprement que *Saga* ou forciere? ER. Sorciere eft
vne femme magicienne, ou enchantereffe (ou comment on la voudra appeler) qui ayant prealable-
ment renoncé Dieu, & la vraye religion, s'eft donnee
au diable par le moyen d'vne aparente & manifefte
alliance : à celle fin que (fans les autres promeffes &
attentes) elle foit par luy enfeignee & aprife à troubler les elemens, efmouuoir des peftes, nuire aux
hommes, aux beftes, aux champs, & aux fruicts de
la terre, & faire plufieurs autres merueilles, qui font
impoffibles à nature, le tout par le moyen de charmes, d'herbes, & autres chofes lefquelles d'elles-
mefmes ne font aucunement nuifibles. FVR. Si tu
ne prouues toutes les parties de ta defcription, &

chacune en particulier, ie m'affeure que chacun ne
fera pas de ton opinion.

ER. I'ay fuffifamment monftré ci deffus que les
forcieres font magiciennes, & enchantereffes : car
i'ay declaré comment celuy s'appelle magicien qui fe
fait à croire, qu'il fait & fait des chofes qui ne peuuent eftre faites par aucune force naturelle. Et pourtant il eft neceffaire qu'il les face par la vertu du
diable. Et auffi les magiciens s'entremettent de faire
des chofes qui font defendues de Dieu, ou qui luy
defplaifent. Qui eft celuy qui penfera que telles
chofes procedent de Dieu ou des bons Anges? Ie
laiffe à dire qu'ils fauent bien que telles chofes font
par eux faites au moyen du diable, lequel pour ceft
effect ils font venir auec des figures, rondeaux, herbes, charmes ou coniurations, & plufieurs autres
chofes : & fe trompent en croyant qu'il leur aparoift
y eftant contraint par la vertu de telles chofes. Il
s'enfuit donc que puis que nos forcieres font profeffion de mefmes chofes, & penfent que ce dont elles
fe feruent à mal-faire leur a efté donné par le diable
auec telle vertu, il n'eft poffible qu'on les puiffe
efloigner du rang des magiciens. Et encores que
quelquesfois elles ayent foupçon que telle force eft
de la chofe mefme qu'elles donnent, & non pas que
le diable l'y ait mife de nouueau, fi eft-ce que toutes
confeffent, que le diable leur en a aprins la force &
vertu. Pareillement auffi ne faut-il point douter
qu'elles n'vfent d'enchantemens ou imprecations
par lefquelles elles facent deuenir amoureux les vns,
fement haines & diffentions entre les autres : & facent nuifance aux hommes & aux beftes. FVR. Et
toutesfois il ne femble pas qu'elles fe feruent d'au-

cuns charmes, ou d'aucun genre de coniuration, ni qu'elles vſent d'aucunes paroles. ER. Encores qu'on eſtime qu'elles mettent leurs volontez à execution en vſant ſeulement de certaines choſes ſans prononcer aucuns mots, toutesfois ſi ne font-elles rien de tout cecy ſans vſer de maudite imprecation & inuocation du diable.

Or quant au charme, les Anciens ont dit (& nous le deuons dire auec eux) que ce n'eſtoit pas ſeulement vn long chant, mais auſſi vne imprecation contenuë en deux ou trois paroles. Ils ont dauantage appelé charmes les images de cire, les figures, & choſes faites par ſemblables curioſitez : dai tant que le plus ſouuent elles ſe font ou par barbottement de certaines paroles, ou quelqu'autre ſuperſtitieuſe obſeruation, par le moyen de laquelle ils pretendent pouuoir recouurer nouuelles forces. Ie ſcay que de tout temps les ſorcieres & enchantereſſes ont eſté dites, certaines femmes leſquelles faiſoyent quelque choſe ſuperſtitieuſement, meſme ſans charme, par laquelle elles rappelloyent leurs amoureux, & faiſoyent quelques autres ſemblables badineries. Il n'y a donc point de raiſon pour laquelle on puiſſe nier qu'à bon droit elles ſont apellees magiciennes, empoiſonnereſſes, & enchantereſſes. Auſſi ce qu'elles ne font point vrayement ce qu'elles penſent faire, nous monſtre aſſez que ce n'eſt pas ſans cauſe qu'elles ſont nommees preſtigiatrices. Car tout ce qu'elles font n'eſt autre choſe ſinon fantoſmes & purs preſtiges du diable. Mais en diſant cecy ie n'enten pas dire que touſiours elles ne facent rien du tout : veu que quelquesfois elles font quelque choſe : mais elles ne font pas ce qu'elles auoyent enuie de faire. On ne fauroit dire, que celuy qui peint vn homme ne face rien du tout (car il fait vn homme en peinture) mais d'vn vray homme, il n'en fait rien.

FVR. Tu ne fais que tu veux dire, de comprendre les forcieres fous les diuers noms et efpeces de la magie. ER. I'ay defia par ci deuant refpondu à cela, que toutes les efpeces de cefte vanité-ci n'ont point de vrayes differences : attendu que ce ne font autres chofes que preftiges & tromperies, & rien du tout de vr:.y & de folide. Car tout ce qu'elles femblent faiie, Satan le fait, y eftant contraint (comme il veut qu'on le croye) par force de l'accord qu'il a fait auec elles. Et pourtant en ceft endroit on ne peut deter-miner aucune difference. Il y a (comme i'ay dit) quelque difference, tant aux inftrumens defquels elles fe feruent, qu'es manieres de faire, mais elles ne fe tiennent iamais en leurs limites (car voila comment fe comporte l'humaine curiofité depuis qu'elle a outrepaffé les bornes qui luy font ordon-nees) mais fautent de l'vne des efpeces à l'autre. Et pourtant chacun des gens de ce meftier faifant profeffion de plufieurs de tels degrez, il est impoffible d'en bailler & prefcrire certains termes & limites. Voyla pourquoi ce n'eft pas de merueilles qu'vn feul d'eux foit nommé de plufieurs noms, veu qu'vn feul s'entremet de faire les chofes qui font comme pro-pres & particulieres à plufieurs des fortes de ces arts. Que fi le fuiet & les commencemens eftoyent autres les vns que les autres, il y auroit moins de confufion. & depuis que le premier auteur & facteur de tout cecy eft vn feul, il eft aifé de paffer de l'vn des degrez à l'autre. Ce qui a efté caufe auffi que tous les noms d'enchantemens, tant Grecs que Latins, n'ont pas

feulement efté confondus & meflez, mais auffi tous
vn par vn font prins par dol, fraude, impofture, &
preftiges, qui monftre affez qu'en tous il n'y a point
de verité. FVR. Ie fuis auffi bien fatisfait quant à ce
point : parquoy tu peux bien pourfuyure au refte.
ER. Quant à ce que les forcieres renient Dieu &
tout fon feruice auec toute pieté, & que elles promettent d'eftre ferues & affuietties au diable, c'eft chofe
qu' a point tant de befoin de preuue, que ie defirerois.
Hélas! c'eft vne chofe trop clere & manifefte, & plus
qu'elle ne deuroit. Ie n'ay iamais conu homme fage
qui l'ofaft nier. FVR. Ce n'eft qu'vn fonge, & cela
fe fait feulement par imagination : & pour tant ne fe
doit point mettre en la defcription.

ER. Ie fay bien qu'il y en a qui tiennent cefte
chofe en tel eftime, comme fi c'eftoit feulement
quelque fonge, & qu'elle ne fe fîft reellement. Mais
quant à moy je fuis contraint d'être d'opinion
contraire, de parler à l'encontre. Car de leur bon
gré, pure & franche volonté ayant le tout premierement en elles mefmes deliberé, acordent auec le diable, lequel elles fauent fort bien qui il eft, que s'il
veut faire ceci ou cela, leur apprendre, ou leur donner,
qu'elles feront ennemies de Dieu & de toute pieté &
que de la en auant elles feruiront à luy tout feul.
Dauantage, afin que tu en fois tant plus certain ie te
di qu'après leur auoir touché en la main, les auoir
baifees, & embraffees, il leur fait vne marque tantoft
d'vn cofté, tantoft de l'autre (en laquelle on pourroit
fourrer toute vne grande aiguille, ou quelque autre
fer pointu, fans qu'elles en fentent rien) afin qu'il les
oblige à foy par ce moyen comme par vn facrement. Encor qui ie ne veux pas dire qu'il n'y ait

qu'vne feule marque de leur acord ou paction en tous
lieux & enuers toutes. Car volontiers il change, afin
de tromper le monde plus aifément. Neantmoins,
toutes les forcieres en quelque endroit & en quelque
temps que ce puiffe eftre eftans interroguees confeffent ceci d'vn commun confentement : encores
qu'elles fachent bien que c'eft affez pour les faire
mourir. FVR. Mais ce font des vieilles melancholiques & radotees, qui voyent ces chofes en fonges, &
en effect n'en font rien du tout. ER. Ce ne font pas
feulement des vieilles, ou des fimples femmelettes qui
font enlacees en ces maux : mais auffi s'en trouue
des ieunes & d'autres qui font en bon aage, & mefme il
fe trouue des hommes qui font faifis de cefte pefte :
ce que nul ne peut nier. Et tout ainfi que ie ne nie
point que celles la font folles & raffotees, qui fe laiffent ofter l'entendement au diable, qui eft le pere de
menfonge : auffi i'afferme affeurement que le plus
fouuent les plus fines (& toutesfois qui font les plus
bouillantes, en leurs appetits, en leur colere, enuie,
& qui fechent de la haine qu'elles portent à autruy,
& qui mefprifent toute pieté) font tentees & com-
batues par luy. Or ceci monftre affez qu'elles ne font
pas melancholiques afauoir, qu'elles font bien auifees
en toutes autres chofes, & conoiffent fort bien qu'elles
pechent & font mal (& pourtant auec grand foing
elles cachent leur mefchanceté) & que toutes font
quafi les mefmes mefchancetez, & en les faifant fe
feruent de mefmes arts & façons de faire : & mefme-
ment qu'elles apprennent les autres en mefme façon, *Elles ne font pas*
& fe feruent de diuerfes rufes pour les perfuader. A *leurs*
quoy faire donc nous met-on au deuant leurs fonges, *forceleries*
comme fi toufiours elles dormoyent, ou que en dor- *en dormant.*

mant elles ne faifoyent rien? FVR. Veux tu nier
qu'elles n'imaginent en fongeant plufieurs chofes qui
de fait ne font point? ER. Non vrayement, mais ie
ne parle point de cela : nous difputons maintenant
de ce qu'elles font eftans en leur bon fens & en
veillant. Comment fe pourroit-il faire, qu'vne mefme
chofe apparuft par fonge à tant de perfonnes auec les
mefmes circonftances? Chofes femblables n'ont point
accouftumé d'apparoir à plufieurs en fongeant, mais
bien diuerfes. C'eft chofe certaine que plufieurs,
eftans prifes en diuers lieux, ont raporté les mefmes
chofes, & qui s'acordoyent fort bien, touchant le recit
de leur prefence, du nombre de ceux qui y eftoyent,
du iour, de lieu, de l'heure, du faiâ, du poifon, de
leur allee, venue, de la rencontre des gens en chemin,
& autres chofes femblables. Que fi on interrogue
ceux qu'elles difent auoir rencontrez, ils tefmoi-
gneront que la chofe eft ainfi paffee : voudras-tu dire
que ce foit par fonge qu'elles auoyent rencontré ces
perfonnages? pour certain celuy n'eft pas trop fage
qui penfe que telles chofes puiffent eftre faites par
des perfonnes qui fongent & qui radotent : n'eft il
pas vray auffi que toutes celles qui demeurent en vn
mefme lieu racontent les mefmes chofes de leurs
forces, ceremonies, feftes, couftumes, & commencemens? Quant aux autres lieux il n'y a perfonne qui
contredife qu'elles n'y ayent d'autres couftumes &
façons de faire : & fi cela ne derogue en rien à ce
que i'ay dit ci deffus. FVR. Si cela eft refolu que l'accord fe fait en veillant, ie n'y contredi plus : mais ie
fay qu'autrement elles fongent plufieurs chofes lefquelles toutefois ne furent iamais.

ER. C'eft chofe affeuree, que au commencement

en veillant elles font alliance & font receuës en la
compagnie? FVR. Pourfui donc. ER. Ce qui s'enfuit en la defcription n'a befoin d'aucune preuue ou
declaration. Car qui eft celuy qui ne fait que les forcieres eftans feduites par les promeffes du diable efperent d'auoir de luy de l'or, de l'argent, & autres
chofes femblables lefquelles chacune d'icelles defire
bien fongneufement d'auoir? Pareillement auffi c'eft
chofe notoire, que toutes s'atribuent la fcience & le
pouuoir d'atirer à foy l'amour de qui qu'elles voudront, de femer des haines entre les maris & femmes,
d'efmouuoir des tempeftes, de caufer des maladies,
bref de faire beaucoup de chofes & bien efmerueillables. Et auffi eftans interroguees fur ce qu'elles ont
quitté & abandonné Dieu, elles n'en difent autres
caufes que celles que i'ay touchees, & autres femblables à icelles. Dauantage il n'eft pas vrayfemblable
que toutes euffent diffimulé & laiffé efcouler les ex-
cufes iufqu'à préfent, fi elles en euffent conu de propres. Parquoy il ne refte non plus aucun fcrupule en
ceft endroit qu'aux autres. Nous tiendrons donc à bon
droit pour vraye cefte defcription, tant qu'on nous
ait monftré qu'elle foit fauffe, ou qu'on en ait mis en
auant vne meilleure. FVR. Pourquoy ne les as tu
pluftoft exprimees par quelque brieue definition, que
par cefte longue defcription là? ER. Ie n'ay point
mis en auant de definition pource qu'elle apartient
aux chofes veritables, conftantes, & immuables, defquelles chofes on ne peut rien trouuer en ceft endroit. Car excepté ce qu'elles ont quitté Dieu & fon
feruice, & fe font rendues du cofté du diable, il n'y a
quafi rien en tout le refte qui ne foit faux & feint, ou
à tout le moins incertain, inconftant, coulant &

muable. Ce maudit efprit promet de donner & d'enfeigner plufieurs chofes lefquelles il ne fait iamais
veritablement & quant à ce qu'il femble quelquefois
faire, ce n'eft autre chofe qu'illufion & aparence.

FVR. Apren moy donc maintenant comment c'eft
qu'elles font diftinguees d'auec les autres magiciens
operateurs : car i'ay entendu autresfois en quoy c'eft
que elles font diferentes d'auec les autres magiciens
deuineurs. ER. S'il n'y auoit que les Sorcieres qui
quittaffent Dieu pour fe donner au diable, i'aurois
bien que refpondre, mais les autres magiciens font
auffi bien le mefme, car nul ne peut faire aucune
merueille furpaffante le pouuoir de nature (& principalement s'il s'en met en deuoir pour vne mauuaife
fin, pource qu'il y prend fon plaifir, ou pour eftre veu)
fans l'aide des diables. Laquelle chofe eftant conue
par aucuns magiciens, Satan les contraint de croire
mefchamment que par le moyen des coniurations,
exorcifmes, & autres manieres de faire, ils font ce
qu'ils ont en volonté de faire. Or ceft efprit maudit
ne fert pas volontiers (& de fait il ne fauroit feruir à
vn chacun en cefte maniere) à autres, qu'à ceux qui
ont renoncé Dieu, ou qui fe font obligez à luy par
quelque paction ou focieté. Il eft donc neceffaire qu'il
fe face vn acord fecret ou manifefte : encores que
toufiours, la paction ne foit pas egalement aperte ou
occulte, mais qu'il y ait certains degrez d'vne part
& d'autre. FVR. Il faut bien que les magiciens infames ayent quelque chofe qu'on ne peut dire eftre
aux forcieres : car autrement quelques vns ne fouf-
tiendroyent pas fi obftinement que c'eft à tort qu'on
les fait mourir.

ER. En ceft afaire il y a premierement ceci de di-

uerſité que les ſorcieres ſont acord tout ouuertement
en toutes les ſortes auec le diable, & ſe mettent du
tout en ſa protection & ſauuegarde, ayans prealable-
ment renoncé Dieu : mais quant aux magiciens d'entre les Chreſtiens (car nous ne diſons pas que les
Payens qui ne conurent iamais Dieu, l'ayent renoncé) pour la pluſpart ſont enuelopez en ſon al-
lance, & ſans quaſi en rien ſauoir, ou bien ne ſe donnent
pas ſi ouuertement du tout à luy. Ie dis expreſſément
qu'ainſi ſe fait pour la pluſpart, car nous liſons qu'il
s'en eſt trouué qui n'ont point fait de dificulté de
faire tel accord auec luy, que ſi pour vn certain
temps il vouloit faire ce qu'ils luy commanderoyent,
ils luy promettoyent d'eſtre puis apres du tout en ſa
puiſſance, mais dautant plus que ceci aduient peu
ſouuent aux magiciens, d'autant plus auſſi auient-il
frequemment, & preſque ordinairement aux ſorcieres.

Pvis après ceſte diſtinction-ci y peut encores eſtre
adiouſtee, aſauoir que les magiciens eſtiment que
les diables malgré qu'ils en ayent ſont contrains
par la puiſſance de certaines paroles, figures, manieres de faire, & prononciation de mots du nom
de Dieu, inuocation compriſe ſous des ceremonies, de faire ce qu'ils leur commandent. Quant à
ceux ci s'ils eſtoyent enſeignez & apprins par quelle
ruſe le diable fait ſemblant d'eſtre contraint, & auec
combien grand peril ils ſe mettent en train de faire
telles choſes, ils pourroyent ſans grande difficulté
eſtre reduits au bon chemin : veu qu'ils ne ſont pas
encore ſi fort engagez que les ſorcieres. Telles gens
penſent qu'ils ſurpaſſent les autres, principalement
en ce qu'ils ont la conoiſſance d'vne art ſi admirable.
& ſi ne penſent point combatre contre la pieté, veu

principalement qu'ils ont cela arresté en leur cerueau
que Salomon & quelques autres personnages craignans Dieu ont apprins de Dieu ces choses là. Mais
quant aux sorcieres, elles sauent fort bien à qui elles
ont iuré la foy, & à qui elles seruent : & toutes confessent ouuertement que ce n'est point par la vertu
de Dieu, mais par la puissance de celuy, sous la con-
duicte duquel elles se sont mises, qu'elles sont toutes
leurs merueilles. Elles se trompent bien souuent en
ce qu'elles estiment, que si grandes vertus soyent
contenues es choses qu'elles presentent & non point
qu'elles y soyent mises par le diable : n'en reconois-
sans rien au diable autre chose, sinon que par son
auertissement, & instruction elles en ont aprins l'vsage.

On peut encores y adiouster, que les magiciens
puisent leurs badineries pour la pluspart, des liures
& maistres, car en diligence ils font amas de liures,
& prenent des maistres à loage lesquels leur puissent aprendre les mysteres qu'ils desirent sauoir. Les
sorcieres au contraire ne se seruent ni d'aucun liure,
ni d'aucun maistre, mais sont instruites de tout, en
bien peu de temps par le diable mesme.

Nous voyons aussi qu'il y a quelque diference en
la fin de leurs actions veu que la fin de l'œuure des
sorcieres est pour la pluspart mauuaise, au lieu que
le plus souuent les magiciens ne demandent sinon
de donner du plaisir, ou de sembler estre faiseurs
de miracles : mais de nuire ils ne le font point,
sinon par ieu. Les moyens sont quasi semblables par
lesquels les vns & les autres pensent pouuoir mettre
à execution leurs entreprises. Les vns & les autres
font les commandemens du diable tant par charmes,
characteres, & figures, que par autres choses du tout

diuerfes & ridicules le plus fouuent. Auffi ni les vns
ni les autres ne fe contiennent dedans certaines
bornes, mais les vns fe fourrent dedans les limites
des autres : laquelle chofe eft propre principalement
à tous les magiciens operateurs.

FVR. Qu'eftimes tu qui foit caufe de cefte confufion? ER. Il femble que ce foit parce que ceft efprit
fin & rufé conoit bien qu'on ne tiendra point de
conte de luy, fi à tout le moins il n'eft eftimé tenir
fa promeffe. Or pource qu'il fait bien qu'il ne peut
pas toufiours donner ce qu'on luy demande, il s'efforce de recompenfer par vn moyen ce qu'il n'a peu
faire par l'autre, & par ainfi il faut malgré qu'il en
ait qu'il confonde fes arts d'vne façon vilaine. Car
que fauroit il faire autre chofe, lors qu'il promet
quelque chofe de veritable, laquelle il ne peut tenir? voici qu'il fait, il fe donne garde tant qu'il peut,
qu'il ne femble point à fes difciples eftre du tout menteur & fans pouuoir. FVR. Quelles chofes donc
penfes-tu que les magiciens puiffent faire au moyen
du diable? Car fi ie peux auoir l'intelligence de ce
point, i'entendray quant & quant quelle eft la puiffance des forcieres, & à l'aide de qui elles fe promettent de faire telles chofes. ER. Dautant que
i'eftime qu'il appert affez par ce qui a efté ci deuant
dit, qu'elles fauent, & confeffent que tout ce qu'elles
font eft fait par l'apuy & puiffance du diable, celui
qui monftreroit quelle eft la puiffance du diable en
ceft endroit en feroit affez ample declaration. Cela
eft tout affeuré qu'elles ne nient pas qu'elles ne
foyent incapables de conoiftre aucune chofe grande
ou cachee, & qu'elles foyent inftruites & aprinfes
par le diable. Et pourtant iaçoit qu'elles penfent que

les chofes qu'elles font, ont de grandes & efmerueillables vertus, lefquelles font inconues à vn chacun :
fi eft ce toutesfois que toutes d'vn confentement rendent tefmoignage qu'elles leur ont efté monftrees par
Satan, combien que l'experience de tant de fiecles a
monftré trefclairement que plufieurs d'entre elles ont
fceu que ces mefmes chofes eftoyent accompagnees
de nouuelles forces, toutesfois & quantes qu'il leur
venoit en fantafie d'en vfer, & que pour l'obtenir
elles ont prié le diable. Et de ceci les a peu faire fouuenir ce que toutesfois & quantes quelles euffent
bien voulu, elle n'ont peu mettre en effect telles
forces, mais quand le diable leur a commandé d'en

Les forces
qui font naturelles
es chofes
y demeurent.

vfer. Toutes chofes peuuent mettre en effect, toufiours & en tous lieux, la puiffance qu'elles ont de leur
propre nature, encor que l'effect ne s'enfuyue pas
toufiours de mefme, ou à caufe que le patient ne
conuient pas bien, ou pour quelques autres empefchemens.

    FVR. A quoy tient-il que tu n'expofes iufques où
s'eftend la puiffance du diable? ER. I'eftime l'auoir
affez fufifamment declaré efcriuant contre Paracelfe,
& pourtant il me fufira de repeter briefuement le

Quelle
eft la puiffance
des diables
quant à faire
des miracles.

fommaire de mes propos. Quant aux chofes admirables qui femblent eftre faictes outre, ou contre le
cours de nature, ou bien elles font reellement ce
qu'elles femblent eftre, ou bien ont tant feulement
l'aparence d'eftre quelque chofe, comme ainfi foit
qu'elles foyent autres que ce qu'elles femblent eftre.
Sous la premiere efpece font contenus les miracles,
vrais, artificiels, & quelques vns naturels. C'eft
chofe toute aparente que c'eft Dieu qui eft le vray
faifeur de miracles, car ils appartiennent à la crea-

tion, & qui plus eſt il y a en iceux quelque creation.
Parquoy en ceſt endroit rien ne peut eſtre attribué
au diable. De ceux qui ſont tant ſeulement artificiels, ils n'apartiennent point à noſtre intention, veu
que nous ne doutons point, que le diable n'en
puiſſe faire de tels, ou aider ceux qui les ſont. Les
Theologiens ſont d'opinion que les diables s'ils
n'eſtoyent retenus de Dieu, pourroyent faire tout ce
qui ſe peut faire par le mouvement local : eſtimans
que le diable n'a point perdu ſa nature en decheant
de la grace de Dieu. Et pourtant il eſt bien en ſa
puiſſance d'aporter viandes, à boire & autres choſes
ſemblables de pays lointains en bien peu de temps.
En ces miracles ci, tout ainſi comme aux artificiels, l'eſſence n'eſt point changee & n'y a aucune
ſubſtance qui ſe face de nouueau, laquelle n'ait eſté
deſia auparauant, mais il ſe fait vne autre compoſi-
tion de ce qui eſtoit auparauant, tandis que les
choſes ſont autrement coniointes, & n'y a que la
quantité, la figure externe, l'aſſiete, le lieu, &c. qui
ſoyent changez. Quant aux naturels, qui ſont
vrayement & ſimplement tels, ils n'ont autre
auteur que nature laquelle eſt la puiſſance de
Dieu ordinaire qui a eſté donnee aux choſes des la
creation. Que ſi les diables les pouuoyent produire
ſans que les ſemences naturelles y fuſſent meſlees,
nous ſerions contrains de confeſſer qu'ils fuſſent
createurs. Toutesfois de ceux ci s'en ſont d'autres
qui ſurpaſſent l'ordinaire couſtume de nature, mais
ceux qui ſe ſont en ceſte ſorte ne ſont pas ſimplement naturels, mais conſiſtent en partie par l'aide
de nature, & en partie auſſi par l'aide de l'art. Qui
eſt celuy qui ignore que les fruits ſe peuuent, non

fans merueille, changer quant à la faueur, couleur,
figure, & quantité, en les tranfportant de lieu en
autre? Il eft tout certain qu'on peut accorder les
qualitez aftringentes auec les purgatiues, les mal-
faines auec les faines, & au contraire la quantité
non nuifible à la nuifible. Nous fauons auffi qu'on
a tant faiêt par art que les chofes qui ne pouuoyent
croiftre en vn lieu pour l'intemperie de l'air, y foyent
puis apres creuës : finalement c'eft chofe toute aparente que quelques fruiêts font fortis & venus à ma-
turité beaucoup pluftoft qu'ils n'euffent peu de leur
nature. Que fi on me veut fouftenir que le diable
puiffe faire de mefme & enfeigner les autres à le
faire, ie n'y contrediray pas : mais pour cela il ne
fera pas plus excellent qu'vn bon & diligent laboureur, ou qu'vn autre ouurier fi le femblable fe faifoit
en d'autres chofes. Le propre donc du diable eft de
mettre des preftiges au deuant des fens des hommes,
les tromper par chofes contrefaites, & propofer au
lieu des chofes mefmes, des femblances & illufions
vaines.

Si vfant de mouuements naturels des membres,
des efprits, il frappe de maladie (ce que toutefois il
ne peut faire fans vn particulier congé & permiffion
de Dieu) & s'abfentant, & ceffant d'efmouuoir
femble guarir, il ne fait rien que nature n'euft bien
peu faire. Il eft tout cler par ce que deffus que les
diables ne font aucuns vrais miracles, ni ne peuuent
mettre en auant des chofes naturelles fans que les
caufes naturelles y foyent, mais que il fait feulement des reprefentations, lefquelles femblent bien
eftre les chofes qu'elles reprefentent au fens, mais à
la verité elles ne le font pas. Parquoy il s'enfuit

neceſſairement que les ſorcieres ne peuuent faire
aucune choſe qui ſurmonte les forces de nature. Et
qu'ainſi ne ſoit elles ſont en ceſt endroit moindres
que Satan, dautant que les choſes corporelles ſont
plus empeſchees que celles qui n'ont point de corps.
Et pourtant elles ne peuuent ſe fourrer dedans nos
corps, pour y troubler les humeurs & les eſprits : ce
que Dieu ottroye bien quelquesfois à Satan. C'eſt
auſſi choſe aſſeuree que les choſes par le moyen deſquelles elles eſtiment, par trop groſſierement,
qu'elles ſont ces belles merueilles, ne reçoiuent aucune force plus grande que celle qu'elles ont d'elles
meſmes. Que ſi quelquefois il ſe rencontre quelque
choſe eſtre faite de ce qu'elles auoyent en penſee à
l'inſtigation du diable : il ne faut pas penſer que ces
choſes là l'ayent fait, mais c'eſt le diable luy meſme.
Il donne facilement à entendre à ces poures miſerables auſquelles il a deſia oſté l'entendement, qu'elles
ont fait ce que luy meſme a fait par la permiſſion de
Dieu. FVR. I'entend aſſez qui ſont celles que tu
apelles ſorcieres, & combien (selon ton aduís) eſt
grand leur pouuoir. Et pource que ci apres il faudra
parler de ceci ie m'en tien pour maintenant à ce que
tu en as dit. I'ay grand enuie d'entendre maintenant ſi à bon droit on les peut faire mourir.

ER. Ie ſay fort bien qu'il y a pluſieurs perſonnes
qui le nient tout à plat : & qui amaſſent vn grand
tas d'argumens qu'ils eſtiment eſtre bien ſolides
pour confermer leur opinion. Et de vray puis que
nous tenons, qu'elles ne bleſſent perſonne par le
moyen des choſes deſquelles elles ſe ſeruent le plus
communement, & qu'elles ne peuuent rien faire de
tout ce qu'elles s'attribuent par leur beſtiſe & igno-

rance, il femble que ce foit chofe iniufte que de les
traîner au fuplice. Et de fait (chofe qui agraue le fait)
il ne s'en eft point trouué, ou au moins bien peu,
qui ayent donné des poifons vrayement mauuais, &
mortels. FVR. A cefte tienne raifon i'en adioufteray
d'autres. Et premierement, que elles n'ont point de
certaines formes de coniurations ainfi que les autres
enchanteurs, mais à caufe de leur phantafie qui eft
corrompuë par les humeurs melancholiques, lefquelles abondent en leur vieil aage, elles fongent,
qu'elles font defplaifir à tels, à qui de fait elles n'en
ont point fait, & mefmes ne leur en ont point fceu
faire. Pour cefte mefme caufe elles fe font à croire
quelles fauent ie ne fay quel art malefique, encor
qu'elles ne le fachent, ni ne l'ayent aprife. Que fi tu
penfes qu'elles foyent puniffables pour leur reuolte,
ie m'y oppoferay, & te foutiendray que cela ne fe
peut faire à bon droit. En premier lieu parce que ce
renoncement là eft imaginaire. Puis apres il ne faut
pas condamner à la mort pour toutes fortes de fautes, finon que tu vueilles condamner à la mefme
peine S. Pierre, & plufieurs autres qui ont renié
Iefus Chrift. Outre plus, il faut confiderer fi elles fe
repentent, ou bien fi elles perfeuerent obftinément en
leur erreur. Que fi elles retournent au bon chemin,
pourquoy refuferois tu de prendre à mercy le corps,
veu que Dieu reçoit l'ame? Que fi elles font obfti-
nees, il faut bien fe donner garde de perdre l'ame
auec le corps. As tu enuie de nous ramener fous le
ioug de la loy Mofayque, ne confiderant point que
nous viuons fous la loy de grace? Selon Moyfe le faux
tefmoin eft mis à mort, Deuteron. 19. L'efpoufe qui
ne fe trouue vierge eft lapidee, Deut. 22. Le larron

defrobant de iour eft tué fur le champ, Exod. 22. Le
temps de maintenant a un petit peu plus de douceur.
Et c'eft pourquoy Iefus Chrift ne commande point
qu'on face mourir l'adultere, Iean. 9. ni qu'on rende
œil pour œil, Luc 6. Ces chofes ne font pas obferuees
fi eftroitement, mais font adoucies pour la plufpart.
ER. Ie fuis d'opinion contraire, & di qu'à bon droit
& fuyuant la volonté de Dieu : laquelle chofe ie
cuide auoir prouuee par raifons plus pertinentes en
mon liure contre Paracelfe. En premier lieu, c'eft
chofe toute arreftee, comme le fauent tous ceux qui
ont mis le nez tant foit peu es fainctes Efcritures,
Que Dieu commande expreffement qu'on face mourir
les magiciens : & pourtant ie conclus que nos forcieres, lefquelles, comme i'ay monftré fufifamment,
font comprinfes fous les magiciens, doyuent eftre
traitees de mefme. Que fi quelqu'vn doute fi c'eft à
bon droit que nous auons mis les forcieres au roole
des magiciens, qu'il relife ce que nous auons defia
dit touchant cefte chofe, ci deuant, & examine diligemment ce qu'il nous en conuiendra dire ci après.
Et ie m'affeure que cela fait il fera de mefme auis
que nous. FVR. Tu diras cela tout à loifir, apres
que i'auroy entendu les autres raifons. ER. La feconde raifon eft, que Dieu à commandé par Moyfe
en termes expres au 23. d'Exode, que les malefiques
ou magiciennes (du nombre defquels nos forcieres ne
fauroyent eftre exemptes) foyent punies à mort. Car
foit que nous regardions le mot Hebrieu, ou le
Grec, ou le Latin, ceci demeurera toufiours vray,
que Dieu commande en ce paffage que nous auons
allegué qu'on face mourir tous ceux qui fe meflent
de faire quelque chofe, foit bien foit mal, par le

moyen du diable, c'eſt à dire par les arts illicites &
moyens inuentez par Satan. Or c'eſt choſe aſſeuree,
que toutes les merueilles & choſes extraordinaires
que font nos ſorcieres ou qu'elles penſent faire, ſont
faites par la vertu du diable. Car tout ce qu'elles ſont
profeſſion de ſauoir quant à ceſte matiere, elles confeſſent toutes & de tout temps de le tenir du diable.

Oʀ que Moyſe en ce paſſage ne parle point des empoiſonnereſſes qui font mourir les perſonnes en leur
baillant à boire du poiſon, il apert, premierement par
ce qu'en ceſt endroit il vſe du meſme mot duquel il a
vſé au ſeptieme d'Exode, en parlant des magiciens
de Pharao : leſquels ne debatoyent pas auec Moyſe
par le moyen des poiſons, mais par illuſions. Ce
meſme mot auſſi (ou ceux qui en ſont deriuez) ſe
trouue quelquesfois en d'autres endroits, auſquels il
ne ſe prend iamais pour vne perſonne qui donne du
vray poiſon : mais bien pour vn enchanteur, &
deuineur abominable, c'eſt à dire, qui a familiarité &
frequentation auec le diable. Sinon qu'il vueille excep-
ter vn paſſage du quatrieme des Rois chap. 9. Car
en ceſt endroit-là Iehu reſpond à Ioram, qui luy demandoit s'il y auoit paix, Quelle paix? dit-il, les for-
nications de ta mere Ieſabel, & ſes enchantemens ſont
en grand nombre. Nous liſons bien que ceſte femme
a eſté fort adonnee au ſeruice des diables, & qu'elle
a taſché de toutes ſes forces de renuerſer le vray
ſeruice de Dieu : mais nous ne trouuons point que
elle ait fait mourir les gens par bruuages empoiſon-
nez. Iehu donc parle de la fornication & empoiſonnement ſpirituel, ou pluſtoſt, de l'adoration ou ſeruice
des diables. FVR. Mais les ſeptante Interpretes ſemblent auoir entendu & traduit le mot tout autrement.

ER. Si tu veux prendre la peine de regarder la
tranflation des feptante Interpretes, mon opinion en
fera dautant plus rafermie. Car quafi par tout ils ont
traduit le mot duquel a vfé Moyfe, par le mot *Phar-
maʒos* & ceux qui font deriuez de luy : tout de
mefme que les Latins l'ont tourné & malefices malefiques. Et Moyfe ayant vfé de ce mefme mot en ce
paffage, & au feptieme d'Exode (finon qu'en ceftui-ci
il auoit mis le genre mafculin, & au 22. d'Exode,
il a mis le feminin) ils l'ont neantmoins toufiours
traduit par le mot *Pharmakos* par ce qu'ils ont eftimé
qu'en l'vn & en l'autre paffage, Moyfe entendoit vne
mefme chofe. Combien qu'au feptieme chapitre
d'Exode, ils ne les appellent pas feulement *Pharmaʒosi*
mais auffi *Epaoidoi*, comme auffi ils nomment les
manieres de faire defquelles vfoyent les magiciens
d'Egypte, & *Pharmakiæ* & *Epaoidiæ*. Ce qui monftre
euidemment, que ces perfonnages ont eftimé que le
mot Hebrieu, qu'ils ont interpreté en l'vn & en l'autre paffage, fignifioit ce qui de ce temps là eftoit entendu par les mots Grecs *Pharmokos* & *Epaoidos*.
Dauantage celui fera eftimé prefque du tout befte.
qui penfera que par le mot *Pharmakos* & *pharmakia*,
ils ayent voulu donner à entendre, ceux qui proprement s'apellent empoifonneurs, & les poifons qui
proprement s'apellent poifons. Car qui eft celuy
qui ignore, que les magiciens d'Egypte ne debattoyent pas auec Moyfe à force de poifons ou bruuages
empoifonnez, mais que par le moyen de leurs enchantemens ils vouloyent faire tenir pour friuole ce
qu'il difoit ? Il me femble d'autre part que ces grands
perfonnages, ont par bon auis interpreté le mot
Hebrieu par cefte diction *Pharmakos* de peur qu'on

ne peuft l'interpreter ou entendre autrement que ne
fignifioit le mot Hebrieu. C'eft chofe affeuree, que le
verbe *Epado* en Grec, ne fignifie autre chofe qu'enchanter, ou faire des preftiges, au lieu que le verbe
Pharmakeuo fe peut prendre à la bonne & à la mauuaife part. Et quand il eft prins à la mauuaife
part il fignifie tant faire nuifance par poifon, que
mettre deuant les yeux des preftiges. Et pourtant, ils ont incontinent adioufté cecy à leur interpretation, afin que par apres on peuft conoiftre en
quel fens ils vouloyent vfer du mot de *Pharmakia*.
FVR. Veux tu encores amener quelque chofe à ce
propos? ERA. Quiconque craint Dieu, & le tient
pour fi veritable qu'il croit auffi bien ce qu'il a dit
vne fois, que s'il l'auoit repeté dix ou vingt fois n'en
demandera pas dauantage.

Ceci eft prouué affez euidemment que Dieu veut
que tous ceux foyent mis à mort qui s'eftudient aux
arts diaboliques & defendues, foit pour nuire foit
pour aider, & qu'ils le facent de fait, ou bien que
feulement ils le cuident faire. Et comme ainfi foit
qu'il n'y ait gens au monde qui puiffent nier que les
forcieres ne foyent du nombre, ie penfe auoir prouué
affez apertement ce que i'auoye deliberé de prouuer.
l'aioufteray encores quelques autres raifons, afin de
contenter les plus groffiers. C'eft chofe feu e que les
idolatres peuuent eftre mis à mort fuyuant le commandement de Dieu contenu au dixfeptieme chapitre
du Deuteronome, où il eft dit, Quand il fe trouuera
au milieu de toy, en l'vne de tes portes que le Seigneur ton Dieu te donne, homme ou femme qui face
mal deuant les yeux du Seigneur ton Dieu & tranf-
greffant fon alliance, & qu'il alle, & ferue autres

dieux, & s'incline deuant eux, lors tu t'enquesteras
bien, & si c'est chose vraye & certaine, tu feras
sortir hors de tes portes cest homme ou ceste femme
là qui auront fait ce meschant acte, & les lapideras
de pierres, & mourront. Et y a-il homme si impudent qui ose nier que les sorcieres ne soyent idolatres!
car lequel peche le plus, ou lequel est plus grand
idolatre, celuy qui adore l'image du diable, ou celuy
qui se prosterne & fait requeste au diable mesme? Les
sorcieres n'adorent pas les images des diables, mais
elles se donnent entierement au diable, en personne,
se mettent en sa sauuegarde, luy promettent de luy
estre serues, & qu'elles obeiront à ses commandemens, & de ce font par ensemble vn accord iuré. S'in-
uenta-il iamais ou se pourroit-il en tout le monde
inuenter vne idolatrie plus detestable, sacrilege, &
abominable? Ie ne le pense pas. Pourquoy donques
est-on d'auis de pardonner plustost à celles-ci qu'aux
autres? FVR. Il n'y a personne qui peust nier qu'elles
ne soyent idolatres, si elles font ce que tu dis. Et
mesmes ie ne doute point qu'il ne falle punir mesme
les idolatres qui ont tant seulement abandonné Dieu.
Mais voici ou est la dispute, asauoir si elles font ces
choses reellement, ou si c'est seulement par imagination. Mais poursuy maintenant: possible que tantost
nous parlerons de ceste dispute.

ER. A ce que dessus faut adiouster, que souuentesfois elles exhortent & taschent d'en attirer d'autres à
ce mesme forfait par tous les moyens qu'elles peuuent : car des le commencement, elles promettent
aux diables qu'elles mettront tout soin & diligence
d'y en attirer. La loy de Dieu parle, touchant tels
seducteurs, en ceste maniere au treizieme chap. du

Deuteronome, Quand ton frere fils de ta mere, ou
ton fils, ou ta fille, ou la femme qui eſt en ton ſein,
ou ton prochain, lequel t'eſt comme ton ame, te
voudra inciter, diſant en cachette, Allons, & ſeruons
aux autres dieux : ne luy conſen point, & ne l'eſcoute
pas : auſſi que ton œil ne luy pardonne point : & ne
luy ſay miſericorde, & ne le cache point : ʻmais tu
l'occiras, ta main ſera ſur luy la premiere pour le
mettre à mort : & apres, la main de tout le peuple. Et
le lapiderez de pierres, & ainſi mourra. Combien de
fois a-il ordonné qu'on bruſlaſt les maiſons, les beſtes,
le meſnage, auec les villes toutes entieres, auſquelles
ſe ſont trouuez de tels hommes meſchans & maudits
qui incitoyent leurs concitoyens à adorer des dieux
eſtranges? La volonté donc de Dieu eſt, que non
ſeulement ceux là meurent, qui conſeillent tout
apertement aux hommes de ſe reuolter de Dieu :
mais auſſi ceux qui le leur conſeillent, & mettent en
teſte à cachette. Que s'il y a quelque ville qui ne
puniſſe point tels mal-heureux, il commande qu'elle
ſoit entierement raſee, & defend qu'elle ne ſoit plus
par apres rebaſtie. Quelle excuſe pourrons-nous icy
trouuer? c'eſt choſe aſſeuree que nos ſorcieres adorent
& ſeruent le diable, & ont renoncé & abiuré le vray
Dieu. C'eſt auſſi vne choſe toute aperte & manifeſte,
qu'elles s'efforcent d'en attirer d'autres à vne meſme
meſchanceté. Parquoy elles meritent la mort, pour
auoir meſchamment renoncé Dieu : quant eſt de la
ſeduction, ſi elle appert & on ne la punit, le reſte de
la ville eſt en danger de prochaine ruine.

    FVR. Ceſte parole eſt de grand poids, voire eſt
telle qu'il ne la faut point meſpriſer. Mais ie diray
en apres que c'eſt que ie penſe qu'on pourroit reſ-

pondre à cela. Quant à toy, pourſuy touſiours. ER.
Elles meritent encor d'vn autre coſté la mort, aſauoir
pource qu'elles ſont homicides : entant qu'elles
s'efforcent de tourmenter de maladies les hommes &
les beſtes : qu'elles taſchent de faire deſplaiſir, de tout
leur pouuoir, à ceux à qui elles veulent mal : qu'elles
ſement des diſſentions entre les maris & femmes : &
qu'elles ſont tout leur pouuoir pour contraindre non
ſeulement les filles, mais auſſi les femmes mariees
de condeſcendre à des amours ſales & impudiques.
Et combien que chacun de tous ces crimes à part
ſoy merite la mort, toutesfois encores la meritent-ils
dauantage, pource qu'ils ſe font par le moyen & aide
du diable, qui en cela ſert comme de ſeruiteur. Et ſi
cela ne les peut excuſer que les moyens par leſquels
elles taſchent d'executer leurs mauuaiſes volontez,
n'ont pas tant de vertu que de mettre à effect ce
qu'elles deſirent. Neantmoins c'eſt choſe toute aſſeuree, que leurs efforts ſortiſſent quelquefois leur
effect : & qu'elles ſe reſiouyſſent grandement en elles
meſmes, de ce qu'elles en ſont venuës à bout, & n'en
penſent pas autrement, ſinon que ce ſont elles qui
ont fait ſi beau chef d'œuure. Car elles croyent fort
obſtinement, que les herbes, les images, les characteres, & les paroles, deſquelles elles ſe ſeruent
comme d'inſtrumens, ont bien la puiſſance, ſoit
qu'elle y ſoit de ſoy-meſme, ou qu'elle y ſoit miſe
par le diable, de pouuoir faire & cauſer telles choſes.
Et en outre, à tous propos elles incitent par prieres
& inuocations les diables de leur eſtre en ayde pour
venir à bout de telles choſes. Deſquels crimes, i'eſtime qu'il n'y a homme de bien, & experimenté, qui
vueille ſouſtenir que le moindre ne merite la mort.

Car combien que les malins efprits defia d'eux
mefmes veillent bien à cela, afin de nuire : & qu'ils
foyent, comme dit S. Pierre, autour de nous ainfi
que des lions rugiffans qui ne cerchent qu'à deuorer
quelqu'vn : toutesfois fi eft-il croyable que bien fouuent ils n'euffent pas penfé à plufieurs chofes lefquelles ils s'entremettent de faire y eftans induits
par les forcieres, & dont de fait ils viennent à bout
par la permiffion de Dieu. Il eft bien vray que malefices fe font à cachette par les diables & neantmoins ceux qui les ont induits à les faire, ne laiffent
pas pourtant d'eftre à bon droit apellez malefiques.
On ne nie pas mefmement que les magiciens renommez, & les necromantiens, qui ne font, finon par le
moyen de quelques charmes attirer les ombres, ou
pluftoft les diables, encor qu'ils n'ayent pas deliberé
de faire mal à perfonne, ne foyent coupables de
mort. Comment donc eft-ce que ne le feroyent celles,
qui ne les apellent point par vn charme qui con-
tienne vne alliance tacite, mais par prieres en faueur de l'aperte & manifefte alliance qu'il y a entr'-
eux, & par mefme moyen l'induifent & folicitent à
mal faire? FVR. Pourquoy faut-il eftimer que Moyfe
ait mis vne loy particuliere pour la peine des forcieres, fi ainfi eft qu'elles doyuent eftre tenues pour
homicides? Car il monftre ouuertement au 35 chap.
des Nombres. Que celuy eft homicide qui de fa
propre volonté fait mourir quelcun, ou bien en le
frapant auec vn glaiue, auec vne pierre, auec vn
bafton, ou auec le poing : Ou bien en l'eftouffant
auec vn cordeau, vn oreiller, ou dedans l'eau, ou
qui l'a fait tomber de quelque haut lieu en bas : ou
l'aura fait mourir de faim, ou par poifon : ou qui

l'aura contraint de fe tuer foy mefme : bref qui luy
aura caufé fa mort par quelque autre maniere. Si
donc ainfi eft que quiconques aura fait mourir vn
homme de fa propre volonté doit eftre apellé à bon
droit meurtrier de quelque façon qu'il luy ait procuré fa mort, quel befoin eftoit il de faire vne loy à part
pour les forcieres? ER. Il y a grand raifon pourquoy
il a fallu faire vne loy à part pour les enchanteurs
& malefiques. Car il y a grande difference entre ceux
qui font mourir vn homme auec du poifon qu'il fauent bien eftre poifon, & les autres qui par charmes,
inuocation des diables, exorcifmes, images, & characteres confacrez aux diables, & par fe feruir des
chofes enchantees & acouftrees par le diable, braffent
reellement & de fait plufieurs maux aux hommes.
S'ils venoyent toufiours à bout de tout ce qu'ils pretendent, ie confeffe que cefte loy pourroit fembler inutile. Mais pource que l'experience nous a
monftré, que pour nuire elles fe feruent de chofes
qui ne font aucunement nuifibles, & d'autre cofté
qu'on fait affez qu'elles ne viennent pas toufiours, &
mefmes peu fouuent, au bout de leurs ateintes, ce
n'eft pas fans caufe que les anciens en ont fait vne
loy à part, par laquelle ils declarent ces enchanteurs
& enforceleurs coulpables du crime d'homicide. Car
Platon en l'onzieme des loix, en a ainfi determiné.
Quant à cefte forte de poifons mortels, par lefquels
on fe fait defplaifir l'vn à l'autre, les loix qui ont efté
donnees ci deffus en ont ordonné, mais nous n'auons
point encores parlé des autres fortes, lefquelles on
referue pour en faire nuifance à fon prochain,
par bruuage, viandes & onguens : car il y a deux
fortes de poifons qui nuifent au genre humain, l'vn,

duquel nous auons maintenant parlé, lequel eſt
nuiſible aux corps ſelon nature par le moyen des
corps, & l'autre qui leur fait nuiſance par certains
preſtiges, & enchantemens, &c. Platon demonſtre
& afferme ouuertement en ceſt endroit, qu'il y a
bien grande diference entre les poiſons mortels,
& les bruuages enchantez : & pourtant qu'il eſt beſoin de diſtinguer les loix touchant iceux, puis
qu'ainſi eſt que la maniere de nuire & mal faire
n'eſt point telle en l'vn comme en l'autre, car la premiere eſpece d'iceux eſt naturelle, mais l'autre a
ſemblé aux anciens ſurpaſſer la nature. FVR. Ie me
tiens à ceſte raiſon, pource que ie ne ſcay qu'y opo-
ſer, Et pourtant ſi tu as encores quelque choſe, tu le
pourras adiouſter. ER. C'eſt bien dauantage de dire
que l'exercice de ceſte art, ou pluſtoſt vanité, merite
la mort, encor qu'il ſe face ſeulement par ieu ou
par plaiſir : & toutesfois ce que ie di apert ouuertement par ce que Dieu commande expreſſément, que
ceux qui vont ſeulement demander conſeil aux enchanteurs, magiciens ou deuins, ſoyent mis à mort.
Que ſi la volonté de Dieu eſt, que celuy qui ſe ſert
du conſeil de quelcun exerçant vne art defendue ſoit
puni à mort, encores qu'il n'ait fait aucun mal, &
meſmes qu'il n'ait point penſé à en faire : comment,
ie vous prie, pourroit on penſer qu'il ait voulu
qu'on pardonnaſt à celuy qui baille le conſeil? Autant en eſt-il des magiciens qui ne font point de mal,
mais qui ſeulement font eſtat de plaiſanterie, ou bien
s'enquierent des choſes ſecrettes & cachees. Car Dieu
veut que toutes telles ſortes de gens ſoyent oſtez du
milieu des hommes, & ſi n'en peut-on rendre autre
raiſon ſinon qu'ils ont aprins les arts et ſciences defen-

dues : la caufe eft pource qu'elles ne fe peuuent
aprendre ni exercer sans qu'on conuerfe auec le
diable. Car quiconque s'effaye de faire par inftrumens naturels des chofes qui paffent la force de nature, & pour ceft effeit ne fe fert point de l'aide de
Dieu ni des bons Anges : ceftuy là neceffairement fe
fert de l'aide du diable par le moyen d'vne alliance
occulte ou manifefte. Car que fauroit-on inuenter autre
chofe? Or chacun fcait bien que les forcieres fe
mettent en deuoir de faire des chofes, lefquelles pour
leur grandeur & dificulté ne peuuent eftre faites par
la force des chofes dont elles fe feruent. C'eft auffi
vne chofe du tout affeuree, qu'elles croyent que par
le moyen du barbotement de certaines paroles de
blafpheme, & par l'inuocation du diable, les chofes
dont elles fe feruent, recouurent vne nouuelle force.
Il fe voit auffi tout clairement, qu'elles ne font point
de dificulté de confeffer qu'elles font alliance auec le
diable, voire beaucoup plus mefchamment que ne
font pas tous les autres enchanteurs. Parquoy on ne
fauroit rien afermer de plus certain, que ce qu'elles
font inftruites par le moyen des fauffes arts. Qui
voudra donc dire qu'elles ne meritent la mort,
quand il n'y auroit autre raifon que cefte ci? FVR.
Mais elles ne fauent aucun art, & ne firent iamais
vn pas hors de leurs maifons pour l'aprendre, elles
n'ont aucuns liures : & la plufpart ne fauent point
lire. ER. Ie refpon, que la Loy de Dieu ne condamne pas feulement ceux qui ont apris auec grand
peine vne longue art, contenue en plufieurs reigles
& preceptes, mais auffi tous les autres qui à caufe
de l'alliance qu'ils ont faite auec luy, ont puifé quelque chofe du fien. I'apelle art en ceft endroit la

conoiſſance d'vne ſeule choſe, ou bien vne experience qu'on a, laquelle s'appele communément recepte & art : comme quand nous diſons, Ie ſcay bien
l'art, ou la maniere, de faire ceci ou cela. Mais
quoy? celuy qui s'enquiert d'vn deuin du ſucces de
quelque afaire qu'il a en penſee de faire, a il aprins
vne longue art? Et toutesfois par la Loy de Moyſe
celuy eſtoit coulpable de mort qui auoit fait telles
choſes, parce que Dieu auoit defendu expreſſement
qu'aucun n'euſt à aprendre aucunes arts blaſphema-
matoires qui ont le diable pour auteur & inuenteur,
ni à les exercer ni à s'en ſeruir à bonne ou mauuaiſe
fin. Auſſi nous ne trouuons pas vn endroit, qu'on
doyue punir à mort ceux qui ne nuiſent que de certaines paroles & long charme, mais en general la loy
commande que on face mourir les malefiques, ſoit
qu'ils vſent de peu ou de prou de paroles. Et auſſi
ſous ceſte meſme loy ſont comprins tous les malefiques qui ſont profeſſion, en quelque maniere que
ce ſoit, d'arts defendues, encores qu'au lieù des paroles ils facent ou quelques cere⁻ ɔnies, ou quelques
avtres menus fatras qui d'eux ꟷieſmes ne ſont point
nuiſibles : pourueu qu'ils reconoiſſent le diable pour
leur maiſtre. Dieu donc a voulu que telles arts fuſſent
crimes dignes de mort, non point pource qu'elles
ſoyent longues ou brïeues, faciles ou difficiles à
aprendre, mais d'autant qu'elles ne peuuent eſtre
aprinſes ſans faire vne alliance digne de mort, aſavoir
pource que, & en aprenant leur art, & en la prati-
quant, & en attendant le fruit d'icelle, elles ſont
alliance auec le diable ou ouuertement ou tacite-
ment. FVR. Veux tu adiouſter quelque choſe à ce
que tu as dit?

ER. Voicy pour la feptieme raifon, ie dy qu'elles paillardent horriblement auec le diable. Et pour vray, chacune d'icelles a fon amoureux, diftingué de nom, de figure, & d'acouftrement. Et de fait, tout auffitoft qu'elles font d'accord de leurs pactions, ils ont accouftumé de fe mefler auec elles : felon ce que toutes les forcieres, d'vn commun accord, on raporté en quelque lieu que elles ayent efté prinfes. FVR. Comment dis-tu cela, veu que le diable n'a point de vraye chair? & pourtant il n'eft point amoureux de la forciere comme feroit vn homme. ER. Cecy ne derogue en rien à mon opinion ni à mon dire : pource que ce qu'il a afaire à elles n'eft point que quant à luy il en reçoyue du plaifir, mais afin de donner du paffe-temps aux forcieres, & n'y a point de doute qu'il ne puiffe faire vn chatouillement, par l'emotion des humeurs, des efprits, & de la femence : ne plus ne moins qu'en les confondant, il a bien le pouuoir de faire venir des maladies qui gehennent les hommes. Et ceci luy eft d'autant plus facile, que en l'endroit des forcieres qui ont l'apetit & mouue-ment naturel qui les aide, mais en ce cas de donner la maladie ils la trouuent du tout contraire & repu-gnante.

Mais il prend diuers corps, à ce qu'on dit, def-quels il n'eft pas befoin de parler plus amplement, veu qu'il eft certain qu'il fe veft d'vn corps qui fe peut voir & toucher encores que ce ne foit pas vraye chair. De ceci font foi les *Lamiæ* ou *Empufæ* des an-ciens : auffi fait le fantofme d'Ausbourg, duquel i'ay fait mention ci deffus : ce que font auffi infinies autres aparitions. Il eft bien fouuent auenu qu'il s'eft prefenté à ceux qui alloyent fur les champs, en

Les forcieres paillardent auec les diables.

vraye forme d'homme, a parlé auec eux, s'eſt pourmené, & en toutes choſes s'eſt tellement comporté,
qu'on le tenoit pour eſtre veritablement homme.
I'ay dauantage entendu qu'en quelques lieux eſtoyent
arriuez des diables aux hoſtelleries en la forme de
nobles cheuaucheurs, & qu'ils s'eſtoyent mis à table,
auoyent mangé, & tantoſt apres s'eſtoyent diſparus.
Or c'eſt choſe ſi claire qu'elle n'a point beſoin de
preuue, que les ſorcieres qui oſent faire vne ſi grande
& ſi horrible meſchanceté meritent d'eſtre punies,
voire bien grieuement. Dieu a commandé que ceux
qui auroyent à faire auec la beſte fuſſent bruſlez
auec icelle.

CELVY ne peche-il pas plus grieuement, qui reçoit
la compagnie des eſprits immondes, & ne la reçoit
pas ſeulement mais auſſi la recerche & deſire ? I'a-
diouſteray encores ceſt argument comme par deſſus :
que les blaſphemateurs doyuent eſtre punis à mort.
Iouxte la loy contenue au 24. chap. du Leuitique.
Quiconque aura maudit ſon Dieu, portera la peine
de ſon peché. Le blaſphemateur du nom du Seigneur
mourra, & toute la congregation le lapidera. Or on
ne ſait que trop que les ſorcieres, pour faire plaiſir à
Satan deſpitent Dieu, & diſent infinis outrages
contre ſa maieſté afin de monſtrer à Satan la haine
qu'elles portent à Dieu par ces blaſphemes ſi inſuportables : & pourtant il eſt tout aparent quelle punition elles meritent. Et combien que ceſtuy la ſoit
proprement blaſphemateur, qui prononce des outrages à l'encontre de Dieu y eſtant pouſſé par ſa propre
meſchanceté? Toutefois ſi trouue-ie que ceux auſſi
ſont appellez blaſphemateurs tant au vieil qu'au
nouueau Teſtament, qui renoncent Dieu, & meſdi-

fent de tout fon feruice. Ainfi qu'il eft efcrit aux
Actes 18. 6. Iaq. 2. 7. 1. Pierre 4. 14. FVR. Ce que
tu dis eft du tout friuole, comme il aperra ci apres,
mais acheue ton propos. ER. Tu apeles ce que ie di
chofes friuoles & t'en moques : mais tu ne faurois
par aucun argument monftrer qu'il foit faux. Or de
ma part ie fuis affeuré que i'ay monftré affez euidemment par mes raifons comment les forcieres meritent la mort fuyuant l'ordonnance de Dieu : & que
les Magiftrats qui les font mourir n'ofenfent aucunement, mais au contraire font la volonté de Dieu,
& chofe qui luy eft agreable, pourueu que ce ne foit
point à tort. Au furplus on ne fait point endurer ni
à ceux-ci, ni à ceux-là pour autre fin, finon à ce que
les autres foyent deftournez de leurs crimes & c'eft
pourquoy Moyfe repete tant de fois, quand il eft queftion d'ordonner que quelcun foit mis à mort pour fes
mefchancetez & crimes, que c'eft afin que les autres
le voyent & craignent de faire le mefme. C'eft auffi la
raifon qu'en rend Platon en l'onzieme des loix, quand
il dit, parlant des malfaicteurs, Non pas qu'il foit
puni feulement pour fon forfait (car ce qui eft fait
ne fe peut desfaire) mais afin que ceux qui ont fait
le mefme mal, & ceux qui auront veu vn tel fupplice, aprennent à l'exemple de celuy là d'auoir le
mal en horreur.

Ie refpondray maintenant aux argumens que tu
m'amenois tantoft à l'encontre, finon que le trouuaffes
meilleur autrement. FVR. Ie t'efcouteray, & puis
apres ie m'efforceray de rabattre les tiens par d'autres qui foyent fufifans. ER. Ie di encores vne fois
que les forcieres ne font pas puniffables pour auoir
fait quelqu'vn de ces miracles qu'elles penfent auoir

*Pourquoy
on fait endurer
les
malfaiteurs.*

faits, mais parce qu'elles se sont mises en deuoir de les faire par le moyen & aide des diables. I'ay desia ramentu que les deuins & magiciens ausquels il ne vint iamais en la pensee de faire mal à personne, mais seulement s'estudient à preuoir les choses à venir, ou par leurs prestiges donner du plaisir aux autres, sont condamnez à mort par la Loy de Dieu, lequel mesme commande que celuy qui va demander conseil à vn deuin soit mis à mort, encores qu'il n'ait pensé à faire aucun mal. Et pourquoy? On n'en sauroit rendre autre raison sinon qu'ils sont accord ouuert ou couuert auec le diable. C'est donc en vain qu'on obiecte qu'elles n'ont point fait de mal à personne, veu que Dieu commande qu'on les face mourir non point pour mal qu'elles ayent fait à autruy, mais seulement pour auoir fait alliance auec Satan. Aussi ne les peut aucunement garantir ce qu'elles n'vsent point de certains formulaires comme font les autres enchanteurs : car vn tel accord se peut faire en beaucoup de sortes. Il sufit que tout ce qu'elles font, est par le moyen & aide du diable. Ie di dauantage, que ceste alliance n'est point imaginaire, veu qu'elles la font, & demandent de la faire en veillant, y ayans desia auparauant bien pensé.

Quel renoncement de Dieu merite la mort. On ne doit pas pardonner aux malfaiteurs toutes les fois qu'ils se repentent de leurs messaits.

FVR. Toute sorte de renoncement de Dieu ne merite pas la mort. ER. Ie le confesse, mais ie soustien que tout renoncement semblable à celuy des sorcieres le merite. Celuy de S. Pierre a bien esté autre, comme il sera dit en son lieu. Mais si elles se repentent, me dira-t-on, il en faut auoir pitié; que si elles ne se repentent, il ne faut pas tuer l'ame auec le corps. Mais ie respondray à ces deux obiections en vn mot. Asauoir que Dieu n'entend pas que les mal-

faiɛteurs qui ont merité la mort ne foyent pas punis,
ou pource qu'ils commencent à fe repentir, ou qu'ils
ne fe repentent point du tout. Car la iuſtice lairra elle
aller vn brigand qui fe repentira? Ou bien ne le fera
elle point mourir s'il ne fe veut repentir? Les peines,
comme i'ay defia dit, ne font point ordonnees, ou
pource que le malfaiɛteur fe repent, ou qu'il ne fe repent point, mais afin de faire peur aux autres par le
moyen du fuplice. Mais il ne faut pas que l'ame foit
tuee auec le corps. Se peut il faire auffi qu'il n'y ait
aucuns de fauuez de ceux qu'on fait mourir ou à
tort ou à droit? Ia n'auienne. Pour certain il y en a
beaucoup de fauuez & beaucoup de damnez d'vn
coſté & d'autre. Et à dire vray, ceſte mort corporelle
ne fauue ni ne damne. Il les faut donc inſtruire premier que de les faire mourir. Et ſi pour cela ie ne te
veux point ramener fous le ioug de la loy Mofayque.
Combien que ie n'en aperçoy point que la loy morale
ait eſté abolie, veu que Iefus Chriſt au 1 5 de S. Matth.
femble pluſtoſt l'autorizer que de l'abolir, mais i'affeure tant feulement, que tous les crimes que Dieu
a declairez eſtre capitaux peuuent eſtre punis à mort
par le Magiſtrat, fans que Dieu y foit offenfé. ꝛe ne
di pas qu'il le falle toufiours faire, mais ie dı que
celuy qui le fait ne fait pas mal. Si les forfaits peuuent eſtre chaſtiez auffi bien par quelque peine plus
douce, ie ne veux pas opiniaſtrer qu'on en vfe d'vne
plus grieue : veu que i'ay monſtré que les punitions
ont eſté ordonnees à ceſte fin, que pour crainte
d'icelles les hommes foyent deſtournez de mal faire.
Et celuy fe trompe qui penfe que le temps de grace
s'eſtende iufqu'à là de permettre plus grande liberté
aux malfaiɛteurs qu'ils n'auoyent auparauant. Il

eſt bien vray que nous ſommes ſous la liberté de
l'Euangile : mais ceſte liberté ne fait pas que le magiſtrat ne doyue tenir conte de punir les vices, ni
qu'on ſe doyue donner plus grande liberté de mal
faire. Car Dieu n'entend pas moins maintenant qu'on
puniſſe les malfaiѝteurs qu'il faiſoit du temps de
Moyſe, pour la raiſon que i'ay ci deſſus dite, ce qui
eſt aſſez declaré par le paſſage de ſainѝ Matthieu que
i'ay n'agueres allegué. La liberté de l'Euangile apartient à la conſcience, & n'ordonne pas qu'on laiſſe
paſſer les forfaits ſans les punir : & ſi nous deliure du
ioug des ceremonies, mais elle n'abolit point la loy
iudiciale, ni les punitions contenues en icelle. Parquoy le magiſtrat ne pourroit eſtre repris d'auoir puni
vn faux teſmoin, vne fiancee qui ſe trouue corrompue,
& vn larron qui defrobe de plein iour, à la maniere
que Dieu le commande par Moyſe. Et ce que tu diſois
touchant l'adultere ni empeſche en rien : car il n'a
pas defendu qu'on ne la puniſt fuyuant la loy, mais
les reprent pource qu'ils l'auoyent amenee pour le
tenter : & puis Ieſus Chriſt n'eſtoit point venu pour
ſe mettre en la place des Iuges. Quant à ce qu'en
S. Luc au 6. chap. il dit qu'il ne faut point rendre
œil pour œil, cela ne touche en rien du tout au magiſtrat, & à l'ordre politique, mais cela apartient
aux particuliers. Car il veut monſtrer combien grande
doit eſtre la perfeѝtion & patience d'vn chacun Chreſtien à l'endroit de ſon prochain.

FVR. Je t'ay aſſez eſcouté, il eſt temps que tu
m'eſcoutes combatre tes raiſons, & expoſer en plus
de paroles ce que i'ay ia ci deuant dit. ER. Mets
moy en auant tout ce que tu pourras forger de nouueau, ou que tu as apris des autres, ie l'endureray

volontiers. Et t'affeure que ie tiendray pour vn singulier bienfait le grand effort que tu feras à reprendre mon opinion, & rendre la tienne meilleure.
FVR. Tout premierement ie te nie fort et ferme que
les forcieres foyent comprinfes fous les magiciennes :
Car il y a grand diference entre elles & les magiciens
infames : veu que les magiciens, de leur bon gré,
eftans affez efmeus par vne certaine fierté & curiofité illicite, s'adonnent à ces arts : mais tout ce que
les forcieres font en ceft endroit elles le font à la perfuafion du diable. Or c'eft bien chofe plus à condamner de faire vn mesfait de fa propre volonté &
deliberation, que non pas d'eftre induit à le faire par
le moyen de certains allechemens : & pourtant ne
doyuent endurer vne mefme peine. Comme pour
exemple, voila deux meurtriers, defquels l'vn aura
tué vn homme, apres y auoir bien penfé en foy
mefme, & de grand enuie qu'il a de mal faire,
l'autre aura fait le mefme y eftant induit à force de
perfuafions. Quant au premier il eft tout certain
qu'il a merité la mort : mais quant à l'autre ie di,
ou qu'il eft excufable, ou qu'on le doit punir beaucoup plus doucement : pource que le forfait du premier a fa caufe au dedans, mais celuy du dernier l'a
au dehors. Qui plus eft, Moyfe n'a point conu les
forcieres qui font de noftre temps : & pourtant il
s'enfuit qu'il ne les pouuoit donc pas comprendre
fous le mot de magiciens. ER. Si fous le nom des
magiciens ne font comprins que ceux là tant feulement qui ont toutes chofes femblables en leur art, ie
t'accorderay volontiers que nos forcieres ne pourront eftre du conte, parce que i'ay defia monftré que
les magiciens & les forcieres font beaucoup de chofes

*Objection
contre
le premier
argument.*

*Il y a plufieurs
fortes
de magiciens.*

qui ne fe reffemblent pas. Mais par mefme moyen
auffi nous auons monftré comment les forcieres fur-
paffent de beaucoup en mefchanceté plufieurs des
autres magiciens. En cefte forte il n'y aura qu'vne
feule efpece de magiciens. Or nous auons monftré
qu'il y en a de deux fortes, car il y a la magie par
laquelle on deuine, & auffi celle par laquelle on
met en effeſt ce qu'on veut : de laquelle nous auons
dit ci deuant qu'il fe trouuoit plufieurs fortes, ou
efpeces, ou degrez, ou diferences. Et fi ne fauroyent
eftre diftinguez en vrayes efpeces à caufe de la confufion de la maniere d'aprendre & d'exercer l'art, à
caufe des inftrumens, defquels plufieurs fe feruent :
& mefme à caufe de la fin laquelle n'eſt pas toufiours
vne mefme en tous. De ceci toutesfois ne fe pourra
enfuyure que tous ne foyent comprins fous vn
mefme fens : car ce que l'homme a beaucoup de
chofes que les autres animaux n'ont pas, fait il que
l'homme ne foit point animal? Les forcieres ont
quelque chofe de particulier fi on les compare auec
quelques autres magiciens, mais pour cefte diffem-
blance elles ne fauroyent eftre oftees du nombre des magiciens. Pour vray ce font chofes communes entre les
magiciens, (ie parle de ceux qui befognent) de faire
alliance ouuerte ou cachee auec le diable, & auffi de
faire des chofes admirables furpaffans les forces de
nature, & ce par l'aide & fuport des diables. Celuy eft magicien en qui ces chofes fe trouueront. Or
elles fe trouuent toutes es forcieres, car vrayement &
ouuertement elles font alliance auec le diable, &
tafchent à faire des chofes qui ne peuuent eftre faites
naturellement par aucun homme, brief elles s'efor-
cent de faire tout ceci non pas à l'aide & par la

puiſſance de Dieu, mais par le pouuoir des diables.
Pourquoy eſt-ce donc que tu dis qu'il ne les faut pas
mettre au nombre des magiciens? FVR. Pource que
la definition ou deſcription des vns & des autres
n'eſt pas pareille. Car celuy eſt magicien, qui a eſté
enſeigné ou par les liures, ou par le diable, ou par
quelque autre maiſtre, de faire venir à ſoy les diables,
ou par charmes, ou par certaines ceremonies, ou par
charaƈteres, images, figures, & autres choſes, afin de
reſpondre à ce qu'ils leur demandent ou de voix ou
par ſignes, ou par quelque autre maniere : & auſſi
qu'ils facent quelqu'œuure ſurpaſſant l'ordre de
nature. Mais la ſorciere, pour l'amour d'vn accord
illuſoire qu'elle a fait auec le diable, taſche ou de ſa
propre volonté, ou y eſtant incitee par Satan, ou meſme
aidee de luy, s'efforce de nuire à quelcun, ou par
charme, ou par quelque autre choſe qui de ſoy meſme
ne peut faire aucun mal. ER. Quelle ſi grande difference y a il qui nous en garde de tenir les ſorcieres
au nombre des magiciens? Les vns & les autres font
alliance auec les diables, & toutesfois les magiciens
la font plus à cachette, & plus obſcurement, les vns
& les autres ſe ſeruent de charmes, de figures, &
autres choſes aproprie...es par le diable pour faire ce
que ils deſirent. Pour certain ie ne voy point de diferent entr'eux, ſinon que nos ſorcieres ſont beaucoup
plus meſchantes que les magiciens : pource que tout
ce qu'ils font tend à preuoir les choſes à auenir,
ou à delectation, ou a ieu, ou à ſe faire veoir :
mais quand aux ſorcieres tout ce qu'elles font tend
à deſtruire & gaſter vn chacun. Les magiciens eſtim-
ment qu'ils contraignent les diables & que pour ceſt
aƈte ils ſont plus habiles que les autres : mais les

*Les ſorcieres
ſurpaſſent
les magiciens
en
meſchanceté.*

forcieres leur demandent ce qu'elles ont enuie de
faire, en les reconnoiffant pour leurs dieux, & leur
promettant qu'elles leur feront obeiffantes en tout &
par tout. Les enchanteurs aprennent leurs fciences
par les liures, mais les forcieres font le plus fouuent
aprifes & enfeignees par le diable mefme. Les magiciens ne renoncent pas expreffement toute pieté,
mais les forcieres fe donnent entierement à luy, luy
ayant touché en la main pour ceft effeft. Ceci auec
autres chofes femblables ne prouue pas qu'elles
foyent comprinfes fous les magiciens, mais prouue
tant feulement qu'il n'y a point de magiciens femblables à elles. De mefme, celuy qui prouue que
l'homme n'eft pas vne befte à quatre pieds, ne
prouue pas qu'il ne foit contenu fous ce mot general
animal, mais monftre tant feulement que il n'y a
point de tel animal. FVR. Le plus grand different
que i'y fache c'eft que l'accord que les forcieres font
eft illufoire, & par confequent de nulle valeur. ER.
Comment cela? Eft-ce par ce que le diable eft trompeur, & ne fait rien que par menfonge & tromperie?
Qui eft-ce qui dira qu'il n'y ait point eu d'accord
entre les alliez, pource que l'vne des parties n'a iamais eu en fon cœur de tenir l'accord, mais a toufiours fait bonne mine pour en fin ruiner l'autre.
C'eft autre chofe de faire vne alliance & autre chofe
de la tenir. FVR. Mais le diable fait femblant d'eftre
homme, & efblouit la veuë & la fantafie de ces
pauures vieilles. ER. Le diable eft-ce quelque chofe
d'illufoire & imaginaire, qui à la verité ne foit rien?
Ie ne le penfe pas. Qu'eft-ce donc? Il a (me diras
tu) autour de foy vn corps illufoire. Mais les forcieres fauent fort bien ceci : & font bien auerties que

c'eſt le diable qui ſe repreſente à elles ſous ceſte figure. D'autre part, ce n'eſt pas choſe veritable que le
corps auquel il ſe preſente à elles ne ſoit du tout
rien, ou bien ſoit imaginaire. Car ſi on le peut voir
& toucher c'eſt vn vray corps & non pas vne illuſion.
FVR. Ne vois tu pas combien tu es contraire à toy
meſme? Si nous te voulons croire il ſera illuſoire &
ſi ne le ſera pas tout à la fois. ER. Il eſt illuſoire ſi
tu penſes que ce ſoit vn vray corps humain, lequel
ſeulement il contrefait, mais il n'eſt pas illuſoire ſi
tu le tiens pour tel qu'il eſt, aſauoir de l'air eſpaiſſi.
Mais ceſt en vain que ie traite ceci, veu que toy
meſmes me fournis les armes par leſquelles ie ſuis
vainqueur. Tu ſais qu'en vn autre lieu tu m'as confeſſé que les diables aparoiſſent quelquefois auec les
vrais corps des morts, quelquefois auec des corps
nuageux enuironnez d'ombre. En la premiere forme
il s'aparoit aux Necromantiens, en l'autre aux Skio-
mantiens. Parquoy le tout n'eſt pas illuſoire, mais
ſoit, poſons le cas que ce corps là ne ſoit autre choſe
qu'illuſion, s'enſuit il pourtant que l'accord ne
puiſſe eſtre vray? Il parle bien & fait beaucoup de
choſes ſans auoir veſtu vn corps qui ſe puiſſe veoir &
toucher : qui plus eſt, elles ne ſont pas alliance auec
ce corps la, ou bien en tant qu'il aparoiſt en corps
pour ceſte heure là, mais entant qu'il eſt le diable,
eſprit, inuiſible, & ſans corps. FVR. Toutesfois la
difference des natures ne le permet pas. ER. Ie te
nie qu'il y ait en ceſt endroit aucun empeſchement.
Car l'alliance que Dieu à faite auec Abraham, Moyſe
& autres, a elle eſté trouuee nulle & illuſoire pource
que parlant à eux ils ne le voyoyent point? Puis
apres ſi ceſte diſſemblance de natures fait que l'ac-

cord n'ait point de valeur, les autres magiciens ne
pourront non plus faire alliance auec le diable : mais
tout ce qu'ils s'entremettront de faire fe trouuera
faux & imaginaire. Ie m'affeure qu'il n'y a pas vne
forciere qui foit fi radotee, qu'elle penfe que le corps
auquel le diable luy aparoit foit vn vray corps humain. Elles fauent fort bien que pour vn temps ils
prennent de tels corps, & que puis apres ils s'en de-
font quand ils veulent, neantmoins elles font alliance auec luy, fachans affeurement qu'il eft le
diable en quelque forme qu'il fe prefente. Que
pourra on donc inuenter, ou comment pourra on
prouuer qu'il ne fe fait aucune alliance? Certes ie ne
voy pas qu'on y puiffe rien inuenter. Car c'eft vne
chofe du tout fauffe que le diable face cette alliance
auec elles en dormant, ou bien qu'il reprefente ces
chofes en leur efprit & entendement, & qu'il foit
lors aucunement dedans elles. Car il ne fait pas toufiours ainfi aux forcieres, mais il leur aparoit reellement & de fait, en vne forme feinte & empruntee, &
reellement parle à elles, fans eftre dedans elles aucunement. Or qu'il ait fait cela & l'ait fouuent peu
faire, il eft monftré tant en vne infinité d'autres
exemples, qu'en l'hiftoire de Saul, au 1. de Sam.
chap. 28.

FVR. Encores ne me puis ie faire acroire qu'il y
ait vne alliance expreffe. ER. Or fus, pofons derechef le cas qu'elles ne facent point d'alliance expreffe
auec le diable, feront elles pourtant oftees du nombre
des magiciennes? nullement. Il y a beaucoup de
magiciens qui non feulement ne font point d'alliance manifefte auec le diable, mais qui plus eft ils
le penfent attirer & faire venir malgré qu'il en ait :

lefquels toutefois nous iugerons tous dignes de mort
à caufe de l'alliance occulte qu'ils ont auec Satan.
Et puis qu'ainfi eft qu'il vient trouuer les forcieres
fans qu'elles l'appellent, il faut bien qu'il ait beaucoup plus de familiarité auec elles que non pas auec
les magiciens. Il apert d'autre cofté par les faintes
Efcritures, que Dieu veut qu'on mettre les magiciens
à mort pour cefte communication qu'ils ont auec le
diable, voire quelle qu'elle foit, encor qu'ils n'ayent
ni fait ni tafché de faire mal à perfonne par le
moyen de leur magie. Il ne fera point befoin de faire
de preuue, fi nous nous refouuenons que Dieu veut
qu'on face mefme mourir ceux qui vont au confeil
vers les magiciens pour quelque chofe dont ils font
en doute. Comment donc pourrons nous penfer qu'il
ait voulu qu'on pardonnaft aux forcieres, lefquelles
communiquent beaucoup plus familierement auec le
diable? De quelque cofté donc que nous puiflions
nous tourner, & quoy que nous fachions forger au
contraire, cecy demeure toufiours vray, afauoir que
les forcieres font à bon droit tenues au rang des
magiciens, & par confequent puniffables tout de
mefme qu'eux. FVR. Encore que ie ne fache maintenant que te dire, fi eft-ce que i'y penferay. ER.
Ce que tu difois que les magiciens font de leur bon
gré & franche volonté ce qu'ils font, & que les forcieres le font à l'inftigation du diable, ne prouue pas
qu'elles foyent hors du rang des magiciens : car le
diable eft caufe bien fouuent que plufieurs aprennent
les arts magiques : & auffi les forcieres fans eftre
importunees par le diable fe donnent du tout à luy.
Bien fouuent les filles font feduites par leurs meres,
tout ainfi que les magiciens s'adonnent à cefte mau-

dite inuention en eftans folicitez par d'autres. FVR.
Mais le diable les incite à ce faire par le moyen des
autres. ER. Si cecy leur fert d'excufe, il ne faudra
punir aucuns malfaicteurs. Car ils font tous incitez
par le diable à faire leurs mesfaits ou apertement ou
à cachette, foit qu'il le leur mette en l'entendement
luy mefme, ou qu'il le leur perfuade par le moyen
d'autres. Il faut donques ou que les forcieres foyent
tenues pour magiciennes, ou que nous defcriuions
les magiciens en autre façon : ce qui ne fe peut
faire par raifon : car foit que de leur propre mouuement elles renoncent Dieu & fe remettent en la garde
du diable, foit qu'elles le facent eftans à ce pouffees
par luy mefme, elles font toufiours coulpables d'a-
uoir fait alliance auec le diable. I'eftime que chacun
fcait que d'vn cofté & d'autre ils ne s'efforcent bien
de faire merueilles. FVR. Ie t'accorde tout ceci,
mais ie tien que ceux-la pechent plus grieuement
qui de leur propre volonté fe donnent au diable, que
ne font pas ceux qui font attirez par luy à ce faire.
ER. Ie ne difpute point en ceft endroit fi les vns
font plus mal que les autres, mais ie di que les vns
& les autres doyuent eftre tenues au nombre des
magiciens, veu qu'elles commettent vne mefme
mefchanceté : Et fi l'exemple des deux homicides que
tu as mis en auant ne m'eft aucunement contraire,
mais pluftoft conferme mon opinion. Car celuy qui
tue un homme eftant perfuadé par vn autre de ce
faire, n'eft pas moins homicide que celuy qui auroit
fait le coup fans y auoir efté incité par aucun. Ceci
toutefois fe doit entendre d'vn homme qui n'a point
efté contraint, mais feulement confeillé : & qui, au
lieu qu'il pouuoit ne le faire pas, s'eft neantmoins

laiſſé perſuader de le vouloir. Or ſi tous deux ſont
coulpables d'homicide, pourquoy n'auront-il, pas
merité auſſi tous deux la peine deuë à l'homicide?
FVR. Pource que le forfait de l'vn a ſon commencement au dehors, & l'autre au dedans. ER. Mais ie
ſouſtien que le prochain commencement, ou la
cauſe prochaine de l'homicide, n'a point eſté l'interieure deliberation du cœur : car celuy qui à la
ſuſcitation d'vn autre fait mourir vn homme, ou il
le fait malgré ſoy & par contrainte (de quoy nous ne
touchons point en ceſt endroit) ou bien il le fait volontairement. Que ſi il tue vn homme volontairement, comment ſe peut il faire qu'vn tel homicide
n'ait point eu de cauſe interieure? Dauantage, ceci
eſt faux de dire que les homicides n'ayent point le
diable pour leur auteur & inſtigateur : car ceux-là
ſeulement ne font pas le mal à la perſuaſion du
diable, qui comme les ſorcieres, le voyent, l'oyent,
le touchent, & iouent auec luy, mais bien tous ceux
qui font mal à ſa pourſuyte. Somme toute, tu ne
ſaurois iamais prouuer, que celuy ſoit coulpable de
la peine deuë à l'homicide qui aura mis à mort vn
homme (excepté le Magiſtrat) ſans que ce ſoit malgré ſoy, y eſtant contraint par vn autre, & pourtant
ceſte diſtinction de la cauſe interieure & exterieure,
ne peut auoir lieu en ceſt endroit. FVR. L'exemple
d'Adam & d'Eue nous peut monſtrer que ceux-là
pechent plus grieuement, & pourtant doyuent eſtre
punis auec plus grande ſeuerité, que ceux qui pechent eſtans eſmeus par la perſuaſion d'autruy. ER.
Ce tien exemple de nos premiers peres & du ſerpent
eſt inutile en ceſt endroit : pource que, en premier
lieu, il n'eſt pas à propos : car tout crime qui merite

la mort n'eſt pas homicide, comme il ſe void en l'a-
dultere lequel eſt crime capital & toutesfois eſt bien
different de l'homicide. Puis apres nos premiers
peres ne commirent pas vn homicide tel comme eſt
celui duquel nous parlons maintenant. Au lieu que
tu deuois mettre en auant vn exemple de deux homicides, deſquels l'vn euſt tué vn homme de ſa
propre volonté, & l'autre l'euſt mis à mort à la ſuſcitation de quelque autre : tu mets en auant vn
exemple de deux, l'vn deſquels conſeille & l'autre
execute le meffaiɛ̃t. Eue conſeilla à Adam qu'il man-
geaſt du fruiɛ̃t qui eſtoit defendu, duquel elle auoit
gouſté auparauant à la ſuaſion du ſerpent, mais elle
le conſeilla tellement que ce fut apres l'auoir fait
elle meſme. Qui plus eſt Adam & Eue ont eſté
tranſgreſſeurs de la loy à l'incitation d'un autre. Car
Eue a eu le ſerpent qui l'a incitee, & Adam a eu
Eue, Il n'y a donc point icy d'homicide qui ait tué
ſans eſtre pouſſé de quelcun. Somme toute, ton
exemple ne peut rien prouuer. Car Adam a il eſté
exempt de la peine que Dieu auoit eſtablie à celuy
qui mangeroit du fruiɛ̃t defendu ? chacun de nous
ſent bien s'il en a eſté puni. Il eſt auſſi bien mort
qu'Eue, encor que pour ceſte occaſion Eue a enduré
quelques trauaux dauantage : mais ie ne diſpute
point ici, ſi les ſorcieres doyuent eſtre traitees plus
doucement ou plus rigoureuſement, car il y a des
eſpeces de mort qui ſont beaucoup plus douces que
les autres : mais ie di tant ſeulement qu'elles ſont
compriſes ſous les magiciens, & pourtant qu'elles
ſont ſuiettes aux meſmes peines qu'eux. FVR. Ie
conoy bien maintenant que mon exemple non ſeulement ne peut rien prouuer au contraire de ce que

tu dis, mais qui plus eft qu'il ne conuient pas mefmes à noftre propos.

ER. Quant à ce que tu fouftiens qu'il n'y auoit point de forcieres du temps de Moyfe, il n'eft aucunement preiudiciable à mon opinion. Il fe peut bien faire voirement, que depuis ce temps là fe foyent efleuez quelques fortes de magiciens, qui pour lors n'eftoyent point encores, lefquels pour cela ne laiffent point d'eftre comprins au nombre des autres magiciens : car ils font les mefmes vertus & miracles que font les magiciens par l'aide & affiftance du diable, au moyen de l'accord, ouuert, ou couuert qu'ils ont fait auec luy. Les façons de faire, les inftruments dequoy fe feruent les magiciens, ni la fin pour laquelle ils font leurs œuures, ne les font pas magiciens, mais font qu'ils foyent d'vne telle forte de magiciens. Ie fay bien que deuant que Iefus Chrift fuft né, il n'y auoit point de magiciens qui fe feruiffent du nom de IESVS CHRIST pour ietter hors les diables, ou pour les contraindre en quelque maniere, comme il s'en eft efteué depuis beaucoup, ainfi que chacun fait & qu'il eft tefmoigné par S. Luc au 19. chap. verf. 13. des Actes des Apoftres. Diras-tu que telles gens ne fuffent point magiciens, ou qu'ils n'exerçaffent point la magie? Ie ne le peux croire. Que s'il fe trouue qu'ils foyent & ayent efté magiciens, ils font doncques condamnez par Moyfe, iaçoit que de ce temps là il ne fuffent pas encores au monde. A quoy tiendra-il que le mefme n'ait lieu en l'endroit des forcieres? Or çà : pofons le cas que de ce temps-là elles n'ayent point fait precifement les mefmes chofes que font celles de ce temps (c'eft pour vn item qu'elles n'ont point renoncé Iefus Chrift)

s'enfuit-il que celles qui font auiourd'huy ne leur
attouchent en rien ? Le diable peut adiouſter, tailler,
rongner, & changer en ces arts qu'il a inuentees,
ſelon qu'il void eſtre expedient, mais cependant il n'a-
bolit point la choſe meſme du tout en tout. Moyſe a
defendu qu'on ne fiſt point d'images ou ſtatues pour
les honorer, & s'il ne ſauoit poſſible pas que longtemps apres on en deuſt faire à S. Pierre, à S. Paul
& autres. Faut-il dire pourtant qu'il n'ait point defendu celles qui font auiourd'huy. Brief, c'eſt vne
choſe de laquelle il ne faut point douter que Dieu a
fait ſes loix en telle ſorte, qu'elles ne conuiennent
point ſeulement au temps preſent, mais auſſi bien à
celuy qui eſt à venir : & auſſi qu'elles ne comprennent
point ſeulement les vices qui pour lors regnoyent
au milieu de ſon peuple, mais auſſi tous les mesfaits
de tous autres peuples, en quel temps qu'ils fuſſent
faits, & meſmes en autres lieux, & qu'ils vinſſent à
naiſtre depuis. Et partant ton obieƈtion eſt de nul
effeƈt & le ſeroit, ores que tu peuſſes prouuer qu'il
n'eſtoit point du tout de ſorcieres ſemblables aux
noſtres du temps de Moyſe. FVR. Si pourroit-on
prouuer toutesfois, qu'il n'y auoit point lors de
telles vieilles. ER. Mais au contraire, on prouueroit
beaucoup mieux, que pour lors regnoit ceſte peſte,
ou pour le moins ſa mere, ou ſa ſœur : car Orpheus,
qui a eſté enuiron 1270 ans deuant la venue de Ieſus Chriſt, quaſi au meſme temps qu'Abimelech
eſtoit Iuge ſur Iſrael deſcrit de telles illuſions. Ariſtophane fait mention en beaucoup d'endroits des
empoiſonnereſſes de Theſſalie, auſquelles tous les
hiſtoriens attribuent toutes les meſmes choſes dont
nos ſorcieres d'auiourd'huy ſe vantent. Et Homere

n'efcrit-il point que defia, du temps de la guerre de
Troye, oftoyent Circé & les Sirenes, qui oftoyent
l'entendement aux fols par charmes & enchantemens? Ne dit-il pas auffi que les fils d'Antilochus
eftancherent le fang à Vlyffes par charmes? Or la
guerre de Troye a efté commencee enuiron mille &
deux cens ans deuant la natiuité de noftre Seigneur
Iefus Chrift. Hippocrates au liure *De morbo Sancto*,
& Plato en plufieurs endroits, & Ariftote auffi, efcriuent les mefmes chofes, comme il apert de ce que
nous auons dit ci deffus. Enuiron l'an trois cens de
la fondation de Rome, c'eft à dire, en l'an troifieme
de la huitante & vnieme Olympiade deuant la naiffance de Iefus Chrift enuiron quatre cens cinquante
& deux ans : des ambaffadeurs furent enuoyez de
Rome pour aller querir les Loix des douze tables
efquelles cefte infection eft manifeftement condamnee. Mais il n'importe pas beaucoup fi nous difons
qu'elles ayent efté du temps de Moyfe, ou bien
qu'elles foyent venuës depuis, veu que nous monftrons que la chofe qu'elles font eft defenduë. Con-
tente-toy, que bien peu de temps apres Moyfe, il
s'en eft trouué qui exerçoyent cefte art, puis que tu
ne peux par aucun argument prouuer que de fon
temps il n'en y euft point. Pour quelle caufe donc
ne fe tiendra-on pluftoft à noftre auis qu'à ton opinion?

FVR. Iefus Chrift ni fes Apoftres n'ont gueri
perfonne qui fut fait malade par elles, & pourtant il
eft vray-femblable que de ce temps-là il n'y auoit
perfonne qui fuft endommagé. ER. Nous ne lifons
non plus qu'ils ayent gueri aucun melancholique,
ni maniaque, ni frenetique, ni epileptique (finon

qu'on prenne pour epileptiques ceux qui au quatrieme de S. Matthieu sont appellez *Seleniazome-*
noi, ni aucuns autres fols, ni insensez, ni goutteux,
ni malades de la cholique : Faut-il dire pourtant,
qu'il n'ait point esté lors de ces maladies? Au contraire, ie croy que plusieurs ont esté detenus de
ces maladies qui ont esté gueris par Iesus Christ
& ses Apostres, veu qu'il est dit qu'ils gueri
toutes sortes de maladies : encor que les noms n'en
soyent point exprimez vn par vn. Qui plus est les
sorcieres ne frappent point de maladies elles-mêmes,
mais le diable est auteur de tout : quand en leur
obeissant il fait ce qu'elles luy demandent. Qui empesche donc que ceux-ci n'ayent esté gueris entre
ceux qui estoyent tourmentez du diable? encor qu'il
n'est point dit à quelle occasion le diable se soit mis
à les tourmenter. Or pour le dire en vn mot, tout ce
que tu m'as obiecté est de nulle valeur.

FVR. Ie vien maintenant à ton autre raison, laquelle est refutee tout ouuertement : en premier
lieu, par l'etymologie du mot Hebrieu duquel vse
Moyse au 23. d'Exode. Puis apres, l'opinion
des septante Interpretes : & pour la fin, l'exposition
qu'en donne Iosephe. Par tout ceci est prouué que
ceste diction la signifie celle qui proprement s'apelle
empoisonneresse, asauoir qui fait mourir les personnes en leur baillant à boire du vray poison, ou
des bruuages empoisonnez. ER. I'en pense tout autrement : & di, qu'il signifie vn homme, ou vne
femme laquelle par le moyen & art du diable,
s'efforce ou de bien faire ou de mal faire. Laquelle
chose ie prouue en ceste sorte. Ceste diction, auec
celles qui en descendent, ne se prent en pas vn de

tous les liures du vieil Teſtament pour celuy ou
celle qui baille du vray poiſon : car elle eſt miſe derechef en Exode chap. 7, verſ. 11. Item au 4. des
Rois chap. 9 verſ. 22. Item au 2. des chroniques
chap. 33. verſ. 6. Item en Iſaie chap. 47. verſ. 9. &
12. Item en Ieremie chap. 27. verſ. 8. Item en Daniel chap. 2. verſ. 2. Item en Michee chap. 5. verſ.
12. Item. en Nahum chap. 3. verſ. 4. Item en Malachie chap. 3. verſ. 5. Il s'enſuit donc qu'auſſi n'eſt
elle pas priſe en ceſte ſignification au 22. chap.
d'Exode, veu que en tous les autres paſſages elle ſignifie ou vn deuin, ou vn enchanteur, ou vn homme
qui vſe en quelqu'autre maniere que ce ſoit de l'aide
des diables. Auſſi chacun eſt contraint par la verité
meſme de confeſſer qu'il eſt mis en ce ſens au 7.
d'Exode. FVR. Mais ce mot eſt prins en ceſt endroit
là en vne ſignification vn peu libre. ER. Comment
dis-tu qu'il ſe prenne en vne ſignification libre, &
non pas pluſtoſt en la ſienne propre, veu que tu ne
me ſaurois prouuer qu'elle ait eſté priſe autrement
en pas vn autre lieu? Ameine-moy vn paſſage auquel ſans controuerſe il ſignifie vn vray empoiſonnement, comme ie t'en ramene vn du ſeptieme
d'Exode, où ſuyuant ta propre confeſſion, il ſignifie
autre choſe. Si tu ne le peux faire, confeſſe que tu
erres en ceſt endroit, ou bien conferme ton opinion
par quelque raiſon plus ferme. Le meſme mot eſt
auſſi mis au 18. du Deuteronome, là où il n'y a
homme de ſain entendement qui iuge qu'il ſoit pris
en autre ſignification que celle que nous auons dite.
Car Moyſe parle en ceſt endroit-là non pas des empoiſonnemens, ou autres moyens de faire mourir les
hommes, mais de ceux, qui ont communication auec

le diable & qui vfent des arts qu'il a inuentees. Qui
voudra prendre garde à tous les autres paffages, con-
feffera franchement que mon opinion eft vraye.
FVR. Tout beau, tout beau, tu ne conclus pas bien
en difant, ce mot eft mis en telle fignification, en
plufieurs lieux : il s'enfuit donc, qu'il fignifie auffi
le mefme au 22. d'Exode. ER. Ie refpon qu'en ce il
s'enfuit tout refoluement. Car nous ne pouuons
iuger de la langue Hebraique, finon par les fainctes
lettres. Et partant s'il fe trouue vn mot qui foit repeté en plufieurs endroits & qu'il fignifie toufiours
le mefme ou quelque chofe de femblable, nous
concluons, que fans faute il fignifie cefte chofe
là. Parquoy toutesfois & quantes que ce mefme
mot fe trouuera, nous dirons, qu'il fignifie le
mefme, ou quelque chofe de femblable : finon que
les circonflances nous contraignent de le prendre en
autre fignification. Et auffi c'eft chofe toute notoire
que telle eft fa propre fignification, finon que nous
voulions croire que l'efprit de Dieu n'a point voulu
vfer des noms en leur propre fignification finon bien
rarement, ou pour mieux dire iamais. ce mot donc
fignifie non pas par vne eflognee, mais en fa propre
fignification, vn deuineur, vn magicien renommé,
vn enchanteur, & vn homme qui vfe des arts diaboliques. Or puis que nous auons monftré quelle eft
l'etymologie du mot, voyons maintenant qu'il fignifie au 22. d'Exode, s'il y eft mis en fa propre &
naïue fignification, nous auons gagné. Car celuy qui
fait mourir les hommes par poifon, ne fe met à faire
aucune chofe qui foit contre la loy, la couftume, &
la force de nature : & pour ceft effect n'a pas plus de
befoin de l'aide du diable que les autres homicides.

Que fi on veut fouftenir qu'il y foit mis impropre-
ment, il le faudra prouuer. mais comment fe prou-
uera il, quand il n'y a aucune chofe, non pas mefme
aucune des circonftances, qui nous contraigne de
nous efloigner de fa propre fignification? Attendu
mefme que tous les Theologiens, anciens & nouueaux, ont iugé qu'il fe deuoit prendre en fa propre
fignification.

Iᴀʏ monftré par fufifantes raifons, qu'il y doit
eftre pris : & entre autres i'ay auffi dit que fous le
nom d'homicide, eft auffi compris le poifon qui proprement eft dit poifon. Car à vray dire, quiconque
de fon bon gré & franche volonté tue vn homme, de
quelque forte qu'il le face, & de quelque inftrument
qu'il fe ferue pour ceft effect, il eft toufiours coulpable du crime d'homicide. Mais toy tu fouftiens au
contraire que le poifon auoit befoin d'vn article particulier, pource qu'en plufieurs chofes il eft diferent
d'auec les autres fortes d'homicide : pource qu'il fe
fait à cachette, en forte que le plus vaillant homme
du monde ne fe fcauroit garder des embufches d'vne
femmelette, d'vn valet, ou d'vne fimple feruante : &
auffi qu'il fe fait fous pretexte de bien faire à ceux
qu'on deuoit aimer, & auffi par les inferieurs à l'endroit de leurs fuperieurs. Voire comme fi toutes ces
chofes ne fe pouuoyent trouuer en tous les autres
genres d'homicide, ne tue-on perfonne à cachette? ne
s'en trouue il point qui ont efté eftoufez par des
fimples femmelettes, par des valets, par leurs propres
freres, par leurs enfans, par leurs femmes & par
leurs fuiets? Comment donc pour ces caufes euft-il
falu vne nouuelle loy? Il eft parlé de l'homicide fait à
cachettes au 27. du Deuteronome : & aux Nombres

35, eft parlé de la peine qui leur eft deuë, & des
diuerfes efpeces. Parquoy il euft peu fembler que
cefte loy eftoit inutile. FVR. Mais les feptante interpretes ont tourné le mot Hebrieu par la diction,
Pharmakon, laquelle toutesfois & quantes qu'elle eft
prife à la mauuaife part, fe met & en Galien, & en
Diofcoride, & en tous les anciens auteurs Grecs,
pour poifon, ou medicament empoifonné. ER. Penfes-tu qu'on te vueille accorder cela? finon que tu
vueilles dire que Platon, Ariftote, Ariftophane, &
les autres auteurs aprouuez n'ont point efté anciens
auteurs Grecs. Diofcoride au chapitre où il traite du
Nerprun, dit : On tient que fi on met fes branches
deuant la porte, ou aux feneftres, qu'il chaffe tous
les malefices des enforceleurs, ou enchanteurs. En
ce paffage il ne parle point des chofes qui de leur
propre nature font nuifibles, mais de celles qui fe
font par enchantement : car comment eft-ce que les
branches mifes à vne porte ou à vne feneftre, pourroyent empefcher qu'on n'aportaft du poifon naturel
à la maifon? le confeffe que Galen en a vfé bien rarement en cefte fignification : la caufe eft euidente,
afcauoir qu'il a pretendu d'enfeigner l'art de medecine, & non pas des enchantemens & malefices, ce
qu'il tefmoigne au commencement du 6. liure de la
vertu des fimples medic. quand il efcrit en cefte maniere parlant de Pamphile. Et de vray il s'en fert
aux chofes qui fe pendent au col, & autres enchanteries, non feulement curieufes, & efloignees de l'art
de medecine, mais auffi fauffes en tout & par tout.
Mais quant à moy ie ne veux faire mention d'aucune telle chofe, & fi ne reciteray point les transfor-
mations menfongeres de telles gens. Il dit qu'il ne

parlera point de ces forceleries (car il monftre euidemment qu'on les appelloit ainfi en ce temps là)
pource que non feulement elles n'apartiennent en
rien à l'art de médecine, mais auffi font de nulle valeur, font contes de vieilles, illufoires, & faites par
enchanteries. Pareillement quant au 2. liure de la
comp. des medic. felon les lieux, il parle des chofes
qui fe pendent au col defquelles vfoit Archigenes, il
dit qu'il n'en veut point parler, dautant qu'elles
n'ont aucune raifon medicinale, & qu'elles font
iugees par la feule experience. En fomme il apert
par ce que deffus que il apelle *Pharmaka* toutes les
chofes de telle eftoffe, encore qu'il eftimaft qu'elles
fuffent de nulle valeur : mais il efcrit encores au 10.
de la vertu des fimples medic. Mais quant à moy ie
ne feray point mention, ni du Bafilic, ni de l'Ele-
phant, ni du cheual du nil, ni d'aucune autre chofe
de laquelle ie n'ay point fait moy mefme d'experience.

Qvant à ce qu'on apelle philtres, agogimes, Oni-
ropombes, & Mifethres, encore que i'en euffe fait
fufifante experience, fi n'en feray ie point de mention, non plus que des medicamens mortels, ou de
ceux qu'ils apellent *Kathopii*. car ce qu'ils difent
font chofes ridicules, qu'on puiffe lier fa partie
auerfe, de forte qu'elle ne puiffe parler en iugement,
&c. Diras-tu maintenant, que Galien n'ait pas
appelé les malefiques pratiques des forcieres *Pharmaka?* Ie ne le peux croire, il a condamné la chofe,
fachant bien qu'elle eftoit ainfi nommee d'vn chacun, & n'a point fait de dificulté de l'apeller du
mefme nom.

Qvoy? Les remedes qu'on apelle *periapta* & *phy-*

sika que les medecins aprouuent, ne font ils pas
touſiours apellez d'vn chacun pharmaka, encores
qu'on s'en ſerue pour mal faire, & qu'ils n'ayent en
eux aucune vertu d'empoiſonner? Hippocrates auſſi
au liure, de morbo ſacro ſemble apeller ceux qui
ſont enchantez *pephargmenoi* parlant en ceſt endroit
là des gueriſons qui ſe font par la magie. Il s'enſuit
donc que c'eſt choſe fauſſe de dire que tous les anciens auteurs Grecs, Galien, Dioſcoride & tous les
autres, n'ayent comprins ſous le mot de *pharmakon*
les inſtruments des magiciens & enchanteurs. Il
apert donc maintenant que les ſeptante interpretes,
quand ils ont tourné le mot Hebrieu par les mots
pharmakos & *pharmakeia*, ont bien & proprement
apellé tant les malefices que les malefiques, qui par
le moyen du diable ont enuie de ſauoir & de faire
choſes eſtranges & admirables. Car i'ay prouué par
treſcertains & infaillibles teſmoignages, que tous les
Grecs auoyent accouſtumé de nommer par ces noms
telles gens, long temps auparauant le temps des
ſeptante interpretes. Car ils ont eſté pres de 130.
ans apres Platon. Parquoy ils n'ont peu ignorer le
vray vſage de ceſte langue. Tu n'as donc non plus en
ceſt endroit de quoy tu me puiſſes combattre. Ce ſeroit pour neant ſi ie faiſois ici mention des Rabins,
car qui eſt ce qui ne croit que quand l'eſcriture dit
que Manaſſé reſtablit les malefiques auec les Pyto-
niſſes il le falle entendre des vrayes ſorcieres? Qui
penſera que le Roy Nebuchadneſar n'ait apellé les
ſorciers pour interpreter & iuger de ſon ſonge? Il
n'eſt pas beſoin que ie m'en donne trop de peine,
veu que la ſignification du mot apert aſſez par le
propre texte. Encor que ie ſay, bien que les Rabins

font de mon cofté & non pas de celuy de mon aduerfaire. FVR. Et que refpondras tu à Jofephe? ER.
Le mefme : car il ne merite pas qu'on lui adioufte
plus de foy qu'à l'Efcriture, c'eft à dire, qu'au S.
Efprit. Combien que quand il dit, Ni des autres
chofes qui font faites pour nuire en quelque autre
forte, on peut eftimer qu'il parle des medicamens
des forcieres. Mais il n'eft pas befoin d'examiner ces
chofes de plus pres, veu que nous auons des argumens tous aparens des fainctes Efcritures. Si tu penfes
que Iofephe n'ait peu faillir, il faudra auffi trouuer
bon ce qu'il a efcrit, que Solomon auoit inuenté vne
art pour fe feruir à lencontre des diables, & qu'il
auoit enfeigné vne maniere de coniurations & enchantemens contre les maladies. Il efcrit auffi qu'il
a veu en la prefence de l'empereur Vefpafian vn certain Eleazar Hebrieu qui par la vertu d'vne racine
qu'il auoit dans vn anneau, & qu'il difoit auoir efté
monftree par Solomon, tira vn diable par dedans le
nez d'vn homme qui en eftoit affailly. Qui trouuera
eftrange que Iofephe aprouuant telles niaiferies interprete cefte loy en autre fens? S'il le faifoit autrement il fe condemneroit foy mefme. Iean François
Pic, dit qu'il y auoit en l'hiftoire Hebraique de
Iofephe, que Abfalon auoit tant de cheueux qu'à
grand peine vn barbier les euft peu couper en huit
iours. Or foit qu'il l'ait ainfi efcrit (ce qui feroit vn
menfonge tout euident, car en moins de iours on
tondroit vn pré, qui ne feroit pas trop grand, auec
des forces) ou non, on fait affez qu'il a efcrit ce que
nous venons tantoft de dire, & pourtant fon tefmoignage eft en ceft endroit de nulle valeur. Pourtant ma
feconde raifon n'a point efté aneautie par les obiection

de mon aduerfaire, mais au contraire elle a efté
beaucoup mieux confermee.

Qv'as tu à dire fur mon troifieme argument, qu'on
les peut faire mourir comme eftans idolatres? FVR.
Ie ne nie rien, finon qu'elles ne font point idolatres,
& qu'elles ne renoncent point Dieu. ER. Tu fais
bien. Car on ne fauroit nier que les idolatres ne
doyuent eftre mis à mort fuyuant le commandement
de Dieu. FVR. A tout le moins femblent elles eftre
excufees par l'exemple de fainct Pierre Apoftre, qui
renia Iefus Chrift : duquel le fait femble eftre beaucoup plus grief & deteftable que celuy des forcieres.
ER. I'ay efté merueilleufement esbahi en lifant ce
que tu dis. Mais à cela ie refpons en vn mot, qu'il
n'y a aucune reffemblance entre le renoncement de
fainct Pierre & celuy des forcieres. Car S. Pierre
pour crainte de la mort a tellement renoncé Iefus
Chrift, que iamais ne luy eft venu en penfee de fe
rendre du cofté du diable : & n'a non plus fait d'accord auec luy, ni apertement, ni à cachette, qu'en
font tous les autres pecheurs. Mais les forcieres, fans
eftre contraintes par la crainte d'aucun mal, ni
d'aucun danger, de leur propre volonté & fans
aucune caufe legitime (le plus fouuent eftans incitees
par leur concupifcence, ou eftans enflammees de
courroux, ou de haine, ou bien eftans tranfportees
par femblables affections) renoncent en telle forte
Dieu leur createur & fauueur, qu'elles fe tranfportent au parti de fon ennemi, luy promettent toute
obeiffance, fe donnent entierement à luy, & promettent qu'elles feront ennemies de Dieu, & de toute
pieté, s'adonneront à faire mal : & viennent à
faire alliance & embraffent les diables. La compa-

raifon qu'on fait de fainct Pierre auec les forcieres me fait dire, maugré moy, que celuy n'eft pas de fain entendement, qui veut cercher vne egalité entre le peché de S. Pierre & celuy des forcieres. Et quant à toy, tu fembles par tes amplifications vouloir faire celuy de fainct Pierre plus grief : ce qui n'eft pas bien fait ni à bon droit. FVR. Ie ne nie point qu'à bon droit on ne puiffe faire mourir les idolatres : mais ie ne t'acorde point encore que les forcieres le foyent. ER. Et moy ie t'affeure que ie n'ay point iufques ici peu aperceuoir, fous quel pretexte on puiffe nier qu'elles ne foyent idolatres, voire les pire qui ayent iamais efté au monde. Plufieurs ont adoré les idoles, penfans que ce fuft Dieu ou les efigies de Dieu : mais elles adorent le diable en propre perfonne, lequel elles fauent eftre l'ennemi de Dieu & de nature. Quant aux autres idolatres, plufieurs d'entr'eux ont penfé bien faire, c'eft à dire que par ignorance ils ont ferui à leurs faux dieux ; mais quant à celles-ci, elles fauent bien qu'elles font tref-mefchamment. Et pour cefte caufe nient leur forfait avec fi gande opiniaftrife, de peur qu'on ne les puniffe comme elles fauent bien l'auoir merité. Quant aux autres idolatres ils n'ont iamais rien fceu de Dieu, mais quant à celles-ci elles l'abandonnent après l'auoir conu. Les autres n'ont pas toufiours fait des particulieres alliances contre leur propre confcience à lencontre du vray Dieu : mais celles-ci renoncent Dieu & toute pieté, en telle forte, qu'elles promettent de lui eftre ennemies. FVR. Ces chofes font imaginaires, & ne fe font point ainfi reellement. ER. Ie ne veux pas nier que la plufpart de ce que elles font apres leur alliance, ne

foit imaginaire & illufoire. Car lors le diable ayant
aucunement en fa puiffance ces pauures miferables,
il leur perfuade ce qu'il veut. Mais deuant leur
accord, telles chofes ne fe font point par imagination,
mais de fait elles contractent alliance auec luy. FVR.
Comment fais-tu qu'elles facent alliance avec le
diable? Puis qu'ainfi eft que tu n'y as point efté préfent, & que tu ne le peux fauoir d'aucuns tefmoins
dignes de foy, il eft neceffaire que tu le tiennes de
leur propre confeffion. Si de leur propre mouuement & de leur bon gré elles confeffent ces chofes,
elles font, ou poffibles ou impoffibles : & font auenues veritablement ou du tout n'ont point efté. Si en
difant ces chofes elles font contraintes, leur confeffion
n'eft pas de grande valeur pour auoir efté tirée d'elles
par force & queftions intolerables. Quant à la confeffion du premier article encores qu'elle fuft faite de
leur bon gré, elle ne merite point la mort, ni du fecond
non plus, pour ce que ce qu'elles difent n'a point efté
fait, ni du troifieme, parce que le diable leur met en
fantafie qu'elles ont fait ce qui auient naturellement,
ou bien qu'il a fait luy-mefme. Dauantage, qui voudroit adioufter foi à vne confeffion contrainte,
pour par icelle les iuger à la mort? ERA. Si la confeffion tiree de la bouche des criminels par le moyen
des queftions & tortures n'eft d'aucune valeur, il n'y
a point, ou au moins bien peu, de brigands, ou de
traiftres qui foyent punis iuftement. Car ils'en trouve
bien peu qui de leur bon gré confeffent les mefchancetez qu'ils ont faites.

   FVR. Ceci eft tout certain qu'il y en a qui à force
de gehennes, confeffent des chofes qui ne furent
iamais. ER. Mais pour cela il n'y a homme fage

qui vueille dire que on ne doiue tirer la verité par
les gehennes. Les criminels ne font point mis à la
queftion pour toute forte de foupçon, ou par quelque
légère conieĉture, mais quand le fait fe peut prouver
pleinement par indices & argumens, ou bien il n'y a
gueres à dire qu'ils ne vallent des preuues toutes
entieres & parfaites. Et à cela n'eft contraire que le
Iuge n'a point veu telles chofes, veu que c'eft aflez
que d'autres les ayent veues. Et auffi les mefchancetez cachees font toutes reuelees à la parfin, en forte
que en ceft endroit le diable mefme ne peut pas tout
preuoir & fe prendre garde de tout. Parquoy c'eft en
vain que tu ne tiens conte de la confeffion tiree par
le moyen des queftions & tortures. Ie voudrois bien
fauoir pourquoy celle qu'elles font de leur bon gré
ne doit eftre tenue pour vallable. FVR. Pource
que, ou elles confetfent chofes impoffibles à faire, ou
qui ont bien peu eftre faites, mais elles ne l'ont pas
efté, ou bien ce n'a pas efté par elles. ER. Ie crois
que tu as oublié ce que tu auais entrepris de prouuer,
afauoir qu'elles n'ont point fait alliance auec le
diable. La queftion n'eft pas maintenant fi elles
peuuent arracher les eftoilles du ciel, voler par l'air,
& paffer à travers des portes fermees : mais fi elles
ont fait accord & iuré amitié auec le diable. Eft-ce
chofe impoffible? Ie ne penfe pas que tu le croyes.
A quel propos donc repetes tu ces chofes, & t'eflorces
par icelles de monftrer qu'on ne peut faire alliance
avec le diable? C'eft chofe faifable et qui s'eft faite
plus fouuent que ie ne voudrois. Auffi ne difent-
elles pas que ce foit chofe impoffible quand elles confeffent que elles l'ont fait. Cefte alliance n'eft pas
convenable felon nature, mais il faut que le confen-

Tout
ce que les
magiciens font
n'eft pas touſiours
vain
& de nul effect.

tement de volonté y ſoit d'vne part & d'autre. Car le diable tout ſeul ne ſauroit dreſſer un tel accord. FVR. Mais c'eſt vne imagination & illuſſion, & n'y a rien de vray. ER. C'eſt choſe eſtrange que depuis que quelcun s'eſt mis à ſouſtenir vn parti, il nie toutes choſes tant vrayes & certaines puiſſent elles eſtre, afin qu'il ſemble auoir eſté de ſain auis. La ſainĉte Eſcriture nous enſeigne aſſez clerement que nous ne deuons pas eſtimer nul ce qui ſe fait par les hommes à l'aide des diables : l'experience de tout temps le prouue, toutes les ſorcieres le confeſſent, & la choſe le monſtre d'elle meſme. La Pythoniſſe ne fit elle pas uenir en Endor le diable ſous la figure de Samuel ? Les magiciens d'Egypte ne firent-ils pas leuer des ſerpents ? Le pſeaume 58 nous met-il en auant vne illuſion, quand il dit que les aſpics bouchent leurs oreilles de peur d'ouyr la voix de l'enchanteur ? Ne s'eſt-il iamais trouué perſonne qui par charmes ait fait aſſembler les ſerpents & les rats tous en un meſme lieu ? L'Eſcriture nous apprent que le diable fait de tels miracles par le moyen des ſiens, afin de ſeduire les eſleus meſmes s'il eſtoit poſſible. Donc tout ce qu'elles font n'eſt pas imaginaire comme tu dis. Dauantage s'eſt choſe aſſurée que lors nul n'a peu, & encores de preſent ne pourroit faire les choſes ſuſdites, ſans faire alliance auec le diable. Car pour-quoy ne le pourroit faire vn chacun s'il n'eſtoit beſoin de la ſuſdite alliance ? FVR. Chacun ne ſait pas l'art. ER. Comme ſi c'eſtoit choſe aſſeuree, que la Pythoniſſe euſt aprins quelque longue art. Le diable peut il eſtre contraint par aucun art ? Rien moins. Il faut donc qu'il apparoiſſe par le moyen de l'accord. FVR. Si ce qu'elles confeſſent auec ſi grande cons-

tance, afauoir qu'elles volent parmi l'air, qu'elles
tranfportent les fruits de la terre, & font plufieurs
telles chofes, n'eft autre chose que pure menterie,
pourquoy oppofe-on à ces autres chofes la certitude
de leur confeffion? veu qu'elles difent auoir fait ces
chofes, & avoir fait alliance auec le diable à vne mefme
heure, pourquoy croirons-nous pluftoft eftre vray
l'vn que l'autre? Ou bien, pourquoy ne tenons-nous
pour imaginaire auffi bien l'vn que l'autre? ER. En
voicy les raifons, afauoir que ces chofes-là ne fe
peuuent faire, mais bien celles-ci : que les reffem-
blances de ces chofes là leur aparoiffent comme
en dormant, mais elles font celles-ci en veillant :
que le diable leur perfuade ces chofes-là, après
qu'il les a defia en fa puiffance, & qu'il les pourmeine defia priuement, il les emporte, poffede, &
manie. C'eft chofe toute affeuree, que les hommes
peuuent bien faire alliance auec le diable. Qu'elles
la facent en veillant, de leur propre volonté, on n'en
doute non plus. Et qu'elles ne foyent pas regies,
maniees, ni gouvernees, deuant l'alliance, qu'il ne
leur ofte l'entendement apres l'alliance : il eft auffi
tout notoire. Pourquoy donc t'esbahis-tu de ce que
nous tenons pluftot pour vray l'vn que l'autre? Que
fi tu veux debattre qu'vn foit auffi bien illufoire que
l'autre, ie te demande pourquoy Dieu a donc commandé qu'on les fift mourir. Pource, diras-tu, qu'elles
font mourir les hommes par bruuages empoifonnez :
car tu ne faurais rien dire d'autre. Et cependant i'ay
monftré fuffifamment que le mot Hebrieu, qui eft
mis au vingt-deuxieme d'Exode, ne fe prend iamais
en la Bible pour vrai poifon naturel. D'autre cofté il
eft tout clair que c'eftoit crime capital, que fe feruir

de l'aide des diables, encores qu'on ne fiſt aucun mal
par poiſon. La Pythoniſſe en Endor dit tout ouuertement à Saul qu'il ne lui eſtoit point permis de ſe
ſeruir d'enchantemens, dautant que le Roy l'auoit
defendu à peine de la vie. Et cependant elle ne fait
aucune mention d'empoiſonnement. Or dautant qu'il
a eſté deſia ſouuent fait mention de ceſte femme, il
ſera poſſible bon, d'examiner & conſiderer de pres
l'hiſtoire toute entiere entant qu'elle conuient à ceſte
matiere.

En premier lieu donc, il faut remarquer qu'elle
ſauoit bien que l'exercice de ſon art eſtoit crime capital : c'eſt pourquoy auſſi elle dit qu'elle n'entend rien
en ceſt art : ou pour le moins qu'elle fait difficulté de
l'exercer. En ſecond lieu qu'elle a fait venir vne
ombre, & ſous ceſte ombre le diable, & non pas
Samuel : encore qu'elle penſaſt bien que ce le fuſt.
Tiercement, que combien qu'elle n'ait pas fait ce
dont elle eſtoit requiſe, toutesfois l'Eſcriture dit
qu'elle l'a fait. En quatrieme lieu, qu'il ne ſe trouve
point que ceſte femme ait porté aucun dommage à
perſonne par le moyen de ſon art. En cinquieme lieu,
qu'il n'eſt fait aucune mention qu'elle ait apris
quelque longue art. En ſixieme lieu, qu'il ne ſe lit
point qu'elle ait eſté hors du ſens, ni qu'elle ait eſté
tourmentée du diable : & encores moins qu'elle ait
fait ces choſes par imagination tant ſeulement. Et
pour la fin qu'elle n'euſt peu faire ce qu'elle a fait
ſans vne particuliere convention & alliance auec le
diable. Car d'autres, & ſur tous Saül qui l'euſt bien
voulu, ne l'ont peu faire, il faut donc bien qu'il y
euſt quelque choſe dauantage en ceſte femme. Parquoy puis qu'ainſi eſt que le diable ne peut eſtre con-

traint par aucune art, il faut bien qu'il foit venu fe
prefenter à la voix de cefte femme par la force de
l'accord & alliance fait entr'eux. Car on ne fauroit
imaginer autre chofe en ceft endroit. FVR. Que
prétends-tu conclure de ceci? ER. Voicy quoy, Que
les forcieres ne font pas meilleures que cefte Pythoniffe.

Premierement, elles fauent bien que l'exercice de
leur art merite la mort, & c'eft pourquoy elles le
cachent de tout leur pouuoir. Secondement, qu'elles
ne font pas toufiours ce qu'elles veulent, mais que
leur volonté eft reputee enuers Dieu pour le fait mefme :
car elles font fouuent venir le diable en quelque
forme humaine auffi bien qu'elle. Et tout ainfi que
la Pythoniffe a penfé auoir fait venir Samuel encores
qu'il n'en fut rien, auffi les forcieres fe trompent
elles mefmes & les autres auffi. En quatrieme lieu
qu'elles font plus nuifibles que l'autre, d'autant
qu'elles ne s'adonnent à autre chofe qu'à nuire. En
cinquieme lieu, que comme il n'eft point efcrit
qu'elle ait feu de longue art, auffi nous ne deuons
point excufer nos forcieres à cefte occafion, veu
qu'elles n'ont pas moins de familiarité auec le diable
que l'autre. En fixieme lieu, qu'il apert que ce ne
font point refueries & fonges, mais que c'eft eftans
en leur bon fens que ces mefchantes femmes font
alliance auec le diable. Car à quel propos diroit-on
que nos forcieres fiffent toutes leurs œuures par
illufions, veu que l'autre les a faites à bon efcient?
Et fi celle là a peu faire accord auec le diable, à-
quoy tient il que les noftres ne le puiffent faire?
Pour la fin, tout ainfi que celle là, auoit merité la
mort, non pas pource qu'elle euft baillé à boire du

poifon à quelqu'vn, mais dautant qu'elle eftoit enchantereffe : auffi nos forcieres peuuent eftre mifes à
mort, encores qu'elles n'ayent fait tort à perfonne :
car c'eft chofe affeuree qu'elles font leur alliance,
non pas en dormant, mais en veillant. Or tu vois
bien maintenant que ce n'eft pas moy qui fuis coupé
de mon propre coufteau, mais que c'eft toy.

FVR. J'ay opinion que fi elles eftoyent bien auifees, & que ce qu'on leur met à fus fuft vray, elles
ne confefferoyent iamais le fait. ER. Les autres criminels ne le confeffent-ils pas auffi bien, quand ils
voyent qu'ils ne le peuuent nier, ou qu'ils fe repentent de leur meffait? & à dire vray c'eft le figne d'vn
courage moins mefchant : car tant plus on nie ce
qu'on a fait, tant moins fe repent-on du meffait,
comme la chofe le monftre. Et auffi il s'en trouue
qui refpondent de bonne volonté à ce qu'on leur demande, feulement pour la crainte qu'elles ont de la
queftion. Et celles ne font point mal auifees, qui
en font ainfi, mais au contraire, font plus auifees
que les autres : car elles aiment mieux confeffer
fans tourment, ce qu'elles fauent bien qu'on leur
peut faire dire à force de gehenne, mais elles ne font
ni melancholiques, ni fans entendement & raifon,
non plus que les autres malfaiteurs (ce que toutesfois mon aduerfaire redit & repete à tous propos)
comme il a efté fouuent monftré. Semblalement auffi
il eft tout certain qu'elles ne vont pas dire leurs vail-
lances à tout le monde, mais feulement à celles
qu'elles efperent pouuoir eftre attirees à leurs com-
pagnies. Si elles eftoyent atteintes de la rage melancholique, elles diroyent à tout le monde, auec
grand ioye, leur fcience & pouuoir de faire mer-

ueilles. Parquoy tout ce qui a esté amené pour
excuſer l'alliance qu'elles contractent auec le diable,
& pour couurir leur horrible reuolte de Dieu, n'a
aucune vrayſemblance & n'eſt aucunement digne
de foy.

FVR. I'ay pitié de ces pauures miſerables, & pour
ceſte cauſe ie voudrois volontiers, s'il m'eſtoit poſſible, les deliurer de la mort, mais toy tout
au contraire, tu amaſſes tout ce qu'il t'eſt poſſible de trouuer, pour eſmouuoir les Iuges contre
elles. Quand tu ne ſais plus que dire, tu leur mets
au deuant qu'elles ſeduiſent les autres. Penſes-tu
que ces pauures vieilles puiſſent ſeduire quelcun,
veu qu'elles ſont deſia trompees? ſinon que tu vueilles
maintenir les fauſſes imaginations comme ſi c'eſtoyent
de vrayes actions? car elles confeſſent toutes que le
diable eſt leur maiſtre. Et puis leur ſexe ignorant,
& leur aage ſtupide monſtrent aſſez que rien de
toutes ces choſes ne ſe fait. Et ſi ce que les maiſtreſſes
& les eſcolieres en recitent, ne s'accorde ſi bien qu'on
ne puiſſe iuger qu'elles ſont inſenſees & tourmentees
du diable. ER. Quelle pitié eſt ceci? Il ſemble que
tu ne ferois point de dificulté de nier que le Soleil
luit en plein midi afin de ſouſtenir vne opinion que
tu t'es miſe en la teſte. Il me vient en penſee de
mettre au deuant, ce que dit Ariſtote au 10. des
Ethiques. Ce que vn chacun eſtime eſtre, ie di qu'il
eſt, & qui dit au contraire, il ne dit pas choſe qui
ſoit guere plus vraye. De quel courage oſes tu, ſans
ſufiſante preuue du contraire, nier toutes choſes, qui
non ſeulement ſont conues d'vn chacun, mais auſſi
ſont treſcertaines & treſvrayes? S'eſt il iamais trouué
aucune ſorciere qui ſe ſoit vantee d'en auoir ſeduite

Contre
le quatrieme
argument.

vne autre, que celle dont elle faifoit mention n'ait
dit le mefme? Tu tiens qu'elles difent menfonge
quand elles racontent le iour, l'heure, la maniere,
l'occafion, le fucces, & s'y accordent tres bien. Plufieurs ieunes filles ont fait cefte alliance, y eftans
contraintes par leurs meres, lefquelles puis apres fe
font repenties & l'ont confeffé, fans y eftre contraintes par aucune peine. S'il n'eft point queftion
de croire aucun homme, ie ne te croiray donc non
plus. Que s'il faut croire quelqu'vn, pourquoy veux-
tu qu'on te croye pluftoft en ce que tu dis fans aucune raifon, que non pas les autres, qui difent des
chofes qui s'accordent à la verité. FVR. Pourtant
qu'elles fongent & ont leur imagination corrompue.
ER. Comment le prouueras-tu? Elles fauent ce
qu'elles ont fait, auec qui & comment, elles fauent
les chofes prefentes, & celles qui font paffees, &
celles qui font à venir : elles ne refuent aucunement
en leurs autres affaires plus que les autres : elles
refpondent bien à propos à tout ce qu'on leur demande : brief il n'y a point d'occafion pour quoy tu
les puiffes accufer. Ie parle des chofes qu'elles font
en veillant, & non pas de celles qui leur aparoiffent
en dormant.

Comment
les forcieres
feduifent
les autres.

FVR. Mais elles ne reconoiffent perfonne pour
maiftre finon le diable. ERA. Ie le fay bien : car
elles ne les feduifent pas en telle forte, que ce foit
pour les inftruire fans les faire parler au diable :
mais elles leur oftent l'entendement par promeffes
& perfuafions, en forte que par le defir qu'elles ont
de venir à bout de ce qu'elles pretendent, & d'a-
prendre des chofes eftranges & efmerueillables, elles
fe laiffent mener au diable & enrouller en l'alliance.

C'eſt ce que i'apelle ſeduire & non pas (ce qu'on di-
roit toutefois que tu penſes) qu'elles meſmes leur
aprennent : l'art car elles ſauent trop bien que nul ne
peut eſtre fait participant de ſi grans miracles, ſans
l'aide du diable, leſquels s'aquierent par le moyen
de l'alliance iuree : & ſi d'autre coſté elles ne ſont
pas ſi ſtupides comme tu les fais, & ſi elles ne ſont
pas toutes femmes, & ne ſont pas toutes vieilles, &
ſi en autre choſe, comme i'ay deſia dit, elles ne ſont
ni plus ſtupides, ni plus folles que les autres. Auſſi
les recits qu'elles ſont, quand elles parlent des choſes
qu'elles ont faites en veillant, s'accordent ſi bien, &
y a vn tel accord en leurs faits & dits, que malaiſé-
ment en trouuera-on de ſemblables en autres choſes.
Et pourtant, ce que tu dis en ceſt endroit n'eſt d'aucune valeur, ſinon que tu penſes que ie ſoye priué
de ſens commun, ou que tu me puiſſes perſuader
qu'il n'y a rien de vray ſinon ce que tu dis, & qui
te ſemble l'eſtre.

Tv me mets au deuant la cruauté, de laquelle ie
ſuis autant eſloigné, que le feu de l'eau, & que le
blanc du noir. Ie ſay bien que la douceur eſt conuenable aux Chreſtiens : mais c'eſt entant qu'elle eſt
definie par la parole de Dieu, & non pas qu'elle eſt
changee en vne indulgence vitieuſe : autrement elle
ne ſeroit pas louable, mais grandement à condamner, dautant qu'elle repugne à la volonté de Dieu, &
meine pluſieurs à perdition. Car quoy? s'il eſt permis impunement de commettre telles meſchancetez,
il faudra neceſſairement que pluſieurs par ce moyen
ſe polluent de telles meſchancetez, deſquelles ils
ſont retirez par la crainte du ſupplice. Quelle ſera
donc ceſte miſericorde, laquelle ni ne guerit point

*Quelle
douceur conuient
aux
Chreſtiens.*

le membre pourri, ni ne guarentit ceux qui font
fains de fon infection? Souuenons-nous pluftoft de la
fentence doree d'Athalaric roy des Gots, qui dit:
c'eft chofe mefchante d'eftre pitoyable à l'endroit de
ceux lefquels Dieu luy-mefme veut eftre punis.
FVR. Tu ne dois pas prendre ce que i'ay dit pour
toy, mais pour les iuges cruels & barbares. ER.
Toute cruauté & tyrannie doit eftre efloignee des
Chreftiens. Ceux qui font tels que tu as dit,
monftrent affez de quel pere ils font enfans. Mais
or fus, fi tu as aprefté quelque chofe contre mon cinquieme argument, mets-le en auant.

FVR. Non pas grande chofe: finon qu'il femble
iniufte que les magiftrats puniffent fi rigoureufement
vne fimple volonté qui ne vient point à effect. Il faut
auffi diftinguer entre la volonté d'vn qui eft de fens
raffi-, & d'un autre qui ne l'eft pas. ER. Ie fais bien
que le magiftrat ne doit pas punir la volonté qu'on a
de pecher fi elle n'eft point venuë à effect. Auffi
n'ignore ie pas que les forcieres font tout ce qu'elles
favent & peuuent pour nuire aux autres. Quand la
chofe ne fuccede pas, elles en font auffi marries,
qu'elles font ioyeufes quand elle vient à effect.
l'eftime que tu n'oferois nier que le diable ne leur
face ce qu'elles ont envie de faire, toutes fois &
quantes que par un iufte iugement de Dieu il leur
eft permis. Le diable pour certain eftant prié, ou
appelé par charmes, & autres moyens, fait beaucoup
de chofes qu'il n'eut iamais faites s'il n'y euft point
efté pouffé. Pour vray, il n'affemble pas à tous propos les rats & les ferpents, fi quelque exorcifte ne le
luy fait faire, luy ramenteuant l'accord paffé entr'eux deux. Il ne fuft point apparu en la forme de

Dit
d'Alaric
Roy des Gots.

Objection
contre
le cinquieme
argument.

Samuel s'il n'euft efté apellé par la Pythonifle. Aufli
il ne cauferait aucunes maladies ni aux hommes ni
aux beftes, fi les forciers ceffoyent de l'en prier. Les
forcieres doncques ne font point exemptes de crime :
ains pechent d'autant plus grieuement que la ma-
nière de laquelle elles faillent eft orde & vilaine : &
que celuy eft mefchant à l'aide duquel elle font le
mal.

FVR. A tout le moins ne te defdiras quant à ce
que tu as dit de la paillardife qu'elles commettent
auec le diable, veu que c'eft chofe par trop ridicule,
fauffe & fotte comme ie te l'ay defia dit ci deuant.
ER. Refute fi tu peux quelque chofe de ce qui a efté
difputé ci deffus touchant ceci mefme. Cefte conionction horrible fe fait volontiers incontinent apres
leur accord, afin que puis apres le diable fe les rende
plus obeiffantes & que plus aifement il les retire du
feruice & crainte de Dieu, pour les faire entrer en
fon obeiffance. FVR. Mais ces efrenees, & fans
fang, ne font pas enuieufes de la paillardife veu principalement qu'elles n'ont aucun plaifir de cette conionction à caufe de la froideur du membre. Car elles
difent toutes qu'elles fentent le membre viril du
diable fort froid. Mais le diable ne peut eftre incité à
paillardife non plus, & fi ne peut à bon efcient exercer l'acte venerien, ni engendrer. Et pourtant, cette
action eft imaginaire, parce que ces vieilles eftans
endormies d'un profond fommeil penfent auoir
affouui leur cupidité. ER. Ie n'ay iamais dit que le
diable fuft tenté de défir charnel à la façon des
hommes : mais il a fait croire en mentant, qu'il eft
amoureux, afin de retenir ceux qui luy feruent en
leur maudit deuoir. Cependant ie n'ignore pas ce

Objection
contre
le feptieme
argument.

que quelques-vns ont efcrit touchant les Incubes et
Succubes : & ce que tant Palladius difciple d'Ana-
grius, que Alexander ab Alexandro au liure des
Iours geniaux, ont dit traitans de cefte matiere. Il
me fufit d'auoir la confeffion d'elles toutes, veu que
ce qu'elles difent eft faifable & du tout vray-fem.
blable. Quant au diable il peut prendre vn corps
efpais & qui fe peut toucher. Il peut auffi efmouuoir
les efprits vitaux, et la femence en forte que le chatouillement s'en enfuyue. Il s'enfuit donc qu'il peut
donner du plaifir à fes amoureufes. Quant aux forcieres, elles font merueilleufement fuiettes à l'apetit
charnel, d'autant que pour cefte caufe elles s'abandonnent au diable : celles qui ne le font pas, ne font
pas si aifé à gaigner quand il eft queftion de faire
cefte alliance. Et certes, il faut bien que celles qui
prennent la hardieffe de faire vn forfait fi horrible &
fi deteftable, foyent fans crainte de Dieu, du tout
hardies, impudentes, & enclines à paillardise. Auffi
tu ne nies point qu'il n'y a que celles qui font fans
crainte de Dieu qui foyent enlacées en ces laqs du
diable. Or chacun fait affez combien telles femmes
font adonnees au plaifir de la chair. Le diable n'ou-
blie pas d'y adioufter toufiours quelque aiguillon,
afin de les faire precipiter de plus grande force en
ceft abyfme. Auffi ne les peut excufer ce que tu les
appelles vieilles, ftupides & charnelles : car cela eft
faux qu'il n'y ait que les vieilles qui foyent prifes en
tels laqs. I'en ai beaucoup veu, mais ie n'en vi
iamais de fi vieilles. Qu'il ne voudroit nier qu'il ne
s'en reçoyue en telle alliance de toutes fortes d'aages,
pourroit bien nier que deux fois deux valluffent
quatre. Et en outre ne fait-on pas qu'il y a des vieilles

Les forcieres font adonnees à paillardife.

qui font plus adonnees à paillardife que beaucoup
de ieunes. Combien voyons-nous pour cefte occafion
de vieilles vefues, qui autrement font fort honneftes,
fe marier à de forts & puiffants ieunes hommes :
voire en forte qu'elles achetent bien chers tels ma-
riages ? & à cefte occafion eft venu le prouerbe en
Alemagne, que les vieilles cheures lefchent plus volontiers le fel que les ieunes. Si nous voyons tous
les iours telles chofes eftre faites par celles-ci, qui
font bien effloignees de l'audace, de la mefchanceté,
de rage des autres, & qui ne font ni mefchantes,
ni fans crainte de Dieu, qui doutent qu'elles ne
foyent transportees à vne telle ordure & abomination, beaucoup plus immodeftement, & auec plus
grande ardeur, fans aucunement eftre bridees par la
raifon, ou à la maniere des beftes, fans aucune
crainte de difame ? Or donc, puifque le diable peut
bien faire cette chofe, & que ces vieilles (car ie les
appelle ainfi) non feulement y confentent, mais
auffi le defirent, & le mettent à execution, comme il
eft tout notoire par la confeffion de toutes, qui gar-
dera que pour cefte feule raifon on ne les faffe brûler ?
Tu m'accorderas que celui qui a afaire auec la befte
doit mourir. Tu m'accorderas auffi que ceux qui ont
la compagnie du diable font dignes d'eftre beaucoup
plus rudement traitez. Or le fait eft tout notoire.
Pourquoy donc leur doit-on pardonner ? Si tu veux
donner lieu aux coniectures, tu prendras garde à ce
que Moyfe, ou pluftoft Dieu, au 22. d'Exode a mis
incontinent apres la loi des forciers celle de ceux
qui ont afaire avec la befte, pour nous monftrer taci-
tement quelque chofe de ceci dequoy nous parlons.
Car voici comme il y a : Tu ne lairras point viure

la malefique ou forciere. Qui aura afaire auec la befte font mis à mort. FVR. Mais ce n'eſt autre choſe qu'un fonge, qui confiſte en la feule imagination, ce qui peut fe monſtrer par ceſte raiſon. C'eſt choſe qui femble beaucoup moins faiſable, qu'un homme robuſte, en bonne diſpoſition quant à fon eſprit, ayant tous fes fens entiers, en forte qu'il n'y a en lui aucune aparence de melancholie, tombe en ceſte vaine perfuaſion, & d'affermer, voire tres affeurement, qu'il n'a point de membre viril, que non pas qu'vne vieille fonge qu'elle a eu afaire avec le diable. Or puis que cela fe fait, il faut bien croire que ceci eſt bien faifable. ER. A ceci fe pourroyent amener une infinité de refponfes. En premier lieu, vn exemple auquel fe fait quelque comparaiſon, n'eſt pas convenable : car l'argument doit eſtre ainfi difpoſé, fi un homme robuste & vaillant, ayant tous fes fens entiers, fans eſtre atteint de la melancholie, & fans eſtre autrement hors de foy, peut imaginer qu'il ait eu afaire auec le diable, encor qu'il ne l'ait iamais fait : il pourra beaucoup plus aifément auenir à une femme, mais tu le baſtis de termes divers & feparez, mettant en auant, en vn homme l'opinion d'auoir perdu fon membre, & en vne femme l'imagination d'auoir couché auec le diable, qui font choſes diuerfes. Puis apres tu veux que ie croye ce qui ne fut onc creu, fait, ni efcrit, de notre temps ni de celui de nos ançeſtres. Car qui ouſt iamais parler de telle choſe, qu'un homme auquel n'y a aucun figne ni apparence de folie ou de refuerie, fe plaigne d'auoir perdu les parties naturelles fans que de fait il les euſt perdues ? il y en a beaucoup qui de vray n'en ont point, mais ce n'eſt point par force d'enchantemens,

auſſi ce n'eſt pas par imagination ſeulement, ſans y
auoir aucune indice qu'ils fuſſent fols. Car y a-il
choſe que les melancholiques ne puiſſent imaginer?
Vn homme qui aura ſes ſens entiers, & l'vſage de raiſon & taſtera leurs parties honteuſes n'y trouuera-il
rien du tout? Ie ne dis pas qu'elles ne ſe retirent aucunement : mais ie nie fort & ferme, qu'elles ſe
retirent en telle ſorte, que l'vne ni l'autre partie n'en
apparoiſſe. Quant à ce que tu allegues du 10. chap.
du 2. liure des pronoſtiq. d'Hippocr. pour confirmation de ton dire, il monſtre autant ce que tu dis
qu'Hippocrates a voulu dire qu'vn more fuſt blanc.
Quant à ce que ton auteur ſusdit allegue du 5. liure
des recon. de Clem. il ne ſe trouue aucunement en
ces liures-là. De cela tu peux conclure combien il
faut adiouſter de foy aux autres teſmoins qu'il
allegue. S. Pierre (comme ceſt auteur-là l'eſcrit)
voulant reſpondre aux payens leſquels diſoyent leurs
feſtes & ſacrifices auoir eſté inuentez, afin que l'eſprit fuſt un peu deſchargé de peines, labeurs & ſou-
cis, il dit ainſi : Si pour ceſte occaſion ils ont eſté
inuentez, pourquoi inuoquent-ils des diables, es bois
& foreſts, d'où viennent ces tours enragez? ces coupures de membres? ces chaſtrures? ceſte fureur pire
qu'enragee? pourquoy les femmes ſont-elles agitees
de fureurs, ayans leurs cheveux épars? d'où vient le
branſlement de deſſts? d'où vient le mugiſſement du
cœur & des entrailles & toutes les choſes qui ſont
miſes en auant, ou eſtant feintes, ou inuentees par
le moyen des diables pour faire peur aux fols & aux
ſimples? Eſt-il dit en ces mots de Clement, que
quelques-vns ayent imaginé que les parties honteuſes
leur fuſſent oſtees, ſans qu'elles le fuſſent de faiſt?

*Refutation
de ce
qui eſt allegué
de Clément
à
fauſſes enſeignes.*

Certes, quant à moy ie n'y vois rien de femblable.
Il fait mention de coupures de membres & de cha-
ftreure : mais quant à cefte imagination il n'en dit
rien.

FVR. Il dit que ce ont efté des chofes feintes.
ER. En premier lieu on ne faurait monftrer qu'il ait
voulu dire que ces tours, ces coupures de membres
& de parties honteufes, & autres qui font recitees
confecutiuement, ayent efté feintes. Outre tout cela
il dit qu'il y a eu quelques autres chofes feintes, pour
faire peur aux fols : que fi tout cela euft efté feint &
fait par femblant, S. Pierre n'euft rien prouué, veu
qu'il vouloit monftrer que l'efprit n'eftoit point
defchargé de fouci par telles chofes, mais qu'il eftoit
tant plus occupé. Dauantage il n'y a celuy ayant
fueilleté les hiftoires, qui ne fache que à la fefte de
Cybele et de Bacchus telles chofes fe fayfoyent. Ceci
doit eftre adioufté que Clement n'a pas mefme fongé
que ces gens-ci penfaffent avoir perdu leurs parties
honteufes, fans qu'ils les euffent eux-mefmes coupees, ou qu'ils fceuffent & euffent fenti qu'elles
euffent efté coupees par d'autres. Auffi ne fe trouue-
t-il point par efcrit qu'elles leur ayent efté rendues
puis apres. Comment euffes-tu peu defendre ta caufe,
fi telles gens n'eftoyent attaints d'aucune efpece de
folie ? Mais qu'eft-il befoin de tant de paroles ?
Si tu entens de prouuer ton antecedent & ton
confequent par Hipp. & Clement, ce n'eft autre
chofe que fonge. Et pourtant ni l'antecedant, ni le
confequent, ni la conféquence de l'argument n'a
aucune valeur. Mais pofons que l'auteur de ces
liures ait efcrit ce que tu as dit, (lefquels perfonnes
de fain entendement ne iugera eftre de ce Clement-là

Combien
Il faut adiouter
de foy
aux voyages
de
S. Pierre.

que les Apoftres ont conu) penses-tu pourtant qu'il
le falle croire? Epiphanius & Ruf. en l'apologie
d'Origene, difent que ce liure qui eft intitulé le
voyage de S. Pierre, pource qu'il contient fes voyages,
eft tout farci de menfonges. Ie te prie, ce qu'il dit
des parens & des freres, n'a-il pas plus de femblance de fable que de verité? Il a ainfi femblé à
tous les gens de fcauoir. Ie laiffe à dire que d'entre
les epiftres celles qui ont efté tranfcrites d'vn voyage
de S. Pierre, ont efté pour cefte mefme caufe, fuf-
pectes à nos anceftres. Il a auffi efcrit vn dialogue
d'entre S. Pierre & Appion, lefquels Eufebe reiette
du tout. Quant aux inftitutions des Apoftres, il n'y a
auiourd'hui fi petit Theologien qui ne sache ce qu'il
en faut determiner. Qui voudra donc adioufter foy
à ceft auteur quand il recite des chofes impoffibles,
veu que on ne le croit pas de leger, mefmes quand il
dit des chofes vray-femblables? nous difons couftumierement que quelqu'vn a perdu les parties honteufes, toutesfois & quantes qu'il en a perdu l'vfage.
Et en difant ainfi nous ne parlons pas mal. Car l'œil
s'appelle à bon droit œil tant qu'il eft inftrument de
la veuë: mais quand il eft privé de ceft usage, il n'eft
non plus appelé œil qu'vn œil de pierre, ou en peinture: car les inftrumens du corps font definis felon
l'œuure & puiffance à raifon de laquelle ils ont efté
faits, comme le difent Galien & Ariftote.

Soit donc que, quelcun qui ne foit point fol
penfe vrayement qu'il eft priué des membres fufdits,
encore qu'il ne foit pas vray & que vne forciere n'ait
eu afaire au diable finon en fongeant: s'enfuit-il
pourtant que le forfait foit egal en tous deux,
ou qu'il n'y ait aucune forciere qui ait eu afaire auec

le diable? Tu ne peux prouuer ni l'vn ni l'autre : car
celui qui par enchantement magique eſt priué de ſes
membres, ou de leurs forces, il en eſt marri & n'a
pas demandé telle choſe au diable. Mais les ſorcieres
ſe reſiouiſſent de ceſt acte, le deſirent, & penſent
qu'en vertu de leur alliance le diable le leur dit.
C'eſt donc crime capital & non pas l'autre, en qui il
n'y a aucune alliance qui ſe faſſe auec le diable.
D'autre coſté de quel terme du milieu ſe ſerviroit-on
pour conclure en ceſte ſorte, puis qu'vne s'eſt meſlee
avec le diable par imagination tant ſeulement, il s'enſuit que pas vne ne s'eſt eſſorcee de mettre ceſt acte à
effect. Or tu confeſſes toy meſme, que toutes les ſorcieres confeſſent ce meffait, & vne chacune d'elles
nomme ſon propre & particulier amoureux, & le
deſcrit. Dirons-nous que toutes ſoyent trompees par
telle fauſſe imagination en dormant ? les ſorcieres
reſuteroyent elles-meſme ceſte noſtre opinion, en ce
qu'elles afferment auoir fait ceſt acte en veillant, aux
champs : & les autres ſorcieres s'y accordent. Car
bien ſouuent elles ont accouſtumé de ſe leuer du
banquet & s'abſenter pour vn peu de la danſe, & puis
apres auoir fait, elles retournent à leurs compagnes.
Ta raiſon donc, encores que nous t'accordions l'antecedent, ne pourra rien monſtrer, ſinon qu'il ſe peut
faire, que ces malheureuſes-là ſoyent plus ſouuent
priuees de leur bon ſens que les hommes, afin
qu'elles croyent ce qui n'eſt pas : & auſſi ie ne te l'ay
iamais nié. Voici ce que ie nie, que toutes ſe trompent
tellement en ceſt endroit, que iamais elles ne ſe font
miſes en deuoir de faire ceſte meſchanceté auec le
diable en veillant. Or ſi l'antecedent n'eſt pas vray,
que dira on de tout ſon argument ?

FVR. Ie diray que c'eſt vne reſuerie malancholique. ER. Et moy, ie repeteray auſſi ce que i'ay tantoſt dit, qu'il n'en y a aucun indice. Si encores qu'il n'y ait aucune aparence de melancholie, tu veux, nonobſtant ſouſtenir qu'il en y a eu, & que par ce moyen tu les tiennes pour excuſees, par quel droit ou par quelle loy ie te prie pourra on faire mourir les autres malfaiɛteurs. FVR. Pource que de leur volonté ils ont commis ce dequoy il ſont accuſez. ER. Et s'ils aſſeurent que c'eſtoit eſtans atteins de melancholie? FVR. Ils ne pourront pas monſtrer par aucun ſigne qu'ils ſoyent deuenus fols. ER. A quoy tient il que le meſme n'a lieu en l'endroit des ſorcieres? Certes le plus ſouuent tu ne ſaurois trouuer en elles ni devant le fait, ni apres, ni lors qu'elles le ſont, le moindre ſoupçon du monde d'vn eſprit troublé. En ſorte qu'elles ſe puiſſent excuſer pour ceſte occaſion, ou que elles ne ſoyent point punies pour auoir exercé vn tel & ſi abominable forfait. Puis apres ſi elles ſont malades de melancholie, comment ſe peut faire, que depuis tant d'annees elles ayent touſiours dit de meſme les vnes que les autres, encores qu'elles ayent eſté priſes en diuers lieux? Tu ne ſaurois en ceſt endroit rien inuenter & controuuer pour reſpondre (ſi ainſi eſt qu'en ceſt afaire il n'y ait autre choſe qu'vne image, vn fantoſme, ou vn ſonge) les melancholiques ſe perſuadent des choſes du tout impoſſibles. Mais à grand peine en tout le monde s'en eſt-il iamais trouué deux qui ayent imaginé les meſmes choſes. De ceci il eſt manifeſte, que ce qu'on dit eſt tresfaux aſauoir que les ſorcieres, gaignees & toutes remplies d'humeur melancholie, ne content que des fables & des imaginations. Car il n'y pourroit

Deux melancholiques n'imaginent jamais choſes ſemblables.

auoir entre elles vn fi grand acord, elles ne penfe-
royent, di ie, ni diroyent, ni feroyent les mefmes
chofes, que des perfonnes qui fongent. Certainement
le diable ne pourroit imprimer dans la phantafie
d'elles toutes des mefmes chofes, ni forger en elles
tcutes les mefmes images & reprefentations. Car tous
efprits ne font pas propres à receuoir toutes fortes de
phantofmes. Parquoy puis que cefte forte de conionction charnelle, par ton propre tefmoignage merite la
mort, & que tu eftimes, comme moy, que celles ci
doyuent eftre punies plus grieuement que les autres,
qui fe meflent auec les beftes, tu es contraint de con-
feffez qu'on ne leur fait aucun tort, quand à bonne
occafion on les fait mourir : & que le magiftrat ne
peche point, dautant qu'en ceft endroit il execute la
fentence & volonté de Dieu.

FVR. Il refte encor vne chofe. Car tu n'as encor
rien refpondu à cefte obiection, qui affeure qu'elles
font demoniaques, & pourtant qu'elles ne peuuent
eftre à bon droit mifes à mort. ER. I'ay, il y a defia
long temps, refpondu à cefte ci & à plufieurs autres
en ce que i'ay efcrit contre Paracelfe. Mais qu'eft-il
befoin de refpondre à des queftions du tout fau-
fes, & lefquelles ne fauroyent eftre aprouuees d'aucun homme prudent, & qui font refutees par la
confideration des chofes, & par l'euidence. Les demoniaques font agitez fort cruellement, font mifera-

Les forcieres ne font point demoniaques.
blement afligez, defchirez, precipitez, & tourmentez :
& de toutes ces chofes les forcieres n'endurent rien,
pour la plufpart. Les exemples que tu as peu lire,
lefquels font alleguez des liures de la Bible, le monftrent affez, en forte que d'en dire ici dauantage ce
feroit perdre fes peines. Puis apres les demoniaques

font hors de leurs fens, ou pour le moins ne peuuent
s'en feruir tandis que le tourment les preffe. Car ils
font atteints de maladies fi grieues & fi fafcheufes
que durant leur tourment ils femblent eftre hors du
fens. Le contraire aduient aux forcieres, car elles fe
portent bien quant à leur corps & ne monftrent aucun figne que leur entendement foit en rien offenfé.
Mais qui plus eft elles ne parlent point d'eftrange
langage comme font quelquesfois les demoniaques.
D'autre part les demoniaques quand ils ont des
heures de relafche ils proteftent en pleurant à chaudes
larmes, que s'ils ont dit ou fait aucune chofe qui ne
foit pas bien faite, qu'ils n'ont prefté aucun confentement au diable lequel fe feruoit de leur bouche & de
leurs membres malgré que ils en euffent : mais les
forcieres, tant s'en faut qu'elles monftrent aucun
figne de repentance de leurs forfaits, qu'au contraire
elles font bien marries fi elles ne peuuent faire ce
qu'elles euffent bien voulu. En cinquieme lieu, les
forcieres ont acouftumé de fe vanter de fauoir faire
des miracles : de quoy les demoniaques ne s'attribuent rien. Auffi les demoniaques ne font iamais
mention de leur alliance auec le diable : & auffi ne
prennent point de plaifir à voir le diable en face :
mais demandent & de la bouche & du cœur qu'il foit
pour tout iamais efloigné d'eux. Au contraire les forcieres font bien aifes que leurs amoureux foyent aupres d'elles, quand ils font abfents, elles les apellent,
quand ils tardent trop elles les font hafter, quand ils
arriuent elles leur font fefte & demeinent ioye : & fi
confeffent toutes d'vn commun confentement qu'elles
ont fait alliance auec luy. Et pour la fiu il ne fe
trouue point de forcieres qui confeffent qu'elles

foyent demoniaques, au lieu que tous ceux qui le font vrayement, au temps de leur repos en font marris, en pleurent & lamentent. FVR. Comment vne fi grande mefchanceté & vne telle impieté pourroit elle venir en leur entendement, fi le diable ne les poffedoit entierement? ER. Ie parlois des demoniaques en la maniere que chacun a accouftumé, d'en parler auec la fainête Efcriture : afauoir quand Satan s'eft faifi du corps & le gouuerne, meine, & conduit à fon plaifir. Mais quand il ne tient que la feule penfee, pour la pouffer à mal faire, celuy qui eft ainfi detenu n'eft point excufable, finon qu'on vueille ordonner qu'il faut abfoudre tous les malfaiêteurs.

FVR. Ie vay dire au vray ce que ie penfe. Au commencement que ie leu ce liure, duquel nous auons parlé, ie penfoye qu'il continft quelque chofe de ferme & folide : & deux chofes m'ont efmeu à en penfer ainfi. La premiere eft, que le perfonnage qui l'a compofé, eft homme fort craignant Dieu & fort fauant. L'autre eft que ie fauois que tu l'auois prié s'il auoit deliberé d'efcrire quelque chofe à l'encontre de toy, il le fift auec argumens plus fermes : ie penfois donc, qu'ayant bien tout confideré, il euft ofé combatre noftre opinion, eftant fondé fur des argumens plus fermes. Mais il eft tout aparent qu'il n'a rien amené de nouueau : ains qu'il a feulement repeté ce qu'il auoit dit auparauant. ER. Il eft ainfi. Si cela eftoit vray qu'il dit fi fouuent en traitant de cefte matiere, que les forcieres, à caufe qu'elles ont la fantafie occupee par fauffes imaginations, ne peuuent receuoir les vrayes, (c'eft ainfi qu'vn miroir teint de quelque couleur ne reçoit pas dedans foy toutes les autres : & toutesfois il y a grande difference entre vn miroir & la phantafie) nous pourrions dire qu'il en prend ainfi à ce trefexcellent perfonnage. Car pource qu'eftant efmeu de compaffion en l'endroit de ces pauures femmes, il a du tout mis en fa fantafie qu'on leur faifoit tort (auffi ne s'eft il pas du tout trompé, car il s'en trouue beaucoup d'innocentes qu'on fait mourir à l'accufation des criminelles : & qui font bien plus cruellement traitees que les coulpables) il n'a pas peu aifement en apres donner lieu aux vrayes raifons. Or comme ceci fe peut affeurer quant aux malades & melancholiques, auffi eft il vray abfolument en ceux qui font en bonne fanté.

Qvoy qu'il en foit, tu as dit auec fort bonne raifon, qu'il n'a à cefte fois mis en auant, rien de meilleur, ni de plus certain. Ie ferois bien marri s'il fe pouuoit trouuer quelque chofe de plus certain que ce que i'en ay dit. Car i'aimerois mieux mourir, que de faillir à mon efcient en vne chofe de fi grande confequence : pource qu'vne telle faute n'eft pas fans grande impieté.

Or le feul fils Eternel de Dieu Eternel, notre Seigneur Iefus Chrift, nous face la grace que nous foyons tous d'vn mefme aduis en luy, & qu'ayans mis bas toutes affeftions nous ayons les yeux de nos entendemens fichez en la feule verité. Amen.

FIN

INDICE DES MATIERES PRINCIPALES

Contenues es six liures de Iean Vvier.

Le nombre signifie la page.

A

FIN DE L'INDICE

fur les fix liures de Iean Wier

INDICE DES MATIERES PRINCIPALES

Contenues es deux dialogues
de Thomas Eraſtus : & en la ſommaire
adiouſtee entre deux.

Le nombre ſignifie la page et correspond
au tome ſecond

A

FIN